PETIT LOUIS
DIT XIV

CLAUDE DUNETON

PETIT LOUIS DIT XIV

L'ENFANCE DU ROI-SOLEIL

ÉDITIONS DU SEUIL
27, rue Jacob, Paris VIᵉ

ISBN 2-02-008927-0.

A JEAN CEAUX
*mon compagnon perdu
qui avait commencé de m'aider
dans l'élaboration de ce livre.*

*Mes remerciements à mes amies
Dina* REDONDO *et Paquita* SIMON
*pour leur aimable concours hispanisant.
Ma vive gratitude à Paul* SCARSCELLI,
*urbaniste, dont les longues recherches
en documentation m'ont été précieuses.*

Permettez-nous de vous dire, Grand Roy, ce que la Fable raconte, que la Lune demandant un jour qu'on luy fist une robbe, sa mère luy dit, qu'elle ne sçavoit bonnement quelle mesure luy faire prendre, pour ce que croissant & decroissant comme elle fait, elle estoit tantost grande, & tantost petite. Ne pouvons-nous pas dire de mesme, que les maux que nous avons soufferts du commencement de ces guerres, ne nous sembloient pas grands, d'autant que nous espérions qu'un meilleur traictement arresteroit le cours de nos misères ; ils ont crû de jour en jour...

Les Cris des Pauvres aux pieds de Leurs Majestés demandant la Paix, Paris, 1649.

PREMIÈRE PARTIE

Le fils de mon silence

CHAPITRE I

C'était jour de fête et l'église était pleine – non point à craquer, car c'eût été véritablement bien plein pour une église aussi solidement bâtie que celle du couvent des Carmes, à Paris, dans la rue qui portait ce nom, mais elle était emplie jusqu'au ras bord de son porche étroit. Ceux des fidèles qui étaient arrivés les derniers avaient été contraints de se tasser les uns contre les autres, debout, au fond de la nef, et ils se haussaient du pied et du col pour tâcher d'attraper des bribes volantes du sermon de l'Ascension qu'ils étaient venus tout exprès pour entendre.

En haut de l'escalier, abrité du soleil de mai, assez vif, qui n'avait pas encore atteint la façade, le bedeau chasse-chiens maniait un long fouet de carrosse de la main droite, et de l'autre il brandissait un gourdin, afin de tenir à distance une demi-douzaine de chiens qui attendaient avec une audace candide que leurs maîtres eussent achevé leurs dévotions. Il guettait tout spécialement un jeune et grand lévrier fort impatient, qui montrait toute l'apparence d'avoir rompu ses liens et qui tâchait par tous les moyens de forcer l'entrée de l'église où il sentait son maître. Une lourde chienne rousse, prête à mettre bas, se chauffait le râble hors de portée du fouet ; sa langue pendait sous son souffle court, ses flancs battaient, ses lourdes mamelles roses traînaient du bout dans la poussière, et elle montrait les dents avec un grognement rauque chaque fois que la lanière de cuir cinglait l'air de son côté.

13

Une quinzaine de mendiants de tous âges attendaient eux aussi la fin de la messe et la sortie des gens de qualité. Pour l'heure, ils tenaient le haut du pavé, adossés pour la plupart contre la muraille du collège de Presle, de l'autre côté de la rue des Carmes, qui faisait à cet endroit l'enceinte d'un potager. Ils se chauffaient pareillement au doux soleil du mois de mai qui baignait tout le pied de la montagne Sainte-Geneviève, dans la senteur des lilas de Perse qui croissaient derrière le mur, mêlée aux effluves d'iris et d'œillets d'Espagne dont foisonnaient les jardins du clos Galande, jusqu'aux berges de la rivière de Seine. Ces odeurs fraîches, courant dans la brise, chassaient en cette matinée radieuse les relents aigres de vieille pisse et de suint qui baignaient à l'ordinaire les murailles de la ville.

Un bruit de pas pressés sonna sur les pavés, venant de la place Maubert. Le vigoureux martèlement des bottes ferrées se rapprocha, puis un gentilhomme tourna brusquement l'angle de la rue des Noyers. A ce moment un gros chien jaune taché de blanc, aux oreilles cassées, bondit vers lui en aboyant comme un possédé, raidi sur ses pattes, le poil hérissé... L'un des mendiants qui se tenaient de l'épaule contre le mur du potager se précipita pour faire taire l'animal, donnant lui aussi de la voix, qu'il avait un peu enrouée, houspillant le dogue du geste, à grands moulinets, avec une ostentation quelque peu outrée et superfétatoire... L'homme était un grand diable nerveux et sec, qui flottait dans un vieil habit déteint, autrefois chamarré, lequel avait dû servir jadis à un courtisan de haut lieu, du temps de la reine Marguerite ou du maréchal d'Ancre. Le gueux lança un coup de pied au chien hurlant, se baissa pour faire le semblant de saisir un caillou, puis, ayant suffisamment effrayé la bête qui s'encourait, comme le gentilhomme arrivait à sa hauteur, il tendit vivement la main vers lui afin de recevoir ses gages... Mais l'homme passa sans se soucier du bienfait et s'avança du même pas vif jusqu'au bas de l'escalier de l'église. Sa silhouette était mince et bien prise ;

14

malgré la sobriété de son habit de voyage en drap uni, dont le pourpoint était couronné d'un simple rabat sans dentelle, une aisance dans sa démarche ainsi qu'une certaine élégance dans le port de la cape nouée sous son épaule gauche décelaient une habitude du monde, peut-être même l'usage de la Cour.

Au moment où le nouvel arrivant s'apprêtait à gravir les degrés du porche, le grand lévrier, décrivant un arc de cercle, courut se placer sous la protection de ses jambes dans l'espoir de monter derrière lui. Le bedeau fit claquer son fouet juste à temps : la mèche craqua à un demi-pied du long museau... Le chien fit un bond de côté, jetant un petit cri plaintif, et renonça à sa ruse.

— Il n'y fait pas bon venir ! dit l'homme qui enjambait l'escalier.

Il souriait en manière de compliment pour l'habileté du chasse-chiens.

— Ho ! Dame ! répondit le suisse qui était de Saint-Ouen, y l'arient bon beroin d'aller au caticheume à nout' cuzé, quer y ne savont pas leu patinoutre !...

Il rit doucement de sa plaisanterie coutumière, narguant le chien qui gémissait d'envie.

Le gentilhomme s'arrêta derrière le rempart des corps qui obstruait entièrement le passage de la porte. Ses hautes bottes molles à entonnoir étaient couvertes de poussière, ainsi que son haut-de-chausses, et le bout de ses éperons noirci d'un peu de sang caillé... Il fit un pas dans l'embrasure, ôtant machinalement son large chapeau orné d'une courte plume.

— Est plein tout quème un touniau, nout' gentilhoume ! avertit le marguillier d'un ton joyeux.

Cette messe de l'Ascension lui valait de l'or, avec le prône de l'abbé Pierre Juvernay qui avait été annoncé de longue main pour ce jour de fête. Il avait loué ses bonnes places aux plus offrants, rajouté ici et là quelques carreaux de genoux, vendant même des places debout, au coin des dalles les mieux situées, à l'entour de la chaire. Au matin, il avait dû poser hâtivement sur des rondins, en attendant qu'elle fût scellée, la dalle funéraire de Sœur Gloria, Dieu ait son âme, qui avait si richement doté le couvent et qu'on avait ensevelie l'avant-veille – crainte qu'un dévot imprudent n'allât choir au trou et se briser une cuisse sur le linceul de la morte.

Le gentilhomme se retourna brusquement ; il fit deux pas vers lui, décidé et précis :

– Mon ami, il faut que j'entre là.

Il indiquait de la main, bref, catégorique, l'intérieur de la nef ; il avait une pièce blanche au bout des doigts. Le bedeau appela d'un geste un jeune mendiant silencieux qui accourut sous le porche en un clin d'œil ; il lui tendit le gourdin pointé vers le chien avec cette recommandation :

– Boute li su le musiau, Jérôme.

Il empocha la pièce d'argent, puis il fit signe à l'homme de le suivre. Ils descendirent quelques degrés, contournant le porche à main droite ; un essaim de grosses mouches velues s'envola brusquement de dessus un étron encore frais du matin, et ronfla violemment à leurs oreilles. Ils s'engagèrent le long du côté sud de l'église, utilisant l'accès d'une porte basse qui les obligea à se courber en deux.

Quand il fut rendu dans le transept, venant du cloître, Pierre de La Porte s'aperçut que là aussi la presse était grande, de gens tant debout qu'assis, et qu'il lui serait malaisé d'atteindre le pied de la chaire, sur le côté opposé de la nef, où il était attendu... Le sermon était déjà commencé depuis assez de temps, la voix du prédicateur, un peu aiguë, ébranlait l'air des hautes voûtes et frémissait dans toute l'église, étirant les périodes en échos répétés ; de l'endroit où Pierre se trouvait, il était impossible de saisir le sens des paroles. Il profita d'un moment de silence pour remonter à grandes enjambées une allée dégagée dans un angle mort derrière un pilier ; ce mouvement le conduisit jusqu'à la proximité du chœur.

– Or... maintenant... (reprit le prêtre avec lenteur – s'il

16

était toujours invisible, ses paroles étaient devenues distinctes) ... de savoir si les femmes, pour se montrer débraillées, causent le scandale des *petits*, et par conséquent pèchent mortellement, ou véniellement seulement...

La question posée d'un ton solennel, le prédicateur fit une nouvelle pause afin de permettre aux esprits de s'en imprégner ; il toussota pour s'éclaircir la gorge. La Porte contourna le pilier d'un mouvement assez vif, sur un quart de son cercle, bousculant deux ou trois personnes qui protestèrent mollement. Il découvrit l'enfilade de la nef et, entre les corps, le parterre des fidèles assis à même les dalles de pierre, à la manière des tailleurs ou bien sur des coussins de laine appelés « carreaux » ; des femmes, surtout, qui avaient le regard levé vers la chaire, laquelle demeurait masquée à ses propres yeux.

– Combien sont effrontées les femmes... (reprit l'abbé Pierre avec chaleur, élargissant ses mots) ... les femmes qui, non seulement ne pleurent pas, ni ne font point pénitence pour les péchés de leurs prochains, mais au contraire les induisent et excitent à pécher en leur montrant leur col, et leur sein nu, avec une grande partie de leur dos et de leurs bras découverte !... Selon la parole de saint Paul (à cet endroit, Juvernay prit un ton douloureux et commisérant pour citer saint Paul), une telle femme « est sortie du secret cabinet de l'humble cognoissance de Dieu et de soymesme »...

La Porte tenta de se rapprocher encore et, tant bien que mal, se glissant et se coulant, poussant l'un et offrant mille excuses, il réussit à gagner le pilier suivant. Il marcha, au passage, sur le pied d'un homme de petite taille et d'âge mûr qui se fâcha tout haut de son impudence :

– Tout beau ! Monsieur !... Êtes-vous sourd, s'il vous plaît, qu'il vous soit besoin d'écouter de si près ?

La Porte se hissa un peu plus vers l'avant et ne répondit rien, comme si, en effet, il n'avait pas bonne oreille... Il régnait dans l'église une odeur douceâtre, mêlée à celle de

17

l'encens ; il pensa d'abord à la senteur des bouquets qui couvraient l'autel et des gerbes des fleurs les plus vives dont le chœur était inondé. Mais il venait par instants des bouffées suaves, des relents insidieux et écœurants... Le prêtre, cependant, avait forcé le ton, mettant beaucoup d'ironie dans sa voix :

— Comment cette femme coquette, dont nous parle saint Paul, pourrait-elle penser à Dieu ?... Où ?... et en quel temps ?... pourrait-elle songer au bien de son âme ?... vu que toute sa pensée est ordinairement occupée à son sein !... à son visage !... à sa coiffure !... à ses habits !... à ceux qui la regardent !... et à une infinité d'autres niaiseries, folies et sottises !... De sorte que son esprit ainsi occupé est semblable à un oignon qui n'est quasi composé que de pelures inutiles !... ou à une chambre pleine de toiles d'araignée qui ne servent à rien !

A ces mots, Juvernay prit une voix sévère, martelant ses paroles qui se répercutaient jusqu'au fond de la longue nef :

— En quoi elle est vraiment une apostate, une larronnesse et une sacrilège ! Car elle dérobe à Dieu la pensée par laquelle elle doit adorer sa sainte présence...

La plupart des femmes et des filles de l'assemblée n'osaient plus regarder en haut vers la chaire ; elles tenaient leurs regards baissés modestement. Il y avait là des robes relevées de bourgeoises à la friponne de soie piquée, des mancherons en aile, beaucoup de chaperons ; les vieilles femmes portaient encore, en ce printemps 1637, leurs fraises à la confusion ; d'autres avaient mis des collets montés finement brodés, dont le goût commençait à n'être plus aussi vif... Les jeunes filles avaient posé seulement sur leurs cheveux, coiffés en cule-butte, l'une un mouchoir de dentelle, l'autre un voile de Hollande. Elles laissaient libres leurs garcettes à frisure de la nouvelle mode et leurs jolies boucles en serpenteaux qui encadraient leur cou blanc et nu ; un cou bien dégagé vers le bas par un décolleté du corps de la robe.

L'abbé, maintenant, avait pris un ton enjoué, presque riant :

– Finalement, je vous laisse à penser si le diable – qui a accoutumé de pêcher en eau trouble ! – parmi tout ce tracas s'oublie à bien jouer son rôle et son personnage !... Il est à croire que, tout ainsi que l'oiseleur, quand il voit la terre couverte de neige, en sorte que les oiseaux et les autres animaux ne peuvent rien trouver à manger, lors principalement, tend son rets et ses appâts pour les attraper... (il se frotta les mains, et ses yeux lançaient des éclats diaboliques)... ainsi le diable prépare-t-il ses ruses ! Mais particulièrement quand il voit une femme se plaire à se montrer débraillée pour donner de l'amour : c'est lors qu'il attise et renouvelle en elle les feux amortis de la sensualité...

Au moment où il prononçait le mot « sensualité », en détachant distinctement les syllabes afin qu'il ne fût pas brouillé par les échos de la voûte, un grand remous se fit au fond de l'église, tandis qu'un cri effroyable déchirait l'air... C'était un des chiens de la rue qui avait réussi à pénétrer entre les jambes des dernières rangées de fidèles et que l'on chassait à grands coups de pied dans les côtes. Des remous plus violents se firent là où passait le mâtin à qui l'on s'efforçait de barrer la route plus avant vers l'autel ; certains hommes essayaient de lui donner des gifles sur la tête avec leur chapeau, et quelques femmes, se croyant en grand danger d'être mordues par l'animal qui grognait et enrageait sous les coups, commencèrent un mouvement de panique dans lequel plusieurs personnes furent bousculées et roulées à terre. D'autres culbutèrent par-dessus les rangs de ceux qui étaient assis, gâtant les coiffures et les habits, ce qui soulevait des protestations véhémentes. Le prédicateur s'était tu, et le chien, tout à fait affolé par le tumulte, courait deçà et delà, ne trouvant ni son maître qu'il était venu rejoindre, ni la sortie... Il poussait des glapissements aigus, qui éclataient en hurlements à chaque coup de botte qui lui raclait les flancs.

La Porte avait remarqué que le second pilier de la nef, en face de lui, se trouvait presque entièrement dégagé de monde ; il profita donc du remue-ménage et que, dans la confusion, toutes les têtes étaient tournées vers le fond de l'église, força son chemin à travers les rangées compactes des fidèles et gagna les abords qui étaient inexplicablement demeurés vides... Dans sa hâte, toutefois, il trébucha sur les jambes d'un bourgeois et, dans le mouvement qu'il fit pour se retenir, il planta malencontreusement un de ses éperons dans la cuisse d'un autre. Le bonhomme poussa un grognement furieux, se mit debout pour protester :

– Vertudieu ! A-t-on de l'entendement pour venir au sermon armé et botté comme pour un assaut ?

– Monsieur, je regrette le tort...

L'autre se tenait la jambe en grimaçant et montrait un petit accroc sanguinolent dans le bas de son haut-de-chausses.

– Que n'entrez-vous dans les églises avec votre jument !

Mais son indignation se perdait dans le brouhaha qui venait du porche ; les amis du bourgeois s'empressèrent, alarmés de l'entendre rimer en Dieu à dix pas du tabernacle, et le tirèrent par la manche en l'obligeant à se rasseoir. Le chien étant enfin chassé à grand fracas, ses hurlements s'éteignirent au-dehors et le calme revint dans l'église.

La Porte s'adossa au pilier qu'après ces efforts il avait réussi à atteindre ; de cet endroit il voyait le prêtre au-dessus de lui. Pierre Juvernay s'était interrompu pour laisser s'apaiser la noise : « Mes frères ! Mes frères ! », répétait-il avec une sorte de rage, ses gros sourcils froncés par la contrariété qui crispait tout son visage, car ce contretemps gâtait son prône. Le gentilhomme songea au marguillier qui avait laissé surprendre sa vigilance et devrait tout à l'heure après la messe subir sa fulmination et essuyer l'orage de sa colère.

Juvernay, le silence revenu, reprit lentement le cours de son prêche. Il appela d'abord à témoigner les prophètes qui n'aimaient pas que les femmes de leur temps montrassent leur « mamelle nüe ». Il cita Jérémie d'un ton plaintif, Isaïe et Ézéchiel, Osée aussi. Il rapporta l'exemple de Salomon citant les paroles d'une femme impure ; celle-là, qui voulait séduire un jeune homme, lui disait : « Venez, enyvrons-nous de nos mamelles... » Enfin il rappela à tous que c'est saint Paul lui-même qui recommande aux femmes de porter « un voile sur la teste à cause des Anges » – « c'est-à-dire des prêtres », ajouta-t-il gravement en déroulant une autre liasse de papiers qu'il disposa sur le lutrin.

– Jusqu'ici, poursuivit l'abbé, j'ai montré par divers biais et moyens comme c'est grandement mal fait aux femmes de se montrer débraillées... Voyons donc maintenant en quels dangers se jettent ces femmes impudentes qui, par leur accoutrement lascif, cheminant par les rues et dans les places publiques, servent de pierre d'achoppement à plusieurs : qu'elles craignent que le diable, en vertu des imprécations contre elles fulminées par les personnes qui, à leur occasion, sont tombées en quelque péché mortel, et aussi par d'autres qui ont tel spectacle en horreur, n'entre, sinon en leur sein et en leur corps, pour le moins en leur âme ! Sinon par soi-même et en propre personne, pour le moins par sa semence, qui est le péché mortel.

Juvernay prit un air agité par l'idée du scandale.

– Le comble de leur impudence se manifeste palpablement en hiver, lorsqu'il gèle, comme l'on dit, à pierre fendre : car alors – chose prodigieuse ! – on les verra bien souvent par les rues autant débraillées comme dans les plus grandes chaleurs d'été !... d'où vient que quelquefois elles en contractent de très grièves maladies, et même la mort. En quoi elles commettent double péché mortel ! L'un : en tant qu'elles donnent à autrui occasion de pécher mortellement ; l'autre : en tant que par leur propre faute cette maladie ou mort leur advient.

La Porte s'aperçut que la mauvaise odeur qui régnait dans l'église était infiniment plus forte à l'endroit où il se tenait. Il se mêlait à présent à la senteur tiède, un peu sucrée, qu'il avait d'abord remarquée, des relents plus âcres, des bouffées violentes de pourriture... En se retournant, il vit dans le bas-côté, à deux pas du pilier contre lequel il se tenait, un monticule de terre brune et ocre, près d'une longue dalle couchée sur des cotrets qui masquait à moitié l'ouverture d'une tombe. Un rayon de soleil oblique descendait d'un vitrail et projetait une lueur crue sur le flanc de la pierre, de sorte que l'on distinguait clairement en dessous tout un pan de suaire en toile bise. Le gentilhomme comprit au même instant la raison qui faisait ces abords si clairsemés malgré la multitude compacte qui avait cherché à trouver place, ce matin, dans la chapelle du couvent. Il remarqua, du reste, que les dames assises non loin de lui tenaient discrètement un mouchoir près de leur visage, et que ses voisins les plus proches, debout près du pilier, gardaient un poing fermé sous leurs narines.

Le prédicateur venait d'annoncer un total de six abus et errements auxquels se livrent les femmes dont la tenue est immodeste. Il tourna une feuille sur son pupitre et, la main tendue, ses joues pâles tremblant sur le surplis de fine dentelle, il entreprit de les exposer un à un :

– Le premier abus, dit-il avec l'emphase d'un profond ressentiment, est qu'elles osent bien souvent se présenter à la sainte confession et communion en cet état. Deuxièmement, le second abus est qu'elles portent ordinairement une croix ou l'image du Saint-Esprit pendue à leur col. Je leur demanderais volontiers : à quel propos ?... En quoi elles feraient beaucoup mieux, ce me semble, de porter à leur col l'image d'un crapaud ou d'un corbeau !... Attendu que ces animaux se plaisent parmi les ordures.

Le prédicateur promena son regard dans l'église pour juger de l'effet de sa remarque. Content d'avoir aperçu ici et là quelques sourires approbateurs – un ou deux rires fusèrent même du côté des hommes – et tandis que le rouge de la honte montait, semblait-il, au front de quelques audacieuses, il prit un ton faussement enjoué qui était très sarcastique :

– Pour le regard des mouches, que quelques dames vaines ont de coutume d'appliquer sur leur visage pour paraître plus belles, j'en dirai ici volontiers encore quelques mots. Mon avis dans cette matière est qu'il vaut mieux les encourager d'en mettre : attendu qu'avec telles mouches – quoique contre leur opinion ! – elles paraissent plutôt laides que belles et font plutôt soulever le cœur à ceux qui les regardent qu'elles ne leur excitent l'appétit !... Vu qu'icelles mouches appliquées en forme d'emplâtre sur leur visage font ressouvenir de quelque rogne, pustule, clou, bubon ou autre farcin qui pourrait être caché dessous. Quand donc ces pimprenelles se glorifient de ces mouches, c'est comme si un ladre ou un écrouellé se glorifiait des emplâtres qu'il porterait sur son mal ou ses écrouelles. Tout ce qu'il y a de plus à plaindre en cela, c'est la perte de temps qu'elles font et l'inutilité de leur pensée s'appliquant à des choses si basses, si plates et si indignes d'un chrétien ! En quoi elles se montrent semblables à ces petits enfants qui passeront quelquefois tout un jour à chasser aux mouches et papillons, et à courir après les fleurs des chardons que le vent souffle en l'air.

Juvernay s'arrêta pour reprendre son souffle. Son ton était devenu animé, sa bouche se tordait sous l'effet du mépris qu'il portait de toute son âme à la vanité de ce monde et de ces mouches, et particulièrement à celles qui en faisaient cas. Ses yeux luisaient dans la contemplation du châtiment féroce qui se préparait dans l'Au-delà pour ces femmes écervelées... Il reprit d'une voix forte, portée par une indignation véhémente, avec la description du troisième abus :

– Le troisième abus est que, quand il y a quelque jubilé ou pardon de première indulgence en quelque église, on les y verra trotter pour le penser gagner ! Le quatrième abus est qu'à la Fête-Dieu, voyant qu'on tend les murailles des rues de tapisseries et jonche les pavés de fleurs et d'herbes odoriférantes pour faire honneur au saint sacrement que l'on porte en procession, elles ont coutume d'assister à cette même procession montrant leur sein nu : comme si elles ne

23

pouvaient lors trouver aucun ornement poitrinal qui pût faire plus d'honneur à Jésus-Christ présent que la nudité de leur sein.

L'abbé leva très haut une main vengeresse, et il lança d'une voix de tonnerre, le bras tendu, élargissant ses mots dans une sorte de chant légèrement tremblé :

– Ô impudence intolérable !... Ô sacrilège détestable de se vouloir servir des choses mêmes qui sont désagréables et en horreur à Dieu pour lui plaire et agréer ! Certes, il vaudrait beaucoup mieux qu'elles se tinssent ce jour-là en leur maison et n'assistassent point du tout à la procession, que d'y aller en tel équipage.

Il fit une nouvelle pause afin d'éponger son visage avec un mouchoir de batiste. La sueur coulait en effet le long de ses joues, qui luisaient dans le clignotement des chandelles et l'éclairage tamisé des vitraux inondés par le frais soleil de mai. La Porte se demanda s'il n'était pas incommodé par la puanteur du cadavre dont les relents devenaient de plus en plus suffocants à mesure que la chaleur augmentait dans l'église. Une toute jeune femme, très pâle, qui tenait son mouchoir pressé contre sa bouche, se leva dans la seconde rangée de chaises et se faufila tant bien que mal parmi l'assemblée vers un lieu plus frais. Pierre se disait que ce mort, ou cette morte, qui révélait ainsi sa présence, fournissait en lui-même le sermon le plus éclatant qui fût sur les vanités de ce monde...

– Le cinquième abus... (l'abbé reprenait le cours de son homélie) ... le cinquième abus, et peut-être le pire de tous, est que dans les paroisses, ordinairement – et aussi depuis quelque temps dans les églises monastiques –, l'on voit des quêteuses tellement débraillées qu'on les prendrait pour des vraies comédiennes, des farceuses et des mascarades ! Est-ce ainsi que l'on profane le saint temple de Dieu ?... Où sommes-nous ?... En quel siècle sommes-nous ? Veut-on amener le Carnaval dans les églises ? Y veut-on planter des idoles ? Y veut-on jouer des bals ?... Lorsque le peuple tâche, dans les fêtes principales de l'année, d'y faire son petit devoir pour se réconcilier et renouer avec Dieu par la réception des sacrements de pénitence et d'eucharistie, c'est pour lors particulièrement qu'on introduira deux ou trois baladines, qui toutes débraillées, rôdant et pénétrant par plusieurs tours et retours tous les coins et recoins de ces églises sous prétexte de quête, vont dissipant et ravageant comme harpies infernales, par un scandale mortel, le peu de bonnes œuvres et fruits que peuvent produire lors ceux qui dans l'Écriture sont appelés *petits*. Certes, il vaudrait mieux que toutes ces quêtes fussent au fond de la mer, que de les admettre avec tel et si grand abus. Et les curés, et les marguilliers et autres, pouvant remédier à ce mal, et n'y remédiant pas, en répondront au jour du Jugement, âme pour âme.

La Porte éprouva à son côté la sensation d'une présence... Il sentit bientôt le contact d'une main sous sa cape, laquelle se posa doucement sur son dos. Il dégrafa alors le rebras de sa manche, au poignet gauche, et à son tour glissa discrètement sa main sous son manteau, jusqu'à toucher les doigts fins qui étaient posés sur l'étoffe de son pourpoint... Les doigts bougèrent. Il sentit des ongles effleurer sa peau, puis la main écarta la toile empesée du rebras et, tandis que les aspérités d'un cachet de cire éraflaient très légèrement la face tendre de son poignet, un mince rouleau de papier glissa lentement dans sa manche. Une voix, derrière lui, prononça dans un souffle :

— Dieu vous protège, mon fils... J'ai craint que vous ne vinssiez plus.

Le gentilhomme articula à son tour, sans tourner la tête, mais assez distinctement :

— Plaise à Dieu, ma Mère, j'étais suivi.

La Porte perçut un glissement léger indiquant que la religieuse s'éloignait de lui. Il demeura encore quelque temps dans la même position, le poing droit posé sur sa hanche et la main gauche sous son manteau, puis il fit mine de se gratter

25

l'épaule et, retirant son bras, il renoua solidement le bas de sa manche.

Pendant ce temps, Juvernay avait abordé son sixième abus, qui est puni, selon saint Paul, par la damnation éternelle, et qui concerne spécialement les mères trop relâchées avec leurs filles, qui ne sont pas assez vigilantes sur le chapitre de la modestie.

– Il se voit des mères qui, étant assez modestement vêtues, permettent que leurs filles montrent leur gorge et sein nus, venait-il de gronder sourdement (et il s'était produit des œillades inquiètes et quelques rougeurs coupables jusque parmi les porteuses de fraises et de collets montés). Il y a une révélation de ceci dans sainte Brigitte (il voulait parler de la damnation des mères tolérantes), car elle rapporte qu'une certaine femme, damnée pour avoir enseigné à sa fille à s'habiller dissolument et mondainement, cette femme s'apparut à elle comme sortant d'un lac ténébreux, ayant le cœur arraché du ventre, les lèvres entièrement coupées, le nez tout rongé, les yeux arrachés de la tête et pendant sur les joues, la poitrine couverte de vers, et, avec des cris et lamentations épouvantables, se plaignant de sa fille comme si elle eût parlé à elle, disant : « Entends, ma fille et venimeuse lézarde !... »

L'abbé avait pris tout soudain une voix très caverneuse... Disant ces mots, il pointait le bras en avant vers l'assistance, faisant chevroter les syllabes et traîner exagérément ses paroles, tout de même que si la malheureuse âme damnée eût parlé par sa bouche :

– Entends !... Malheur sur moi de ce que j'ai été ta mère !... Car toutes et quantes fois que tu imites et ensuis les œuvres de mes méchantes coutumes – c'est-à-dire que tu pratiques les vanités et péchés que je t'ai enseignés –, autant de fois ma peine est renouvelée, et mes feux me brûlent avec plus d'ardeur !...

Soit que l'odeur du cadavre épandue dans l'église ajoutât de la vivacité à cette évocation funèbre, soit que la voix tremblante du prêtre eût un pouvoir singulier, une jeune fille

26

dans les premiers rangs de chaises se mit à jeter des hauts cris, écartant ses mains sur ses yeux, comme si la vision de la mère morte se dressait tout bonnement devant elle. Cela fit courir un frisson tragique dans toute l'assemblée : une autre demoiselle, derrière elle, éclata pour lors en de lourds sanglots, puis ce furent tout ensemble des gémissements douloureux, des cris aigus, des rires brefs et affreux qui dans le même instant se changeaient en larmes, avec ici et là des voix de femmes prodiguant tout haut des paroles apaisantes... Enfin, de proche en proche, l'une pour l'amour de l'autre, elles produisirent toutes à la fois une véritable clameur qui montait, languissante, vers les voûtes de la nef et du chœur, puis de là dans le ciel printanier, vers le Créateur, dans une plainte aiguë du malheur d'être femme. Juvernay, les traits tordus par l'ardeur du zèle qui l'animait, gesticulait du haut de la chaire et tonitruait pour couvrir le tumulte :

— Et certes, d'où pensons-nous que sont causées toutes ces guerres, pestes et famines qu'on voit souvent en France, sinon des péchés qui y règnent, lesquels ordinairement prennent naissance de cette mauvaise nudité du sein féminin ?...

La Porte s'était écarté du pilier... Il longeait petit à petit le mur extérieur du bas-côté où la presse était moins grande, s'efforçant autant qu'il était en son pouvoir de gagner la sortie. Il parvint ainsi au fond de l'église, sans toutefois perdre son manteau, ni son épée, ni aucune autre partie de son vêtement, ce qui véritablement tenait du prodige. Le prédicateur poursuivait en haut sa fustigation passionnée du sexe aimable ; sa voix parvenait, réverbérée et lointaine, mêlée aux lamentations des malheureuses pécheresses, odieusement accablées par tant de bouleversements et d'affreuses malédictions.

— Qu'elles craignent aussi que le diable n'entre par soi-même et en propre personne en leur sein et en leur corps ! Ou que la terre ne s'ouvre sous elles et les engloutisse ! Ou que la foudre ne les écrase en un instant ! Ou que quelque autre grand malheur extérieur ne leur advienne !...

Quand il entra dans la pièce qu'il occupait à l'extrémité de l'hôtel de Chevreuse, rue Saint-Thomas-du-Louvre, Pierre de La Porte, le porte-manteau ordinaire de la Reine, y trouva son petit laquais qui était arrivé depuis la veille au soir de Saint-Germain-en-Laye. Le garçon avait rangé la chambre fort proprement, fait une ample provision d'eau et apporté du bois pour le feu. Il avait également mis à tremper une livre de bonnes noix de galle dans quatre pintes de cidre clair, selon les instructions qu'il avait reçues ; il tenait le tout comme il convenait sur des cendres chaudes.

Comme il avait remué cette infusion, destinée à faire de l'encre, cinq ou six fois déjà pendant la matinée, Renaud, qui n'avait que douze ans et était entré au service du gentilhomme depuis une semaine, s'ennuyait un peu à présent de pousser le temps à l'épaule en attendant... Pierre s'étant défait de son manteau, de son chapeau, délivré de son épée avec le baudrier, tout en lui faisant compliment sur son exactitude, l'envoya sur l'heure avec quelque argent acheter un beau pâté et du pain à l'auberge du Battoir, au bas de la rue Fromenteau, vers la rivière, le priant d'ajouter une grande pinte de vin de Suresnes et de se hâter car il n'avait pas déjeuné.

Aussitôt que le petit garçon fut sorti, la joie au visage, le gentilhomme donna un tour de clef à la serrure puis plaça une chaise à haut dossier derrière la porte pour en masquer le trou, de sorte que nul ne pût observer du corridor l'intérieur de la chambre. Il dénoua ensuite le rebras de sa manche gauche et sortit le billet cacheté de cire jaune qu'on lui avait glissé dans l'église, prit une petite clef dans le gousset de son pourpoint et ouvrit un grand coffre rond qui contenait du papier, une bouteille d'encre, plusieurs plumes neuves, une pile de lettres attachées en paquets, quelques brochures ainsi qu'une dizaine d'ouvrages dont deux ou trois étaient en langue espagnole. L'un des livres portait en lettres d'or, au dos d'une large reliure *El Ingenioso Hidalgo don Quijote de la Mancha*... La Porte secoua fortement le fond de la bouteille d'encre avant de l'ouvrir pour s'assurer qu'elle n'était pas sèche, il disposa plume, encre et papier sur une table carrée qui lui servait de secrétaire, puis il se dirigea vers la fenêtre, laquelle était munie d'un châssis de verres en losange scellés de plomb. Il appuya des deux mains à l'angle de l'embrasure et fit jouer avec ses doigts un gros morceau de plâtre qu'il retira du mur avec beaucoup de précautions, le déposant délicatement à deux mains sur le plancher de la chambre. Un trou énorme était ainsi dégagé entre les pierres, dans lequel il enfonça son bras jusqu'à l'épaule. Il retira successivement plusieurs fioles d'apothicaire qui contenaient des poudres brillantes de différentes couleurs, des papiers et des lettres qu'il tria pour en retirer un paquet de feuilles épaisses qu'il alla poser sur la table. Il replaça ensuite les petites bouteilles au fond du trou et, avant d'y reloger aussi les papiers qu'il tenait dans ses mains, il feuilleta une petite brochure imprimée en gros caractères penchés qui contenait des vers... Elle portait sur sa page de titre :

LE GOVVERNEMENT

PRÉSENT OV ÉLOGE
DE SON ÉMINENCE

SATYRE OV LA
Miliade

Il s'agissait d'un pamphlet d'une folle virulence à l'encontre du cardinal de Richelieu et des hommes à sa solde qui composaient son gouvernement.

> Il ne veut ni trêve ni paix,
> Sa fureur n'a point d'intervalle,
> Il suit les vertus infernales,
> Les fourbes et les trahisons ;
> Les parjures et les poisons
> Rendent sa probité célèbre
> Jusqu'en l'empire des ténèbres,
> C'est le ministre des enfers,
> C'est le démon de l'Univers...

Pierre souriait en parcourant ici et là une page de cette publication interdite et terrible, dont la possession valait la Bastille aux grands seigneurs, et le gibet à leurs serviteurs...

> Le fer le feu la violence
> Signalent partout sa clémence,
> Les frères du Roy maltraités,
> Les Maréchaux décapités,

> Quatre Princesses exilées,
> Trente provinces désolées,
> Tant de généreux innocents
> Dans la Bastille gémissants...
> Il se nourrit de leurs malheurs,
> Il se baigne en l'eau de leurs pleurs,
> Et sa haine pire et cruelle
> Dans leur mort même est immortelle.

Ces vers, La Porte les connaissait par cœur pour les avoir appris, dix-huit mois auparavant, quand ce furieux libelle avait commencé à circuler sous le manteau, pour la plus grande joie des ennemis du Cardinal : ce « Soleil des Cardinaux »... Armand ! Cette mince brochure étant la chose du monde la plus dangereuse à porter sur soi, ou même à conserver dans son logis, on lui demandait d'en réciter de longs passages, dans l'intimité la plus secrète, au milieu d'amis très sûrs, chez la Reine surtout, où Marie de Hautefort en avait elle aussi appris des morceaux – mais il fallait être entièrement certain qu'aucun espion payé par Son Éminence ne se trouvait à portée d'oreille ; ce qui, à la vérité, n'était pas souvent.

> Mais quels insignes attentats
> N'ont fait MARCHAND et LAFFEMAS,
> Ces bourreaux de qui les souhaits
> Sont de peupler tous les gibets,
> De qui les mains sont toujours prêtes
> A couper des illustres têtes,
> A faire verser à grands flots
> Le sang dessus les échafauds...
> En décapitant ils se jouent,
> Ils sont encore plus gais s'ils rouent,
> Mais leur plus agréable jeu
> Est de brûler à petit feu.
> Armand a choisi ces deux Scythes

Pour ses fidèles satellites,
Pour montrer qu'il tient en ses mains
La vie et la mort des humains.

La Porte revit en pensée la tombe ouverte dans l'église et le coin du suaire de ce cadavre qui puait si fort... Il songea à la vanité de ces grandeurs humaines ; les puissants n'attendent en réalité que le poids d'une pierre carrée pour laisser derrière eux le cortège des misères et des deuils qu'ils ont semés. Il rangea les papiers au fond du trou, souleva le bloc de plâtre et le remit bien en place dans l'ouverture, l'ajustant de telle sorte que, parmi le dessin de l'appareillage des pierres de l'embrasure, il était tout à fait impossible d'y soupçonner l'existence d'une cachette.

Il ouvrit ensuite la fenêtre toute grande sur le soleil qui inondait les jardins et jouait dans les arbres. Sa chambre était située au second étage de l'aile nord-ouest de l'hôtel de Chevreuse ; elle surplombait directement le cimetière des Quinze-Vingts et le grand jardin de l'hôtel du duc, où pépiaient les oiseaux qui bâtissaient leurs nids dans les grands arbres du cimetière. Au-delà, les moulins de la butte Saint-Roch, à droite, baignaient dans la lumière chaude qui faisait luire plus loin les petites églises dans la campagne : Notre-Dame-de-Lorette et le château du Coq, la chapelle des Martyrs au flanc du coteau qui montait vers l'abbaye de Montmartre, dans les prés en fleurs où paissaient des vaches. En face, les dessins géométriques des parterres de Mademoiselle et ceux des Tuileries regorgeaient de couleurs le long du fleuve, où rutilait le pont Rouge, tout neuf. Le sifflement des merles et des loriots jaunes tout proches couvrait les voix des quelques mariniers qui s'activaient nonchalamment là-bas, sur le port de la Grenouillère, peu nombreux en ce jour de fête ; mais l'on entendait le bruit des rames et les cris des pêcheurs, debout sur leurs bachots, qui descendaient la rivière, s'interpellant au fil de l'eau : « A moyau ! Ho !... A moyau !... »

Un air frais, embaumé, avait envahi la chambre ; il flottait une senteur d'herbe humide et de muguet où se mêlaient des effluves de sauge. Pierre alla ôter la chaise qu'il avait disposée devant la serrure, redonner un tour de clef, puis il revint s'asseoir à la table. La lettre qu'on lui avait remise ne portait aucune adresse : le sceau du cachet de cire était simplement moulé par une bague sans armoiries ni autre signe distinctif qu'une arabesque, laquelle pouvait figurer un M majuscule, entouré d'une volute taillée en frise autour du chaton. Le gentilhomme déplia le rouleau qui était en beau papier de Hollande et sur lequel s'alignaient des phrases entrecoupées de chiffres ou de lettres, avec çà et là des mots en espagnol : *tambièn seguro, servicio mejor,* etc. Il choisit une plume, la tailla délicatement selon une courbe bien nette, ébarbant avec soin le bas de la rémige à l'aide d'une petite lame mince qu'il gardait dans un étui, puis il se mit à transcrire le message. Il déchiffrait à mesure, portant alternativement les yeux sur la lettre et sur les cartons qu'il avait sortis de la cachette et qui étaient la clef du code secret ; il traça en haut de la feuille, d'une belle calligraphie régulière et arrondie : *El amigo ha me dicho...*

Ces derniers temps, le porte-manteau d'Anne d'Autriche – qui, plus ou moins, avait toujours été aussi son porte-lettres – prenait de plus en plus l'allure clandestine et les apparences d'un émissaire secret. Depuis deux ans surtout que s'étaient rallumées les guerres avec l'Espagne, où la Reine écrivait. Elle n'avait jamais accepté, en effet, d'interrompre sa correspondance avec ses frères bien-aimés : le roi Philippe, quatrième du nom, successeur de leur père, et le Cardinal Infant – les descendants, comme elle, de la maison d'Autriche, les arrière-petits-enfants de Charles Quint... Ce faisant, elle était fort étroitement surveillée par les innombrables espions à la solde du cardinal de Richelieu, lequel la soupçonnait, non sans quelque cause, d'informer régulièrement l'Espagne de tout ce qu'elle pouvait glaner ici des secrets de la Couronne. Il l'accusait de plus en plus résolument auprès du

Roi, son mari, de franche trahison. Anne, il est vrai, dite d'Autriche et si résolument espagnole, ne cachait ni son hostilité ni parfois son mépris pour cette cour de France qui la tenait encore pour étrangère et la traitait à présent comme une ennemie vouée du royaume. Depuis vingt et un ans qu'elle était en France, elle continuait à vivre à l'heure de Madrid, de fait et de cœur... Elle savait pertinemment que le ministre redoutable intriguait plus que jamais pour la faire répudier, elle qui demeurait sans enfants malgré ses ardentes prières, les pèlerinages et les vœux qu'elle avait entrepris. Un rien pouvait la faire renvoyer en Espagne et, depuis que le Cardinal avait rétabli l'état de guerre avec ce pays, que les armées royales avaient essuyé d'âpres revers de fortune, à Corbie, elle se savait de plus en plus clairement à la merci de la colère de Son Éminence.

En ce printemps 1637, la Reine prenait donc des précautions infinies et devait user de subtils stratagèmes pour continuer à recevoir des nouvelles et à en communiquer à ses parents et amis. La situation était devenue tellement tendue que, dans l'atmosphère de corruption qui baignait la Cour – où Richelieu, soudoyant les uns, menaçant les autres, abreuvait les petits et les grands de subsides à suborner tous les saints du Paradis –, Anne ne pouvait compter de manière absolue et constante que sur une petite poignée de serviteurs qui lui étaient entièrement dévoués ; ils ne se comptaient plus eux-mêmes que sur les doigts d'une seule main, ou peu s'en fallait... Sous prétexte de pieuse retraite, elle s'enfermait souvent seule dans une cellule du couvent qu'elle avait fondé naguère au Val-de-Grâce, dans le faubourg Saint-Jacques, et qu'elle dotait de ses deniers ; la Mère supérieure, qu'elle avait choisie originaire de la Franche-Comté espagnole, comptait parmi le petit nombre de ses fidèles. Grâce à la bienveillante complicité des religieuses amies, ce couvent, où elle avait son petit appartement privé, constituait l'unique refuge de la Reine, qui d'ordinaire vivait nuit et jour entourée des personnes de sa maison. C'était le seul endroit où elle

pouvait faire réponse aux lettres qu'elle recevait, longuement, à l'abri de tous les regards et sans autre témoin que
Dieu lui-même, qui l'assistait de sa grâce à cause de l'amour
que Sa Majesté portait à son Église. Ces lettres, elle les
confiait dès son retour à son discret porte-manteau qui les
chiffrait selon le code et les faisait parvenir... Elle savait que
La Porte, l'incorruptible, l'inconditionnel La Porte, était
non seulement un des plus habiles hommes de son entourage,
le mieux capable de mener à bon terme l'affaire la plus
délicate – cela, il l'avait plusieurs fois montré –, mais qu'il se
serait laissé arracher la langue devant un pont d'or plutôt que
de la trahir. Il était le seul de ses proches serviteurs à qui elle
ait pu confier la grille d'une correspondance si dangereuse
pour elle au cas où elle viendrait à être découverte...
Dangereuse aussi pour lui : Pierre, le plus intime colporteur
des secrets de sa souveraine, risquait en permanence sa
propre vie.

Pierre de La Porte était entré pour la première fois au
service de la Reine à l'âge de dix-huit ans. C'était au
printemps de 1621, Anne d'Autriche avait alors dix-neuf ans
passés ; elle se remettait lentement du deuil de son père, le roi
Philippe III d'Espagne, dont la mort, survenue brutalement
le dernier jour de mars, l'avait affligée profondément, au
point de compromettre gravement sa santé. La nouvelle avait
atteint Paris le 8 avril, mais le jeune Roi son mari ne la lui
confia que très progressivement, deux jours plus tard, tant il
prévoyait le tourment qu'en aurait la jeune femme qui était
grosse, et dont chacun craignait que le chagrin ne la fît
de nouveau avorter... Hélas, malgré tous les soins et les
ménagements, sa douleur avait été si intense que tout espoir
d'un dauphin s'était encore une fois évanoui...
La disparition, loin, à Madrid, de ce père qu'elle aimait
tendrement ; ce père qui la chérissait en retour et qu'elle avait

quitté, cinq ans plus tôt, pour devenir à quinze ans reine de France ; ce père qui l'avait accompagnée, traversant l'Espagne à cheval pour demeurer près d'elle le plus longtemps, au mépris de toute étiquette, jusqu'à Fuenterrabia, au bord de la rivière Bidassoa ; ce monarque austère, ennuyé et doux, devant lequel elle s'était écroulée, de fatigue et de peine, à genoux, dans la cathédrale de Burgos, quand il était devenu inéluctable qu'elle devrait se séparer de lui pour toujours, et qui l'avait relevée de sa main nue, contre tout usage dans la pompe d'une telle solennité, l'appelant *querida mía...* ma chérie ; ce père qu'elle n'avait pas revu, mais à qui elle écrivait sa tristesse, sa déception, son exil au long des années premières où, superbement délaissée par son adolescent mari, si troublé, si nerveux lui-même, si incertain et si occupé à la fuir, dont le temps s'écoulait à la chasse, à courre et à oiseaux, dans la joyeuse compagnie des jeunes gens de son âge : cet époux qu'elle ne voyait que furtivement et toujours en public, au cours de ces visites brèves qu'il s'obligeait à lui faire le soir, et qu'on pourrait appeler des visites d'impolitesse, alors que, fourbu et bâillant de sommeil, il ne songeait qu'à retrouver la douceur et l'oubli de son lit de plume... Ces deux années, où l'on reprochait à Anne sa suite entièrement composée de duègnes castillanes, moroses et hautaines, avaient été des années amères et glacées – éclairées seulement par la présence rieuse de Marie de Rohan. Marie, fille d'un compagnon du roi Henri, élevée sans mère et sans contrainte, qui en était devenue si vive, si audacieuse, si gaie, et qui faisait de si joyeuses farces aux duègnes austères, choquant avec enjouement leur humeur ibère... Marie, si belle aussi, l'une des plus jolies filles du siècle, des plus drôles, des plus espiègles quand elle était une toute jeune fille aux côtés de l'infante Ana, dont elle avait l'âge à quelques mois près – des plus magnifiquement hardies quand elle fut devenue femme. C'est elle qui la première avait réussi à lui délier la langue et à faire pratiquer le français à l'infante souveraine, dans la cocasserie de son étonnant franc-parler.

Marie la téméraire avait rendu la vie supportable à la jeune reine par les gamineries diaboliques qu'elle organisait avec tant de cœur à l'encontre des gens sérieux et des importuns – mais elle avait su charmer aussi bien le roi Louis que son favori, le jeune duc de Luynes, chasseur émérite, bientôt Premier ministre et connétable de France. De Luynes, très amoureux d'elle, l'avait épousée...

Anne, cependant, continuait à être traitée en enfant et dédaignée par sa belle-mère, Marie de Médicis, qui parlait un charabia d'émigrante, et qui avait fait conclure le mariage au temps de sa régence... Aussi, pendant toutes ces années tristes, son seul appui véritable avait été ce père aimant et lointain, à qui elle faisait tenir par son ambassadeur, comme seul message, qu'elle eût souhaité de toute son âme être assise encore auprès de lui, dans son palais de Castille. Certes, Louis était brusquement devenu un amant attentif et tendre depuis ce soir de janvier 1619 (la date en était mémorable) où de Luynes, l'ami intime et le jeune ministre, à bout de patience, l'avait littéralement arraché à son lit malgré ses protestations et prières. Jetant une robe de chambre sur les épaules de son monarque jouvenceau, de Luynes l'avait conduit, moitié riant, moitié par force, le long de l'escalier glacial du palais du Louvre, et l'avait poussé de ses propres mains dans la chambre obscure de la jeune fille sa femme... Avec cette consommation si longtemps promise et tant attendue, le ministre mettait un terme à l'exaspération de la cour d'Espagne, ainsi qu'aux ragots malveillants qui, depuis plus d'un an, rendaient l'Europe murmurante. La lune de miel du couple royal avait duré deux ans : deux années étourdies pendant lesquelles tout semblait réussir au jeune Roi, qui, tout à coup, se mit à briller dans les fêtes et dans les tournois – leur félicité n'avait été troublée que par une maladie d'Ana, qui lui avait occasionné sa première fausse couche... Dans ce temps, elle avait lu aussi le grand poème épique d'Antonio Escobar y Mendoza, un homme de Valladolid comme elle, tout imprégné de l'amour de Notre-Dame la Vierge Marie :

Historia de la Virgen madre de Dios, que l'ambassadeur lui avait apporté avec un compliment de l'auteur. Ana avait conçu une affection très vive pour la mère de Dieu, qu'elle faisait partager à Louis avec enthousiasme, l'obligeant à lire des passages avec elle, lui traduisant avec des rires les mots qu'il ne comprenait pas. Ils avaient décidé alors, d'une ferveur commune, que, lorsqu'ils auraient des enfants, ils les mettraient sous la protection de la Sainte Vierge.

La mort soudaine du roi d'Espagne était tombée sur la Reine comme la foudre d'un orage. Après les cris et les agitations du désespoir, que les dames d'honneur avaient en vain tâché d'apaiser – elle avait été la proie de déportements si formidables que l'on avait pu croire un moment à une atteinte du haut mal –, Ana était tombée dans un abattement qui avoisinait la prostration... Ni les efforts de sa chère Marie, à présent duchesse de Luynes et jeune mère, ni les prières et les objurgations de sa vieille nourrice, Estefanía, qui était demeurée auprès d'elle alors que les duègnes avaient toutes regagné l'Espagne, n'avaient pu divertir son ennui. Aussi, à la fin du mois d'avril, pour la distraire, le jeune Louis XIII l'avait emmenée avec lui faire la guerre aux huguenots qui s'étaient révoltés un peu partout dans le sud du royaume de France, et dans celui de Navarre.

C'est donc à Agen, où la Cour résidait dans les premiers jours de juillet, après les victoires des armées royales à Saint-Jean-d'Angély, que Pierre de La Porte avait pris son premier quartier dans sa charge de porte-manteau ordinaire ; il ne faisait que succéder à son frère aîné, Louis de La Porte, lequel s'en allait servir dans les armées du Roi sous le commandement du prince de Guéméné. Toute sa famille appartenait, du reste, à celle des Rohan-Montbazon, dont le siège féodal était en Anjou et l'antique château dans la vallée du Loir, à une lieue de sa gentilhommière natale... Pierre, issu d'un petit lignage angevin dont l'aïeul, ruiné au temps des vieilles ligues, avait dû déroger, était né au manoir de la Suardière où vivait son père, dans la paroisse de Seiches, non loin de la ville de Baugé. Son oncle avait vu grandir la fillette, et un autre frère de Pierre, Marc de La Porte, était entré au service particulier de l'épouse du connétable, à laquelle il s'était dévoué depuis, dans toutes les vicissitudes de sa vie mouvementée sous le titre de duchesse de Chevreuse – il était encore aujourd'hui son valet de chambre et partageait son exil à Tours... C'était Marie qui avait elle-même présenté Pierre le plus jeune frère, à la Reine, et le lui avait donné.

C'était un garçon d'assez belle tournure, mince, de taille bien prise et avenante quoique petite, et d'un naturel sensible et fort timide ; il s'était d'abord senti très étranger et fort gauche dans le train de la Cour... Au début, il montra même quelque maladresse dans les menus exercices de sa charge qui consistait essentiellement à porter le manteau de la Reine quand elle sortait, à le lui tendre si elle le souhaitait, à tenir ses gants ou bien un livre pour elle, ou encore un bouquet dont on venait de lui faire présent. Lorsqu'elle allait à la promenade, il devait marcher auprès d'elle, toujours veillant à lui passer sa cape si le vent venait à fraîchir – ce qui ne fut guère le cas dans ces premières semaines au bord de la Garonne où l'été fut torride. Louis XIII et son connétable, de Luynes, installés au château de Piquecos, s'étaient mis en devoir de soumettre la forteresse huguenote de Montauban, laquelle supporta héroïquement le siège des armées royales alors que la sécheresse s'installait, totale, pesante et cruelle... Les chevaux d'abord, privés d'eau, les hommes ensuite, mouraient par centaines, et ces pertes dues à la vague de chaleur désertique achevaient de porter la désolation dans les troupes... Pierre, dans le sillage des dames, débuta davantage comme porte-ombrelle et comme préposé aux grands chapeaux de paille que tressaient les doigts agiles des jeunes paysannes noiraudes de ces contrées inhospitalières – chapeaux dont Sa Majesté faisait ôter les couronnes de fleurs vives posées par ces sauvageonnes et qui étaient incompatibles avec la mélancolie de son deuil.

Cependant, les petites bévues du jeune homme, dans les premiers temps, avaient amusé Anne d'Autriche, qui lui disait, pour le taquiner, que son frère Louis était mieux morigéné que lui ; elle lui avait appris elle-même, sans humeur, avec sa gentillesse directe et sans apprêt, la manière de les éviter pour lui plaire. Elle avait dit deux ou trois fois, du ton vif et primesautier qui lui était alors familier :

– *Así, mira... Mira, pobrecito, mucho te queda por aprender !...*

Pierre était profondément touché par la sollicitude et la simplicité de sa jolie maîtresse royale, dont les grands yeux bleu clair se posaient sur lui sans sévérité. Il se montra doux, intelligent et pieux, et s'appliqua avec tant de zèle qu'en fort peu de temps il sut parfaitement tous les détails de son métier – au point de faire oublier les accomplissements de son frère aîné ! En outre, le garçon avait fait de bonnes études dans un collège de Baugé et il avait des lettres – préparé comme il l'avait été, de longue main, à entrer au service royal dans l'entourage de Marie de Rohan, il avait appris l'espagnol, qu'il parlait fort bien, chose tout à fait essentielle. Le castillan était alors non seulement la langue la plus importante au monde par le rayonnement de la cour de Madrid dans toute l'Europe, mais aussi celle qui se targuait du plus grand prestige dans la politesse de ses écrits, le raffinement de sa littérature et l'abondance de la pensée religieuse dont elle était le véhicule et le soutien. Par ailleurs, il était indispensable de savoir l'espagnol lorsqu'on était au service d'une souveraine qui, au bout de cinq années, vivait encore les pieds dans le royaume de France et l'esprit outre-Pyrénées. Ses sentiments, ravivés par le chagrin et par la langueur de l'été, la rendaient tout imprégnée du souvenir des terres ocre de Castille-la-Vieille et des senteurs ensoleillées des vergers de Valladolid, où elle était née. Le deuil rallumait en elle la poignante nostalgie de ses courses d'enfant sur les frais bords du Tage, dans les jardins d'Aranjuez où la brise jouait dans les feuillages gris des ormes, dans les cours du palais...

Naturellement, la souveraine savait à présent le français et le parlait couramment quand elle le voulait – avec une pointe d'accent assez sensible et d'une voix un peu trop aiguë, mais sans ressemblance aucune avec le galimatias exubérant dont usait toujours Marie de Médicis dans les circonstances les plus officielles ! *Moun Diou qué fa cho !*... Ce sabir franco-italien de la Reine Mère, qui paraissait constamment engagée dans quelque arlequinade, était si surprenant de prime abord que sa bru avait eu beaucoup de mal à l'entendre. Anne, cependant, refusait encore quelquefois de parler la langue du roi de France, surtout si elle était contrariée. Lorsqu'elle devait donner audience à un ambassadeur étranger venu lui présenter son compliment, elle gardait le plus souvent une froide réserve et un maintien des plus guindés – pour se distraire de l'ennui mortel que lui inspiraient ces rencontres obligées, elle faisait semblant de ne pas connaître un seul mot de français ; malgré les remontrances réitérées de M. de Bonneuil, chargé des présentations, elle laissait à ce maître de cérémonie, ainsi mis au supplice, tous les soins de la conversation.

La Porte, qui lisait le castillan et l'écrivait, fut donc d'emblée dans la confiance de la jeune Reine. Il parlait peu, écoutait beaucoup ; une fois l'embarras passé et ses leçons apprises, il se montra prompt, respectueux et doté d'une attention toujours en éveil en dépit d'une contenance humble et effacée. Il tenait ainsi d'une sorte de croisement entre le laquais et l'amoureux transi... Par ailleurs fin, adroit sans être fourbe, sachant rire à l'occasion, aimable et franc tout en étant capable de garder, si les circonstances le voulaient, des sentiments impénétrables derrière un visage de bois. Petit à petit, au bout de quelques mois, dans ce milieu étrange où elle allait vivre après la mort soudaine du connétable de Luynes (celui-ci fut emporté par une épidémie de scarlatine qui sévissait dans la vallée de la Garonne, ce qui occasionna une redistribution du pouvoir) ; dans ce milieu redevenu étrange pour Anne et plus encore pour Marie, veuve du connétable, durant l'hiver 1622, tandis que la Reine Mère revenue d'exil reprenait de l'ascendant sur le Roi son fils (aidée en cette entreprise par Armand du Plessis, le suave évêque de Luçon qui était à elle et qui attendait sans rien brusquer à la fois son heure et son chapeau de cardinal) ; pendant que l'on recommençait, ce faisant, à espionner et à médire d'elle afin de détacher de sa personne l'affection du Roi, que l'on s'employait à rendre plus malléable ; peu à peu, donc, devant le besoin grandissant, la jeune souveraine sentit qu'elle pourrait compter sur ce jeune serviteur pour des affaires moins en vue et autrement délicates que le port d'un manteau... Une couverture commode, si l'on ose dire, avec le temps, que cette charge qui obligeait le jeune officier à demeurer constamment auprès d'elle – en particulier si elle était en voyage. Lui, de son côté, s'était pris de la fidélité scrupuleuse d'un héros de roman pour sa dame ; nourri des pensées fières de l'homme *de la Mancha,* il se donna secrètement le rôle d'honneur sourcilleux d'un hidalgo servant : il se serait fait hacher menu plutôt que de trahir, pour l'amour de sa Reine... Et, en effet, cela faillit lui arriver.

Les cris joyeux d'une troupe de jeunes gens folâtres qui chantaient à tue-tête s'élevèrent dans les jardins... Le gentil-homme posa sa plume et s'approcha de la fenêtre, sous laquelle il vit le cimetière des Quinze-Vingts envahi par une farandole de filles et de garçons qui se tenaient par la main et dansaient en ronde autour des arbres, sur l'herbe fraîchement coupée. Comme il se penchait au-dehors pour suivre leurs évolutions au milieu des tombes, un grand escogriffe le salua d'en bas en ôtant ostensiblement son chapeau dans une vaste révérence. Ce goguelu était gaufré et testonné comme un chou pommé, son pourpoint à grande taillade faisait gonfler les bouillons neigeux de sa chemise, et sa moustache, qui surmontait une courte barbe en pyramide, était recroquevillée sur les bouts comme la garde d'un poignard.

– La journée est à Dieu et à nous, le savez-vous, monsieur ? dit le plaisantin en faisant décrire un cercle au panache de son chapeau.

– Je l'ai ouï dire ! répondit Pierre en souriant.

Un autre drôle s'écria alors d'une voix fort haute, de sorte à être entendu de toute la compagnie :

– Ouï-dire va par la ville, et Baise-cul par les maisons.

L'insolent quolibet provoqua une longue explosion de rires dans le cimetière, qui secoua toute la bande et fit s'étrangler la chanson ; les uns lançaient en l'air leur bonnet en hurlant, les autres s'envoyaient des bourrades, les filles se tenaient les côtes, renversées en arrière, riant à gorge déployée...

La Porte revint à la table en se demandant ce que pouvait bien faire son petit valet, lequel aurait dû être de retour au logis avec les provisions de bouche. Il se sentait contrarié, car il commençait à avoir grand-faim, en reprenant la translation de sa lettre espagnole.

Deux ans après son entrée dans la charge avaient eu lieu les intrigues du mariage de la princesse Henriette, la sœur du Roi, avec le fils du roi d'Angleterre – une circonstance qui dérida notablement Anne d'Autriche en lui faisant prendre un intérêt inaccoutumé non seulement aux affaires de la Couronne, qu'elle avait jusque-là dédaignées, mais aussi à la langue anglaise, dont elle répétait volontiers des mots en riant, disant aux ambassadeurs qui l'exerçaient par galanterie qu'elle la voulait apprendre. Elle se jouait ainsi en compagnie fidèle de Marie de Rohan, son amie la plus intime et intendante de sa maison... Devenue veuve à vingt et un ans par la mort du connétable, et mère de deux petits enfants, Marie, qui voulait regagner son indépendance, venait de se remarier avec le vieux duc de Chevreuse, Claude, qui appartenait à la maison de Lorraine. Bien que ne lui apportant pas le titre de princesse auquel elle avait cru un moment pouvoir prétendre, ce mariage avec un libertin chevronné de la vieille roche, et d'esprit fort large, lui assurait une liberté de ses mouvements quasi entière. Du reste, à vingt-trois ans, elle n'avait rien perdu de son entrain, de sa vivacité de ton et de parole, ni aucune parcelle de sa resplendissante beauté – duchesse de Chevreuse, Marie n'avait fait que gagner en audace, et son influence, comme le charme qu'elle exerçait sur Anne, étaient en grande partie la cause des murmures que faisaient les faux dévots dans l'entourage de l'évêque de Luçon, nouveau cardinal et âme damnée de la Reine Mère. Car on jasait alors sur les façons trop libres et trop indépendantes qui fleurissaient à la Cour de la reine Anne... Il s'y rapportait beaucoup des propos grossiers que tenait Tabarin sur la place Dauphine, et on y lisait, disait-on, sous l'impulsion des deux jeunes femmes, les ouvrages les plus licencieux du moment, comme ce *Parnasse satyrique* qui demeurait ouvert en permanence dans le cabinet de Sa Majesté et que l'on commentait sans gêne – chose qui déplaisait à Louis le chaste... On faisait gorges chaudes de *la Vraye Histoire comique de Francion,* nouvellement imprimée, qui réjouissait les dames, autant que les captivaient les histoires d'esprits et de revenants qui couraient la ville. La Reine croyait à ces contes aussi fermement qu'à l'*Almanach* du curé de Mil-Monts qui avait prédit la mort de De Luynes...

Anne d'Autriche et la duchesse de Chevreuse avaient donc paru charmées par les bonnes grâces des jeunes ambassadeurs anglais, Holland et Boukingame, arrivés à Paris en émissaires extraordinaires avec toute une suite de lords gracieux et de gentilshommes d'outre-Manche pour arranger le mariage princier entre la sœur du Roi et le prince de Galles. Il y avait eu des fêtes splendides qui avaient émerveillé le portemanteau ordinaire dont le temps était justement venu de servir son quartier. L'année suivante, qui était 1624 et celle où le Cardinal entra au Conseil, vit le départ pour l'Angleterre de Madame, la jeune épousée, avec les fracas qui en résultèrent, au début de juillet – la première et sérieuse alarme dans la bonne entente du couple royal...

Les deux Reines avaient fait une conduite à Mᵐᵉ Henriette et aux Anglais jusqu'à la ville d'Amiens, où elles s'installèrent avec leurs suites respectives – la Reine Mère accompagnait sa fille suivant l'usage ; la reine Anne accompagnait sa belle-sœur et Marie, qui s'en allait avec elle... La duchesse de Chevreuse, ayant fait la conquête amoureuse du beau Lord Holland, avait intrigué pour suivre, en compagnie du duc son mari, la nouvelle princesse de Galles jusqu'à la cour londonienne, où elle devait séjourner quelque temps parmi ses dames d'honneur. Ce fut aussi une raison sérieuse pour qu'Anne, souhaitant quitter sa tendre amie le plus tard possible, se fût mise en chemin. A Amiens, il y avait eu quelques fêtes pour célébrer la séparation, et les galanteries allaient leur train dans la chaleur un peu lourde de l'été picard. Pendant que Lord Holland courtisait de fort près Mᵐᵉ de Chevreuse, laquelle prêtait la main de très bon cœur à ses avances, son ami, le gracieux duc de Boukingame, s'attachait à distraire de son mieux Anne d'Autriche, qui n'était certes pas insensible à son charme ni à sa belle humeur. C'est ainsi, dans cette atmosphère de jeunesse rieuse et de gaieté un peu libre, au cours d'une soirée pesamment orageuse au bord de la rivière de Somme, dans un parc où la Cour avait cherché l'apaisement et la fraîcheur à la chute du jour, que le beau duc anglais, se croyant seul avec elle et dérobé à la vue par le tournant d'une allée, avait mis sa main osée au cul de la Reine à la faveur de l'obscurité qui commençait à chasser la lumière. La compagnie accourut au cri qu'elle poussa sous l'effroi que lui causa cette privauté, et

Boukingame, confus, manqua d'être arrêté par le premier écuyer, lequel s'était porté vivement en tête, l'épée à la main, au secours de sa souveraine.

La partie des Anglais délogea dès le lendemain, mais elle fut ensuite retenue toute une semaine à Boulogne par une violente tempête qui l'empêcha de prendre la mer. La Porte fit alors de fréquents voyages entre Amiens, où étaient demeurées la Reine Mère et Anne, et Boulogne, où attendaient Henriette avec les ambassadeurs, Mme de Chevreuse, ainsi que tout le reste de leur suite. Le jeune officier et cavalier impeccable porta maintes lettres et toutes sortes de messages dans ses va-et-vient, sans compter de nombreux présents et gages d'amitié... Il recueillit les nouvelles et les distribua avec adresse et célérité, jusqu'au moment où, les voyageurs ayant quitté le port de Boulogne dans la clémence des eaux, Leurs Majestés les Reines purent laisser à leur tour leur séjour d'Amiens.

Cependant, lorsque les dames revinrent à Fontainebleau, le Roi, qui avait été informé rigoureusement de tous leurs faits et gestes, leur fit mauvaise chère et un abord très froid. En effet, les informateurs qu'il s'était attachés parmi les serviteurs de la Reine, ayant ajouté force détails malveillants, transformèrent dans l'esprit du Roi l'incident du parc en véritable scandale. Richelieu, qui en ce temps-là commençait à souffler le chaud et le froid pour se donner de l'importance, enflamma si bien la jalousie naturelle du monarque ombrageux que Louis XIII adressa à sa femme des reproches aussi humiliants que si son honneur conjugal avait été mis à sac. Il fit procéder à une sévère épuration des membres de son entourage, à commencer par les gentilshommes qui avaient été du voyage. Le premier écuyer de la Reine, dont le zèle et la hâte furent fort mal récompensés, fut prié de quitter la Cour, ainsi que tous les autres témoins de l'émancipation du duc... La Porte avait été si discret dans son rôle d'agent de liaison qu'il faillit tout d'abord être oublié par les espions du Roi. Mais la première dame d'honneur, à qui rien n'avait pu échapper, rapportait elle aussi au monarque tout ce qu'elle voyait : elle fut si vigilante que Pierre, qui pour lors était alité avec de la fièvre, se vit donner son congé le lendemain de tous les autres. Il reçut l'ordre de s'éloigner du service de sa maîtresse, et même de quitter Fontainebleau sur-le-champ, sans égard à sa maladie.

Le gentilhomme chevaleresque payait pour la première fois le prix de son total dévouement à sa souveraine. Anne, humiliée, était ulcérée de l'affront qui lui était infligé et fut peinée de la perte supplémentaire de son gentil serviteur ; le sachant pauvre et sans emploi, elle lui envoya de l'argent et s'occupa de le faire nommer dans sa compagnie de gendarmes, où Pierre attendit d'abord, mais en vain, l'amnistie de fautes qu'il n'avait guère commises. Mais les années avaient passé sans que parvînt la moindre grâce royale et sans espoir de reprendre un jour les fonctions de sa charge. C'est l'inverse qui se produisit : à mesure que la situation politique se compliquait, la tension augmentait entre le Roi et Anne d'Autriche ; car le gouvernement de Louis XIII se durcissait sous l'influence de Richelieu, qui, une fois entré au Conseil, et toujours sous le couvert de suaves protestations de modestie, avait obtenu une emprise grandissante sur l'esprit du Roi, en même temps qu'un rôle prépondérant dans la conduite des affaires. Le nouveau ministre s'était tout de suite opposé à l'Espagne, pour laquelle il ne cachait plus son hostilité, et aussi aux grands seigneurs du royaume, dont il barrait les prétentions, particulièrement ceux qui étaient huguenots. Les grands murmurèrent, puis, de cabale en cabale, ne tardèrent pas à comploter contre ce prélat arrogant qui cachait sa détermination autocrate sous les dehors d'une humble papelardise.

Anne, de son côté, était plus inquiète pour les intérêts de sa chère Espagne et de son jeune frère très aimé, Philippe, devenu roi depuis la mort de leur père, qu'elle n'était séduite par les avances chafouines du Cardinal. Elle avait fait discrètement chorus avec les mécontents, au nombre desquels était maintenant Marie de Médicis elle-même, insensiblement mais implacablement écartée du pouvoir par son ancien protégé après qu'il se fut servi d'elle dans son ascension. Cette opposition liguait aussi Gaston d'Orléans, frère du Roi et héritier direct du trône tant que Leurs Majestés n'avaient point d'enfant, et que l'on mariait contre son gré en dépit de ses vives protestations, autour duquel se rassemblaient les sympathies des autres princes et de la plupart des ducs et des pairs. De concert avec son éminente amie et conseillère Marie de Rohan – que l'on n'appelait plus que Mme de Chevreuse et qui avait été fraîchement accueillie après ses frasques d'Angleterre, où elle était restée plus d'un an –, la Reine désirait ardemment le succès des différentes cabales. Elle était fidèlement mise au courant de toutes les intrigues qui se tramaient çà et là, se nouaient dans le plus grand secret au gré des haines suscitées par le féroce Cardinal. Elle tâchait toutefois de ne pas se compromettre trop avant, sachant que, dans l'état de froideur et de faiblesse où elle se trouvait à présent face au Roi son époux, l'implacable Richelieu la ferait impitoyablement châtier au premier indice de collusion avec le parti adverse.

En 1626, Anne d'Autriche avait d'ailleurs été dûment avertie de ce qui l'attendait par un conseil de famille extraordinaire, auquel participait Son Éminence, au cours duquel elle avait été tenue sur la sellette – très littéralement, on ne lui avait offert qu'une petite chaise basse ! – après la découverte d'un complot contre la vie du Roi, disait-on, et dans lequel était mêlée Mme de Chevreuse elle-même par le truchement de son nouvel amant, le comte de Chalais, maître de la garde-robe. Cette rébellion, dont Marie avait été l'âme, s'acheva par l'exécution sanglante de M. de Chalais, à Nantes, qui fit hausser le sourcil et attira la réprobation de beaucoup de gens ; le bourreau s'étant récusé sous la pression des amis du condamné, son remplaçant improvisé et malhabile procéda à un véritable massacre : il dut frapper le comte vingt-deux fois, avec une épée émoussée puis avec une doloire prêtée par un tonnelier, avant de détacher la tête du corps. Le malheureux Chalais criait « Jésus Marie » à chaque coup qu'il recevait, tandis que sa propre mère l'assistait pieusement de ses prières sur l'échafaud éclaboussé de sang, dans les huées de la foule présente... Mme de Chevreuse, quant à elle, fut renvoyée de la Cour et condamnée à l'exil, qu'elle choisit de vivre à la cour de Lorraine, chez le jeune, fantasque et amoureux duc Charles IV, cousin de son mari.

Outre sa famille en Espagne et en Flandre, Anne d'Autriche entretint donc à partir de ce moment-là une correspondance secrète et suivie avec la duchesse de Chevreuse en exil. C'est par elle qu'elle fut tenue au courant, dans l'hiver de 1628, d'une alliance qui se construisait à l'instigation de l'aventureuse jeune femme. Éprise de vengeance pour avoir été chassée, Marie avait entraîné dans son fougueux sillage le duc de Lorraine et celui de Savoie – dont les duchés n'étaient pas alors dans les limites du royaume de France –, le jeune roi d'Angleterre, Charles Ier, avec qui elle avait gardé des relations d'amitié et qui était tenu en échec par le siège de La Rochelle dans son soutien aux partisans de la religion réformée, l'archiduchesse Eugénie, la propre tante de la Reine, qui gouvernait en Flandre pour le compte du roi d'Espagne, ainsi que plusieurs autres membres de la maison d'Autriche qui s'étaient joints à la coalition. Cette ligue étant éventée par l'incomparable police secrète que Richelieu avait mise sur pied, le Cardinal fit arrêter par ruse, vers la fin du Carême, l'envoyé spécial du roi d'Angleterre, Milord Montaigu, lequel passait par la Lorraine en vue d'achever l'entente, pour laquelle il recueillait les signatures et réglait les derniers détails. On saisit à l'occasion de sa capture toutes les pièces et les documents concernant ce traité que l'Anglais transportait dans ses bagages...

La nouvelle de cette arrestation qui mettait les ligueurs au désespoir avait plongé Anne dans une agitation extrême, car elle craignait d'être nommée, sous une circonstance ou sous une autre, dans les papiers du milord, et que fût par là connue et prouvée son intelligence, même lointaine, avec cette alliance contraire aux intérêts de la Couronne. La pensée d'être maltraitée par le Roi, peut-être même répudiée et chassée à son tour, avec la perspective de passer le restant de ses jours dans le fond obscur d'un couvent, l'inonda d'une telle inquiétude qu'elle en perdit le dormir et le manger.

C'est dans cet embarras qu'elle se souvint de La Porte... Elle fit chercher son ancien porte-manteau, lequel justement se trouvait à Paris pour le Carême, en congé de son régiment de gendarmes : celui-là même, par le plus favorable des hasards, qui devait ramener Milord Montaigu des marches de Lorraine, où il avait été fait prisonnier, jusqu'à la Bastille, où il devait être interrogé. Anne introduisit La Porte au Louvre avec l'aide d'un ami sûr, le fit venir dans sa chambre un soir, après minuit, avec des précautions infinies, et lui conta le chagrin où elle était de n'avoir personne à qui se fier entièrement pour obtenir des nouvelles et surtout pour faire prévenir et prier Montaigu, le plus secrètement du monde et sans donner l'éveil à quiconque, de ne la point nommer, en aucun lieu, sous aucun prétexte. Pierre fut touché du tourment et du désarroi de sa maîtresse, à laquelle il s'était voué naguère corps et biens. Il accepta sur-le-champ de tenter cette périlleuse et fort délicate entremise. Il rejoignit sa compagnie en toute diligence et, pendant la huitaine de jours que prit le voyage vers Paris du prisonnier et de son escorte, il réalisa une sorte d'exploit d'émissaire secret. S'introduisant chaque soir auprès du milord – lequel avait fait partie de l'entourage de Boukingame, et qu'il connaissait précisément depuis Amiens et Boulogne – sous couvert de jouer au reversi avec lui dans le rôle du quatrième, il parvint à tromper l'attention de ceux qui observaient le captif et à endormir leur méfiance. Parlant ainsi à l'Anglais, qui le reconnut tout de suite et qui, se doutant qu'il n'était pas là pour le simple amour des cartes, lui écrasa le pied sous la table dès leur première rencontre, il put s'assurer que la Reine ne devait se faire aucun souci : elle n'était nulle part nommée dans les dossiers saisis et il ne serait jamais fait aucune mention d'elle... Anne lui fut extrêmement reconnaissante de son habileté et de son audace ; il ne cessa dès lors de rendre des services exceptionnels du même ordre, puis, au début de l'automne de 1631, après sept ans d'absence, il rentra enfin dans l'exercice de sa charge grâce à l'entremise de son frère aîné, qui alla trouver le Roi pour lui. Reprenant sa fonction officielle de porte-manteau, il continua plus que jamais son rôle clandestin de porte-nouvelles.

Ce n'était certes pas sans dangers... Lorsque la guerre s'était rouverte avec l'Espagne, il y avait dix-huit mois de cela, en 1635, la Reine avait pleuré aux victoires françaises qui portaient la désolation aux siens, et elle s'était réjouie, on le savait, quand les Espagnols avaient gagné du terrain en Flandre et dérouté l'armée du Roi à Corbie. Louis, lui faisant un soir une visite impromptue, la Cour étant à Château-Thierry, avait trouvé sept ou huit lettres sur son secrétaire. Il les avait lues, la Reine étant pour l'heure dans son cabinet et La Porte seul dans la chambre... Après sa lecture, refusant que l'on avertît sa femme, Sa Majesté avait jeté les papiers sur le sol, pris un flambeau et mis le feu aux lettres en disant :

— Voilà le feu de joie de la défaite des Espagnols, contre le gré de la Reine !...

Cette affaire avait achevé la brouille entre les époux, qui ne se cachaient plus leur rancœur. Au printemps dernier, la Cour faisant un voyage à Orléans par Fontainebleau et Malesherbes, La Porte s'était mis en retard parce que son cheval s'était déferré et n'avait pas été vu dans les premiers jours du voyage ; des malveillants avaient aussitôt persuadé au Roi qu'il s'était absenté de la suite de la Reine pour aller à Tours, où était maintenant exilée Mme de Chevreuse, afin de mener celle-ci déguisée dans un couvent de la ville où la Reine devait l'aller voir en cachette... Le Roi avait été si bien persuadé de cela qu'il avait résolu de châtier le messager suspect et, par une cruelle raillerie de son nom qui amusait le

monarque, dès que La Porte serait de retour, de « la » faire
jeter par les fenêtres ! Le malheureux, qui pour cette fois
n'était nullement coupable de ce voyage imaginaire, n'avait
dû son salut qu'à l'ingénuité des réponses qu'il dut faire au
Roi en personne qui se chauffait au coin d'une cheminée à
l'étape : il s'était attardé en chemin pour faire rechausser son
cheval. Comme il précisait qu'il avait vu Sa Majesté voler la
pie dans les vignes près du village d'Artonay, ce qui était la
vérité, Louis XIII avait souri, et pour lui ôter l'inquiétude
qu'il voyait grandir sur son visage :

— Ce n'est rien, La Porte, avait-il dit en souriant, ce n'est
rien...

Pierre était en train de saupoudrer la dernière page de la
lettre qu'il avait fini de transcrire, quand il tressaillit... On
marchait dans le corridor : un pas lourd s'approchait de la
porte, et sa main gauche fut prise d'un léger tremblement
nerveux.

— Holà ! dit une voix sur le palier. Êtes-vous céans,
monsieur ?...

Il reconnut la voix du Rousseau, le concierge à la tignasse
couleur de feu qui gardait l'hôtel. Pierre se détendit. Il finit
de souffler posément sur le cornet de papier qu'il tenait dans
ses doigts, et la fleur de farine se répandit en fin nuage de
poudre sur toute l'écriture humide.

— Si fait, si fait ! cria-t-il, me voici.

Il rangea calmement les feuilles éparses sur la table, tandis
que le concierge expliquait à grande voix caverneuse, derrière
l'huis, qu'il était monté pour aider son petit garçon, lequel,
ne pouvant tout porter d'un seul tour, le pâté étant chaud
comme la braise, était reparti quérir le vin... Pierre souriait ;
il savait que le Rousseau, ne l'ayant pas vu depuis deux
semaines, avait surtout hâte d'apprendre quelques nouvelles
fraîches de la Cour et de le tenir au courant des potins de la

maison de Chevreuse. En faisant entrer le bonhomme, il se reprocha le petit mouvement de frayeur et le brusque serrement qu'il avait eu dans la poitrine ; il songea que ses nerfs avaient été mis à vif, ce matin, par la longue poursuite à laquelle il avait dû échapper en venant de Saint-Germain... Au sortir du pont de Saint-Cloud, en effet, il avait aperçu deux hommes à cheval qui manifestement le guettaient et qui avaient essayé de lui emboîter le pas. Pierre les avait engagés dans de longs détours à travers bois, puis leur avait faussé compagnie grâce à la ruse d'une auberge qu'il connaissait, dont l'écurie possédait une issue vers l'arrière... Il lui faudrait sans faute prévenir la Reine de ce guet-apens, dès ce soir même, en lui remettant sa lettre.

Le Rousseau avait posé sur le coin de la table un beau pâté fumant à la croûte dorée qui embaumait la pièce, cependant que Renaud, le petit valet, accourait avec une miche de pain sous le bras et les deux mains serrées sur une grosse pinte d'étain, qu'il tâchait de son mieux de tenir bien droite et dont le couvercle cliquetait à chacun de ses pas. Le garçon était tout rouge d'avoir couru, avec un air confus qui disait sa crainte d'être grondé par ce nouveau maître qu'il ne connaissait pas encore bien.

– Je suis confus pour le retard de votre déjeuner, monsieur, s'écria-t-il en passant le seuil, dans la précipitation de quelqu'un qui s'attend au pire. C'est la raison que les pâtés étaient au four !...

Le gentilhomme le regarda déposer sa pinte sur le bord de la table, serrant le pain pour ne pas l'échapper dans ce mouvement.

– Ce n'est rien, Renaud, dit-il en souriant, ce n'est rien.

CHAPITRE III

— Hélas ! je ne le verrai plus, soupira la jeune fille.

Louise de La Fayette, mince, brune, petite de taille et de corps menu, se tenait raide et immobile derrière une des fenêtres du rez-de-chaussée qui donnait sur la cour des offices du château Neuf de Saint-Germain-en-Laye. Des larmes silencieuses coulaient de ses yeux rougis, le long de ses joues pâles ; elle mordit sa lèvre en tirant de sa manche un fin mouchoir froissé... l'homme sombre, au visage crispé, qui venait de pénétrer nerveusement dans le grand carrosse arrêté au milieu de la cour, dont un laquais tenait respectueusement la portière, était le roi de France, Louis, que quelques-uns appelaient le Juste.

Deux lévriers au pelage tacheté sautèrent d'un bond dans la voiture à la suite de leur maître, le valet referma la portière dont les rideaux de cuir étaient baissés, puis il grimpa lestement sur la plate-forme arrière d'où il cria quelque chose au cocher, faisant de grands gestes du bras par-dessus le toit orné d'un feston de fleurs de lys argentées. Le lourd carrosse tiré par quatre chevaux à robe noire tourna lentement sous le soleil de midi dans un fracas de sabots, de grincements d'essieux, d'écrasement de ferraille sur les pavés de la cour, tandis qu'un second laquais, ayant sauté en marche, se hissait à l'arrière, à côté de son camarade, et que trois cavaliers de la garde se regroupaient à l'extrémité du portail, prêts à lui faire escorte. Louise écouta l'attelage cahoter dans la grande cour,

54

mais au lieu de s'éloigner vers la sortie principale le long du château Vieux, elle l'entendit qui virait brusquement à droite, franchissait le porche du septentrion, pour s'engager directement dans la forêt.

La jeune fille se retourna alors vers sa cousine, Marie-Claire de Baufremont, qui s'était approchée elle aussi de la fenêtre, et lui dit en étouffant un profond sanglot :

– Hélas ! je ne le verrai plus...

Elle avait été brave toute la matinée, devant la Cour réunie pour ses adieux publics, qu'elle avait redoutés ; elle s'était bardée de courage afin de laisser paraître à tous et à toutes, à ceux qui étaient favorables à son départ comme à ceux qui avaient tenté de s'y opposer, le calme et la profondeur de sa résolution mystique. Car, en ce beau mardi qui suivait les fêtes de l'Ascension, le 19 mai en l'an de grâce 1637, Louise de La Fayette, que le Roi appelait Angélique, se préparait, après de tumultueuses hésitations, à entrer au couvent. La beauté fragile, l'aspect junévile et la gaieté enfantine de cette demoiselle d'honneur de la Reine avaient attiré l'attention de Louis XIII – une attention habilement dirigée par son premier écuyer, Saint-Simon, lequel, agissant sous la direction de Richelieu, lui parlait sans cesse des mérites de la petite nymphe brune... Depuis un peu moins de deux ans, il en avait donc fait sa chaste favorite et il l'aimait tendrement, remplaçant momentanément dans sa faveur la favorite en titre qu'était Mme de Hautefort, dont la beauté de légende s'accompagnait d'un esprit fort sarcastique et surtout d'une fidélité absolue à sa maîtresse la reine Anne, dont elle était la dame d'atour... Le Roi, qui venait de quitter le château si brusquement, ne s'était résolu à accepter la réclusion de sa chère Angélique que la mort dans l'âme, après bien des débats, des tiraillements à l'infini, tant l'idée de cette séparation lui était douloureuse.

Sa Majesté avait pleuré tout à l'heure, dans l'appartement de la Reine, au moment des adieux, devant toute la Cour. Il avait sangloté comme un enfant perdu... Il sanglotait peut-être encore, dans l'isolement de son carrosse où il était monté seul avec ses chiens afin d'aller nourrir sa peine parmi les arbres, au cœur de la forêt, au milieu des bêtes.

Cette pensée bouleversa Mlle de La Fayette... Elle eut un éclair de doute violent et froid, et, l'espace d'une de ces minutes de temps que l'on gravait sur les horloges, elle regretta sa décision. Elle promena tout à coup un regard de détresse sur cet appartement qu'elle laissait – sur ces murs nus que les valets avaient déjà dépouillés de leurs tentures depuis le matin, dont ils avaient déménagé la plupart des meubles pour les transporter au charroi... Elle se sentit très malheureuse, soudain, d'avoir à quitter cette chambre qu'elle occupait par faveur spéciale dans le pavillon de la Reine, afin d'être plus près du Roi – partageant l'appartement de la première dame d'honneur, la marquise de Sénécey, qui était sa proche parente, alors que les autres filles étaient logées au château Vieux. Le désarroi de la jeune novice fut brusquement si douloureux que la grande Marie-Claire, sa cousine, s'approcha d'elle et la prit doucement entre ses bras... Angélique, abandonnant tout effort pour paraître, posa sa tête contre le sein de sa cousine et pleura.

Ce qui redoublait ses pleurs, c'était d'avoir vu la voiture du Roi rebondir sur un gros pavé de la cour et cahoter rudement : elle l'imaginait secoué sur la banquette de cuir comme un enfant malheureux. Cette vision lui était tellement insupportable qu'elle ne savait plus du tout si elle avait bien fait de remettre sa vie entre les mains de Dieu... Elle était la seule personne au monde, songeait-elle, qui connaissait Louis – assurément la seule à l'aimer. D'un amour chaste évidemment, un amour de romans tendres comme on en inventait dans la chambre bleue de la marquise de Rambouillet. Ils en devisaient eux-mêmes parfois, en riant : ils se comparaient aux héros imaginés par Honoré d'Urfé dans ce livre porteur d'aventures selon leur cœur à tous deux. Il était Céladon, elle était Astrée...

En même temps, la jeune fille redoutait un peu l'emprise

de cet homme étrange qui, à trente-cinq ans passés, lui confiait ses peurs, ses paniques si véritables qu'il en bégayait certains jours affreusement. Il lui disait le fond de son âme et de sa pensée, à elle qui n'avait pas vingt ans, dont chacun disait qu'elle n'était qu'une enfant – que beaucoup de gens traitaient avec la même négligence amusée que si elle eût été une petite fille. Elle imagina qu'il bégayait en ce moment même, parlant à ses lévriers et leur flattant le cou, tellement chaviré dans la solitude de ce carrosse où il s'était enfui, où il se cachait comme un loup blessé – Angélique serra convulsivement le bras de sa cousine qui la dépassait de la tête et des épaules.

Louis était cependant un homme trop imprévisible pour sa confidente la plus intime... Au milieu de la peur qu'il lui montrait et d'une irrésolution maladive, il se trouvait capable d'un courage et d'un esprit de décision tout à fait insolites, pourvu que le danger devînt très réel et extrêmement imminent. En effet, ce monarque pusillanime qui n'osait pas s'opposer à son propre ministre dans les petites choses, tant il craignait le courroux de Son Éminence et était subjugué par elle, ce roi honteux qui n'osait disputer une faveur ou octroyer sans autorisation un bénéfice subalterne – et qui enrageait tout le premier de cette faiblesse ridicule de son caractère ! – n'avait-il pas fait preuve d'une bravoure immense, l'année passée, devant le danger épouvantable de l'armée espagnole qui menaçait d'envahir Paris ?... Après la défaite de Corbie, Louis s'était montré d'une vaillance, d'une fermeté et d'une présence d'esprit dignes des plus grands capitaines, et tel enfin que les vieilles gens disaient l'avoir connu dans sa jeunesse, face aux huguenots révoltés. Alors que la panique avait commencé à jeter les habitants de Paris sur les routes d'Orléans, de Tours ou de Blois, dans un désordre misérable, alors que le glorieux Cardinal lui-même, par qui la paix avait été rompue avec l'Espagne, ne songeait plus qu'à fuir devant la menace, et que tout le Conseil, suivant la décision du ministre despotique, inclinait à se retirer au plus tôt au sud de la Loire, le Roi avait laissé tomber, d'un ton fort calme :

— Cet avis n'est pas le mien. Des remèdes faibles n'en sont pas à un mal pressant.

Puis, sans tenir compte aucun de la consternation ni des propos alarmés des membres de l'assemblée désarçonnée, il avait sur l'heure organisé la résistance, allant seul à cheval dans les rues de Paris, sans escorte, pour parler directement aux passants et rameuter les courages. Alors que la foule grondait, menaçant d'écorcher Richelieu tout vif pour avoir été la cause d'un pareil désastre, le Roi avait réussi à lever en quelques jours une armée de quarante mille volontaires, qu'il avait conduite et commandée en personne, semblable tout à coup à ces rois des vieux temps qui prêchaient la croisade, dont les exploits nourrissaient les romans de chevalerie. Louis était allé à la rencontre des Espagnols réputés invincibles, pour finalement les battre à la tête de ses troupes avec un sang-froid dont ceux qui ne connaissaient point cet homme changeant étaient demeurés étonnés... Au siège de Corbie, qui avait duré six semaines, les armées des deux camps avaient été durement victimes du manque de nourriture et décimées par la maladie. A son retour, le Roi avait confié à Angélique, fort calmement, entre deux pavanes et un nouvel air qu'il venait de composer sur sa guitare incrustée de pierreries, que, durant ce siège fameux, neuf de ses officiers étaient morts de la peste, dont cinq d'entre eux avaient librement eu accès à sa chambre.

Le front posé sur l'épaule de son amie qui l'exhortait doucement à retrouver son quant-à-soi, Mlle de La Fayette faisait réflexion que c'était ce même homme qui avait paru devant tous chaviré par la douleur de la perdre, tout à l'heure, en haut, dans la chambre de la Reine... Faisant un violent et trop visible effort sur lui-même, il avait dit en la quittant : « Allez où Dieu vous appelle, il n'appartient pas à un homme de s'opposer à sa volonté. Je pourrais de mon autorité royale vous retenir à ma Cour et défendre à tous les

58

monastères de mon royaume de vous recevoir, mais je connais cette sorte de vie si excellente que je ne veux pas avoir à me reprocher un jour de vous avoir détournée d'un si grand bien. » Ce disant, il avait buté sur presque tous les mots, hésitant convulsivement et s'y prenant à quatre ou cinq fois dans un silence royal ; il n'avait réussi qu'à grand-peine à prononcer « monastères » et « détournée », ses lèvres et sa mâchoire étant prises d'un véritable tremblement dès la première syllabe.

A ce moment, Mlle de La Fayette n'était plus tout à fait certaine que Dieu l'appelât... Pour la millième fois depuis une année entière, le doute l'assaillait, l'obligeant à considérer interminablement si le cardinal de Richelieu n'était pas celui qui la poussait insidieusement vers le cloître, comme le lui assuraient ses oncles, l'évêque de Limoges, ami particulier de la Reine, et le chevalier de La Fayette, comme du reste tout le parti de Mme de Sénécey, prudente et digne, qui haïssait le Cardinal. Ceux-là s'étaient tous opposés, dès l'abord, comme le Roi lui-même, à cette vocation où ils voyaient l'inspiration secrète de Son Éminence qui souhaitait se débarrasser ainsi de la favorite afin de placer auprès du monarque une créature qui fût plus docile à ses propres desseins. Angélique, de nouveau, ne savait plus... Ce n'était pas faute, pourtant, d'en avoir débattu avec Sa Majesté pendant des heures entières depuis de longs mois – faute d'y avoir rêvé des nuits entières passées sans sommeil, tâchant de sonder l'ingénuité de l'appel divin, faute d'avoir prié sans cesse le Créateur de lui accorder la grâce de l'éclairer enfin sans détour sur Ses intentions. Elle avait écouté avec un soin scrupuleux les raisons de son confesseur, le Père Carré, qui l'engageait beaucoup dans la voie du Seigneur – mais c'était un intime du Père Joseph, l'« éminence grise » qui gouvernait la diplomatie, main dans la main, avec Richelieu.... Elle avait disputé avec une attention semblable avec un autre jésuite éminent, le Père Caussin, confesseur du Roi, qui lui recommandait la prudence et surtout de ne se point hâter !

Au mois de janvier de l'année passée, elle avait déjà failli se retirer chez les Filles Sainte-Marie, au couvent de la Visitation, dans la rue Saint-Antoine, tout près de la Bastille, où elle se rendait aujourd'hui. Mais le Roi, qui ne se pouvait résoudre à la perdre, avait voulu, afin de lui donner du temps – du moins c'était une idée de Mme de Sénécey pour la retenir –, qu'elle obtînt l'autorisation écrite et formelle de son père et de sa mère, dans l'espoir que sa résolution faiblirait dans l'intervalle... En effet, ses parents habitaient l'Auvergne et ne se hâtaient pas de répondre. Ils savaient bien qu'en acceptant ils contrarieraient le Roi et que, s'ils s'opposaient à ce que leur fille entrât en religion, ils froisseraient dangereusement le Cardinal. Chacun savait qu'après avoir mis lui-même Mlle de La Fayette sur le chemin de Louis XIII, croyant faire aisément sa servante d'une demoiselle si jeune et sans expérience, Son Éminence souhaitait maintenant les séparer au plus vite – car, au lieu de servir le ministre en le représentant flatteusement auprès du souverain, Angélique avait non seulement refusé tout net d'être son espionne, mais elle le desservait de tout son pouvoir dans l'esprit du Roi. Puisqu'elle avait pris la résolution de fuir le monde et ses tentations mortelles, elle n'avait rien à perdre : devant tout laisser, elle ne souffrait aucune compromission et ne briguait pas les faveurs. Cette heureuse inclination l'autorisait à une franchise parfaite et à une entière liberté de parole que Louis aimait...

Angélique parlait au Roi, avec une sorte de passion qui ne laissait pas de l'amuser quelquefois, de la misère de son peuple. Partout, à bout de souffrances et de privations, les pauvres gens se révoltaient contre les impôts trop lourds, contre la famine ; c'étaient les Croquants dans les provinces du Périgord, et maintenant les Nu-Pieds, disait-on, dans la Normandie : de toutes parts arrivaient de fâcheuses nouvelles. Il était injuste qu'on les fît périr et massacrer, au lieu de les soulager de la misère des temps... Elle avait mal à songer à ces gens qui mouraient parce qu'ils avaient faim dans le royaume, elle disait à Louis que c'était le devoir d'un roi de rétablir la paix. Avec la paix, il n'aurait pas besoin d'autant d'argent pour payer des soldats ; ses sujets seraient donc moins pauvres, outre qu'ils reprendraient le goût de travailler les champs, de faire pousser des récoltes dont ils pourraient se nourrir, eux-mêmes et leurs familles, au lieu de se faire brigands sur les grands chemins, où, du reste, ils offensaient Dieu : assurément, leur souverain aurait à répondre un jour devant le Tout-Puissant des crimes de ses pauvres ! Enfin elle lui disait que tout le mal qu'il y avait pour lors dans le royaume de France venait de ce ministre implacable et cruel que chacun haïssait et redoutait, à qui il devait donner son congé, après avoir rassemblé en un jour tout son courage... Elle lui représentait que ce despote avait déclenché la guerre avec l'Espagne uniquement afin de se rendre nécessaire, qu'il ne visait en cela qu'un seul but : servir sa propre ambition et son avidité de gloire, aux dépens de celle du Roi – Sa Majesté, pour l'heure, pouvait bien le voir et le comprendre... Louis devait faire la paix avec les Espagnols, ce qui soulagerait la misère du peuple et ferait taire les cris des affamés et leurs supplications. Ce serait servir Dieu et la Vierge Marie... Louis était souvent ébranlé et toujours ému par ces plaidoiries de petite fille, dont il songeait qu'elles étaient vraies. Parfois il pleurait avec elle... Il s'échappait ensuite pour ruminer ces pensées en courant un cerf dans la forêt ou bien en faisant voler ses oiseaux de proie dans les vignes. Mais jamais le Roi n'avait eu, depuis le début de son existence, une amie aussi tendre, aussi sensible et aussi sincère.

Cependant, Sa Majesté était sortie de sa réserve coutumière à la faveur de ce printemps précoce. Au moment où les bois avaient reverdi, le premier ou le second jour de mai, comme ils étaient seuls et qu'ils avaient parlé longtemps avec liberté et tendresse, le Roi, plus ému que d'habitude, avait soudain proposé à sa favorite de l'emmener à Versailles et de la faire vivre dans ce pavillon de chasse qui était sa résidence particulière préférée, où elle serait à l'écart du monde, et toute à lui... Cette proposition, à la fois si simple et si

inattendue de la part d'une personne aussi timide et aussi
pieusement éloignée des tentations de la chair, avait sincèrement effrayé Louise de La Fayette. Bien que Louis se fût
excusé de son ardeur nouvelle, elle avait tout à coup résolu de
prendre le voile au plus tôt, même si cela leur brisait le cœur à
tous deux – même si c'était, en l'occurrence, la plus grande
joie qu'elle pouvait faire à Richelieu ! Le Cardinal dépensait
une part de sa fortune à payer partout des espions : il était
tenu au courant de leurs moindres faits et gestes par le
premier valet de chambre du Roi, qu'il soudoyait pour se
faire rapporter en secret tous leurs discours – sa hâte de la
voir partir était grande.

Mlle de La Fayette redressa la tête et les épaules. D'avoir
songé à Richelieu lui redonnait du cœur, par le dégoût
qu'elle éprouvait pour ce monde de turpitude, d'ambition,
de bassesse et de cruauté... Elle fut de nouveau heureuse de le
fuir. Elle pressa la main de sa cousine dans les siennes, sécha
ses larmes et marcha dans la pièce du pas d'une personne qui
a cent matières à pourvoir.

– Ces tourments vous seront épargnés, j'en suis fort aise,
dit-elle gentiment à Mlle de Baufremont, qui était promise au
comte de Fleix, qu'elle devait épouser sous peu.

Un carrosse à deux chevaux était venu tourner dans la cour
des offices. Le ciel s'était couvert et Angélique pensa qu'il
ferait doux à voyager jusqu'à Paris dans le mitan du jour. Les
deux demoiselles d'honneur de la Reine, Mlle de Vieux-Pont
et Anne de Saint-Louis, qui devaient l'accompagner jusqu'au
couvent, en plus de la gouvernante et de Mme de Sénécey, sa
parente, étaient déjà descendues ; elles jasaient dehors dans
leur tenue d'été aux manches finement empesées. D'autres
dames, un grand nombre de servantes de la maison de la
Reine, ainsi que la plupart des autres filles d'honneur, se
rassemblaient dans la cour pour le plaisir d'un ultime brin de
conduite et satisfaire à la curiosité de saisir une dernière
image de celle qui, depuis trois ans qu'elle avait attiré
l'attention du Roi, avait fait tourner toutes les langues et

animé bien des ragots. Les valets finissaient de placer dans la voiture les menus bagages à main des demoiselles ; deux ou trois petits chiens des dames folâtraient auprès d'eux, jouant à se poursuivre. Ils tournaient en rond autour de l'attelage et jappaient jusque dans les jambes des chevaux.

Quand elle sortit sur le perron de l'esplanade, Angélique avait coiffé un chaperon de voyage qui ne laissait voir de sa chevelure que les longs bouffons à l'anglaise qui encadraient son visage mat et mince où luisaient ses grands yeux noirs. Il se fit un silence. Elle quittait pour toujours les fastes, les faveurs, la vie frivole de la Cour. Elle choisissait de son propre gré et vouloir, sans contrainte, l'austérité de la règle monastique : elle sentit dans ce silence, et sur les visages de ces femmes, dont presque toutes avaient un jour réfléchi à ce choix pour elles-mêmes, le respect qu'inspirait son renoncement. Le ciel s'était brusquement assombri de lourds nuages gris, et une brise assez forte s'était levée ; des coups de vent tourbillonnants agitaient la poussière de la cour. La jeune fille avança lentement vers le carrosse, dont les portières étaient tenues ouvertes. Elle remarqua en marchant que Mme de Hautefort était demeurée auprès de la Reine, de même que Mlle d'Escars sa sœur, et quelques-unes de leurs amies... Elle eut un pincement en songeant que l'ancienne favorite, qui lui avait toujours battu froid, aurait d'ore en avant le libre accès au cœur du Roi, qu'elle tourmentait par ses mauvaises grâces et ses moqueries. Mme de La Flotte, sa grand-mère, n'avait-elle pas, ce matin même, laissé éclater ouvertement la joie que lui causait son départ ?...

Au moment où Mlle de La Fayette allait rejoindre ses compagnes de route, faisant de son mieux pour conserver un sourire qu'elle voulait le plus détaché du monde, témoignant de l'amusement que lui inspirait cette solennité inattendue, il se produisit une violente saute de vent. De grosses gouttes de pluie se mirent à tomber dru, cinglant les pavés, les mains, les visages, provoquant des rires, des cris et un mouvement de repli général chez les assistants.

— A l'abri ! cria la fringante Mlle de Vieux-Pont, qui, troussant hâtivement ses robes à deux mains, s'engouffra la première par la portière béante.

Mais les chevaux, surpris eux aussi par la brutalité de l'averse qui leur frappait la croupe, firent quelques pas en arrière, aussitôt retenus aux brides par les valets accourus devant. Les petits chiens qui s'étaient assialés sous la voiture pensèrent être écrasés par le mouvement des roues et le trépignement des sabots ; ils s'enfuirent en hurlant vers leurs maîtresses.

Cependant, la vivacité de la pluie redoubla en un instant, traversée de bourrasques, ce qui fit courir et se disperser vers la protection des portes et des murailles tout le groupe des dames et la foule des curieux. Aussitôt que le carrosse fut redevenu immobile et les chevaux calmés par les appels rassurants du cocher qui leur tenait haut les guides, les voyageuses se hissèrent le plus vivement qu'il leur fut possible avec l'encombrement de leurs atours ; elles s'entassèrent en riant à l'abri du toit qui grondait sous le battement des gouttes comme l'intérieur d'un tambour.

— Eh bien ! dit Mme de Sénécey quand l'équipage se fut engagé dans l'allée conduisant à travers l'esplanade à la sortie du château Vieux, nous voilà joliment baptisées !

Elles défaisaient leurs châles et leurs chaperons mouillés, étalant du mieux qu'elles pouvaient dans l'étroitesse de l'habitacle le bas de leurs jupes trempées.

— Que t'en semble ? continua la première dame d'atour qui avait pris son parti de la vocation de sa cousine et jouait beau jeu après toutes les ruses dont elle avait usé pour la détourner. Est-ce ici un début assez juste pour une novice ? Que te semble, ma chère enfant, de ce présage qui nous tombe du ciel ?...

— Il me semble, madame, répondit Angélique qui écartait avec la paume de ses mains les restes de la pluie sur ses joues ruisselantes, il me semble que sont des pleurs...

Le surlendemain, qui était un jeudi, le roi Louis se fit conduire à Versailles dès les premières lueurs de l'aurore. Il avait passé une fort mauvaise nuit sans sommeil et donné des ordres, dès avant le lever du jour. La veille, il avait été d'une humeur des plus sombres, et irascible toute la journée, au cours de laquelle il était demeuré plusieurs heures dans son cabinet, à étudier un dossier que le ministre lui avait fait tenir de Rueil sur les révoltes du peuple dans les campagnes du Limousin et du Périgord, où les émeutes de l'année précédente s'étaient réveillées et renouvelées avec une ampleur sans précédent depuis le début du printemps. Ces gueux – que d'aucuns appelaient « Croquants » – avaient à présent choisi un capitaine et placé à leur tête un gentilhomme d'une certaine valeur et autorité, nommé Du Puy de La Motte, qui pour l'heure les commandait. Ledit La Motte avait rassemblé plusieurs de ces bandes d'insoumis qui s'agitaient dans les bourgades de la vallée de la Dordogne et constitué une véritable armée que l'on disait forte de dix mille hommes, laquelle occupait présentement la ville de Bergerac et les villages des alentours. Richelieu mandait qu'il avait fait porter l'ordre au vieux duc d'Épernon, résidant à Bordeaux, et à son fils le duc de La Valette, qui commandait les troupes royales devant les Espagnols à Saint-Jean-de-Luz, de se rendre en Périgord pour écraser la rébellion.

En même temps, l'habile Cardinal informait Sa Majesté qu'il avait dépêché un commissionnaire dans la région de Bergerac, afin de circonvenir le gentilhomme félon en lui faisant promettre, de la part du Roi, le pardon de sa faute et quelques avantages substantiels pour lui-même s'il livrait la ville sans coup férir aux troupes de La Valette qui remontaient le long de la rivière et approchaient de ses remparts. L'Éminence ajoutait qu'il avait bon espoir du succès de ces entreprises, mais qu'en cas de difficulté toujours possible –

car le duc de La Valette n'avait pu soustraire que trois mille hommes à l'armée de Guyenne pour ne pas affaiblir exagérément les positions face à l'Espagne – il deviendrait urgent de songer à des dispositions plus importantes, afin d'éviter que l'insoumission qui troublait la paix du royaume et empêchait la rentrée des impôts dans le tiers ou environ de ses provinces ne s'étendît encore. En effet, ajoutait le ministre, si l'ordre n'était pas promptement rétabli, les insurgés ne se feraient pas faute d'obtenir en abondance des aides étrangères, en particulier de l'Espagne, qui fomentait peut-être déjà la sédition en sous-main, afin d'affaiblir la puissance du roi de France en favorisant de son mieux les luttes intestines. Richelieu assurait Sa Majesté de son dévouement et de sa très humble obéissance, à l'infini...

Ces nouvelles n'avaient fait qu'aigrir davantage l'humeur de Louis XIII, dont le cœur était déchiré par le départ de sa chère Angélique. D'abord, il détestait ces gens du Sud. Bien qu'il fût, par héritage de son père, roi de Navarre, il n'éprouvait que haine et mépris pour ces peuples impies et renégats des provinces méridionales truffées de fiefs huguenots qui lui faisaient horreur. Il n'avait que des souvenirs exécrables du Midi, de ses peuplades bronzées, viles et jacassantes, la chienlit que fut jadis le siège de Montauban dont l'humiliation le mettait en rage malgré le temps passé, ou bien plus récemment la révolte de cette racaille du Languedoc qu'il avait fallu mater – et Montmorency, le faux borgne qui, las de faire le joli cœur devant les femmes des autres, s'était enfoncé dans le crime de lèse-majesté : Louis se rappelait avec fièvre la tête de l'infâme tranchée sur l'échafaud de Toulouse... Quatre ans passés. Comme le temps allait ! Bientôt cinq années, c'était à l'automne. En remontant par le Limousin à grandes journées hâtives, il avait aperçu ces manants noirauds, sales et courtauds qui lui rendaient des hommages bruyants de sauvages...

La lecture de ce copieux rapport avait mis le Roi hors de lui -- outre que ces révoltes mêmes le faisaient ressouvenir d'Angélique, de ses prières en faveur de la paix, de ses supplications bouleversantes pour qu'il jetât la vue sur le sort des miséreux... Elle avait d'ailleurs probablement raison, et ce printemps désastreux ne faisait qu'accumuler les revers de son gouvernement. Du reste, la vue même de Saint-Germain lui rappelait la présence enchantée de sa favorite et le plongeait dans la mélancolie. Il ne pouvait souffrir de porter son regard sur les fenêtres du rez-de-chaussée, où elle avait vécu, sans que ses yeux s'emplissent de larmes... La voix des dames qui avaient été ses compagnes le jetait dans des tourments insupportables – il avait voulu interroger Mme de Sénécey et lui avait faussé compagnie tellement elle lui faisait éprouver le vide qui s'était creusé devant lui. Qui devenait un gouffre...

Le Roi prenait l'absence d'Angélique comme un deuil – mais sans profiter d'aucune des consolations d'un deuil véritable : sans les égards, les voix feutrées, les mots du regret, les cérémonies funèbres qui, en agitant le trouble, eussent apaisé la douleur de sa poitrine. Il éprouvait un deuil secret, clandestin, privé... Louis songea qu'il eût préféré la pompe de vraies funérailles, avec les obligations et le désespoir qu'elles eussent comportés, à la déchirure immobile, à l'étreinte suffocante qui grevait son cœur aimant. Il eut envie de mettre un habit noir. Il fit ôter les plumes de son chapeau et voiler le crucifix de sa chambre... De nouveau, il se sentait abandonné, menacé, fragile, assailli de toutes les difficultés et les menaces de la terre. Il se sentait las, sans force, sans aucun courage ni envie de lutter. Il eut la tentation de demander ses oiseaux et renonça... Il se sentit vieilli, usé, comme si cette jeune fille absente, qui avait la mine d'être une enfant, lui avait été à son insu un garde du corps particulièrement magnanime. Comme si elle avait été une fée... Il essaya de prier, mais il sentit qu'il éprouvait aussi du ressentiment envers Dieu lui-même, qui la lui volait.

Ah ! les Croquants pouvaient bien ronger leur frein et venir grignoter sa couronne, si tel était leur plaisir ! Le

Cardinal n'avait qu'à s'en débrouiller lui-même, puisqu'il aimait tant à réfléchir, lui, et à commander...

– Qu'ils aillent tous en Papagosse où les chiens chient la poix ! hurla le Roi aux oreilles de Dubois, son valet de chambre qui passait dans la garde-robe.

N'ayant aucune idée de ce dont il était question, le valet s'inclina légèrement pour répondre :

– Oui, Monseigneur.

Louis ricana. Il aimait ces vieilles formules des compagnons de son père – une expression favorite de Bassompierre. Où était Bassompierre ? A la Bastille !... C'était bien fait pour le vieux concupiscent !... Il essaya de chanter. Il se fit apporter sa guitare étroite à cinq cordes et à fond bombé, et joua un menuet sans grand entrain. Puis, comme il chantait un motet qu'il voulait achever de composer, il fut envahi d'une telle tristesse que sa voix s'érailla dans un sanglot... Cette musique faisait monter devant ses yeux l'image désolée de La Fayette et resurgir la mémoire des soirées si gaies qu'ils avaient passées ensemble à chanter, lui l'accompagnant sur sa guitare. Il entendait son rire. C'était atroce. Il reposa son instrument avec dégoût.

Il demeura longtemps appuyé à l'embrasure d'une fenêtre, regardant couler la Seine, à trois cents pieds en contrebas, le long des berges gonflées de ramures et d'herbes grasses. Il suivait des yeux les bachots des pêcheurs et les barques qui montaient et descendaient dans le courant, chargées de marchandises ; les embarcations glissaient et disparaissaient derrière les grands arbres, en amont et en aval. Il contempla muettement les jardins symétriques en cinq terrasses d'inégale largeur, le jardin des canaux, tout en bas, avec ses quatre bassins en rectangles autour de son jet d'eau, puis le jardin en pente, aux plantations régulières, celui aux dessins géométriques, plus haut, flanqué de ses bosquets entourés de murs bas de chaque côté, surmonté d'un perron qui donnait accès aux grottes d'Orphée et de Persée, dominé par la terrasse où étaient la grotte de Neptune et la grotte des orgues... Il se souvint combien il aimait, étant enfant, visiter ces antres magiques où on lui accordait le droit de jouer avec l'eau et de tourner les multiples robinets conçus par Francini, le célèbre mécanicien de Florence que son père, le roi Henri, avait engagé tout exprès pour l'aménagement de ces fantastiques souterrains... Il eut envie de les revoir, puis il renonça à descendre.

Le soir, dans son lit, le Roi ne put s'endormir. Plus tard, dans la nuit, s'étant assoupi, il eut d'horribles cauchemars : il se dressa plusieurs fois dans son lit en criant, trempé de sueur... Un carrosse – disait-il au valet de chambre qui accourait pour ouvrir les rideaux de son baldaquin –, un carrosse le poursuivait dans une rue étroite. Il fuyait, tombait, à bout de souffle, et les chevaux lui passaient sur le corps !... Au matin, il avait donné des ordres pour que l'on pliât bagage et que l'on fît transporter toutes ses affaires à son petit rendez-vous de chasse de Versailles. Il était parti dès l'aube, seul avec son confesseur, tout de suite après avoir entendu une courte messe qu'un aumônier lui avait dite dans la petite chapelle en surplomb des terrasses, à l'extrémité de l'aile sud du château Neuf, où se trouvaient ses appartements.

A Versailles, Louis eut envie de mourir de chagrin. L'isolement de ce petit château situé au milieu des marécages, si propices aux activités de la chasse, qu'elle fût à courre ou à la volée, calmait ordinairement les soucis du monarque, qui oubliait dans la plume et dans le poil, les leurres et les savantes dispositions des brisées, toute préoccupation extérieure. Tout récemment, il avait fait effectuer d'importants aménagements à cette retraite, afin d'en faire sa résidence la plus privée, une habitation si intime qu'il avait rêvé un moment d'y installer sa bien-aimée... Pourtant, si grande était sa désolation, si profonds étaient son dégoût et sa tristesse en cette occasion, qu'aussitôt que le charroi qui transportait ses bagages et ses meubles fut arrivé de Saint-Germain, vers midi, dès que l'on eut tendu sa chambre et monté son lit, il ne voulut prendre aucune nourriture et se couche au milieu du jour. La nuit suivante fut un peu moins agitée que la veille, mais le lendemain il demeura dans un état de violente prostration et refusa de se lever, malgré les prières et les objurgations de ses serviteurs et de l'homme de Dieu qui l'accompagnait.

Il resta couché les jours suivants, ne prenant que quelques tisanes, refusant les plats les plus fins que lui préparait son cuisinier pour lui ouvrir l'appétit, et s'enfonçant d'heure en heure dans une fatigue extrême, une lassitude de tous ses membres qui l'empêchait de se relever sans aide pour satisfaire ses besoins naturels.

Le cardinal de Richelieu, qui était à Rueil, fut averti que le Roi était malade dans son pavillon de Versailles et vint lui rendre visite le dimanche. Il trouva Sa Majesté si abattue qu'il en fut effrayé et il se mit sur-le-champ à blâmer très fort le départ précipité de Mlle de La Fayette, dont il voyait bien, disait-il, que le Roi avait chagrin... Cette affaire s'était conclue bien trop vite, assura-t-il, comme s'il n'avait pas œuvré en sous-main de tout son pouvoir pour hâter cette séparation, jusqu'à menacer indirectement le Père Caussin s'il ne parvenait pas à faire prendre le voile dans les plus brefs délais à la favorite. Il fit porter aussitôt le blâme sur sa parente, Mme de Sénécey, sans égard à la vérité, tant il eût aimé la faire disgracier et l'obliger à quitter le service de la Reine, à qui elle était, comme Mme de Hautefort et plusieurs autres, intimement et fidèlement dévouée. Non seulement cette première dame d'honneur était incorruptible, mais elle se riait des avances qu'il lui avait faites et de ses propositions d'argent et de faveurs pour la mettre de son côté. Il expliqua au Roi que toute la faute venait de cette marquise qui avait usé de son influence pour hâter Louise – c'est-à-dire Angélique – sur le chemin du couvent. N'était-ce pas Mme de Sénécey elle-même qui l'avait conduite l'autre jour jusqu'aux Filles Sainte-Marie ?... Ah ! que de mauvais vouloir et de perfidie en ce bas monde ! soupirait Son Éminence. C'était mal fait, assurément, que d'agir sur l'esprit d'une jeune fille si pure, si chaste, si aimable, comme l'était l'infortunée recluse... Il se lança dans un éloge passionné et magnifique de la pauvre enfant.

Le Roi pleura à chaudes larmes. Son Éminence en écrasa une de son côté, furtivement, par sympathie pour la petite – qu'il aurait fallu tâcher de retenir à la Cour, assurément ! Encore convenait-il d'admettre qu'elle n'avait pas prononcé ses vœux... Il fallait songer à cela : elle n'était pas définitivement nonne. Tant s'en manquait !... On en voyait plus d'une, de ces jeunes novices – assurait le Cardinal –, qui changeait complètement d'avis en cours de route et qui sortait du couvent pour reprendre d'un pied léger la vie mondaine !...

Le Roi argua que ce n'était point là le portrait de son Angélique. Qu'il la connaissait bien – elle n'était pas ainsi d'humeur changeante et fille à tourner son esprit au gré des vents comme une girouette sur la flèche d'un clocher. Elle était réfléchie, franche et pure : il n'y avait aucune apparence que jamais elle ne retournât. Et il repleura.

Le Cardinal répliqua qu'il ne fallait cependant jurer de rien – que Dieu seul en userait selon son bon plaisir, sa volonté divine et son infinie bonté... Que toutefois c'était justement le rôle du noviciat que de sonder les vocations en les mettant à l'épreuve du silence, de la prière, de la méditation en communauté pendant plusieurs mois... Du reste, Sa Majesté n'avait qu'à lui en parler elle-même – il ne tenait qu'à elle d'aller la visiter, rue Saint-Antoine. N'était-elle pas, après tout, au couvent de la Visitation ? lança-t-il en riant benoîtement...

– Dieu me pardonne l'équivocation ! ajouta le Cardinal en voyant la tête hâve de Louis le Juste, qui détestait les traits d'esprit faits aux dépens des choses sacrées.

L'Éminence se signa dévotement, songeant que, même un pied dans la tombe, le Roi n'était pas homme à supporter que l'on badinât, fût-ce en passant, sans intention mauvaise, avec des histoires concernant Notre-Dame la très Sainte Vierge Marie, mère de Dieu, dont le nom était béni entre toutes les femmes et que personnellement il révérait. Surtout avec un pied dans la tombe !...

– Vraiment ? dit Louis. Je pourrai la voir ?

– Aussi vrai que vous ne vous êtes pas fait faire la barbe aujourd'hui ! répondit Richelieu qui voulait à tout prix lui redonner de l'entrain.

Le Roi passa songeusement la main sur son menton pelu, tandis que son visiteur, assis sur un grand fauteuil tiré tout près de son lit, expliquait qu'il se chargerait lui-même de faire prévenir la Mère supérieure de ses intentions et d'arranger les entrevues au gré de Sa Majesté. Il pourrait s'entretenir avec La Fayette, au parloir, aussi souvent qu'ils le souhaiteraient tous les deux.

Louis reprenait vie à ce discours plein d'espérance... Ses yeux fiévreux, creusés, recommençaient à luire sur son teint cireux.

Richelieu croisait et décroisait ses jambes sous la soutane avec animation ; de sa main fine et déliée, il tapotait par instants la courtepointe royale pour souligner la bonne humeur de ses propos, puis il glissait un doigt sur sa moustache d'un air convaincant et enjoué... Il en profita pour dire encore un peu de mal de Mme de Hautefort, qui n'avait pas été très gentille avec Louise – il voulait dire Angélique. La célèbre Marie, belle comme l'aurore dans sa splendeur, certes le plus précieux joyau de toute la Cour, avait eu beau considérer La Fayette comme sa rivale dans le cœur du Roi, cela n'empêchait pas la courtoisie. D'ailleurs, il n'était pas séant d'étaler tant de ressentiment et de jalousie... Il craignait surtout que le champ laissé libre fût repris immédiatement par l'autre favorite – et la belle Hautefort se cachait si peu d'être l'amie tout inféodée de la Reine, et son adversaire à lui, irréductible !

Parlant ainsi de tout et de rien, le ministre signala au Roi les mérites exceptionnels d'une autre fille de la Reine,

Mlle de Chémérault, qui était si jolie, et très aimable, de surcroît, gracieuse et avenante comme tout ! Du tout arrogante et capricieuse...

– Oui, assura-t-il avec chaleur, Chémérault est véritablement angélique !

Il se reprit très vite, à cause de ce jeu de mots bien involontaire et bien hors de saison.

– Je vous demande humblement pardon, Majesté, ajouta le Cardinal en voyant l'esquisse d'un sourire amer apparaître sur les lèvres fatiguées du monarque.

Il parla aussitôt, pour donner le change, d'un jeune homme qu'il avait pour lors dans son service et qui lui donnait une satisfaction extrême ; il s'agissait du tout jeune marquis de Cinq-Mars, l'unique fils de l'ancien surintendant des Finances, feu M. d'Effiat. C'était plaisir d'avoir dans son entourage ce garçon beau comme un page, intelligent comme un ange, avec un cœur en or... Richelieu ne dit rien de la Reine, mais il calomnia copieusement les gens qui lui étaient proches, et particulièrement nombre des serviteurs – ces nobliaux arrogants qu'étaient son écuyer Patrocle, dont on ne savait jamais ce qu'il pensait, et aussi son porte-manteau ordinaire, le fameux La Porte, que Sa Majesté ne connaissait que trop bien et qu'elle n'aurait sans doute pas dû reprendre à la Cour... Cette âme damnée qui était de surcroît entièrement soumise et inféodée par sa famille à Mme de Chevreuse, la rebelle, la trouble-fête exilée à Tours, dont il recevait des nouvelles par personne interposée. Ses espions lui rapportaient qu'il était en ce moment dans des relations fort intimes avec sa maîtresse. Anne d'Autriche échangeait avec lui d'étranges signes d'intelligence et lui parlait souvent à part... Quoi qu'il en fût, il faisait étroitement surveiller La Porte, dont les agissements, et parfois les voyages, étaient, selon ses informateurs, infiniment suspects...

Enfin, Son Éminence fit si bien son office ce jour-là qu'elle quitta le Roi un peu moins défait qu'au commencement de sa visite.

CHAPITRE IV

Une semaine plus tard, le 28 mai dans l'après-midi, Pierre marchait d'un pas souple et tranquille au bord de la rivière de Seine, sur le quai des Augustins, en direction du pont Neuf. Il s'en revenait du faubourg Saint-Germain, où il avait eu à faire dans la matinée chez un maître barbier de sa connaissance dont les étuves se trouvaient rue du Petit-Bourdon, tout juste derrière l'abbaye. Le barbier l'avait prié à dîner dans sa maison toute proche des étuves et, après le repas qui fut copieux et accompagné de toutes sortes de friandises au dessert, ils étaient allés ensemble regarder jouer à la longue paume sur le terrain découvert, au bout de la ruelle. Le jeu étant mol et nonchalant, La Porte avait pris congé de son hôte et gagné la rue de Buci.

A 4 heures de relevée, le soleil était encore haut dans le ciel et, tandis qu'il s'engageait sur le pont Neuf, le gentilhomme vit une grande troupe de gens qui s'étaient rassemblés à l'entrée de la place Dauphine, d'où partaient les éclats de voix et les rires sonores d'un bateleur. Le petit commerce du pont s'en trouvait déserté : un singe sommeillait sans entrain sur un coin du parapet et des oies savantes s'étaient accroupies pour réfléchir à leur aise.

Les derniers arrivés dans l'assemblée des badauds se tenaient à l'extérieur de la presse et faisaient tout leur possible pour y entrer, se poussant et se haussant sur la pointe des pieds pour mieux voir et entendre... Pierre s'approcha, un sourire aux lèvres, afin de profiter de l'aubaine. Un grand estafier de comédien était juché sur des tréteaux de fortune qui branlaient sous ses pas ; il gesticulait tant qu'il pouvait en hurlant des gaillardises, et ses inconvenantes facéties faisaient se tordre de rire les premiers rangs des spectateurs.

Le drôle était vêtu d'une jaquette courte et rayée, pardessus un haut-de-chausses bouffant sur les cuisses, et coiffé d'un grand chapeau aux ailes tombantes ; ce costume reproduisait de manière tout à fait semblable celui qu'avait porté naguère le fameux Tabarin, exactement à cette même place sur le pont. Il imitait d'ailleurs dans tous ses gestes et dans sa façon de parler l'illustre amuseur, encore vivant dans la mémoire des personnes d'âge : Tabarin, dont le bruit avait couru l'année précédente qu'il était mort assassiné au cours d'une partie de chasse, quelque part dans une province... Quand Pierre était arrivé à Paris, l'année du deuil de la Reine, le farceur avait abandonné le métier des planches et le pont Neuf depuis un an ou deux, mais on le lui avait décrit tant de fois qu'il lui semblait tout de bon le reconnaître.

Le comédien faisait, comme Tabarin, mille grimaces désopilantes et abreuvait son auditoire de remarques grossières et de traits d'esprit lubriques à souhait. Un homme âgé l'interpella dans la foule :

– Où donc est ton Mondor ? demanda-t-il.

Il faisait allusion à l'inséparable charlatan qui accompagnait jadis le bonimenteur et lui servait de faire-valoir.

– Je n'ai pas besoin de mont d'or, répondit gaiement le faux Tabarin. Grand merci ! Je voudrais seulement un petit tas d'écus.

La repartie fit rire, d'autant qu'il indiqua sur le sol, par une habile pantomime, un petit tas de pièces d'or qui croissait, qui croissait...

– Avez-vous donc connu messire Tabarin, mon maître ? Dites-moi, bonnes gens ?... demanda-t-il gravement au moment où La Porte, qui avait profité d'une brèche entre les corps tassés, se trouva rapproché à bonne portée d'oreille.

— Oui ! Oui !... crièrent un grand nombre de voix ensemble. Nous l'avons connu ici même !

— Il n'avait pas froid au cul ! lança d'un peu loin une vieille femme qui fit s'esclaffer toute la cohorte.

Elle avait une voix forte et enrouée comme le braiment d'un âne.

— Et quiconque fait le caqueteux, poursuivit-elle, jamais bonne pie ne le couva ! La semence de quoi Tabarin fut bâti est éventée aussi bien que ta pauvre cervelle.

— Ma commère qui ne pince sans rire, cette mienne maladie n'est point contagieuse. Je n'en dirais pas autant de celle qui vous cuit !

— Oh ! malhonnête. Je ne voudrais pas t'avoir donné mon cul à baiser.

La foule hurla de joie à cet échange comique. Pierre riait de bon cœur, car on sentait que la vieille avait couru les venelles, de son temps ; elle appartenait à cette race de gens qui étaient nés à l'époque des vieilles ligues où le parler était dru et vert. Il se créait, du reste, un courant de sympathie envers elle : l'auditoire attendait perfidement qu'elle rivât son clou à l'histrion. Celui-ci faisait de son mieux pour ne pas paraître désarçonné, mais il y eut un flottement qui faisait sentir sa surprise et indiquait clairement qu'il ne s'attendait pas à un pareil caquet.

Comme il lui fallait à toute force reprendre le dessus dans la joute oratoire afin de remettre les rieurs de son côté, il gueula :

— Oui-da, la mère ! Plût à saint Fiacre, patron des maquerelles et des vérolés, que votre bondon fût plein d'eau bouillante !

Là-dessus le farceur enchaîna sans attendre la repartie de la vieille femme, qui cracha de dégoût et se tut pendant qu'il se lançait à corps perdu dans sa harangue :

— Mon maître, l'illustre Tabarin, n'avait qu'onze écus en

mariage [1], mais il demandait à chaque femme son dû. Aux dames de haute gamme, il demandait autorité, aux demoiselles courtoisie, aux présidentes et conseillères il demandait... des faveurs ! Aux avocates conseil, aux greffières copies, aux clergesses écritures, aux solliciteuses diligence, aux financières argent, aux bourgeoises logis ! Aux marchandes il requérait des étoffes, aux boulangères fouaces, aux rôtisseuses chair, aux cabaretières vin et aux chambrières service. Savez-vous lequel, bonnes gens ?...

Il faisait avec son pouce glissé dans les doigts arrondis de son autre main un mouvement de va-et-vient d'une grande éloquence, qui réjouissait très haut les badauds.

— Et les chambrières de son temps étaient toujours prêtes au service et aux commandements des galants hommes ! Paix ou guerre, à toute heure, ces animaux ont le harnais toujours en état, car elles le font souvent fourbir avec un guimpillon ! Et ce guimpillon est tout à rebours de ceux qu'on met dans les pintes, car il est pelu au derrière du manche, alors que ceux-là le sont au-devant !

Les rires fusaient, épais ou minces, en flûte ou en cascade, la rigolerie secouait violemment les personnes présentes, dont le nombre grossissait à mesure que de nouveaux passants s'engageaient sur le pont Neuf et venaient s'agglutiner à la foule qui barrait à présent toute l'entrée de la place Dauphine. Le bateleur, qui les tenait tous en haleine, prit une mine sombre et farouche :

— J'en vois céans qui ne rient point ?... Que nulle chose ne réjouit ?... Ce sont des gens qui pensent, à n'en pas douter, que tout ceci n'est pas viande pour leurs oiseaux, du tout à leur convenance et congruité !...

Il marchait sur l'estrade en claquant les talons de ses petits souliers et désignait du doigt des personnes de l'assistance :

— Vous jugeriez à leur mine de serrer les lèvres comme des

1. Sale équivoque de « cons et culs ».

77

nouvelles mariées que ce sont des Socrates ! Mais il y a partout des chrétiens qui pensent être d'étoffe de Milan et habiles gens ! Nonobstant que leur pensée est juste et carrée comme une flûte, ils trouvent à redire et à reprendre à tout ce que l'on fait !...

Il se donnait la mine de fustiger tout un coin de l'auditoire, sur sa gauche, pendant que le reste se haussait du col pour découvrir les décourageantes bêtes, en se jouant.

– Voyez, voyez ! clamait le charlatan. Rien de bien fait n'existe au monde si ce n'est eux qui le font. Ils sont toujours si remontrants que s'ils ne trouvaient qu'un étron ils y trouveraient à remordre !... Si par cas fortuit ceux-là avaient aperçu quelqu'un sur quelqu'une, foi de ma vie ! il faudrait aussitôt feuilleter toutes les postures de l'Arétin, plutôt que ces docteurs ne trouvassent à redire à la leur !

Les rires grossissaient, les gloussements se faisaient écho, nul ne voulait être en reste par crainte qu'on le soupçonnât de bégueulerie.

– Ils voudraient peut-être informer contre ces pauvres fornicateurs, disant que leur posture n'est pas à la mode !... Bonnes gens, on le fait à toutes les modes. Et aussi s'en est-on bien trouvé il y a déjà plus de quatorze jubilés. Bran pour ces fines bouches !

La foule applaudit bruyamment et poussa des cris à ce trait tandis que le nouveau Tabarin se rengorgeait de façon bouffonne comme un paon sur l'estrade. En même temps il tirait d'une grande besace qu'il portait en bandoulière une boîte carrée, bizarrement étagée, et deux ou trois fioles dont il mirait la couleur en les portant l'une après l'autre contre la lumière devant son visage.

– Oui ! Tabarin, qui fut mon maître comme j'ai eu l'honneur de vous le dire, Tabarin savait des choses merveilleusement merveilleuses. Il savait des passe-merveille et connaissait si la merde était au bâton !... Mais il ne fut jamais chiche de ses sciences, et moi qui ai étudié sous lui, aussi bien en art qu'en choserie, je me flatte de n'être guère moins clerc que lui.

Il reprit avec éclat, remettant soudain ses potions dans sa besace comme un homme fâché :

— Vous avez trouvé chausse à votre pied, messieurs, mesdames, bons bourgeois de Paris ! Il n'est au monde mon semblable pour voler à votre secours : il n'est plus valeureux que moi à la Cour des aides. Je suis votre serviteur, et prêt à tout, comme la chambrière d'un ministre ! Or ça... Parlons doucement.

Il prit tout à coup un ton de confidence, s'approchant tout au bord des planches et se penchant vers ses auditeurs presque jusqu'à se laisser choir sur leurs têtes. En même temps il avait ressorti de son sac la curieuse boîte à divers étages, pleine d'onguents, dont cette fois il leva le couvercle. Il prétendait parler à mi-voix à ceux du premier rang, mais il le faisait avec tant d'éclat qu'on eût dit une vache appelant son veau, et le reste de l'auditoire pouvait profiter de ses paroles jusqu'aux berges de la rivière.

— J'ai apporté certaine racine de la petite Égypte, qui vous fera être aimé des plus huppées !... N'est-ce pas ce que vous cherchez ?

Il se redressa lentement, toisant son monde de haut, et, de nouveau, il rempocha sa boîte d'onguents, disant ces vers :

> Le médicament de céans
> N'est pas pour apprivoiser les grives.
> Il est bon pour guérir les urines,
> Il soulage les juments du farcin,
> Il fait faire maint larrecin
> Et fait chanter les demoiselles.

— A propos de demoiselles... Savez-vous bien, mes bonnes gens, comment mon illustre maître, messire Tabarin — dont je suis comme l'enfant chéri, le fils naturel et spirituel ! —, savez-vous comment Tabarin, gloire à lui ! était capable de connaître si une fille est pucelle ou si elle ne l'est pas ?

Il se mit à marcher de long en large sur l'estrade, se tenant le menton comme un qui réfléchit.

– Vous plairait-il le savoir et l'apprendre de moi ?

Des cris montèrent de toutes parts :

– Oui ! Oui ! Dites-nous ! Instruisez-nous !...

Il s'arrêta alors.

– Par sainte Barbe, voulez-vous tout de bon que je vous le dise ?... Eh bien, c'est que je suis semblable aux archevêques : je ne marche point si la croix ne va devant.

Il secoua la tête d'un air comique et tendit la main en bouffonnant :

Baillez, baillez !...
Quelques liards et quelques deniers.
Baillez-moi du jaunet s'il vous plaît.

Quelques piécettes adroitement lancées tombèrent sur les planches à ses pieds.

– Alors ouvrez vos oreilles, vous en aurez pour votre argent. Lorsque vous désirez savoir si une fille est pucelle, mettez-lui une de vos mains sur son robin... Vous m'entendez bien ?

Pour plus de clarté, il se posa fermement une main dans l'entrecuisse.

– Puis, en même temps, soufflez-lui au cul... Et si lors vous sentez le vent à la main : elle est indubitablement percée !

Les gens se tenaient les côtes et s'envoyaient les uns aux autres des bourrades de contentement qui faillirent mettre à mal plus d'une épaule... La Porte s'esquiva. Il riait de l'audace du saltimbanque qui cherchait à écouler sa marchandise probablement douteuse en s'aidant de ses pitreries. Il fit réflexion que toutes ces plaisanteries étaient un peu grossières et qu'elles seraient maintenant mal reçues à la Cour, où, sauf quelques vieilles personnes qui avaient été familières de la reine Margot, chacun les trouverait sales et basses.

Quittant le pont Neuf vers la gauche, il s'engagea sur la berge ensoleillée. Il y régnait un grand remue-ménage et un va-et-vient entre les bateaux amarrés côte à côte sur cinq ou six rangées tout au long de la grève et le quai où s'entassaient toutes sortes de balles et de marchandises. Les hommes étaient obligés d'enjamber plusieurs bachots avec leur chargement sur le dos avant d'atteindre la terre ferme, ou bien de se placer en grand nombre sur les barques et de se passer les paquets de bras à bras et de proche en proche jusqu'aux embarcations les plus éloignées du rivage. C'était aussi l'heure où les valets d'écurie descendaient faire boire les chevaux à la rivière ; ils échangeaient force injures avec les mariniers, qu'ils gênaient dans leurs transbordements. Ces porte-faix normands qui avaient remonté le courant depuis le bas du fleuve juraient comme des diables roux, sacraient à merveille et menaçaient les palefreniers et leurs aides de les jeter à l'eau, eux et leurs bêtes.

En passant le long du petit jardin de la Reine, Pierre leva les yeux vers les fenêtres des appartements d'Anne d'Autriche, au premier étage du Louvre. Il se demandait si Sa Majesté était déjà revenue de l'oratoire du Val-de-Grâce, où elle s'était rendue la veille pour faire une courte retraite et s'entretenir avec l'abbesse, qui était de ses amies. Après chaque séjour d'Anne dans cette thébaïde, Pierre recevait immanquablement des messages à coder et à transmettre par des voies cachées qu'il était seul à connaître.

A cause de la hauteur du mur d'enceinte qui bordait le jardin, il ne parvenait à apercevoir que le haut des fenêtres du premier et celles de l'attique, où logeaient les filles et les dames d'honneur, tout inondées de la lumière dorée du soleil déclinant qui frappait obliquement la façade du Louvre à cette heure avancée de l'après-midi. La chambre du Roi, dans l'angle, abritée par le ressaut des bâtiments de la Petite Galerie, se trouvait déjà dans l'ombre. Le porte-manteau se demanda si le Roi, de son côté, était demeuré à Versailles où on le disait malade et chagrin du départ de La Fayette, ou bien s'il était rentré au Louvre en vue de la procession de la Fête-Dieu qui devait avoir lieu le dimanche suivant. C'était l'occasion solennelle où le saint sacrement était transporté en grande pompe de l'église Saint-Germain-l'Auxerrois jusqu'à un reposoir dressé dans la cour du château, dont les façades intérieures étaient tendues des plus belles et des plus riches tapisseries royales ; le Roi et la Reine suivaient ainsi tous les ans le corps divin de Jésus, chacun ayant un cierge allumé à la main.

Pierre traversa la Grande Galerie au premier guichet. Une bande d'enfants jouaient à se poursuivre sous le porche, d'autres jouaient au volant dans la rue intérieure à l'abri du soleil. De fortes odeurs de peinture et d'huile de lin se dégageaient des portes et des fenêtres du rez-de-chaussée ouvertes sur les ateliers des peintres que le roi Henri y avait autrefois installés avec leurs familles. On y entendait presque jour et nuit des éclats de voix, des chants, des coups de maillet, le bruit des disputes et les hurlements des nourrissons en proie à la poussée de leurs dents de lait.

Un apprenti d'une douzaine d'années, le visage marqué de longues traînées de noir de fumée et le long tablier maculé de taches de couleurs, sortit sur le pas d'une porte pour interpeller l'un des enfants qui courait :

– Va demander l'heure à ton père pour messire Bertrand.

– Il est l'heure que les fils de putain vont à l'école, prends ton sac et t'y en vas ! fut le cri des voix moqueuses qui psalmodièrent en chœur le quolibet traditionnel, tandis que l'apprenti s'armait d'un bâton pour dissiper la bande en jurant d'une voix pointue.

Le gentilhomme s'engagea dans la rue Fromenteau pour rejoindre celle de Saint-Thomas-du-Louvre par un passage qu'il empruntait entre des maisons et qui lui servait de raccourci pour atteindre l'hôtel de Chevreuse. En passant devant l'auberge à l'enseigne du Battoir, proche du guichet, où il prenait d'ordinaire ses repas quand il était à Paris, il songea qu'il lui faudrait demander au plus vite quelque argent à la Reine, afin de régler l'hôtelier avec lequel il était en compte et qu'il n'avait pas payé depuis la mi-Carême.

A peine avait-il franchi le portail de Chevreuse que le Rousseau qui le guettait marcha vers lui dans la cour avec agitation. Le portier, imbu d'une mission importante, frappa dans ses mains avant de parler :

— A la bonne heure nous prit la pluie, Monsieur ! Du monde vous attendont.

— Quel monde est-ce là, Rousseau ? Serait-ce le monde renversé que vous voilà si retourné ?

Pierre était de belle humeur et il avait été mis en train par les facéties du saltimbanque ; à cette repartie qui pouvait passer pour grivoise, le portier éclata d'un rire sonore qui fit aboyer son vieux chien Roussel. Ce chien était connu, non seulement dans la maison mais dans tout le voisinage, pour lancer deux jappements hauts et brefs chaque fois que son maître riait ; si bien que le domestique de l'hôtel de Chevreuse, comme celui de Rambouillet à côté, ne disait plus que « faire japper Roussel » pour signifier : dire des fadaises.

— A moqueux la moque, ma foi ! reprit le Rousseau. Je n'étions pas un endormeur de mulots : trois pages sont venus céans depuis midi vous quérir de plus belle.

— Qu'avez-vous donc lu de si pressant dans ces pages-là ?

— Ah ! Ah !... Des pages de Cour, mon gentilhomme ! Et effrontés de même ! Mort de ma vie !... Roussel que voici pourrait le dire, Dieu lui donnât parole, je n'ons pu rien savoir de ce micmac, sinon que des dames vous attendont. Le dernier venu m'a donné ceci pour votre service.

Il tendit un billet que La Porte défit en remerciant le portier. Il savait qu'il pouvait compter sur les bons offices et aussi la discrétion de cet homme qui prenait parfois l'allure d'un lourdaud, mais qui était en réalité infiniment plus habile et plus finaud qu'il ne voulait le paraître. Le message disait que Marie de Hautefort passait l'après-dîner chez la marquise de Rambouillet et qu'elle souhaitait voir d'urgence le porte-manteau de la Reine. Pierre ressortit donc sur-le-champ pour se rendre à l'hôtel voisin, devant lequel arrivait justement un carrosse aux armes de Hautefort. Le cocher Naillart le salua fort civilement, expliquant qu'en effet il venait rechercher sa maîtresse. La Porte allait se faire annoncer après avoir appris du cocher deux ou trois nouvelles qu'il voulait savoir, quand, au même instant, un petit groupe de dames, parmi lesquelles étaient Mlle d'Escars et Mlle de Saint-Louis, s'avança sur le perron de l'hôtel où la marquise les avait accompagnées et leur donnait congé en les embrassant. Celle qui descendit les marches la première, lentement, tenant ses robes à poignée, suivie d'un grand chien roux qui lui léchait la main dont elle le flattait en marchant, était, dans toute sa grâce, Marie de Hautefort, dame d'atour et confidente de la reine Anne.

Marie, que l'on appelait toujours Aurore à l'âge de vingt et un ans, à cause de l'éclat de sa beauté légendaire, était d'une grande et belle taille, avec un air libre et aisé qu'elle déployait sans effort. Son aspect donnait à sa personne un certain air de majesté et de bonté tout ensemble, qui inspirait chez tous ceux qui l'approchaient du contentement, de la tendresse, en même temps que du respect... Elle avait la gorge bien formée et fort blanche, le cou rond, le bras bien rond aussi, les doigts menus et la main pleine. Ses cheveux, du plus beau blond cendré qu'il fût donné de voir sur les épaules d'une jeune fille, longs et bouclés, formaient une masse épaisse et ondulante qui descendait sur ses tempes, sur sa nuque, et qui lui tombait jusques au bas du dos. Son visage avait le front large en son contour, les sourcils blonds aussi, bien fournis mais séparés et arqués, et des yeux d'un bleu soutenu, d'une vivacité surprenante, aux coins fendus en amande, des yeux que tous ceux qui l'avaient vue ne pouvaient plus oublier. Elle avait le nez droit, la bouche assez petite au dessin parfait, avec des lèvres d'un rouge vif qui laissaient voir des dents blanches et régulières quand elle souriait, c'est-à-dire bien souvent. Ces sourires si plaisants lui creusaient deux adorables fossettes sur ses joues lisses où la nature avait mêlé le blanc et le vermeil avec tant de mignardise que les roses semblaient s'y jouer avec les lys, disaient les poètes de la Cour.

Avec cela, cette Aurore, que l'on appelait aussi Olympe, avait infiniment d'esprit, qui fleurissait sur un naturel espiègle et railleur ; elle donnait à tout ce qu'elle disait un tour agréable et un enjouement accompagné de modestie qui faisaient l'enchantement de tous ceux qui avaient eu, même une fois, le privilège de converser avec elle. Sa voix avait une belle clarté et elle avait conservé de son enfance en Périgord un léger chantonnement particulier à ceux qui ont été élevés dans les parlers du Sud et les provinces d'Aquitaine. Cette qualité lui donnait un ton tendre et passionné qui semblait l'embellir encore. Elle aimait du reste les vers avec passion et, bien qu'elle n'en écrivît point elle-même, elle les récitait avec une grâce et un goût capables de ravir l'âme la plus fruste et la moins sensible aux effets de la poésie. Cet art naturel lui avait acquis un succès et une réputation inouïs dans le salon bleu de la marquise de Rambouillet, où elle fréquentait avec assiduité dans le temps où elle n'était pas tout entière au soin d'entretenir sa tendre et intime amie la Reine.

Trois ou quatre gentilshommes étaient sortis sur le perron de la marquise, à la suite des demoiselles qu'ils saluaient à leur tour tandis qu'elles prenaient leur congé. La Porte reconnut, à la lourde perruque qu'il portait par tous les temps, l'un des auteurs les plus à la mode de ce printemps, qui s'appelait M. Corneille. C'était un homme de stature assez épaisse, à la démarche un peu lourde, qui atteignait la trentaine et avait déjà toutes ses dents pourries. On en disait grand bien, et sa tragédie à l'espagnole, l'été dernier, avait soulevé la passion des jaloux et provoqué entre les parties une querelle qui ne s'était pas encore apaisée... Pierre crut voir également, parmi les silhouettes qui se mouvaient en haut des marches, M. Voiture et aussi M. Benserade, qui marquaient courtoisement l'enculise avec du feurre, près de Bicardie.

Mme de Rambouillet s'était avancée au bord du perron ; elle lança gaiement vers Hautefort, qui avait atteint le bas du degré :

— Adieu, Aurore, adieu !... Mais que ton cœur content
Garde le souvenir de mon cœur qui t'attend !

— Oh ! madame, répliqua Marie qui riait, mon cœur aura garde de s'en souvenir !

La marquise reprit sur un ton badin, posant une main sur sa gorge et haussant l'autre tendue devant son visage :

— Va caresser d'Omphale l'humeur embarrassée
Par la perte cruelle où son âme harassée
A plongé ton amant. Que dans son désarroi
L'ouvrage de tes charmes reconquière un roi.

— Oh ! madame...

— Et que les dieux sur toi, reposant leur main pleine,
Écartent les dangers de ton char dans la plaine.
Adieu. Va. Cours. Vole, doux ange !...

On rit. On applaudit très fort la marquise, qui savait improviser pour ses amis de si beaux vers. La compagnie était très gaie... Un gros chat gris traversa la courette, grimpa souplement les marches et se coula entre les jupes des dames, se frottant le dos contre leurs jarrets. Il y eut quelques vivats. Jamais le gentilhomme qui était demeuré en bas près du carrosse n'avait vu séparation plus folâtre et plus charmante.

— Je me ferais des scrupules, marquise, reprit Hautefort après une révérence enjouée, de ne pas vanter bien haut la grâce d'un esprit qui vous invite à forger d'aussi jolis vers ! Les goûtez-vous, monsieur Corneille ?

— Si fait, madame ! répondit le Normand en penchant

l'oreille. Je n'en eusse point fait de meilleurs, ajouta-t-il en se courbant très bas pour la seconde fois vers la marquise, ce qui fit tomber vers l'avant les gros marteaux de sa perruque qui lui cachaient entièrement le visage.

Marie, que malgré son état de fille on appelait *madame* de Hautefort depuis qu'elle était « dame d'atour », par une dérogation spécialement inventée pour elle, fit une pirouette fort galante, pendant que sa sœur et le reste de la compagnie descendaient les marches pour se rendre à la voiture. Elle s'écria :

— Eh bien, pour moi, je n'en ferai que de burlesques, en vous baisant les mains :

Notre cocher Naillart, diligent Phaéton,
Guidera mes coursiers au palais de Guiton.

On se récria encore. On applaudit. Le chien se précipita frénétiquement sur le chat gris qu'il venait de voir passer entre les jambes des dames... Il bondit sur le haut du degré, aboyant furieusement et se fourvoyant dans les jupes des autres demoiselles avec un vacarme prodigieux ; le chat, faisant demi-tour, sauta hardiment sur le toit du carrosse, d'où il se mit à cracher, le dos arqué et le poil hérissé comme celui d'un diable.

Marie criait très fort, cependant que le cocher essayait de déloger le chat avec son fouet :

— Favory ! Venez ça, vilain que vous êtes ! Quel tort vous a fait ce matou ?... Laissez-le pour la Saint-Jean !

Toutefois, le visage de la jeune fille s'éclaira d'un de ses beaux sourires en apercevant le porte-manteau qui s'avançait vers elle en saluant :

— La Porte, enfin vous !... Vous gardiez donc le mulet, mon ami ? Il faut que je vous gronde.

— Pardonnez-moi, dit Pierre, j'ai appris de vos nouvelles à l'instant.

— Ah ! taisez-vous. Vous voulez m'en conter !... Savez-vous bien que j'ai pensé demander à M. de Richelieu de mettre sa police à vos trousses pour savoir où vous étiez caché ?

La jeune fille éclata de rire à cette idée chargée de double entente, sachant combien Pierre était l'objet d'une surveillance inquiète de la part de cette police-là.

— C'est le cas de dire que j'eusse été en pays de connaissance, répondit le porte-manteau avec un sourire.

Les yeux de Hautefort luisaient de plaisir et de malice, ses dents avaient l'éclat du cristal mouillé.

— Venez ici, dit-elle, j'ai des choses à vous dire de la dernière importance.

Elle attira le gentilhomme à l'écart du carrosse où montaient les filles. Lui saisissant familièrement le coude, elle se dirigea avec lui vers la rue Saint-Thomas, qu'ils remontèrent ainsi jusqu'aux abords du corps de garde, face au Palais-Cardinal.

— Naillart, réveille-toi, et ne m'oublie pas au passage, avait-elle dit à son cocher.

Le chien, Favory, se mit à trotter devant eux, se retournant tous les quatre pas pour s'assurer de l'assentiment de Marie. Ce pauvre animal semblait partager à l'égard de sa jolie maîtresse la tendresse qu'elle inspirait à toutes les personnes avec qui elle avait commerce. Il revenait soudain en gambadant après avoir pissé un jet très bref contre la roue d'une charrette aux abords de la petite place, puis il reniflait les bottes de Pierre et se cabrait contre lui en geignant pour quémander une caresse.

Quand ils furent parvenus bras dessus, bras dessous, au milieu de la place Carrée qui séparait à cet endroit le palais de Son Éminence et la caserne où le Roi abritait une partie du corps de garde, Mme de Hautefort monta dans son carrosse, qui les avait suivis à quelques pas.

— L'endroit est bien choisi, ne trouvez-vous pas, La Porte ? Vous qui avez suivi les régiments, n'est-ce pas là ce que l'on appelle « être pris entre deux feux » ?...

Elle riait. Pierre s'inclina en tenant la portière ; quand il

l'eut refermée, la jeune fille lança, agitant sa jolie main dans un geste d'amitié enjouée :
– *Adiós caballero !...* Gardez-vous bien, avec l'aide de Dieu, et prenez soin de vous.
Elle avait une façon si émouvante de prononcer certains mots ! songea La Porte. Elle disait *bi-en*, en détachant légèrement les syllabes à la manière gasconne, et *Di-eu*, et sa bouche était légère quand elle parlait. Il se mit à rêver en retournant vers son logis chez le duc de Chevreuse.

Marie était née en 1616, dans le vieux château féodal de Hautefort, à deux lieues et demie d'Excideuil, dans le Périgord, sur une colline qui domine la Baure. Son père mourut quelques jours seulement après sa naissance dans cette demeure antique qui avait appartenu au fameux poète Bertrand de Born, oublié de tous, et à bien d'autres illustres personnages des temps anciens, eux aussi sortis des mémoires. Avant de devenir une noble résidence, ce château de Hautefort avait servi très longtemps de rempart dans les guerres des Anglais. La mère de Marie avait suivi d'assez près son époux dans la tombe, de sorte que l'enfant était restée orpheline en très bas âge, presque sans biens, et elle avait été confiée aux soins de sa grand-mère, Mme de La Flotte, une noble personne qui séjournait parfois à Paris et se rendait à la Cour, d'où elle rapportait toutes sortes de contes merveilleux sur la vie de douceur et de fêtes qu'y menaient des princesses et des demoiselles de bonne naissance et de haute vertu.
Les douze premières années de Marie s'écoulèrent dans la monotonie et l'austérité de la vieille demeure périgourdine, en compagnie de sa sœur la plus jeune, Charlotte, appelée d'Escars, qui avait six ans de plus qu'elle. Elle y fut élevée par les nourrices et les servantes, dans la vieille langue de ses

aïeux, qui étaient chevaliers et poètes, dont on lui racontait les histoires, les croisades et la foi immense. Ils étaient, lui disait-on, les protecteurs des veuves, des orphelins et des prêtres. Marie mélangeait ces histoires avec les récits, qu'elle entendait chez sa grand-mère, de la vie brillante et agitée de la Cour, où se faisaient et se défaisaient les destinées glorieuses et le destin du royaume. Quand elle avait onze ans, elle s'enfermait dans une chambre de la tour et demandait à Dieu, à genoux, dans une ardeur sauvage, qu'il la conduise à la cour de France... Elle disait à Dieu que peu importait la manière et ce qu'elle ferait là-bas : qu'il voulût seulement la rendre belle, pour voir Monseigneur le Roi et Notre-Dame la Reine. Si elle n'avait pas été sage, on lui disait pour la fâcher :

– Anares pas a la cor del Rey ! Que ses pas pro polida.

– Si faraï, si faraï ! E prèdis Dieo que me lo fatse veire, répondait la fillette, emplie de certitude.

En effet, le Seigneur ayant écouté ses prières, Mme de La Flotte eut affaire à Paris et l'y emmena avec elle, alors qu'elle avait douze ans, en 1628. L'aimable enfant était si belle, si douce, si bien morigénée qu'elle fit, sur bien des personnes de qualité qui la virent en compagnie de sa grand-mère, plus qu'une heureuse impression. Sa grâce, son esprit précoce séduisirent tant la princesse de Conti qu'elle la voulut mener avec elle en promenade, et tout le monde tâchait à deviner quelle était cette charmante jeune personne que l'on voyait à la portière de son carrosse.

En quelques jours, on ne parla plus que de Mlle de Hautefort, dont tous les souhaits les plus chers semblaient se réaliser. Elle fut présentée par la princesse à la Reine Mère, qui fut également si charmée qu'elle l'accepta parmi ses filles d'honneur. C'est de ce moment que l'éclat de son extrême beauté, jointe à son extrême jeunesse, lui valut le surnom d'« Aurore » que toute la Cour lui donna. Car Dieu, après tout, l'avait conduite à la cour de France et Marie louait le Seigneur comme une bonne chrétienne d'avoir exaucé ses prières. Sa piété parut donc très vive, son esprit éveillé, sa bonté inépuisable, et toutes ces qualités, jointes à une grande fermeté, la firent aimer et rechercher de tous ceux qui l'admiraient déjà.

Deux ans plus tard – c'était en 1630, et elle n'avait que quatorze ans –, la jeune fille accompagna Marie de Médicis à Lyon, où le Roi était retenu malade. C'est à cette occasion que Louis jeta pour la première fois les yeux sur elle et commença à la distinguer. La modestie et la beauté de cette petite Hautefort, sa franchise aussi, le touchèrent tellement que le monarque, que l'on n'avait jamais vu faire de galanteries aux dames, ne put bientôt plus se priver du plaisir de la voir et de lui parler. Il l'entretenait de chiens, d'oiseaux, de volée et de chasse à courre, en grands détails, et Marie, qui avait bien connu la campagne, savait passablement les mœurs des oiseaux et tenait des propos raisonnables sur le comportement des lièvres, et même des renardeaux. Aussi, quand la Reine Mère s'échappa vers l'exil en Flandre, fuyant les meutes que Richelieu paraissait avoir mises à ses trousses, quelques mois après être revenue en Ile-de-France, Louis XIII donna la belle enfant à la reine Anne comme fille d'honneur, la priant de la bien traiter et de l'aimer pour l'amour de lui. Dans le même temps, pour souligner sa faveur, il faisait engager la grand-mère, Mme de La Flotte, comme dame d'honneur.

La première marque de galanterie déclarée que le Roi adressa à Mlle de Hautefort fut à Saint-Germain, pendant un sermon dans la vieille chapelle où la Reine assistait avec toute la Cour. Les filles d'honneur étant assises par terre sur les dalles, selon l'usage, Louis prit le coussin sur lequel il était agenouillé et le fit porter à Marie pour qu'elle se pût asseoir commodément. Sa surprise et la rougeur qui lui monta aux joues augmentèrent encore sa beauté, alors que toutes les personnes présentes avaient les yeux sur elle... La Reine lui ayant fait signe d'accepter le coussin, Marie le prit, mais elle le posa seulement à son côté, avec respect, sans vouloir s'en servir, ce qui lui attira davantage de considération de toute part.

Pierre se souvenait comme la Cour avait été gaie alors, car c'était le temps qu'il rentrait lui-même en grâce et reprenait enfin sa charge auprès de la Reine. Le Roi tâchait à divertir la Cour tous les jours par quelque fête ou quelque partie de chasse grandiose que suivaient les filles de la Reine, montées sur de belles haquenées richement caparaçonnées, vêtues de couleurs vives et coiffées de vastes chapeaux garnis d'une quantité de plumes pour se protéger du soleil. Ah ! Dieu n'avait pas été chiche avec Marie. Il l'avait non seulement conduite des rives escarpées de la Baure jusqu'à la Cour, mais le roi de France ne cessait à présent de composer de la musique pour elle et des airs de chanson, dont il faisait même parfois les paroles et dont elle était toujours le sujet... Un auteur inconnu composa à cette époque ce bref couplet satirique sur la « favorite » :

> Hautefort la merveille
> Réveille
> Tous les sens de Louis,
> Quand sa bouche vermeille
> Lui fait voir un souris.

Cependant, Marie, dont le caractère à la fois très pieux et très chevaleresque s'affirmait, plût à Dieu ! d'année en année, souffrait maintenant de voir souvent sa maîtresse malheureuse, et comme persécutée. Après les grandes espérances qui étaient nées à la Cour, quelque temps plus tôt, lorsque Sa Majesté avait failli être enceinte, comme on s'était réjoui avec trop de hâte de cet héritier à la couronne que l'on attendait depuis douze ans, la déception avait été grande quand Anne avait de nouveau fait une de ses fausses couches précoces. Ce chagrin s'était traduit dans l'entourage par une froideur marquée à l'égard de cette fausse mère... L'âme d'héroïne de Marie de Hautefort et sa générosité naturelle qui l'inclinait à se mettre du parti du plus faible, comme l'avaient fait ses ancêtres qui étaient chevaliers, l'engagèrent à profiter de la faveur du Roi et du soin qu'il avait d'elle pour venir en aide autant qu'il lui était possible à la Reine délaissée. Comme, d'autre part, elle avait sucé avec le lait de sa nourrice la langue des grands troubadours, il lui avait été aisé de parler parfaitement le castillan, ce qui la rapprochait de manière décisive d'*Ana de Austria,* en qui cette orpheline avait senti très vite, une fois la première méfiance passée, l'affection d'une mère d'adoption. Sa loyauté, son sens de l'honneur avaient conduit la favorite du Roi à devenir aussi celle de la Reine, qui, en l'absence forcée de sa vieille complice Mme de Chevreuse, lui donnait le rôle de l'amie intime. Confidente sûre, Marie était sa plus fidèle alliée... Cette situation n'était pas sans irriter beaucoup le cardinal de Richelieu, lequel avait cru d'abord pouvoir gouverner cette enfant à sa guise, après avoir acheté la bienveillance de la grand-mère à son égard. Avec Marie, Son Éminence était tombée sur le mur froid, impénétrable, de l'incorruption.

Pierre monta dans sa chambre sans voir âme qui vive. Il appela Renaud, son petit valet, mais Renaud avait disparu ; il ne répondit pas... Il sortit alors de sa manche un rouleau cacheté que lui avait glissé Hautefort en faisant mine de lui tenir le bras. Il ferma soigneusement l'huis d'un tour de clef, sortit des plumes, de l'encre, du papier de son coffre rond, puis il extirpa sa grille du trou secret auprès de la fenêtre. Quand tout fut commodément étalé sur sa petite table qui lui servait de pupitre et prêt à l'usage, il déplia soigneusement la lettre qu'il devait mettre en chiffre. Cette lettre était longue, savamment obscure, et disait :

Por ser cosa que importa mucho al servicio del Rey el conservar en el al duque de Lorena, he procurado con mi amiga que hallasse una comodidad segura con que poder escrivir al amigo ; ha me dicho que la tiene, que lo es mucho, y as si digo que se de parte muy segura, que de aqui se haze quanto se puede con el para que salga del servicio del Rey y de toda su casa, haviendo le embiado persona expresa para proponer se lo, y prometer le que le bolueran todo lo que le han quitado y quanto el quisiere, como haga lo que se desea. A lo qual se tambien que ha respondido, comodeve, que por quantas cosas hay, no dexará el servicio del Rey y de sú casa, y que, aunque tuviara mucho mas que perder de lo que ha perdido, lo haria de bonissima gana, pues no podriá reconocer con menos las obligaciones que les tiene. Ha me parecido dezir lo todo esto al amigo para que lo diga al amo nuevo ; y tambien, que lo otro lo sepa, para que puedan mostrar que saben reconecer los servicios que les hazen, y que lo muestren assi al duque de Lorena, pues verdaderamente lo merece muy bien ; y save el amigo la parte que a mi me toca en esto, pues save que he hecho lo que he podido para que el duque de Lorena serviesse al Rey, como lo haze ; y me holgaré tambien infinito que continue siempre en serville, y que lo reconoscan como es justo ; y como me parece tambien que les importa tener al duque de sú parte, no diré mas en esta materia, pues el amigo sabra hazer mejor que yo se lo digo todo lo que le pareciese sobre ello, etc.

Le soir, La Porte prit son repas comme d'ordinaire vers 8 heures, à l'enseigne du Battoir, où il retrouva quelques habitués de la table d'hôte. Il y avait un nommé Picot, qui était lieutenant au régiment de la prévôté et angevin comme lui – lequel soupait avec un lieutenant gascon nommé

Miramont. Des marchands normands étaient arrivés, que Pierre connaissait un peu car ils venaient de Rouen plusieurs fois l'an négocier la toile et le drap qu'ils apportaient par bateau. Ces gens étaient mêlés à nombre d'autres personnes, dont quelques-unes appartenaient au Louvre, d'autres à diverses maisons environnantes.

Après souper, Pierre joua à la rafle à trois dés avec Picot, pendant que son camarade gascon disputait avec les Normands des mérites de la navigation sur la rivière de Garonne, comparée à celle de la rivière de Seine ; Miramont assurait que la Garonne charriait une eau plus douce et plus fraîche au goût, et qu'il était très préférable de naviguer sur une rivière aussi excellente, pour le cas où l'on venait à chavirer et à boire beaucoup de cette eau.

— A ce pourpos, les iaux sont basses ! dit un des marchands qui secouait sa pinte pour la faire tinter sous le nez d'une des servantes en réclamant du bon.

La compagnie buvait force pots d'un vin de Beaune que l'hôtelier avait acheté le matin même à un Bourguignon sur le quai Saint-Bernard, face à l'île Notre-Dame, et dont chacun s'accordait à dire qu'il n'était pas assez reposé.

— Pardienne, ce vin-là a vu trop d'iau ! Il est encore tout estourbi du bâtiau !...

— Ce n'serait-y pas du vin enragé, au moins ? dit un farceur qui sema la gaieté.

Picot amena trois as d'un seul jet, à la rafle, et du contentement qu'il en eut il expliqua à qui voulut l'entendre que le vin de Chinon, son pays natal, n'avait pas besoin de tant de consolation et de repos pour être bu. Ayant porté sa sentence, il descendit un demi-setier d'une seule et large goulée à la santé de ses voisins. Au bout de la grande salle, des buveurs avaient demandé des cartes et faisaient une partie de piquet. Le clerc d'un avocat au Parlement, qui voulait faire montre de bel esprit, fit de manière fort longue, donnant mille détails avec une voix forte et impérieuse, le récit d'un voyage qu'avait fait certain marchand de sa connaissance entre Beauvais et Pontoise. Cet homme, dit-il, était accompagné de sa femme, et le cheval qui les portait tous les deux ayant perdu deux fers sur la route, le marchand attacha la bête à un arbre, en confiant la garde à sa femme, puis il rebroussa chemin, à pied, pour retrouver ses fers. Il retourna ainsi plus de deux lieues sans rien trouver et s'en revint pieds nus, tenant ses bottes et ses chausses dans ses mains, par mesure d'économie, jusqu'à l'endroit où il avait laissé sa femme et le cheval. Il obligea alors cette pauvre dame à se déchausser à son tour et à marcher avec lui à côté du cheval déferré qu'il tenait par la bride, et ils rentrèrent ainsi à leur maison de Pontoise.

Ce récit était si peu intéressant que plusieurs personnes qui avaient envie de parler d'autre chose bâillèrent d'ennui, à grand bruit, à divers moments du voyage... Le clerc se tut enfin, riant très fort de son histoire. Le lieutenant Miramont, pendant ce temps, avait fini de nommer tous les poissons qui vivent dans la Garonne, afin de prouver l'excellence de ses eaux autant qu'il était possible et raisonnable de le faire, et même légèrement au-delà. Il se mit alors à chanter, d'une voix chaude, claire et passionnée, des chansons de son pays natal où il était question de montagnes chaperonnées de neige et de riantes vallées. C'est du moins ce que crut deviner Pierre dans une langue qui ressemblait beaucoup à de l'espagnol tout en n'en étant pas.

Le chant était très beau. Il vrillait dans la salle tout entière, s'enflait puissamment, retombait en filet, avec des ondulations qui faisaient entendre et imaginer tous les échos des hautes montagnes... Le silence s'était fait dans l'auberge, où chacun écoutait, la face réjouie. Quelques-uns qui avaient passé leur jeunesse dans les provinces d'Aquitaine se sentaient tout attendris. Des valets s'étaient approchés, venant de l'office, pour écouter le chanteur. L'un d'eux, pendant que Miramont lançait de longues roulades qui tremblaient dans l'aigu, pleurait debout, adossé au chambranle d'une porte, toutes les larmes de son corps.

Soudain, l'air fut frappé de cris rauques, suivis de paroles menaçantes qui partaient du bas-bout d'une table posée dans un angle auprès du degré à vis qui montait à l'étage.

– Fils de chienne ! hurla un homme fort en colère. Pourquoi as-tu déchiré mon habit ?

– Barbe de cocu ! tonitrua son compère d'une voix à faire trembloter les couvercles des pintes d'étain posées sur les tables. Tu n'es qu'un sot, un maroufle, un vilain museau ! Pourquoi as-tu retourné la carte ?

La Porte et Picot se levèrent en même temps pour voir qui hurlait de la sorte ; Miramont essaya de couvrir encore un moment le tintamarre des querelleurs, mais il dut abandonner cet effort car les valets se bousculaient pour séparer les deux gros hommes qui s'étaient empoignés réciproquement à la barbe et aux cheveux, et s'entredonnaient des coups de pied furieux, de toute leur puissance. L'un des combattants, à ce que distingua Pierre dans la mêlée qui se formait dans l'espace opposé de la grande salle, était un langueyeur surnommé « le Ladre », qui officiait ordinairement sur le marché aux pourceaux de la butte Saint-Roch. C'était une sorte d'Hercule à caractère de cochon et querelleur comme un Satan. Déjà il jouait des poings et faisait de grands moulinets avec ses bras, cognant de-ci de-là les têtes et les mâchoires qui passaient à portée de ses mains énormes, charnues et velues comme des bêtes.

L'hôtellerie si tranquille et benoîte un instant auparavant s'était transformée en un véritable champ de bataille ; à la vue de quoi les deux servantes se mirent à crier comme femmes rouées en grève... L'une d'elles, qui était forte et large, se précipita comme une furie au visage du Ladre, les ongles en avant, dans l'intention assurée de lui arracher les yeux, mais le monstre lui appliqua un soufflet si terrible, d'une demi-pirouette de tout son buste massif, qu'il la renversa assommée sur une table. La table s'écrasa sous le poids de son corps, qui était rond et lourd, et la pauvre fille se laissa choir à terre inanimée.

Cette action très lâche déclencha aussitôt une indignation souveraine dans toute l'auberge du Battoir. En un clin d'œil, des pintes d'étain volèrent dans la direction de l'Hercule mal léché et de deux ou trois de ses amis, gens de sac et de corde, qui avaient pris son parti dans la querelle. L'hôte était accouru et hurlait plus fort que tout le monde, suppliant qu'on laissât tranquille sa vaisselle et qu'on ne touchât point au mobilier de la salle. En effet, les pots de grès avaient suivi le chemin des pintes par-dessus les têtes de l'assemblée et allaient s'écraser à grand fracas de morceaux éclatés sur le mur du fond, où se trouvait la cheminée. Quelques tabourets prenaient à leur tour l'allure haute et sifflante des papillons d'auberge, lancés par des bras malhabiles et engourdis de boisson, dans une confusion où la fureur atteignait à son comble, portée par les jurons et les blasphèmes les plus rudes et les plus odieux !...

Cependant, les cinq ou six chiens qui se trouvaient dans la salle au début de l'algarade s'étaient mis à aboyer de leur côté et à faire chorus avec leurs maîtres, montrant les dents à la ronde. Ils finirent par se précipiter les uns sur les autres dans l'excitation du moment et à s'entremordre et déchirer entre les jambes des hommes, lesquels leur envoyaient de grands coups de pied dans les côtes pour s'en dépêtrer. Ces chiens furent donc la cause de plusieurs querelles que l'on pourrait appeler secondaires ou corrélatives entre les chasse-chiens et les maîtres, et qui se vidèrent incontinent à coups de poing entre les yeux, ajoutant considérablement au désordre et au tumulte.

En qualité de lieutenant de la prévôté, Picot voulait atteindre son épée qu'il avait laissée pendue à un clou derrière la porte en entrant. Mais il était trop saoul, et Pierre lui déconseillait fermement de bouger de son banc. Le lieutenant Miramont, non moins gris et furieux que son camarade, trépignait d'impatience à se voir lui aussi désarmé. Il avait dégainé le long poignard dont il se servait pour manger à table, et La Porte, qui craignait quelque éclat irréparable de la part de ces deux officiers parfaitement éméchés, avait assez de peine à raisonner son pays, tout en saisissant les bras du Gascon pour l'empêcher d'éborgner ses voisins les plus proches. Car Miramont avait commencé d'exécuter des moulinets avec son arme blanche.

– Espèras un pauc, puta de bestià ! vociférait-il, menaçant dans la même langue où il venait de chanter l'amour, la terre natale et le désir ardent de s'amie, lointaine...

Pierre faisait de son mieux pour apaiser son emportement :

– Nenni ! Nenni déa, mon ami !... Prenez patience, je vous prie, s'exclamait-il en lui serrant hardiment les poignets.

C'étaient autant de chasses-mortes et de peines perdues :

– Espèras me, té ! hurlait le lieutenant. Te vau traucar la pel, cap de Dio !...

Il brandissait son arme. Il devenait dangereux :

– Lo veses, mon cotel ?... Lo veses ?...

– Cela vous plaît à dire, Marcel ! Cela vous plaît à dire, continuait La Porte, d'un ton bonhomme. Ce serait tomber de fièvre en chaud-mal. Baillez-moi donc ce vilain coutel, allons. Allons Marcel, vous pourriez blesser du monde ! Picot, aide-moi un peu à le retenir.

A l'autre bout, le langueyeur avait été acculé devant la cheminée par la presse de ses agresseurs aux nez sanglants qui crachaient leurs dents avant de revenir à l'attaque. Il avait démanché un banc et se servait de la lourde planche de chêne, qu'il maniait comme un battoir, pour tenir en respect la meute de ses adversaires.

– A bonne enseigne ! ricanait-il en faisant virevolter le siège du banc avec une puissance incroyable. Eh ! l'hôte à bonne enseigne !...

Ses amis, à son exemple, s'étaient mis en devoir de briser le mobilier de l'hôte pour se fabriquer des bâtons. Mais, un assaut périlleux ayant investi le forcené malgré la course quasi mortelle de son madrier et l'ayant mis le cul à la braise sur laquelle chauffait un chaudron plein d'eau bouillante, le Ladre, à bout de ressources, empoigna vivement un des landiers du foyer et le brandit au-dessus de sa tête en criant :

– Tue ! Tue !...

Le chaudron bouillant, brusquement déséquilibré, se renversa sur les pieds des assaillants, qui reculèrent d'effroi. L'homme lança alors de toute sa puissance le chenet de fer qui pesait un bon demi-quintal et qui alla atterrir à toute volée sur un vaisselier de frêne chargé de faïences qu'il écrasa dans un fracas épouvantable, tandis qu'un cri de terreur sortit de toutes les poitrines.

Au même moment, la garde entra.

La porte de l'auberge vola à deux battants, tandis qu'un sergent, suivi d'une douzaine de soldats, fit irruption dans la salle, l'épée haute, criant :

– Au nom du Roi !

– On m'assassine ! gémit alors l'hôtelier du Battoir. A moi, la garde, à moi !...

Trois épées s'appuyèrent en même temps sur la poitrine du langueyeur, qui roulait des yeux rouges de fureur. Celle du sergent se posa si brutalement sur le cou trapu du trouble-fête qu'elle s'enfonça légèrement de la pointe. Un filet de sang brunâtre se mit à couler dans l'encolure gonflée et trempée de sueur du dangereux phénomène, et à goutter sur les poils de sa poitrine ouverte et encore haletante...

Il se produisit alors un événement cocasse. L'un des marchands, homme de courte taille, avait reçu sur la tête un grand pot d'étain pendant la bataille, qui l'avait coiffé jusqu'aux épaules avant de le faire rouler tout étourdi sous une table. Étonné du silence et incapable de voir goutte à cause de ce pot qui lui bouchait l'espace, il se releva péniblement, tirant des deux mains sur cette bassine pour l'arracher de sa tête. Mais le vaisseau qui était entré par force avait le ventre plus gros que le col, qui enserrait à présent celui du malheureux Normand qui n'arrivait pas à bout, malgré ses efforts, à sortir le menton. Il se mit à marcher dans la salle, trébuchant sur les tables qui étaient à terre, se heurtant à celles qui étaient encore debout et implorant de l'aide... Si bien que toutes les personnes présentes qui se portaient à peu près bien – à l'exception de l'hôte, que rien, pour l'heure, n'aurait su dérider tant il était marri du saccage de ses lieux, et mis à part le langueyeur, dont la mâchoire portait fâcheusement sur le fil de l'épée du sergent –, marchands, soldats, commis et jusqu'aux mousquetaires de la garde, partirent d'un grand éclat de rire à voir déambuler ce fantôme qui aurait bien voulu être demeuré à Rouen.

CHAPITRE V

Le 12 du mois d'août 1637, un carrosse à deux chevaux conduit par un cocher habillé de gris, s'arrêta vers les 6 heures du soir au tournant de la rue Coquillière et de celle des Vieux-Augustins. Personne n'en descendit, personne n'y monta – les chevaux s'occupèrent de leur mieux à chasser les mouches et les taons dont ils étaient harcelés dans cette fin de journée torride où les murs des maisons étaient brûlants. Ils frappaient nerveusement du sabot la chaussée en terre battue, soulevant de petits nuages de poussière autour de leurs paturons, et balançaient continuellement le crin touffu de leur queue le long de leurs flancs qui ruisselaient de sueur. De temps à autre, un cheval, puis l'autre, s'ébrouait brusquement sous l'effet de la piqûre plus forte d'un taon qui lui perçait le cuir ; ils faisaient cliqueter les fers de leurs harnais, tandis que le cocher, impassible sous un grand chapeau qui lui cachait le visage, tenait les guides plus hautes et leur faisait sentir au mors qu'ils devaient être patients.

Au même moment, Pierre de La Porte s'en revenait par la rue Pagevin, où se trouvaient les écuries de l'hôtel d'Épernon, en direction du Palais-Cardinal et de l'hôtel de Chevreuse ; il avait visité, de la part de la Reine, le capitaine de ses gardes, M. de Guitaut, lequel avait été blessé à la cuisse au cours d'une affaire quelques semaines plus tôt et gardait encore le lit, car sa plaie tardait à se refermer malgré les cautères que lui avait appliqués le chirurgien de Sa Majesté... Guitaut, homme brusque et décidé, s'ennuyait beaucoup d'avoir à demeurer immobile ; de plus, il était, dans sa position, fortement incommodé par la chaleur, avec les mouches qui l'agaçaient le jour et les puces qui semblaient pulluler plus que jamais et qui le dévoraient la nuit. Pierre avait bavardé deux grandes heures avec le malade, lui contant par le menu les dernières histoires de la Cour, puis il avait pris congé. Il rentrait sans hâte, profitant d'un semblant de fraîcheur qui commençait à venir avec les derniers rayons du jour au côté ombreux des rues poussiéreuses, où dominait, comme dans tout Paris dans l'accablement de l'été, une intense odeur de fiente et d'urine.

Il tourna à main gauche dans la rue des Vieux-Augustins, qu'il traversa pour se mettre à l'ombre des façades, s'arrêtant quelques pas plus loin pour soulager lui-même un besoin pressant contre le mur d'une maison en encorbellement, songeant qu'il ajoutait son eau à celle de milliers d'autres personnes et contribuait à répandre l'odeur forte qui l'entourait. Ayant rajusté l'aiguillette de son haut-de-chausses, le gentilhomme reprit son chemin au pas de flânerie, sans prêter attention au carrosse arrêté plus bas dans l'attente de quelque passager de marque. Pierre avait toute la soirée libre devant lui, la Reine étant partie au début de l'après-midi pour Chantilly, où le Roi l'avait fait mander d'urgence, probablement pour y célébrer en sa compagnie la fête de Notre-Dame, qui était le surlendemain. Au dernier moment, juste avant de descendre, Sa Majesté lui avait confié dans sa petite antichambre une lettre destinée à Mme de Chevreuse, qu'elle venait d'écrire en hâte pour son amie afin de profiter d'un messager occasionnel : un Tourangeau qui devait repartir dans ses terres. Ce gentilhomme, nommé La Thibaudière, s'était proposé pour porter des nouvelles de la Reine à sa fidèle Marie, et Anne, surprise par son départ inopiné, avait eu juste le temps d'écrire quelques mots, demandant à Pierre, dans l'agitation du dernier instant, de remettre le pli directement entre les mains du porteur. Cependant, une fois seul avec lui dans la cour du Louvre, La Thibaudière avait déclaré qu'il ne partait en réalité que dans deux jours, et il avait demandé au porte-manteau de lui garder cette lettre amicalement jusqu'à son départ, car il craignait de la perdre dans l'agitation de la grande cité... Pierre avait accepté bien volontiers de lui rendre ce service, puis il était allé directement voir le capitaine des gardes et faire auprès de lui sa commission : la lettre de la Reine se trouvait donc encore dans le gousset de son pourpoint, et il avait résolu de passer tout d'abord à sa chambre afin de la serrer dans son coffre avant de se rendre au Battoir pour y souper.

Il dut faire un détour pour ne pas enjamber une truie de grande taille qui se vautrait en travers de la rue et cherchait le frais dans la poussière du ruisseau à sec. Elle était entourée d'une douzaine de porcelets de quelques jours, dont certains demeuraient affalés contre ses immenses mamelles tandis que d'autres dormaient un peu plus loin, étalés comme des bêtes mortes dans le bourdonnement des mouches. Deux ou trois petits tout roses, au poil follet rebroussé sur l'échine, trottinaient ici et là, les oreilles écartées. Ils se cognaient dans le corps des autres, flairant les herbes jaunies et desséchées dont les touffes avaient poussé au bas des façades, et ils grognaient faiblement de temps à autre avec de petits cris de surprise. Toutefois, le groupe somnolent occupait la rue dans toute sa largeur, dans un mépris absolu du charroi qui pouvait survenir et sans aucun égard pour les piétons. La Porte s'imaginait un de ces cochons roses rôti à la broche pour son souper, et cette pensée lui donna faim.

Au bas de la rue, le carrosse n'avait pas bougé d'un pouce ; il barrait le passage, lui aussi, de toute sa masse lourde et immobile. Le cocher gris, perché sur son siège, regardait loin, la mine renfrognée ; il ne répondit pas au bonsoir que lui adressa le gentilhomme et ne fit pas un geste pour faire avancer son attelage d'un seul pas, de sorte à dégager le passage. De fait, il ne restait qu'un étroit couloir entre l'angle du mur et la roue arrière de la voiture : Pierre s'y engagea.

Mais au moment où il se trouvait dans la partie la plus étranglée de ce passage, se dirigeant vers la rue des Bons-Enfants, le soleil se couchait en face de lui derrière les moulins de la butte Saint-Roch, et il fut ébloui par la lumière crue, rougeoyante, qu'il recevait en plein dans les yeux après l'ombre de la rue... A cet instant, il sentit deux mains se poser sur sa figure qui lui bouchèrent tout à fait la vue, tandis que d'autres mains l'agrippaient par-derrière, le saisissaient aux bras et aux jambes avec rudesse. Il fut soulevé en un éclair et poussé sans un mot, mais assez violemment, à l'intérieur du carrosse, dont les portes battirent. Des personnages silencieux s'affairaient dans un trépignement de bottes et se calèrent dans la voiture, qui démarra aussitôt dans un grand bruit de ferraille et de grincement d'essieux.

Lorsqu'il put enfin ouvrir les yeux sur ses assaillants, La Porte se trouva en compagnie de cinq mousquetaires du Roi, dont les visages étaient tous entièrement inconnus de lui. Ces personnages impassibles encombraient l'espace étroit avec leurs vastes chapeaux et les fourreaux de leurs longues épées. Au bout d'un moment, ces messieurs sourirent de son air effaré, visiblement satisfaits d'une capture aussi rondement menée. L'un d'eux, qui avait les yeux brillants et le visage osseux, fit une remarque brève dans une langue que Pierre ne comprit pas, et le garde qui était assis en face de lui demanda fort civilement, touchant son chapeau :

– Dounez mé votre épéc, dé grass...

Il tendit la main et ajouta :

– Dé part lé Réi, moussieur.

Pierre défit lui-même son baudrier, un peu tranquillisé de voir qu'il s'agissait d'une arrestation dans les formes et que, selon les apparences, il n'avait pas à faire à de simples spadassins... Du reste, il entendit bientôt une cavalcade qui s'était rapprochée et suivait le carrosse à quelques pas. A en juger par le bruit des sabots, cela semblait une assez grosse troupe de chevaux, peut-être une trentaine ; l'importance démesurée de cette escorte pour un homme seul, et qui aurait été bien incapable de se défendre, l'intriguait beaucoup et l'inquiétait à la même mesure. En outre, les rideaux de cuir étaient demeurés rigoureusement baissés, de sorte que l'on ne pouvait voir de quel côté se dirigeait cet équipage, et tout donnait à cette capture l'allure d'un guet-apens. Pierre songea, sans y croire, qu'il pourrait y avoir une méprise sur sa personne :

– Où donc me conduisez-vous, messieurs ? demanda-t-il assez calmement.

Le silence répondit à sa question. Le mousquetaire qui avait reçu son épée et la tenait entre ses genoux fit une moue, avec une mimique qui signifiait que cela était au-dessus de sa compétence. Il était évident que ces gens avaient reçu l'ordre formel de ne pas lui parler, ce qui était surprenant ; ils semblaient tous sur le qui-vive.

Au bout d'un moment, Pierre s'aperçut, dans la pénombre grandissante de la voiture, que les cinq mousquetaires ne le quittaient à aucun moment du regard. Pour s'en convaincre, il fit mine de se frotter la nuque, comme si la rudesse du molestage qu'il avait subi lui avait démis la base du cou... Il sentit plusieurs paires d'yeux rivées sur sa main et, à quelques autres mouvements qu'il esquissa, comprit que l'on surveillait le plus minuscule de ses gestes.

Le carrosse roula ainsi assez grande allure pendant un quart d'heure environ dans une rue qui paraissait large et droite, puis l'attelage ralentit, tourna dans un passage plus étroit où les roues sonnèrent tout à coup sur de gros pavés ; de lourdes portes de bois se fermèrent bruyamment derrière les chevaux de l'escorte. Les gardes relevèrent alors les portières de cuir, et le porte-manteau de la Reine reconnut devant lui, sur sa gauche, les hautes tours de la Bastille qui se dressaient, sombres et austères, dans le crépuscule. La voiture s'immobilisa, tandis que les quinze ou seize chevaux qui avaient pénétré dans la basse cour de la forteresse se rangeaient en un cercle impressionnant, sans que les cavaliers missent pied à terre, les guides hautes et la main sur la garde

de leur épée... Le prisonnier fut alors prié de descendre, et
La Porte reconnut soudain Goulard, le capitaine des mousquetaires du Roi, qui commandait en personne ce détachement de gens d'armes.

Son esprit avait été tellement occupé et traversé d'inquiétudes pendant ce qui lui paraissait être un enlèvement de
mauvais augure, que ce fut seulement en voyant Goulard
s'approcher et lui demander, d'un ton rogue qui lui était
habituel, la permission de le fouiller, que Pierre se souvint de
la lettre. Il se sentit pâlir. Il s'efforça de garder son sang-froid
et de sourire, par habitude. Heureusement, la nuit était
presque venue l'aider à masquer son trouble aux yeux des
assistants et quelqu'un s'approchait avec une lanterne. Le
capitaine lui palpa son habit, ses chausses, glissa la main dans
la tige de ses bottes aussi bas qu'il put et enfin explora le
gousset... Il trouva la lettre, qui ne portait aucune inscription
mais seulement les sceaux de cire qui la cachetaient, l'exa-
mina avec soin à la lueur de la lanterne puis demanda avec
brusquerie :

— De qui tenez-vous cette lettre ?

— Goulard, vous connaissez aussi bien que moi le cachet
des armes de la Reine ! répondit La Porte. Sa Majesté m'a
donné ce billet pour que je le fasse tenir à Mme de
Chevreuse.

Au fait, il ignorait tout du contenu de cette lettre ! Mais il
se rassura en songeant fort justement que, si la Reine lui avait
demandé de la remettre aussi ouvertement à un commissaire
occasionnel comme La Thibaudière sans qu'il fût nécessaire
de la mettre en chiffre, c'est qu'il s'agissait d'un de ces
messages anodins qu'elle envoyait quelquefois par les voies
ordinaires et qui ne contaient aucun secret que tout le monde
ne connût déjà. On eût trouvé étrange, en effet, qu'elle
n'écrivît jamais à sa meilleure amie en exil : aussi la Reine
faisait-elle parvenir assez régulièrement à Mme de Chevreuse
des missives de courtoisie, qui allaient soit par la poste, soit
par les soins de porteurs obligeants qui se trouvaient de

voyager vers Tours, comme l'archevêque de Bordeaux, qui se chargeait volontiers de cette commission lorsqu'il s'en retournait dans son diocèse. Cependant, Pierre sentait clairement à ce déploiement de forces que son arrestation était causée par des soupçons infiniment plus redoutables pour la Reine et pour lui... Tout cela avait l'apparence d'un coup monté et, si quelqu'un les avait trahis, si, malgré les infinies précautions dont ils s'entouraient, quelque fine mouche avait réussi à percer le secret de la correspondance royale, les affaires de la Reine étaient au plus mal et ses jours à lui étaient comptés, la chose était certaine. Peut-être même les heures qui lui restaient à vivre...

La fouille terminée, on le fit passer dans la première cour intérieure, qui était celle du corps de garde de la forteresse. Pour cela, il fallait franchir le premier pont-levis, sur lequel on avait placé des mousquetaires de la garnison. La Porte s'avança donc entre deux haies de soldats qui se tenaient sous les armes, la mèche allumée, comme s'il eut été un criminel de lèse-majesté – ce qui, loin de flatter sa modeste personne, augmenta considérablement son alarme.

Dans la cour du corps de garde, il fallut attendre ; le cachot qui lui était destiné n'était pas prêt... La nuit était venue ; une brise rafraîchissante soufflait sur le rempart. La lune brillait maintenant sur les jardins de l'Arsenal, qu'on devinait derrière le bâtiment des gardes ; elle illuminait par moments la cour et la façade sud de la Bastille, flanquée de ses immenses tours rondes entre lesquelles se dressait le second pont-levis, qui donnait accès à la grille de la cour intérieure. Pierre se demandait pour quelle raison on ne le faisait pas entrer dans la forteresse elle-même ; il tâchait de deviner, observant autant qu'il le pouvait les attitudes des soldats qui l'entouraient, si cette halte dans l'antichambre de la geôle était un présage heureux ou redoutable. Il décida de leur demander, disant sur le ton le plus badin qu'il put affecter, qu'il était ignorant jusqu'à ce jour, ou plutôt jusqu'à cette nuit, des mœurs et des habitudes de la Bastille, mais que s'il devait y habiter quelque temps il lui serait agréable d'en connaître au plus vite les règlements.

– Vraiment, vous m'obligeriez, dit-il, de commencer à m'instruire là-dessus !

Il lui fut répondu, aussi en riant, que le cachot qu'il allait occuper était celui-là même qui avait servi tous ces derniers temps à Dubois, le célèbre alchimiste. Ce dernier venait de le quitter tout juste l'avant-veille : cela expliquait pourquoi on n'avait pas encore pris la peine de refaire sa chambre.

Pierre éprouva un affreux malaise : Dubois était cet aventurier dont on avait tant parlé au printemps et que le Roi avait fait condamner au bûcher pour sorcellerie... Ancien prêtre et grand voyageur, ce charlatan prétendait avoir appris l'alchimie en Orient, où il avait vécu dans sa jeunesse, et recueilli les secrets de maîtres fort rares ; il se vantait de pouvoir transformer du vil plomb en or fin. Présenté à Richelieu, qui était très en peine de métal précieux pour les caisses de l'État et la conduite de la guerre, il avait produit une impression favorable sur le Cardinal. Il fut ensuite introduit auprès du Roi, lequel avait lui-même tâté naguère de l'alchimie – l'une de ses anciennes passions. Dubois fut sommé de s'exécuter devant témoins pour appuyer ses dires. On organisa donc une démonstration devant toute la Cour, pendant laquelle il changea, sous les yeux ébahis des princes et des princesses, deux petites balles de mousquet en des balles d'or pur ! Un tel prodige fit lever chez tous des espoirs infinis : Louis XIII, transporté de bonheur autant que d'étonnement, avait embrassé le magicien et l'avait nommé, séance tenante, président des Trésoreries de France. La Porte n'avait pas assisté lui-même à cette épreuve, mais l'exploit avait été commenté pendant plusieurs jours de rang chez la Reine, laquelle avait été présente et rapportait avec enthousiasme tous les détails de l'aventure. Or, dans les semaines qui avaient suivi, l'habile homme n'avait plus été capable de fournir une seule once d'or, malgré toutes ses belles promesses, ni même la plus infime parcelle du précieux métal, en dépit des prières, exhortations, mises en demeure de Richelieu, qui en réclamait six cent mille livres. Son Éminence, qui pensait sincèrement avoir vu par ce biais la fin des graves soucis d'argent dont souffrait le royaume et la réalisation de toutes ses ambitions, avait d'abord tremblé d'impatience, puis elle était passée aux menaces, et enfin la supercherie était venue au jour. Cette affaire avait provoqué tant de gorges chaudes chez les ennemis du Cardinal que celui-ci, vert d'humiliation autant qu'accablé par l'effondrement de ses projets de fortune, avait fait condamner l'imposteur au supplice pour cause de... magie noire ! Dubois, qui avait attendu la mort dans un cachot de la Bastille, venait donc d'être brûlé vif l'avant-veille.

Afin que nul doute ne subsistât, et feignant de vouloir satisfaire complaisamment la curiosité du gentilhomme par un soin de clarté extrême, l'un des soldats expliqua que cette tour du corps de garde, située à l'extérieur de la forteresse proprement dite, et qu'il avait devant les yeux, était précisément l'endroit où l'on avait coutume à la Bastille d'enfermer les prisonniers qui devaient être bientôt conduits à l'échafaud.

Après ce renseignement sinistre, qui fut suivi d'un profond silence, on vint dire que le cachot était prêt... La lune s'était cachée sous de gros nuages noirs, et des éclairs luisaient par moments vers l'orient, au-dessus de Saint-Maur-des-Fossés. Accompagné d'un sergent et de deux soldats, La Porte fut invité à gravir, à la lueur d'une torche, le degré en spirale de la peu engageante tour. Lorsqu'ils furent parvenus dans la cellule, ses gardiens le firent mettre entièrement nu pour le fouiller une seconde fois avec une grande minutie. Puis le sergent le fit rhabiller et sortit, laissant un des soldats dans le cachot afin d'assurer la surveillance du prisonnier et les soins de son service. Chacune des trois portes qui étaient placées successivement dans l'épaisseur du mur fut fermée soigneusement à clef.

A Chantilly, le lendemain, Anne d'Autriche entendit sonner les cloches de la chapelle, à l'aube, et elle ne put se rendormir... Elle venait de faire un rêve qui la troublait : elle était petite fille et elle se promenait au bord d'une rivière, avec son père qui la tenait par la main. La Reine n'avait pas l'habitude de s'éveiller aussi tôt le matin ; elle aimait à dormir tard, surtout en cette saison où elle trouvait difficilement le sommeil et ne s'endormait parfois que longtemps après minuit. Elle songea que la fenêtre était restée ouverte sur le lac ; il y avait une fraîcheur autour de son lit et l'on entendait le clapotis de l'eau. Elle tira sur elle le drap de lin fin, propre et lisse, qu'elle n'avait pas touché...

C'était peut-être cela le bruit de son rêve : il y avait de l'eau... Elle marchait à Aranjuez ; les bords de la rivière étaient vert, jaune et gris. Elle n'était qu'une enfant, et le roi son père était vêtu de noir. Ana ne pouvait voir son visage, qui lui était dissimulé, d'en bas, par la grande fraise qu'il portait autour de son cou. Vu ainsi, de dessous, cela faisait une immense fleur blanche dont la corolle épanouie lui cachait jusqu'à ses yeux... Ils avançaient tous deux sous les grands arbres minces le long de la rive du Tage et elle entendait la voix de son père qui résonnait dans un doux roulement au-dessus de la fraise, dont les tuyaux s'agitaient comme s'ils eussent été secoués par le vent... Mais il n'y avait pas de vent ; l'air était calme et immobile, et Ana sautait en l'air à petits bonds, sans lâcher la main qui la tenait, pour essayer d'apercevoir les yeux de son père et sa bouche qui lui parlait. Seulement la tête du roi était vraiment trop haut, trop loin, et la voix disait : « Regarde, ma chérie. Regarde les roseaux qui naissent de l'eau !... » C'était comme un chant, fort et doux, dans l'air jaune des bords du Tage : *Mira, mira, querida mía ! Mira como van saliendo del agua las cañas...* Ana regardait le tronc droit et lisse des ormes qui bordaient la rivière, elle pensait : « Mon père a transformé les arbres en roseaux parce qu'il est le roi tout-puissant et qu'il vit parmi les fleurs blanches. » Alors elle baisait la main de son père qui tenait sa petite main...

La Reine se retourna dans son lit. Il y avait si longtemps qu'elle n'avait pas rêvé de son père. Sa voix avait été si vraie, si présente, qu'elle en était bouleversée... Les yeux fermés, elle fit un effort pour continuer le songe et revoir les grands ormes d'Aranjuez où jouait le soleil de Castilla la Nueva, tâchant de rappeler de tout son pouvoir la voix éteinte. Mais elle était éveillée à présent, malgré elle. Elle ne parvenait à réentendre clairement que : *Mira, mira, querida mía...* Et déjà le timbre et la justesse du ton s'estompaient avec la vibration qui s'émoussait en elle. Son roi s'en était revenu au royaume des ombres. Elle songea ainsi : *Mi rey se fue de nuevo al reino de los cielos...* Mon roi est reparti au royaume du ciel.

Puis elle ouvrit les yeux.

Anne éprouvait une sorte de malaise... Elle s'assit sur son lit. Les rideaux du baldaquin retenaient autour d'elle les ombres de la nuit, mais elle sentait à des lueurs pâles qui filtraient au pli des angles et au ciel du lit que le petit jour était entré dans la chambre. Pourquoi avait-elle fait ce rêve ? Était-ce un présage que lui envoyait le roi Philippe ?... Anne frissonna : son père n'avait pas de tête. Or elle était à Chantilly ! Dans le château qui appartenait à Montmorency... La demeure que le Roi son mari avait confisquée cinq ans auparavant pour son usage, près des forêts et des terrains de chasse, après avoir fait décapiter le duc Henri à Toulouse. Il y avait donc cinq ans, déjà ?... Pas tout à fait, car c'était dans l'automne. Elle pensa à l'horreur de cette exécution voulue par Son Éminence... Aux clameurs de la foule toulousaine qui réclamait la grâce de son duc. Aux pleurs des princes... A Charlotte de Condé, sa sœur, qui s'était traînée, implorante, aux pieds du Cardinal...

Anne, assise sur son lit, se sentit mal dans cette chambre. Elle pensa à la veuve, Felicia, si mal nommée dans son

112

malheur : son amie, venue d'Italie l'année même où elle venait d'Espagne, au même âge qu'elle, pour épouser le beau duc de Montmorency qu'elle avait aimé si passionnément – Felicia en deuil. La propre cousine du Roi, inconsolable, pleurait encore... Depuis deux ou trois ans qu'elle avait quitté la prison où Richelieu l'avait fait enfermer après avoir condamné son mari, elle s'était recluse à Moulins, dans une maison tendue de noir, où elle priait et pleurait tout au long des jours son cher époux mis à mort par le cruel Cardinal. C'était une bien mauvaise idée qu'avait eue le Roi de venir célébrer ici les fêtes de l'Assomption de la Vierge, pensait Anne, et de lui intimer l'ordre de le rejoindre ! Dans ce château des glorieux Montmorency, dont il avait – Dieu puisse lui pardonner ! – dépouillé la veuve.

Anne d'Autriche en était sûre maintenant : c'était l'âme errante du duc Henri qui lui avait envoyé ce songe étonnant où son père n'avait pas de tête ! Elle frissonna dans la pénombre du lit... Ana savait la puissance des revenants dont elle aimait les histoires : elle était certaine que le malheureux duc, voyant le Roi chez lui, était venu hanter la demeure de ses ancêtres. Elle joignit les mains et murmura tout bas, en français, d'un seul mouvement de son cœur : « De grâce, seigneur Henri ! » Prononçant le mot « grâce », elle s'aperçut qu'il pouvait avoir un aspect risible et amer pour Montmorency, qui n'avait pu obtenir la sienne ; aussi elle ajouta très vite : « Plaise à Dieu, duc, j'ai prié pour vous... » Elle avait prié ardemment, en effet, là-bas, à Toulouse, avec tous les autres, et dans la même ferveur que sa sœur et sa femme, pour que Dieu voulût bien fléchir la froide détermination du Cardinal et qu'il donnât au Roi la force d'empêcher ce crime. Elle avait prié, dans l'instant fatal, pour le salut de son âme. Elle avait prié, depuis, pour lui et pour la consolation de sa veuve.

D'avoir prononcé ces paroles à voix basse calma l'esprit agité de la Reine ; mais elle ne se sentait pas le courage de se rendormir. Elle écarta le rideau du baldaquin afin de chasser les ombres. A cette heure très matinale où la campagne blanchit, une lumière pâle baignait toute la chambre, et les mouches commençaient à se réveiller de la torpeur de la nuit. Anne descendit lentement de son lit. Elle prit le chapelet qui ne la quittait jamais, dont les grains avaient été sculptés pour elle dans un bois d'olivier de Valladolid, le baisa, puis, s'agenouillant devant le crucifix qu'elle faisait suspendre partout à son chevet et qui voyageait avec son baldaquin, elle se signa. Égrenant son rosaire, elle récita pieusement ses prières matinales, prononçant avec une ferveur spéciale la Salutation à la Vierge, qu'elle vénérait... Elle ajouta, ce matin, une action de grâce pour le repos de l'âme du duc, le salut de Felicia, et une Miséricorde pour son père Felipe, qui l'avait si mystérieusement visitée en songe.

Quand elle eut prié, elle s'approcha doucement de la fenêtre ouverte. Tout dormait encore dans la maison. Le lit de Fillandre, sa première femme de chambre, avait été placé dans une petite pièce à côté de la sienne. Elle regarda le lac, très clair à présent, où une vapeur légère flottait au-dessus des eaux dormantes. Elle s'accouda sur le rebord et respira les senteurs humides d'herbe, de mousse et aussi les exhalaisons de la vase séchée qui se craquelait au bord des étangs par étiage des eaux. Cette journée serait encore très chaude : l'horizon extrêmement lumineux prenait une teinte rose très clair au-dessus des forêts, du côté de Senlis. Anne repensa à son rêve... Que signifiaient ces ormes droits et lisses ? Pourquoi son père les appelait-il les « roseaux qui naissent de l'eau » ?... Pour indiquer qu'ils étaient flexibles ? Que les bois, et sans doute les êtres les plus durs, peuvent ou doivent plier sous la volonté des rois ? Lesquels sont eux-mêmes les instruments sacrés de la puissance et de la volonté divine ?

Elle pensa à son frère, *el rey Felipe Quatro*... Que faisait-il ? Où était-il en ce moment même ? A l'Escorial ? A Aranjuez, peut-être, dans l'été castillan... Ou bien avait-il passé la nuit dans ce Buen Retiro qu'il finissait d'aménager dans les faubourgs de Madrid, à l'est, et dont les voyageurs disent merveille ?... Elle pensa au bonheur d'être enfant en Castille. Elle se souvint de ses derniers séjours au palais d'été – ses derniers jours en famille, avec son père si aimant. Elle ne pourrait jamais oublier l'avant-dernier printemps, tout juste après sa maladie, là-bas, où elle avait pensé mourir et n'être jamais reine de France – Felipe, le roi d'à présent, n'était encore qu'un tout jeune enfant. Dès qu'elle fut complètement remise de la variole et jugée assez forte pour voyager, aux premiers beaux jours, son père l'avait emmenée à Aranjuez. Elle avait douze ans passés et elle sortait des fièvres grandie... Toute la Cour était partie de très grand matin, à l'aube ; les chariots, les carrosses, les litières, les cavaliers, les mulets de bât étaient sortis de l'esplanade du palais royal de Madrid en une longue caravane qui avait pris la route du sud. Ana avait vu longtemps, en se retournant, les dômes pointus de chaque côté de la façade du vieil Alcázar, où la mort l'avait refusée... Puis ils avaient traversé des plaines, des plateaux arides de terres vives et ocre – Castilla la Nueva. Ils avaient chevauché dans le soleil, dans la poussière, avec les chiens qui suivaient dessous, entre les roues des chariots, tirant des langues humides... Dans la litière qui les portait, les infants et les femmes avaient chanté des romances et des complaintes anciennes.

Enfin, un peu avant midi, la caravane était parvenue au bord d'une falaise nue. Les hommes s'étaient arrêtés pour faire souffler les chevaux et préparer les freins des chariots qui allaient devoir dévaler le long d'une piste abrupte jusque dans la vallée plus bas. Tous les cavaliers avaient mis pied à terre. Les occupants des litières s'étaient répandus alentour, abrités d'ombrelles, pour se dégourdir les jarrets et saisir l'occasion de soulager leurs ventres sur la terre sèche qui buvait leur eau. Le roi était venu chercher son infante aînée pour faire quelques pas avec elle. La tête de la jeune fille était couverte d'un large chapeau de cuir blanc et son visage enveloppé de linges pour que la dureté du soleil n'altérât en rien sa peau fragile de convalescente. Doña Estefanía, sa nourrice, ne l'aurait pas laissée poser le pied hors de la voiture sans avoir personnellement arrangé ses voiles autour de ses yeux... Le monarque avait conduit Ana par la main jusqu'au bord de la falaise, à l'endroit où l'on découvrait la vallée : six ou sept cents pieds plus bas courait le lit immense, rouge et sec, du rio Jarama... Au loin, en face, l'horizon était borné par une rangée de collines grises. Au pied de ces collines que l'on voyait à contre-jour sous le soleil de midi et qui étendaient leur ombre sur la plaine : la vallée verte ! Un vert bleuté et sombre qui scintillait. Au fond de l'oasis coulait le Tage, *el río Tajo*. Aranjuez ! « Mon amour, avait dit son père, regarde : nous allons là-bas... *Mira !*... » Ana avait battu des mains et tâché de découvrir parmi les grands arbres et les vergers fleuris, à un peu moins de deux lieues de distance, les tourelles blanches du palais. Aranjuez !... Ils étaient descendus vers la fraîcheur de ses parcs et de ses vergers comme dans un désert on marcherait vers une fontaine.

Un héron fendit l'air devant la fenêtre et vint s'abattre sur la berge de l'étang, dans un coin d'herbe où poussaient des roseaux... Anne défit son bonnet de nuit aux premiers rayons du soleil éblouissant qui rasaient les hautes cimes de la forêt, faisant mouvoir sur le lac une brise un peu tiède qui chassait peu à peu la brume du matin. Ses lourdes mèches de cheveux blond doré s'étalèrent sur ses épaules. Elle regarda le héron pêcher, les mains posées sur l'appui de l'étroite fenêtre ; elle se mit à chanter...

> *Donde es gradecido*
> *Es dulce el morir ;*
> *Vivir en olvido*
> *Aquel no es vivir.*
> *Mejor es sufrir*
> *Pasión y dolores*
> *Que estar sin amores.*

Es vida perdida
Vivir sin amar,
Y más es que vida
Saberla emplear.
Mejor es penar
Sufriendo dolores
Que estar sin amores.

La muerte es vitoria
Do vive afición ;
Qu'espera haber gloria
Quien sufre pasión.
Más vale presión
De tales dolores
Que estar sin amores.

Quand la première femme de chambre entra, d'un air agité, et s'avança, d'un pas nerveux, vers les rideaux du lit, elle s'arrêta net, étonnée de voir la Reine levée, en chemise, penchée à la fenêtre... Anne d'Autriche, surprise dans sa rêverie, se retourna en un éclair vers la chambre en s'écriant :
— *Que pasa ?*
— Que Votre Majesté me pardonne !
Fillandre fit, en retard, une brève révérence. Mais la Reine, remarquant son agitation, marcha vers elle :
— Dis-moi ! Qu'y a-t-il ?...
— Le Gras est arrivé de Paris, Madame...
— Si tôt ! Mais quelle heure est-il donc ?
— Il a chevauché avant l'aube, car il a des nouvelles de la plus haute importance. Il désire parler à Votre Majesté.
— Maintenant ! ?... Mon secrétaire a perdu la raison !
En même temps qu'un mouvement de colère, Anne éprouva dans sa poitrine le choc d'un pressentiment. Le rêve, de nouveau, l'assaillait... Le duc assassiné, son père : tout se

117

précipita dans sa tête à mesure qu'elle sentait l'urgence de cette démarche absurde et voyait le visage tourmenté de sa femme de chambre, qui mordait ses lèvres. Elle leva les bras au-dessus de sa tête en criant :

— *El sueño ! El sueño !*... Dis-moi, Fillandre ! Vite, dis-moi bien toute chose.

— La Porte a été arrêté hier au soir, Madame.

— La Porte !... Arrêté ? Par qui ? Où est-il ?

— Par les mousquetaires du Roi qui l'ont conduit à la Bastille Saint-Antoine. On dit qu'il va être pendu, car on l'a trouvé porteur d'une lettre de vous pour Mme de Chevreuse.

Anne d'Autriche eut comme un éblouissement. Elle posa ses deux mains sur sa poitrine.

— Ayez pitié de moi !

Fillandre, la voyant pâlir, fit un pas pour la soutenir, les mains ouvertes... La Reine l'écarta d'un geste :

— Où est Le Gras ?

— Dans l'antichambre, Madame. Il a réveillé tout le monde pour entrer et attend pour être reçu par Votre Majesté.

— Fais-le venir.

— Comme cela ?

Fillandre montra à la Reine effarée qu'elle ne pouvait pas recevoir un homme étant encore en chemise...

— Donne-moi ma robe de chambre ! Va !...

Elle renouait ses cheveux à la hâte, tenant d'une main leur masse blonde, de l'autre tâchant de la fourrer sous son bonnet de nuit. Fillandre accourut pour l'aider, mais Anne l'arrêta, lui montrant la porte avec le pied :

— Non ! Fais-le vite entrer.

Elle avait conservé dans l'intimité ce curieux geste enfantin qui faisait rire ses suivantes et qui consistait à lever la jambe assez haut pour indiquer avec la pointe du pied l'objet à prendre ou la personne qu'elle désignait. Une attitude bouffonne qu'elle avait prise jadis en compagnie de Marie de Rohan, du temps de leurs espiègleries, pendant les répéti-

118

tions d'un ballet, et qu'elle avait continuée pour rire, puis sans y penser... Marie, justement, on avait intercepté sa lettre... Elle repassait dans son esprit les termes du bref message qu'elle lui avait adressé avant de partir : il n'y avait rien là qui fût compromettant. Pourquoi La Porte avait-il été conduit à la Bastille ? Il fallait qu'il y eût autre chose, pensait la Reine... Peut-être avait-elle été trahie !

Au même instant, Pierre s'éveilla dans la pénombre de la tour. Il avait passé une très mauvaise nuit sur un fort méchant lit de sangles... D'abord il avait été incommodé, au milieu des mille pensées chagrines qui donnaient du tourment à son esprit, par l'ennuyeux vacarme que faisaient les grenouilles dans le fossé de la forteresse ; un bruit impérieux auquel il n'avait pas pris garde tout d'abord tant étaient furieuses les alarmes dont il était traversé. Ce ne fut qu'une fois couché, alors qu'il cherchait le sommeil pour fuir ses pensées, qu'il remarqua soudain avec étonnement comment la tour entière dans laquelle il était enfermé résonnait des odieuses lamentations de ces bêtes des eaux croupies. Leur chant plaintif, monotone, qui chevauchait sans cesse sur deux notes désespérément égales, venait s'amplifier par les fenêtres étroites sur les murs des cachots. Pierre fit réflexion que c'était là un concert bien discordant qui accompagnait le dernier sommeil des condamnés au supplice...

La Porte venait enfin de s'assoupir, après avoir voué à tous les diables la litanie des rainettes qui, jointe aux ronflements non moins exercés que fit bientôt entendre son soldat sur sa paillasse, l'avait tenu fort longtemps éveillé, lorsque la prison fut soudain secouée d'un grand branle-bas de combat. Il s'agissait d'une évasion manquée, découverte à l'instant même où elle était en train de réussir et qui donnait une grande agitation à toute la garnison. Les prisonniers qui faisaient partie du complot furent amenés à grand renfort de bruit de bottes dans la tour du corps de garde et répartis en surnombre dans les différents cachots, dont les portes grinçaient et claquaient du haut en bas de la tour. Il y avait parmi eux un tout jeune homme qui fut jeté sans lit et sans lumière sur le carreau de la salle où Pierre et le soldat de sa garde, éveillés, s'interrogeaient sans comprendre la raison de ce remue-ménage. Ce garçon s'appelait de Herce et il était retenu à la Bastille, expliqua-t-il, sur les instances de sa mère, qui voulait lui former le caractère et le mûrir... Il entreprit de conter tout du long l'aventure de l'évasion projetée à l'aide d'une corde qui devait conduire ses compagnons et lui-même du haut de la tour du Puits à l'armature de la porte Saint-Antoine en dessous : mais la lune était malencontreusement sortie des nuages au moment précis où ils allaient franchir le fossé. La sentinelle avait aperçu la corde et tiré un coup de mousquet en criant : « Aux armes ! » Pierre, à bout de fatigue, s'était endormi pendant que le jeune homme parlait encore.

A 7 heures du matin, on apporta du pain et du vin aux prisonniers pour le déjeuner. Pierre toucha à peine à sa ration, qu'il donna au soldat, lequel semblait pouvoir avaler les provisions de la tour entière. A midi, après le dîner fait de soupe maigre et de viande grasse, le sergent du corps de garde, nommé La Brière, un homme sec à la parole rare et au visage impénétrable, vint dire à Pierre qu'il fallait descendre.

— Où me conduisez-vous, sergent ? demanda le prisonnier.

La Brière leva les yeux au plafond et répéta sans autre éclaircissement :

— Monsieur, il vous faut descendre.

— Eh bien, monsieur, descendons.

Au bas du degré, ils trouvèrent six soldats qui attendaient et qui se mirent en cercle autour du prisonnier, de sorte à empêcher que quiconque pût l'approcher ; ils passèrent dans cette escorte sur le pont-levis qui les introduisit dans la forteresse...

La grande cour de la Bastille était pleine de tous ceux qui y jouissaient de la liberté de circulation coutumière à cette prison dès lors que les personnes qui y étaient enfermées n'étaient pas condamnées au cachot. La nouvelle de l'arrestation du porte-manteau s'était répandue et bruissait depuis le matin dans toutes les conversations. La Reine, disait-on, était accusée de communiquer avec l'ennemi en Flandre par l'intermédiaire de son domestique, et Pierre se trouvait le point de mire et la curiosité vivante du jour. Parmi ces prisonniers, un certain nombre avaient perdu leur liberté pour avoir osé mal parler du gouvernement de Son Éminence, et beaucoup étaient en effet les ennemis déclarés du Cardinal. L'émissaire de la Reine opprimée, à laquelle ils étaient généralement fidèles, prenait figure de héros d'autant plus prestigieux et rare qu'il allait bientôt, du moins c'était ce matin-là le sentiment partagé de tous, s'auréoler de la gloire du martyre...

La Porte traversa donc la cour au milieu du cercle infranchissable de ses gardes, entre deux haies de prisonniers avides de le voir, qui se pressaient et se haussaient sur la pointe des pieds et qui, ne pouvant lui parler, lui faisaient des signes dont les uns disaient l'espoir et les autres la détresse. Plusieurs haussaient ainsi leurs épaules jusque sous leurs oreilles et se protégeaient le cou, voulant l'avertir par là qu'il allait être pendu, d'autres frappaient la tranche de leur main sur leur nuque pour lui signifier qu'il serait décapité sous peu, et presque tous lui faisaient signe de se taire... Parmi ces gens, Pierre reconnut le commandeur de Jars – cet homme que Richelieu avait fait monter sur l'échafaud et qui en était redescendu sur ses jambes. De Jars avait toujours été serviteur de la Reine et il avait conservé beaucoup de passion pour son service : il fit signe à Pierre, autant qu'il le pouvait sans être aperçu, d'avoir bon bec ; il porta plusieurs fois son doigt sur sa bouche.

En effet, le gentilhomme fut introduit dans le grand bâtiment central au fond de la cour, où logeait le gouverneur de la prison, qui était M. du Tremblay, frère du Père Joseph, un jésuite ami, conseiller et confident du cardinal de Richelieu. Le gros de l'escorte étant demeuré au bas du degré, le sergent le conduisit à l'étage jusqu'aux appartements du gouverneur, dans la chambre duquel il trouva M. Le Roy de La Potherie, par chance maître des requêtes, qui était accompagné d'un greffier roux, aux cheveux couleur de flamme, qui s'appelait Durand. Pierre subit les interrogations d'usage sur son identité et, après avoir réaffirmé qu'il était bien né à la Suardière, dans la paroisse de Seiches, gouvernement de Baugé en Anjou, il prêta serment, la main posée sur l'Ancien Testament, et jura de dire la vérité toute nue.

M. de La Potherie, haussant le sourcil, tira alors d'un sac de velours la lettre qu'on avait prise sur lui la veille au soir et lui demanda :

— Connaissez-vous cette lettre ?

— Oui. C'est celle qui a été prise dans ma poche par le lieutenant Goulard, qui m'a fouillé à mon arrivée ici.

— A qui était-elle adressée ?

— La Reine l'a écrite pour Mme de Chevreuse.

— Que deviez-vous en faire ?

Pierre marqua un temps d'hésitation... Dire qu'il la devait donner au sieur de La Thibaudière, c'était ruiner d'un coup la fortune de ce pauvre gentilhomme avec lequel il était en bonne amitié. En se proposant pour être messager, La Thibaudière n'avait rien fait que de vouloir être agréable à la Reine.

— Je dois vous avertir, monsieur de La Porte, dit lentement Le Roy de La Potherie en le voyant hésiter, que ce que vous répondrez durant cet interrogatoire sera transcrit. Il ne faut donc point vous presser, mais penser à prendre bien garde à ce que vous dites.

Le maître des requêtes était homme d'honneur, pensa

Pierre qui le remercia d'un hochement de tête. Il décida de ne pas mêler inutilement La Thibaudière à cette affaire de conséquence :

— Je l'aurais envoyée par la messagerie, répondit-il, la voix assurée.

L'homme toussa, frappa plusieurs fois la lettre du bout de ses doigts et dit d'une voix encourageante, sur le ton de quelqu'un qui est prêt à entendre une explication différente :

— Mais ne deviez-vous pas la remettre à quelque personne qui l'aurait portée elle-même à Mme de Chevreuse ? N'était-ce pas ainsi ?...

— La Reine ne m'avait point nommé de personne particulière à qui la donner, insista le porte-manteau avec beaucoup d'aplomb.

Ce premier mensonge, relativement anodin, conduisait Pierre de La Porte à des complications dont il était loin de pouvoir soupçonner les conséquences et qui devaient rendre son interrogatoire, dans les jours suivants, extrêmement périlleux ; en vérité, il mettait sa vie en danger. En effet, La Thibaudière, qui craignait que le porte-manteau ne le désignât, n'avait pas attendu d'être mis en cause et, tout de suite après l'arrestation, il avait couru expliquer son rôle et présenter ses excuses au chancelier Séguier avant qu'on lui eût rien demandé ! Par ses dénégations destinées à couvrir un auxiliaire sans importance, Pierre jetait la suspicion sur toutes ses réponses à venir, sur lui-même, et sur la Reine en dernière conséquence... Insistance d'autant plus malheureuse que celle-ci, pressée par son départ de Chantilly, avait écrit cette lettre en toute hâte à la demande de La Thibaudière et qu'elle disait à son amie que le porteur du message lui donnerait de vive voix toutes les nouvelles qu'elle n'avait pas le temps de lui écrire.

La Potherie regarda fixement La Porte, puis le greffier qui n'avait encore rien écrit, puis la lettre qu'il tenait à la main, et ajouta, en pesant ses mots :

– Cependant... la Reine marque au porteur de sa lettre qu'il doit plus dire de nouvelles qu'elle n'en écrit... Ainsi, c'est une lettre de créance, et celui qui la devait porter avait assurément bien des choses à dire.

Il y eut un silence... De toute évidence, le maître des requêtes laissait au gentilhomme sur la sellette le temps de réfléchir. Le temps de bien se souvenir... Peut-être désirait-il à présent, sur cette information nouvelle, changer d'avis... Il mit dans sa voix le ton d'un conseil aimable et une insistance encourageante :

– Il faut de nécessité que vous la dussiez donner à quelqu'un... Ou bien que vous la dussiez porter vous-même ?

– Sa Majesté ne m'a nommé personne, monsieur.

Pierre continua son mensonge avec toute la fermeté dont il était capable, feignant une complète ignorance et un réel étonnement.

– Elle ne m'a point non plus commandé de la porter. Assurément, si son intention était que je la donnasse à quelqu'un, elle a dû l'oublier... Il y avait beaucoup de monde autour d'elle, et tous lui parlaient de différentes choses, ainsi qu'il est accoutumé quand on est sur son départ.

M. de La Potherie ne fit aucun geste, aucun commentaire témoignant de son sentiment personnel ; il se tourna légèrement vers son greffier qui, la plume à la main, attendait son ordre, et il lui fit signe d'enregistrer la réponse. Reprenant ensuite le sac de velours, il tira cette fois plusieurs papiers, lettres, mémoires, et Pierre sentait sa poitrine se serrer à mesure qu'il reconnaissait le contenu de son coffre rond et de son armoire... Il fallait que l'on eût fouillé sa chambre aussi, dont il avait laissé la clef en garde au petit Renaud. Il fixait le sac et la main de l'officier du Roi avec une intensité qui trahissait légèrement son inquiétude. Avaient-ils aussi sondé les murs ? se demandait-il avec beaucoup d'angoisse... Il se rassura quelque peu en voyant que tout provenait du coffre ; il y avait même les vers à la louange de Richelieu qu'il y gardait précisément pour donner le change en cas de perquisition.

– Connaissez-vous cette lettre ? continua La Potherie en lui présentant une missive qu'il lui tendit.

– Oui, je la reconnais. Elle fait partie des affaires qui étaient dans le coffre de ma chambre et elle m'a été écrite de Fontainebleau.

– Connaissez-vous le souscripteur, qui se nomme Toulouze ?

– C'est un juif converti qui m'a prié de l'assister à l'occasion d'un don de confiscation qui lui a été fait par la Couronne. Il m'en a fait une petite part.

L'enquêteur lui fit ainsi reconnaître tous les documents l'un après l'autre, réclamant des précisions ici, des éclaircissements plus loin au sujet de chacun d'eux. Il y avait plusieurs lettres de Mme de Chevreuse, adressées à lui ces deux dernières années, et une provenant de Mme de Hautefort.

– Il n'y a aucun nom ni adresse sur ces lettres, à quoi reconnaissez-vous qu'elles vous sont destinées ?

– Quand les billets sont donnés en main propre à mon petit laquais, on n'y marque pas d'autre adresse que « A vous ». Ces mots sont partout en tête.

– Celle-ci n'est signée d'aucun souscripteur, à quoi reconnaissez-vous qu'elle est de Mme de Hautefort. Connaissez-vous son écriture ?

– Je ne connais pas son écriture et je ne pourrais pas affirmer, en effet, qu'elle l'a écrite... Mon garçon, qui me l'a rendue, m'a dit que cette dame la lui avait donnée.

Tout cela était facile, Pierre se détendait. Il tâcha de répondre avec circonspection lorsqu'il lui fut demandé la signification de certains chiffres et lettres qui apparaissaient ici et là dans l'écriture. Surtout, comme il ne voulait pas donner les véritables clefs de ces chiffres, il fit des efforts pour inscrire dans sa mémoire ce qu'il disait au fur et à mesure qu'il inventait, afin de ne pas se couper plus tard, à l'occasion d'autres lettres. M. de La Potherie continuait d'être civil et courtois, mais il demeurait insatiable :

– Que veulent signifier les deux lettres J et S qui sont en la quatorzième ligne ?

Il lui montrait la ligne, indiquait les lettres avec son doigt. Pierre se penchait, attentif, faisait semblant de réfléchir...

– J.S... Oui, elle entend parler de M. de Montbazon, il me semble.

– Que signifie le nombre 19 qui est en la seizième ligne ?

– Il s'agit assurément de M. de Chevreuse, disait Pierre avec beaucoup de complaisance, pendant qu'il se répétait en lui-même : « 19, Chevreuse. »

Il répéta ainsi : « 2 pour la Reine », ce qui était aisé à se souvenir, « 3 pour le Cardinal », « 15 pour Montbazon », essayant de fixer en même temps l'image de la barbiche roide du gouverneur de Paris...

– Que veut signifier ce caractère, ici, qui est en la septième ligne de la sixième page ? poursuivait imperturbablement le maître des requêtes, énonçant les numéros à haute voix au bénéfice du greffier, tandis qu'il les montrait du doigt.

– Oui, ceci est une croix mal formée... Elle signifie aussi Monsieur le Cardinal.

– Il existe donc un code chiffré entre Mme de Chevreuse et vous ?

– Non, mais dans une de ses lettres, elle me mandait que, quand elle donnerait le chiffre 2, elle entendait désigner la Reine, 3 Monsieur le Cardinal, 15 M. de Montbazon, 19 M. de Chevreuse, et que je fisse de même lorsque je lui écrirai, expliqua La Porte qui récapitulait pour lui-même...

– Et où est-elle, cette lettre ?

– Je l'ai déchirée, monsieur.

Le maître des requêtes secoua la tête. Tout ceci était mince et assez mal étayé... L'interrogatoire se poursuivit encore pendant une heure ou davantage. Puis Pierre fut convié à signer le procès-verbal après l'avoir relu entièrement. On le ramena alors dans son cachot, isolément, entouré de ses six mousquetaires qui faisaient cercle autour de lui pour traverser la cour en sens inverse, au milieu des curieux, comme s'il eût été un joyau de la couronne.

CHAPITRE VI

A Chantilly, la Reine nia pendant quatre jours, avec un entêtement et une énergie extrêmes.

Elle s'effondra le cinquième.

Elle nia d'abord avec hauteur et feignit la surprise offensée ; puis avec application, persuasion, plainte ; puis la peur au ventre, et enfin désespérément, avec toutes les ressources que lui donnait sa foi absolue d'être dans son bon droit de princesse espagnole outragée, comme une captive bafouée en terre lointaine...

Après avoir été avertie de très bon matin de l'arrestation de La Porte et avoir entendu, en cachant sa frayeur, son premier secrétaire qui avait piqué des deux pour la prévenir, elle avait dépêché celui-ci à Rueil, où se trouvait le Cardinal. Elle voulait obtenir d'autres nouvelles plus précises, savoir ce que l'on savait, et surtout faire assurer Son Éminence que le porte-manteau n'avait jamais été porteur d'autres missives que ce courrier occasionnel pour la duchesse de Chevreuse, trouvé sur lui et dont elle était – fit-elle mander par Le Gras – fort marrie. Il n'y en avait surtout jamais eu pour la Flandre, s'insurgeait-elle, ni aucun autre lieu dont elle entendait dire qu'il y avait pour l'heure rumeur et calomnie dans l'entourage du roi Louis.

La rumeur, toutefois, s'enflait au point de devenir bruit, puis d'éclater comme un coup de tonnerre, quand le lendemain, 14 août, le chancelier Séguier, homme brutal s'il en était, vint tout de bon à Chantilly pour y interroger la Reine.

L'entrevue fut des plus houleuses, car le chancelier se montra arrogant... Il fut d'autant plus intraitable, d'ailleurs, et même un peu violent, qu'il avait eu l'extrême délicatesse de faire prévenir Anne de sa visite ; indirectement et en très grand secret, il lui avait mandé qu'il allait être insolent à son encontre et tellement inquisiteur que, si elle avait par aventure des documents à mettre à l'abri de sa curiosité, elle les cachât avec un soin particulièrement diligent. Séguier la questionna donc sans ambages ni aucun ménagement : correspondait-elle, oui ou non, avec les étrangers en guerre contre le royaume ?... Anne brandit des dénégations hautaines – il brandit les menaces, disant que la situation était sérieuse à l'extrême et que c'était un cas de haute trahison. Il fit valoir que l'atteinte à la sûreté de l'État et de la Couronne était passible des plus grandes rigueurs, à commencer par la mort pour les personnes ordinaires, par décollation sanglante et ignominieuse, la tête sur le billot. Le chancelier demanda s'il se faisait bien comprendre ?... Puis il exigea que la Reine voulût bien exhiber les papiers qu'elle pouvait avoir sur elle.

– Quoi, monsieur ! Vous prétendez...

– Dans les poches. (Il avait un ton sans réplique.) Que Votre Majesté me montre le fond de ses poches.

– Ah !... Jamais !

Anne était outragée ! Elle poussa un cri d'indignation qui lui venait profondément du cœur... Mais Séguier était un homme sans manière, un homme d'ordre avant tout, le bras droit du Cardinal en matière de police, lequel le chargeait d'une surveillance qui devait être efficace. Son Éminence venait de lui confier l'aimable contrôle d'une Académie de gens lettrés qu'il avait réunie ces dernières années et dont le Parlement avait enregistré les lettres patentes le mois précédent – afin de protéger les arts et d'avoir l'œil à ce qui s'écrivait dans le royaume, pour s'assurer qu'il n'y eût point d'abus de plume...

– Madame, dit le chancelier, je veux que Votre Majesté

sache bien que, si elle m'oblige à la fouiller pour prendre les documents qu'elle peut avoir sur elle, je n'hésiterai pas à le faire, dans le plein exercice de ma charge et dans l'obéissance que je dois au Roi. Je le ferai séance tenante.

Anne s'exécuta... Elle était pâle de terreur et rouge de honte. Elle sortit de ses jupes quelques babioles pitoyables, qui lui étaient utiles dans l'exercice de sa piété : des petites oraisons et incantations particulières, un chapelet de nacre, qui ne la quittaient jamais. De secrets d'État, point... Mais, devant l'audace inouïe de ce serviteur du Roi, elle sentait le vent de la répudiation qui secouait sa couronne bréhaigne : elle tremblait de tous ses membres. Le chancelier parti, elle demeura atterrée. Elle se mit au lit tout de suite après son départ et eut une forte poussée de fièvre...

Cependant, le jour même, Le Gras revint de Rueil. Il était porteur de mauvaises nouvelles. Cet homme qui possédait la charge officielle de « secrétaire des commandements et finances de la Reine » n'était point précisément dans le secret des correspondances royales. Anne supposait même, sans en savoir l'exacte mesure, qu'il était également appointé par le ministre en tant qu'espion auprès de sa personne, comme la quasi-totalité de son entourage. Le Gras revint donc lui dire que Son Éminence était certaine qu'il y avait plus qu'elle ne le disait, à quelques indices qui étaient en sa possession, et que l'on s'employait à interroger La Porte avec la dernière rigueur. L'on n'épargnerait rien pour faire parler ce domestique, lequel allait bientôt confier à la justice la totalité de ses actions, et le mieux pour elle, conseillait chaudement le Cardinal, serait qu'elle avouât, largement et sincèrement, avant d'être mise en cause par son serviteur, afin que le Roi, qu'il s'emploierait à fléchir, lui pardonnât ses fautes. Le ministre lui faisait dire encore, par la bouche du secrétaire, que la mansuétude de Sa Majesté était grande, mais qu'enfin on l'appelait Louis le Juste parce qu'il était enclin à faire justice, et que, s'il devenait convaincu que sa femme trompait le royaume avec ses ennemis par d'autres sources que ses propres aveux, le Roi serait moins disposé à prêter l'oreille à un repentir trop tardif et qu'il faudrait alors craindre sa colère.

Sa colère !... Anne d'Autriche commençait à comprendre pourquoi on l'avait fait venir dans ce château de Chantilly, objet de confiscation légale par droit du suzerain... C'était justement afin que le souvenir de Montmorency ne pût quitter sa mémoire et que l'exemple du châtiment des rebelles lui suggérât, discrètement, la sagesse de la soumission. Ne doutant pas que Le Gras fût l'agent du ministre, elle entreprit de le convaincre. Le jour de la fête Notre-Dame, le 15 août au matin, elle communia, puis fit appeler son secrétaire et jura devant lui, solennellement, sur le saint sacrement qu'elle venait de recevoir des mains du prêtre, qu'elle n'avait point écrit en pays étranger. Elle lui commanda de retourner en assurer le Cardinal, qui connaissait sa foi, sur le serment qu'elle en faisait.

Pour prononcer des serments aussi manifestement contraires à la vérité ordinaire sans se déclarer parjure, Anne, qui craignait plus que quiconque la colère divine et les affres de l'Enfer éternel, utilisait la technique des théologiens espagnols disciples de saint Ignace appelée la « restriction mentale ». Elle croyait en effet, avec le jésuite Luis Molina, que la grâce divine n'était point efficace par elle-même, mais qu'elle le devenait par un acte de notre volonté. On lui avait également résumé et commenté les ouvrages théoriques d'Antonio Escobar, qui était de Valladolid comme elle ; la doctrine casuiste de ce zélateur de la Vierge faisait alors autorité en Europe et, à certains égards, fureur.

La restriction mentale, dont Escobar avait largement contribué à établir la théorie, consistait donc à prononcer tout haut une affirmation, en même temps qu'on pensait tout bas, c'est-à-dire « mentalement », une proposition inverse ou sensiblement différente... Un tel résultat s'obtenait, par exemple, en choisissant des mots ou des phrases assez ambigus, de sorte à produire une double entente dans la formulation de sa pensée ; l'un des sens était, pour ainsi dire, « extérieur » et destiné à la personne à qui l'on s'adressait, l'autre, « intérieur », était valable pour soi et par conséquent pour Dieu qui n'est que lumière et qui lit en nous comme en un livre ouvert. On pouvait aussi, plus simplement, ajouter « mentalement » un membre de phrase qui modifiait sensiblement la teneur de ce qui était réellement proféré et donc perçu par l'interlocuteur. Ainsi, quelqu'un pouvait articuler d'une voix ferme : « Je jure que je vous rendrai cet argent... » et ajouter très vite, mais en soi-même : « le plus tard possible » ou « quand les poules auront des dents », ou toute autre formule qui rendait la première négative et non advenue. A cause de la fine distinction qu'il fallait faire et de la confusion toujours possible avec le mensonge pur et simple, qui était un péché, les bons Pères recommandaient naturellement de ne point abuser de ce procédé et de le réserver seulement aux cas de force majeure, ou, comme disait Lessius, « lorsqu'on a une juste cause pour s'en servir ».

C'était fort précisément le cas de la reine Anne dans le tourment où elle était plongée... Bien qu'en cette occasion elle ne pouvait se fier à consulter aucun des savants jésuites qui, dans la clientèle du Père Joseph, étaient tous ou presque dans la main de Richelieu, hormis son confesseur compatriote le Père Fernández, elle savait qu'il était juste et fort chrétien qu'elle en usât. Anne, en effet, était espagnole – son père ne lui avait-il pas fait promettre de ne jamais l'oublier, ce jour où elle était tombée à ses pieds dans la cathédrale de Burgos, lassée par son chagrin d'aller en France : « Souviens-toi toujours que tu es une princesse espagnole », lui avait-il dit en la relevant... Elle n'avait garde d'oublier. Elle pouvait par conséquent affirmer hautement et sans mentir que, lorsqu'elle écrivait à son frère le Cardinal Infant, appelé *el amigo*, elle n'écrivait pas « en pays étranger »... la Flandre, *pour elle*, c'était l'Espagne, c'était sa patrie ! Pour cette raison et devant le danger où elle se trouvait en presse, elle avait fait, ce jour de la fête Notre-Dame, en toute candeur et pureté de conscience, selon la doctrine du Père Escobar, le serment en ces termes inattaquables : « Moi, Anne, reine de France *et princesse espagnole*, je jure, sur le saint sacrement et sur le corps du Christ que je porte en moi, que je n'ai pas écrit en pays étranger. » Il lui avait suffi de prononcer tout bas, dans un court silence qui passait pour un effet de la solennité du serment lui-même, les mots qui sont soulignés.

La Reine avait envoyé quérir ensuite le Père Fernández pour lui parler de toutes ces affaires... Elle le pria d'avertir le Père Caussin, confesseur de Sa Majesté et son confrère en Jésus-Christ, devant qui elle refit le même serment, dans les mêmes termes, en lui demandant la grâce de parler au Roi en sa faveur.

Une chose qu'Anne d'Autriche ne savait pas, toutefois, mais que le Roi savait et aussi bientôt le secrétaire Le Gras qui obéissait au Cardinal, c'est qu'aux premiers jours d'août la surveillance sans relâche à laquelle elle était soumise depuis le printemps au moins avait fini par porter ses fruits amers. Une lettre du marquis de Mirabel adressée à la Reine avait en effet échoué sur le bureau de Richelieu par le hasard d'habiles concours. Cette lettre, qui était une réponse à une autre d'Anne d'Autriche, fournissait la preuve tant recherchée de son activité clandestine, et c'est ce qui avait causé toute cette action, en commençant par le piège tendu à La Porte. Cette lettre était également la preuve tangible que la Reine, aujourd'hui, mentait...

C'est tout cela que le secrétaire courtier lui expliqua le lendemain soir, lui faisant sentir combien elle aggravait son cas, aux yeux du Cardinal, en jurant jusqu'à la damnation éternelle qu'il n'y avait là que faux bruits et suspicion calomnieuse. En apprenant l'existence de cette « capture », Anne comprit que sa situation était encore pire que ce qu'elle imaginait. Elle décida donc d'avouer quelques bribes à son secrétaire et lui demanda de prévenir Son Éminence qu'elle désirait s'entretenir avec lui à cœur ouvert. Puis elle se mit au lit avec tant de désespoir qu'on fit venir son médecin, qui ordonna une saignée pour assainir les humeurs de la souveraine. Elle refusa de prendre aucune nourriture, excepté un bouillon de poule, qu'on lui apporta dans son lit... Ah ! que n'avait-elle en ce moment douloureux le réconfort, la chaude présence de Marie de Hautefort ! La jeune fille était restée à Paris auprès de sa grand-mère Mme de La Flotte, et ses autres dames d'atour n'étaient pas suffisamment intimes pour qu'elle pût s'épancher librement avec aucune d'elles. Seule la petite Chémérault, parmi les filles qui étaient à Chantilly, lui témoignait une sollicitude affectueuse et osait venir lui donner du courage, essayant de remplacer Marie qui était son amie.

Anne passa la nuit entière sans sommeil, à essayer de réfléchir pour préparer tout ce qu'elle dirait au Cardinal. Elle s'exerçait à prévoir ses objections, ses réticences... Elle avait peur : elle avait fait affront à cet homme, au printemps dernier, en refusant d'arrêter son carrosse pour lui parler, un jour, à Paris. Elle l'avait humilié plus gravement encore il y avait deux ans, en lui faisant danser une sarabande pour se moquer de lui et de ses avances de bonne amitié. A présent, il fallait qu'il crût tout ce qu'elle dirait, mais le plus important serait de le persuader qu'elle disait tout, en lui celant les choses les plus graves... Son esprit s'embrouillait soudain, elle se remettait à pleurer, prise de découragement. A quoi bon ? se disait-elle... Pourquoi lutter avec des forces aussi inégales ! Elle priait, s'en remettant après tout à la volonté divine... Puis, la prière lui ayant séché ses larmes et rendu un peu de courage, elle repassait soudain dans son esprit les choses qu'elle devait dire et celles qu'elle devait cacher.

Ah ! Chantilly !... le séjour était décidément bien choisi et elle n'avait pas été visitée en vain par les ombres. Le château était aussi sur le chemin de la Flandre – des terres d'Espagne que gouvernait son frère, le Cardinal Infant !... Peut-être ferait-elle bien de lui demander asile ? Elle était sûre, soudain, que Richelieu la ferait jeter en prison après l'avoir entendue. Anne songea à s'évader, à demander un cheval et à fuir vers sa famille. Assurément, son écuyer fidèle, Patrocle, ne refuserait pas de l'accompagner... Partir ! Ne pas attendre d'être recluse dans une forteresse d'où nul ne pourrait plus jamais la délivrer... Elle savait que si le Roi se débarrassait d'elle, ce serait pour épouser une autre princesse, qui ne serait pas stérile et lui donnerait des enfants. Elle ne pourrait plus avoir ce dauphin tant souhaité : Dieu le lui refusait malgré les neuvaines, les reliques qu'elle faisait chercher au bout du monde, les vœux qu'elle avait faits dans toutes les basiliques. Malgré les eaux de Forges, qu'elle prenait depuis des années avec entêtement, et les autres ordonnances de Bouvard... C'était là le fond de l'affaire : on allait la chasser ! Alors mieux valait sans doute prendre le large tout de suite, avant l'aube, et assurer sa liberté. Elle rejoindrait à Bruxelles Marie de Médicis, la Reine Mère, qui avait dû fuir elle-même, six ans plus tôt, la prison du ministre...

Anne tournait et examinait ces projets dans la chaleur de l'insomnie, prête à envoyer quérir Patrocle pour lui parler dans le milieu de la nuit, quand elle s'avisa que c'était précisément par cette même ruse que le Cardinal s'était débarrassé de la Reine Mère... Il l'avait épouvantée, à Compiègne – aussi sur le chemin de la Flandre ! –, en faisant courir le bruit qu'elle irait en prison ! Marie de Médicis, trompée par de faux rapports qu'il lui avait fait tenir, s'échappa de la ville, comme jadis de Blois, sans se douter que c'était précisément là ce que souhaitait le plus son ennemi... Elle errait à présent, vieille et désenchantée, mère d'un prince ingrat gouverné par un ministre infâme, sans ressources, ne disposant que de la petite pension que lui faisait verser le roi d'Espagne, son gendre.

Chantilly, comme Compiègne, était un traquenard ! Anne en eut soudain la vive révélation : c'était la tentation mise devant son esprit de se sauver seule, s'avouant coupable et se dépouillant elle-même de tout son avoir. Fuir, c'était perdre sa couronne en chemin !... Non, tant qu'à être déchue, répudiée, humiliée, elle lutterait d'abord, jusqu'au bout, face à face... Il lui vint une bouffée de fierté ibérique qui affermit son courage. Elle attendrait demain, avec l'aide de Dieu – peut-être le secours de la Vierge, Reine des Cieux, qu'elle priait assidûment –, elle attendrait de pied ferme la visite du prélat inquisiteur.

Avoir pensé à la Reine Mère lui remettait en mémoire une autre scène, qu'elle n'avait jamais pu oublier, celle de la première disgrâce de la mère du Roi. Il y avait juste vingt ans de cela... Le premier départ pour l'exil de Marie de Médicis, au Louvre, l'année 1617, après l'assassinat de Concini, le maréchal d'Ancre. Le jeune Roi avait regardé le départ de sa mère pour Blois des fenêtres de l'appartement des reines, qui avait vue sur la cour du Louvre. Ils étaient trois alors derrière les fenêtres de sa grande chambre : le Roi, de Luynes – son compagnon qui l'avait aidé à se débarrasser de l'Italien et devenait son Premier ministre – et Anne elle-même. Elle se souvenait du moment où le cortège des voitures était sorti de la cour Carrée pour prendre la route du Midi : d'abord le grand carrosse de Marie de Médicis, tendu de velours noir et tiré par six chevaux bais, les carrosses de ses dames d'honneur ensuite, puis l'équipage de celui qui n'était encore que l'évêque de Luçon : le jeune duc de Richelieu, qui partait lui-même pour l'exil en ce temps-là !... Venait après un carrosse plus petit, recouvert de cuir rouge de Russie, tiré par six chevaux tout blancs, et qui, plus léger, devait servir dans les routes de campagne. Les gardes suisses se rangèrent à leur tour, puis les voitures du charroi chargées de meubles, celles des gentilshommes de la suite et, enfin, les charrettes des gens de peine, avec les servantes, les cuisiniers et les petits laquais... Anne, qui n'aimait pas sa brutale belle-mère et n'avait aucune raison d'être attristée de son départ, bien au contraire, avait les larmes aux yeux. Elle avait regardé ce garçon de seize ans qui était son époux, debout à côté d'elle, qui chassait sa mère et dont l'œil restait sec et froid. Ce regard lui avait causé un malaise... Elle s'était dit alors que, s'il pouvait traiter sa mère avec ce calme, que ne lui réservait-il pas à elle, sa femme, si elle venait un jour à contrarier sa volonté ?... Elle s'était détournée de la fenêtre et, pour dissimuler la cause du frisson dont elle avait été saisie, elle avait dit, avec la lenteur appliquée que lui imposait en ce temps-là l'usage nouveau du français : « Le vent est frais. » De Luynes, qui l'observait du coin de l'œil en silence, s'inclina sans un mot, cachant ainsi la lueur amusée qui brillait dans ses yeux.

Eh bien, ce jour, maintenant, était peut-être venu ? Son heure à elle... Vingt ans, c'était peu ! Pourtant, Marie de Rohan n'avait pas encore épousé de Luynes... Depuis, elle l'avait aimé, de Luynes était mort et Marie était devenue Chevreuse... Et elle était en exil ! A propos, Marie se trouvait compromise, elle aussi, de nouveau, par cette lettre de la Reine trouvée sur La Porte ! Le Cardinal, disait-on, clamait partout qu'elle serait arrêtée. Était-ce là aussi une ruse pour l'effrayer ? L'obliger à se sauver en sorte qu'on la crût coupable ?... De telle façon que l'on croirait la Reine coupable par la même raison... Ah ! le Cardinal savait effrayer son monde. Elle avait envoyé un émissaire à Marie, la veille, pour lui demander de ne pas bouger jusqu'à nouvel ordre...

Quand Anne vit pointer l'aube sur le lac, elle dit : *Amen...* La lueur du jour filtrait dans un angle de son baldaquin mal clos, tandis qu'une brise fraîche entrait par la fenêtre ouverte et circulait dans la chambre, apportant une odeur de mousse et de feuilles mouillées. Des canards s'appelaient au loin et leur cri faisait une clameur rayonnante sur les eaux parmi les murmures et les caquets des autres oiseaux qui saluaient la venue du jour. Elle posa sa tête sur l'oreiller et ferma les yeux pour s'assoupir enfin, en attendant le pire.

L'interrogatoire fut extrêmement serré. Richelieu s'était fait annoncer en fin de matinée, à 11 heures. Anne était pâle, mais elle avait passé du temps à se faire habiller, puis à mettre la dernière touche à sa coiffure, déliant elle-même un à un ces serpenteaux qu'elle avait inventés et mis à la mode... Mlle de Chémérault était venue la voir de bonne heure, ainsi que Mme de Sénécey et quelques fidèles qui partageaient son inquiétude et augmentaient les marques de leur dévouement et de leur amitié. Cependant, la Cour s'était mystérieusement vidée, depuis deux jours, du va-et-vient habituel des quémandeurs et des courtisans. Il semblait que personne n'osât plus approcher la Reine, dont on craignait la disgrâce... On remarquait même que quantité de gens qui passaient dans la cour du château de Chantilly baissaient la vue bien bas vers le sol à l'approche de ses appartements, afin qu'on ne crût pas qu'ils regardaient vers ses fenêtres.

Madeleine de Chémérault était venue l'accompagner en lui tenant la main jusque derrière la porte de l'antichambre où se trouvait l'épouvantable visiteur.

– Courage, Madame ! Courage ! répétait la jeune fille, avec toute la conviction possible, essayant de surmonter sa propre inquiétude et langueur...

Madeleine tâchait de se montrer gaie, mais elle n'avait pas bonne mine, ayant fort mal dormi elle aussi ; elle était aussi pâle que la Reine, avec des yeux battus, mais c'était à cause de ses mois qui la faisaient toujours exagérément souffrir. Elle fit cependant un pied de nez cocasse en direction de la porte haute et sombre qu'il allait falloir ouvrir et franchir... Anne sourit. La jeune fille lui baisa la main, puis s'écarta brusquement, répétant encore :

– Courage !

La Reine fit un signe de croix sur sa poitrine, un signe de tête à la chambrière qui attendait son commandement pour ouvrir tout grand le battant de la porte, puis elle s'enfonça dans la pièce, le buste en avant, la tête haute.

Richelieu s'inclina profondément devant Sa Majesté.

L'étalage qu'il fit dès l'abord d'une exquise politesse, regrettant, déplorant même, cette intrusion qu'il était contraint de faire dans le tran-tran paisible de sa souveraine, donnait au petit homme sec et nerveux l'onctuosité d'un serpent. Anne souriait, les lèvres tremblantes, le sang glacé. Elle se comporta dans la salle comme dans sa jeunesse lorsqu'elle devait danser un ballet : ayant répété la scène, elle fut charmante, digne, mais chaleureuse, avec seulement des tremblements dans les membres et des chevrotements dans la voix qu'elle faisait de son mieux pour déguiser en trouble et plaisir de voir Son Éminence.

Lorsqu'ils se furent assis, face à face, sur des fauteuils torsadés et que le Cardinal eut refusé de se couvrir malgré ses instances réitérées, la Reine commença par admettre qu'en effet, en dépit des mauvaises relations qui existaient entre le gouvernement et l'Espagne, et les troubles qui...

– La guerre, Madame ! rectifia Richelieu, nerveusement. Nous sommes en guerre contre l'Espagne.

Oui, la guerre, hélas !... Donc, elle avait osé – témérairement, elle en convenait ! –, osé écrire à son frère, le Cardinal Infant, pour lui donner des nouvelles de sa santé et s'enquérir de la sienne, qui avait toujours été précaire et mal assurée. Anne souriait, confiante que la faute, en tout cas, ne pouvait être grande.

– Il y a plus, Madame, affirmait le ministre qui, par son ton et son sourire courtois, indiquait qu'il ne croyait pas un mot de ce qu'elle disait.

Elle avoua donc, balbutiante, qu'il lui était arrivé d'écrire aussi en donnant des marques du mécontentement dans lequel elle était parfois... Que le marquis de Mirabel lui avait fait tenir lui-même, cela était vrai, des lettres qui étaient rédigées en des termes qui eussent déplu au Roi – et que cela seul était une raison suffisante pour ne pas les lui montrer.

Richelieu se taisait. Elle croisait et décroisait ses mains sur son giron, le buste immobile.

– Il y a plus, Madame, insista le ministre.

– J'avoue que le Roi doit être fort courroucé ! dit-elle en essayant de sourire piteusement.

Richelieu toussa.

Elle lâcha alors, tout de go, avec une sorte d'animation soudaine, que oui, Mme de Chevreuse avait formé le projet de la venir voir *incognito*, sous un déguisement. Elle avait tout à fait conscience que c'était là une action coupable et qui devait fâcher horriblement Sa Majesté son époux... Elle ajouta que La Porte, son porte-manteau ordinaire, lui servait effectivement de commissionnaire secret pour toute cette correspondance. Qu'il était pour cela en relation avec un secrétaire d'ambassade, lequel transmettait le courrier à Bruxelles.

– Comment se nomme ce secrétaire d'ambassade, Madame ?

– Je ne le sais pas, Monsieur le Cardinal.

Elle essaya de prendre un air très au-dessus de ces détails pratiques... Son interlocuteur leva très haut le menton, la tête ostensiblement renversée en arrière, et fit mine de s'absorber dans la contemplation des caissons du plafond qui représentaient Diane chasseresse, d'ailleurs très joliment exécutée, en différentes scènes, dont quelques-unes comportaient des amours joufflus pliant sous leurs carquois...

– C'est Ogier, je crois... reprit Anne. Ou bien Auger, je ne sais.

Richelieu décroisa ses jambes sous sa soutane, puis il les recroisa en changeant de cuisse et laissa tomber, une fois de plus :

– Il y a plus que cela, Majesté.

Elle se récria !... Certes, elle était toute bonne volonté, elle ne demandait qu'à réparer ses fautes et tâchait de confesser ses actions avec le plus d'exactitude, mais il fallait au moins que Son Éminence eût de son côté la bonté de la croire !... Elle fit semblant de bouder. Richelieu lui proposa un marché : ou bien elle lui avouait franchement et libéralement tout ce qu'elle avait fait – dans ce cas, il se chargerait d'intercéder lui-même auprès de Louis XIII pour lui obtenir son pardon, et il l'aiderait de tout son pouvoir ! –, ou bien elle continuait à finasser, biaiser et cacher des choses – dans ce cas, il l'abandonnerait à la colère royale. Afin que cet engagement fût tout à fait solennel de sa part et qu'elle ne pût douter en aucune façon de sa sincérité, il lui demanda la permission de faire entrer des témoins. Il fit appeler Mme de Sénécey, ainsi que MM. de Chavigny et des Noyers, les secrétaires d'État qui l'avaient accompagné. Il répéta devant eux son offre d'intercession auprès du Roi et se porta garant du pardon en échange d'une absolue franchise de Sa Majesté.

Anne acquiesça, mordant ses lèvres... Les témoins se retirèrent ; la confession recommença. Elle ajouta des larmes. Elle eut des hésitations, afin de bien convaincre le Cardinal qu'elle ne laissait rien dans l'ombre, quoi qu'il pût lui en coûter. Elle fit largement la part du feu, tout en continuant à taire les renseignements essentiels qu'elle avait fournis ou les entremises dont elle s'était mêlée entre le duc de Lorraine et le roi d'Angleterre ; elle avoua sa correspondance en donnant entièrement la filière dont La Porte se servait pour la faire tenir, avec le nom des intermédiaires – mais en se gardant bien de parler du code chiffré.

Richelieu ne la quittait pas un instant du regard ; Anne saisissait les éclats froids des yeux gris de cet homme qui faisait trancher tant de têtes et qu'elle avait un jour humilié comme un collégien. Ces yeux luisaient, posés sur elle, comme ceux d'un loup, et elle disait, à bout de panique :

– Que de bonté faut-il que vous ayez, Monsieur le Cardinal !... Que de bonté !

C'était comme une invocation magique qu'elle répéta plusieurs fois, une incantation destinée à écarter le mal. Elle disait cela avec conviction, pour que la bonté apparût vraiment au fond de ce regard terrible, que cela devînt vrai... Puis, tout à coup, Anne fut prise d'une violente envie de rire. Dans l'agitation où se trouvait son esprit, elle venait de repenser à Mlle de Chémérault qui lui souhaitait bon courage et, involontairement, elle avait songé au flux qui faisait souffrir la jeune fille. La phrase vulgaire, allusion burlesque à la pourpre cardinalice, dont se servaient les femmes pour désigner leurs mois : « Le cardinal est logé à la motte », lui était venue malgré elle dans l'esprit. Elle sentit, au milieu du tragique de la situation, avec l'extrême tension nerveuse où elle était, le fou rire qui la gagnait... Rire à présent devant le Cardinal était ruiner d'un coup tous les efforts qu'elle venait de faire et se condamner elle-même à la prison ! Croyant se maîtriser par la crainte, elle commit l'imprudence de regarder Richelieu droit au visage tandis qu'il lui posait une autre question – elle nota alors le frémissement de sa longue moustache sur sa lèvre, et la vision impudique de Chémérault sanglante s'imposa de nouveau : « Le cardinal est logé à la motte ! » Elle fut secouée soudain d'une hilarité atroce, qu'elle essaya de déguiser de son mieux en une sorte de convulsion bizarre. Mais le visage surpris du ministre, qui n'avait posé qu'une question sans conséquence, la fit se tordre dans des hoquets qui étaient autant de la douleur que de la gaieté et qui pouvaient passer pour des sanglots. Elle hurla un cri modulé, convulsif, puis haché... Elle se mordit les poings pour se faire taire, dans une mimique inquiétante que Son Éminence prit assez naturellement pour une crise d'hystérie. Elle réussit à articuler encore : « Que de bonté vous avez, Monsieur le Cardinal », puis éclata d'un rire aigu, saccadé, qui ressemblait au rire des folles, comme parfois le Cardinal en rencontrait en traversant les villages, pauvres innocentes décharnées, vêtues de loques, qui le montraient du doigt en roucoulant des rires dépravés et s'accrochaient à la portière de son carrosse, si fort que ses gardes devaient les arracher et les jeter à terre... Anne était tombée à genoux sur le sol, le visage enfoui dans ses mains, comprimant de son mieux le souffle de sa poitrine et tremblant de terreur, de rire et de honte.

Lorsqu'elle fut calmée, les nerfs brisés, lamentable à ses pieds, Richelieu demanda si elle avait tout dit... Elle fit signe de la tête que oui, plusieurs fois, et comme elle se remettait à hoqueter et qu'elle fît mine de vouloir lui prendre la main pour témoigner sa reconnaissance, il s'écarta vivement d'elle et dit qu'elle devrait se reposer une heure ou deux et prendre quelque nourriture. Il irait, cependant, parler au Roi dans l'aile du château où il était occupé à faire de la musique en compagnie de M. Boesset et de Pierre de Nyert, qui l'était venu voir. Il allait implorer son pardon, conformément à sa promesse, et reviendrait plus tard avec Sa Majesté, à laquelle elle pourrait redire, s'il lui plaisait, tout ce qu'elle venait de lui avouer.

Il était adouci, comme si l'invocation à sa bonté avait opéré à la manière d'un charme. Avant de sortir, il appela pour faire venir les femmes.

– Allez, Madame, dit-il d'un ton bénin, allez prendre quelque repos...

Son Éminence remonta chez la Reine au milieu de l'après-midi. Louis XIII exigeait, pour pardonner, qu'elle fît sa confession par écrit – il promettait d'oublier entièrement, mais seulement à ce prix. Anne fit donc apporter son écritoire par Fillandre, qui la gardait, du papier, de l'encre et des plumes, puis elle se mit à la tâche. Le Cardinal demeura auprès d'elle tant que dura la rédaction, vigilant, conseillant une phrase, modifiant une tournure, lui rappelant un détail ici et là et veillant à ce qu'elle inscrivît fort exactement tout ce qu'elle avait bien voulu lui confier dans la matinée.

Anne écrivit de sa main :

« Nous, Anne, par la grace de Dieu royne de France et de Navarre, advouons librement, sans contrainte aucune, avoir escrit plusieurs fois à M. le cardinal infant, nostre frère, au marquis de Mirabel, à Gerbier, résident d'Angleterre en Flandre, et avoir reçeu souvent de leurs lettres ;

143

« Que nous avons escrit les susdites lettres dans nostre cabinet, nous confiant seulement à La Porte, nostre porte-manteau ordinaire, à qui nous donnions nos lettres, qui les portoit à Auger, secrétaire de l'ambassade d'Angleterre, qui les faisoit tenir audit Gerbier ;

« Qu'entre autres choses nous avons quelques fois tesmoigné du mécontentement de l'estat auquel nous estions, et avons reçeu et escrit des lettres au marquis de Mirabel qui estoient en des termes qui debvoient déplaire au Roy ;

« Que nous avons donné advis du voyage d'un Minime en Espagne pour que l'on eust l'œil ouvert à prendre garde à quel dessein on l'envoyoit ;

« Que nous avons donné advis audit marquis de Mirabel que l'on parloit ici de l'accommodement de M. de Lorraine avec le Roy, et que l'on y prît garde ;

« Que nous avons tesmoigné estre en peine de ce que l'on disoit que les Anglois s'accommodoient avec la France au lieu de demeurer unis avec l'Espagne ;

« Et que la lettre dont La Porte a esté trouvé chargé devoit estre portée à Mme de Chevreuse par le sieur de La Thibaudière, et que ladite lettre fait mention d'un voyage que ladite dame de Chevreuse vouloit faire incogneue devers nous.

« Advouons ingénument tout ce que dessus comme choses que nous recognoissons franchement et volontairement estre véritables. Nous promettons de ne retourner jamais à pareilles fautes, et de vivre avec le Roy nostre très honoré seigneur et espoux comme une personne qui ne veut autres intérêts que ceux de sa personne et de son Estat. En temoing de quoi nous avons signé la présente de nostre propre main, et icelle faict contresigner par nostre conseiller et secrétaire de nos commandements et finances. »

Fait à Chantilly,
ce dix-septième jour d'aoust 1637,
ANNE.

Muni de cette marque de bonne volonté qui portait le repentir de la Reine, Richelieu redescendit dans les appartements du Roi. Il dut attendre une grande demi-heure que Sa Majesté eût fini de répéter avec de Nyert la mélodie d'un nouveau motet, avant que celle-ci prît connaissance du document... Louis n'aimait pas à être dérangé quand il composait ; le plaisir de la musique le ravissait tout entier et il haïssait qu'on vînt lui parler d'autre chose, surtout des affaires d'État !... Le Cardinal eut beaucoup de mal à le convaincre de monter jusqu'au premier étage recevoir en personne les supplications de son épouse et lui accorder son pardon de vive voix, ce qu'il s'était engagé à procurer à la Reine. Ce ne fut que parce que Antoine Boesset avait besoin d'un peu de temps pour établir l'harmonisation à quatre voix de la pièce du jour que Sa Majesté consentit à se séparer pour un moment des musiciens et à suivre le ministre jusqu'aux appartements de sa femme.

Anne, à ses pieds, lui demanda formellement l'oubli de ses erreurs et de ses fautes, comme à son seigneur et à son roi... Louis l'écouta dans un silence glacial. Quand elle eut terminé sa supplique, il proféra les mots du pardon avec un détachement hautain et d'assez mauvaise grâce. Toutefois il tint à les apposer de son côté, en bonne et due forme, sur le petit traité de paix domestique qui avait été ébauché par la rédaction des aveux.

Le Roi ajouta donc de sa main, séance tenante, au bas de la confession, les termes de sa grâce officielle dans ce qui prenait l'apparence d'un contrat de remariage sous conditions :

« Après avoir veu la franche confession que la Reyne, nostre très chère espouse, a faite de ce qui a pu nous desplaire depuis quelque temps en sa conduite, et l'assurance qu'elle nous a donnée de sa conduite à l'advenir, selon son devoir, envers nous et nostre Estat, nous lui déclarons que nous oublions entièrement tout ce qui s'est passé, n'en voulons jamais avoir souvenance, ains voulons vivre avec elle comme un bon roy et un bon mary doibt faire avec sa femme. En tesmoing de quoi j'ai signé la présente, et icelle faict contresigner par l'un de nos conseillers et secrétaires d'Estat. »

Fait à Chantilly,
ce dix-septième jour d'aoust 1637,
LOUIS.

On avait apporté une collation de confitures, avec un poupelin, des pois sucrés et du pain d'épice ; le Cardinal souhaitait rétablir à présent la bonne humeur... Afin de mieux sceller une réconciliation dont il se faisait l'artisan, il voulut même, en homme d'Église, que les époux s'embrassassent de bon cœur. Louis trouvait décidément son ministre insatiable ; cela faisait suffisamment d'émotion pour un seul jour et, de plus, on l'attendait en bas pour chanter... Toutefois, devant l'entêtement du Cardinal, auquel il n'avait en aucun cas le cœur de refuser, il baisa la Reine, qui lui rendit son baiser.

Les apparences étaient donc parfaitement favorables, mais Louis, qui se méfiait de tout, n'avait cependant qu'une confiance très modérée dans les promesses de l'Espagnole. Il décida soudain, ayant envoyé demander à Boesset s'il restait longtemps à composer, et sur la réponse qu'on lui fit que le maître de musique en avait encore pour une heure, de mettre l'entracte à profit pour ajouter quelques points sur les *i*. Grand formaliste, il se fit donner l'écritoire et, pendant qu'on goûtait d'assez bon appétit, il rédigea sur une grande feuille le mémoire de ses volontés.

MÉMOIRE DES CHOSES QUE JE DÉSIRE DE LA REYNE

« Je ne désire plus que la Reyne escrive à Mme de Chevreuse, principalement pour ce que ce prétexte a esté la couverture de toutes les escritures qu'elle a fait ailleurs.

146

« Je désire que Mme de Sénécey me rende conte de toutes les lettres que la Reyne escrira et qu'elles soient fermées en sa présence.

« Je veux aussi que Fillandre, première femme de chambre, me rende conte toutes les fois que la Reyne escrira, estant impossible qu'elle ne le sçache puisqu'elle garde son escritoire.

« Je deffends à la Reyne l'entrée des couvents des religieuses jusques à ce que je le lui aye permis de nouveau ; et lorsque je lui permettrai, je désire qu'elle aye toujours sa dame d'honneur et sa fame d'atours dans les chambres où elle entrera.

« Je prie la Reyne de se bien souvenir quand elle escrit ou fait escrire en pays estrangers, ou y fait sçavoir des nouvelles par quelque voye que ce soit, directe ou indirecte, qu'elle mesme m'a dit qu'elle se tient deschue par son propre consentement de l'oubli que j'ai fait aujourd'hui de sa mauvaise conduite.

« La Reyne sçaura aussi que je ne désire plus en façon du monde qu'elle voye Craf, et autres entremetteurs de Mme de Chevreuse. »

Fait à Chantilly,
ce dix-septième jour d'aoust 1637,
LOUIS.

Ayant inscrit noir sur blanc ces précisions qu'il jugeait importantes, le Roi consentit ensuite à goûter quelques confitures, non sans avoir demandé à son épouse soumise de prendre connaissance sur l'heure de ses derniers desiderata, de lui faire part de ses observations si elle en avait, puis d'honorer de son paraphe la feuille de papier.

Anne ajouta donc avec la même plume, avant de signer : « Je promets au Roy d'observer religieusement le contenu cy dessus. Fait à Chantilly le jour que dessus. »

En somme, il ne restait plus à la famille royale, pour retrouver tout à fait la paix et l'union des cœurs, qu'à obtenir le consentement de Pierre de La Porte !... La Reine avait besoin qu'il confirmât ses dires en tout point et fît ainsi s'évanouir les restes de soupçon qui, en dépit des bonnes manières, ne manquaient pas de s'attarder dans l'esprit inquiet du monarque – le Cardinal voulait de son côté qu'il entérinât les aveux de sa maîtresse.

Or, depuis quatre jours, tous les efforts de M. Le Roy de La Potherie pour faire avouer le prisonnier étaient demeurés entièrement inefficaces... Pierre continuait à nier en bloc, dans la chambre du gouverneur de la Bastille où on l'avait fait revenir, toujours avec la même cérémonie du secret absolu garanti par l'imposante escorte des mousquetaires. Il ne savait rien, rigoureusement rien, des activités de la Reine ! Il n'y participait, disait-il, en aucune façon... Le maître des requêtes avait beau s'employer à lui faire entendre raison et à lui démontrer qu'il était impossible qu'il en fût ainsi, il ne réussissait pas à le faire dévier d'un pouce dans un système de défense devenu éminemment dangereux pour lui. Le Cardinal avait donné instruction de lui faire savoir sans détour qu'à moins qu'il ne dît ce qu'il savait, le Roi le ferait pendre haut et court. Pierre, qui avait vu tant de choses depuis seize ans qu'il était à la Cour, savait bien que le Roi, en ces sortes de circonstances, n'entendait point raillerie.

Il s'attendait donc, n'ayant nulle intention de trahir sa maîtresse, à être pendu.

CHAPITRE VII

Le 19 août, à 8 heures du soir, la nuit était tombée depuis assez longtemps sur le faubourg Saint-Antoine. Une brise tiède léchait les murailles de la Bastille et entrait par bouffées dans la tour du cachot par la fenêtre haute, étroite comme la meurtrière qu'elle avait été jadis et néanmoins obstruée d'une grille fixée sur sa face externe de la largeur d'une main. Cet air était lourd et chargé de tous les relents du fossé, d'où montait l'odeur des innombrables charognes qui finissaient de pourrir en bas, mêlée à celle des excréments que l'on jetait quotidiennement dans les douves en vidant les terrines – toutefois, cet air éventait les miasmes tout aussi nauséabonds de la salle étroite où se tenaient les deux prisonniers et le soldat de garde après avoir mangé sans grand appétit leur maigre souper.

Le jeune M. de Herce, que l'on avait laissé là sans lit depuis la nuit de son évasion manquée, respirait cette brise du soir au fond de l'embrasure de la fenêtre où il s'était assis. La lune, alors dans son déclin, n'était pas encore apparue, et il regardait en rêvant une grosse étoile blanche qui luisait toute seule à l'orient dans le rectangle étroit de la mince ouverture. En une semaine, le garçon avait eu le temps de raconter à Pierre toutes les circonstances de sa jeune vie... Il avait beaucoup ajouté sur celle de sa mère, qui le tenait enfermé pour faire de lui un homme ; il discutait fort sérieusement les opinions de sa mère sur l'éducation de la jeunesse – non qu'il les réfutât entièrement, car il déclarait clairement que ce que

149

faisait cette personne était pour son bien, assurément, et qu'il était tout à fait désireux lui-même de devenir un homme. Il avait hâte, disait-il, d'avoir appris la vie et de pouvoir aller son chemin comme il convient à un homme de le faire... C'était même pour cela, confiait-il à Pierre, qu'il avait voulu s'évader : afin de courir librement le vaste monde, d'y voir et d'y apprendre les choses étonnantes qui ne se produisaient point ici, dans cette vieille forteresse close.

Le jeune homme avait du reste l'intention arrêtée, eût-il réussi à s'enfuir, de s'engager dans les armées du Roi, car c'était une façon fort intéressante, pensait-il, de voir du pays. Encore le moyen était-il fort dangereux : son propre père était mort à la guerre autrefois, très peu de temps après sa naissance – il n'avait ainsi jamais eu de père. Quand de Herce avait su que le gentilhomme avait servi dans le régiment de la Reine, il lui avait fait mille questions sur la vie curieuse qu'on menait à l'armée, sur les voyages, les campements – et avait-il livré bataille ?... Il avait des réflexions sur tout ce qu'on lui contait et faisait d'un air très grave des remarques sentencieuses. Souvent il parlait par proverbes, s'étant appliqué à en retenir un grand nombre ; il tenait que les proverbes sont utiles à la jeunesse, car ils résument, en quelques mots aisés à se rappeler, des pensées générales sur lesquelles il est agréable de réfléchir... Pierre se disait que, si un jour il avait des enfants, il tâcherait à leur donner des collèges moins étranges et des précepteurs moins hasardeux que des candidats à la potence. Au moins il s'était vite persuadé lui-même, par quelques questions habiles, que le garçon n'avait point été mis dans sa cellule, sous un faux prétexte, pour le surveiller, comme il l'avait pensé tout d'abord en entendant les fulminations que de Herce prononçait à l'encontre du cardinal de Richelieu – ces discours, qu'il avait appris au contact de la Bastille, étaient périlleux, certes, mais totalement ingénus.

Le soldat qui partageait leur cachot avait été changé à la demande de Pierre, qui avait profité de ses visites chez le gouverneur pour expliquer que son gardien avait la caguesangue. Ces flux de sang mêlés aux excréments sous forme de colique étaient non seulement infects, mais en vérité fort contagieux, surtout dans un espace aussi exigu et mal aéré que celui dans lequel ils étaient tenus ; en outre, il n'y avait qu'une seule terrine, vidée une fois par jour dans les fossés, pour les besoins naturels de tous les occupants... M. du Tremblay avait donc fait mettre un autre soldat à la place du premier et, si celui-ci ronflait tout aussi fort sur la paillasse, il puait nettement moins que son infectieux collègue.

Pierre, allongé sur son petit lit de sangles, était sur le point de se déshabiller pour se coucher. N'ayant pas été interrogé ce jour-là – car le maître des requêtes référait ses réponses au Cardinal pour en recevoir des ordres –, il s'attendait à rude épreuve pour le lendemain et voulait avoir l'esprit frais et alerte pour faire face aux attaques sournoises et ne pas se couper dans le flot des questions. L'interrogatoire de la veille avait tourné inlassablement autour du porteur de la lettre trouvée sur lui : le maître des requêtes lui avait dit que le Roi connaissait ce porteur et qu'il était en train de se perdre en ne l'avouant pas. En disant cela, La Potherie avait l'air sincèrement chagriné et très visiblement inquiet pour le sort de Pierre – qui s'attendait donc au pire : le supplice de la question ou, plus directement, la corde... Autant valait, dans tous les cas, passer une bonne nuit qui affermirait son courage.

C'est à ce moment-là qu'ils entendirent de grands bruits et des appels de voix, en bas, dans la cour du corps de garde ; quelqu'un monta l'escalier de la tour et commença à ouvrir les portes successives de leur cachot dans la lueur d'une torche dont le flamboiement rougeoyait dans l'ombre au travers des fentes du bois. De Herce s'était redressé ; le soldat restait assis sur sa paillasse et secouait la tête dans le noir... Pierre sentait sa poitrine se serrer, en même temps qu'un frisson lui parcourait l'échine. Il avait ouï dire à plusieurs personnes, et même à son soldat, qu'on faisait parfois mourir des prisonniers la nuit, particulièrement lorsqu'ils étaient l'enjeu de causes célèbres et controversées, par crainte que le peuple, agité par l'une des parties, ne vînt à s'émouvoir.

La Brière, sergent de la garde, entra dans la cellule, accompagné d'un homme qui tenait un flambeau.

— La Porte, il vous faut venir.

— A quel sujet êtes-vous venu me quérir ? demanda Pierre d'une voix qu'il réussit à faire paraître calme et assurée.

— Au sujet que vous sortez de la Bastille, répliqua La Brière assez brusquement.

Pierre n'osa pas lui faire préciser davantage. Il ressentit un léger tremblement à la cheville de son pied gauche, qui le prenait quelquefois quand il était violemment ému ; il s'appuya sur ce pied de tout son poids pour contenir le dérèglement de ses nerfs.

— Mon pauvre ami ! s'écria M. de Herce sur un ton qui s'efforçait d'être consolant.

Le jeune homme s'avança vers lui dans la lueur de la torche avec la mine de lui présenter, un peu hâtivement du reste, ses regrets éternels. Pierre remit son pourpoint et le rajusta ; il enfila ses bottes, qu'il avait déjà ôtées pour se coucher. Ce faisant, il eut la désagréable impression que le soldat regardait ces excellentes chaussures de cuir fauve d'un œil nouveau, tout empreint de convoitise, comme si le soudard se promettait à part lui d'aller les racheter au bourreau dès le lendemain, à vil prix... Quand il fut équipé et sur le point d'emboîter le pas à ses gardes, de Herce, qui l'avait regardé s'habiller dans un silence méditatif, lui posa une main sur le bras, puis il dit avec un air grave et contrit qui contrastait beaucoup avec son jeune visage :

— Vous allez faire là un bien périlleux voyage, sur un chemin semé d'épines. Courage, monsieur !

A ce discours, Pierre eut le sentiment qu'il partait au long cours dans un nouveau monde, prêcher les Évangiles aux Indiens Iroquois...

Quelques instants plus tard, ayant passé la cour et franchi le pont-levis en compagnie de deux mousquetaires de la garnison, il aperçut des archers de la prévôté et un carrosse qui attendaient dans la basse cour de la forteresse. Dès ce moment, il ne douta plus qu'il allait au supplice... En s'approchant, il éprouva une grande émotion, car il reconnut le lieutenant des archers qui fit un pas vers lui dans l'obscurité : c'était Picot, son compatriote, et il baissait le regard vers le sol... Il lui demanda où il le conduisait à cette heure tardive, et Picot secoua la tête :

– Je n'en sais rien, La Porte, répondit-il fort tristement. Cela est vrai : je ne sais pas.

Il monta dans la voiture, avec le lieutenant et deux archers ; au sortir de la basse cour, l'équipage tourna à main gauche et s'engagea dans la rue Saint-Antoine. Ils passèrent tout de suite devant le couvent des Filles Sainte-Marie de la Visitation, où se trouvait Louise « Angélique » de La Fayette ; le Roi lui faisait à présent des visites régulières, l'entretenant pendant des heures à la grille du parloir, selon les nouvelles et strictes dispositions des monastères. Il avait à cette seule condition, disait-on, recouvré la santé après le départ de la favorite. Pierre, qui pensait sa dernière heure arrivée, voulut donner du divertissement à son inquiétude en songeant à ce que faisait Angélique à cette heure, ici près ; était-elle au courant des ennuis de la Reine ? Il lui revint en mémoire le rire saccadé et joyeux de la jeune fille, et sa gaieté, deux ans avant, à l'époque du *Ballet de la Merlaison*, dont le Roi avait composé la musique pour elle. Il se souvint en cette occasion du soir où, la Cour étant à Château-Thierry, elle avait ri si fort chez la Reine de quelque facétie que le Roi avait dite qu'elle avait fait de l'eau sous elle ! Puis elle n'avait plus osé bouger d'entre les autres demoiselles, même après le départ de Sa Majesté... La flaque étant enfin découverte, la Reine, qui lui tenait quelque rigueur de l'amitié que le Roi lui montrait, avait pris ombrage de cette indécence. Toutes les filles, voulant protéger leur compagne, avaient prétendu que c'était là un citron qui s'était écrasé – et il avait dû, lui, Pierre, sentir au bout de son doigt, sur le commandement de la

Reine, le liquide qui n'avait aucune odeur de citron ! Les jours suivant cette aventure, il circulait une épigramme composée la nuit même par un facétieux : *Petite La Fayette, votre cas n'est pas net.* La Porte le savait encore, tant il le vengeait d'avoir été contraint de mettre son doigt dans la pisse. Afin de tromper sa peur grandissante, persuadé que la voiture allait s'arrêter bientôt et qu'on allait l'exécuter tout près de là, au coin du cimetière Saint-Paul, qui était l'endroit ordinaire pour ceux qu'on tirait de la Bastille, Pierre récita intérieurement :

> Petite La Fayette,
> Votre cas n'est pas net.
> Vous avez fait pissette
> Dedans le cabinet
> A la barbe royale
> Et même aux yeux de tous,
> Vous avez fait la sale,
> Ayant pissé sous vous.

Pendant qu'il se remémorait ces vers libertins, le carrosse passa l'amble, sans même ralentir, devant la petite avenue qui conduisait aux charniers Saint-Paul... Pierre sentit le sang revenir dans ses veines et monter à son visage en même temps qu'une bouffée de chaleur. Il songea que ses os, par conséquent, ne reposeraient pas auprès de ceux de maître François Rabelais, qui dormait là son dernier sommeil, au pied d'un figuier...

Cependant, la soirée n'était pas terminée pour autant, songea-t-il, et il eut peur du vieux cimetière Saint-Jean. Puis, quand la voiture s'engagea dans la rue de la Tixeranderie, il se dit qu'on le conduisait décidément à la place de Grève comme un malfaiteur... On dépassa pourtant la rue du Mouton, la rue Saint-Jean-de-l'Espine ensuite, sans que ses gardes s'engageassent vers la place patibulaire ! Il ne restait guère alors, pour trancher le fil de ses jours sur le chemin que l'on prenait vers l'ouest, que la potence qui était dressée à la Croix-du-Tiroir, sur la rue Saint-Honoré. Il pensa, pour se distraire et maîtriser les battements de son cœur, à l'histoire de ce pauvre diable que l'on y pendait un jour et qui fut sauvé par le feu roi Henri III... Comme le carrosse de ce prince arrivait à la Croix-du-Tiroir, le condamné, qui était déjà attaché à la corde, se prit à crier à pleins poumons : « Grâce, Sire ! Grâce ! » Le roi fit arrêter et demanda au greffier quel était son crime ; ayant su que le crime était grand, il dit en riant : « Eh bien ! Qu'on ne le pende point qu'il n'ait récité son *In manus* ! » puis il reprit le chemin du Louvre. Mais quand on voulut faire dire la prière à cet escogriffe, celui-ci refusa catégoriquement, jurant qu'il s'en garderait bien de toute sa vie, puisque le roi avait commandé qu'on ne le pendît pas sans qu'il l'eût dite !... Au bout d'une longue dispute, il fallut ramener l'obstiné dans sa prison et aller trouver le roi de nouveau pour lui faire part de cet embarras dans lequel son ordre avait mis les juges. Henri III, amusé par la malice de ce bon compagnon, lui accorda sa grâce.

Cependant, on passa au petit trot ce carrefour funeste et Pierre, surpris et joyeux, se mit à respirer plus à son aise. Il commençait à se demander si, par aventure, on ne le reconduisait pas à l'hôtel de Chevreuse ! Il y avait peu d'apparence, toutefois, que l'on voulût sonder sa chambre au milieu de la nuit, et encore moins, se disait-il, qu'on lui rendît son lit. Picot, qui commandait au cocher d'un air sombre qui trahissait son embarras, fit tourner le carrosse sur la droite. Après un détour et un arrêt devant l'hôtel du chancelier Séguier pour y prendre des ordres, l'équipage repassa au croisement même où l'on s'était saisi si brusquement de sa personne, sept jours auparavant, puis, après avoir longé la rue des Bons-Enfants, il pénétra dans une vaste cour pavée, qui était celle des cuisines du Palais-Cardinal. « C'est donc cela, pensa Pierre, on me conduit chez Son Éminence ! » et, en comparaison des sueurs froides qu'il venait d'avoir, cette perspective lui parut presque aimable.

Picot remit son prisonnier, avec un long regard de compassion, entre les mains du capitaine des gardes de Richelieu, lequel le conduisit, par de longs corridors obscurs à l'intérieur du palais, jusqu'aux appartements du ministre. La chambre où ils entrèrent était vaste et vivement éclairée. Trois grands chandeliers posés sur une longue table massive aux pieds torsadés projetaient une lumière soutenue sur les hautes tapisseries qui couvraient les murs de magnifiques allégories et de sujets pieux, comme un grand saint Sébastien percé de flèches dont les chairs laineuses semblaient bouger sous la lueur mouvante des chandelles. A un bout de la table était assis le secrétaire d'État Des Noyers et, au moment où le capitaine introduisit Pierre, le chancelier Séguier, qui venait d'arriver, s'entretenait hâtivement avec Richelieu, qui l'écoutait, la tête penchée sur l'épaule, coiffé de sa calotte pourpre.

Le Cardinal fit asseoir son visiteur sur une petite selle au milieu de la pièce et tout de suite il aborda la conversation paternellement... En effet, après avoir obtenu assez rondement les aveux de la maîtresse, il avait décidé, devant les lenteurs de l'enquête, de tirer lui-même les vers du nez à son serviteur. Il dit d'abord à La Porte combien il se souvenait de son zèle et de son exactitude de messager, lorsque, à quatre années de là, pendant qu'il était arrêté par la maladie à Bordeaux et fort tourmenté par elle, le diligent porte-manteau lui apportait fidèlement des nouvelles de la Reine et de la Cour... Pierre comprenait que c'était là un compliment à double face, car c'était justement l'époque d'une cabale qui s'était formée à la Cour contre Son Éminence pendant cette grave maladie qui promettait d'être mortelle. Le rusé prélat savait bien que La Porte lui était alors envoyé pour observer les progrès de sa malheureuse personne sur le chemin du tombeau et le mander à ses ennemis.

Mais Richelieu souriait et rappela à Pierre combien son nom même lui était cher, qui était celui de sa propre mère, Suzanne de La Porte, quoiqu'ils ne fussent point parents. Il dit enfin que, s'il l'avait fait venir, c'est parce qu'il lui voulait du bien et le tirer de cette fâcheuse affaire où il se trouvait enlisé. Ce n'était pas, en tout état de cause, pour lui arracher des secrets : en effet, expliqua-t-il, la Reine avait déjà confessé au Roi, ainsi qu'à lui-même, toutes les choses dont il souhaitait l'entretenir... Il les connaissait donc fort bien. Toutefois, il était nécessaire pour la bonne règle, avant de clore définitivement le dossier, que le porte-manteau ordinaire confirmât point par point les aveux d'Anne d'Autriche – ce serait servir grandement Leurs Majestés que de le faire.

La Porte assura qu'il dirait tout ce qu'il savait – le Cardinal répondit en souriant qu'il l'entendait bien ainsi... Il eut même la bonté de s'enquérir de son séjour à la Bastille et s'il avait été bien traité : lui donnant sa parole qu'au sortir de ce palais il ne retournerait pas en prison.

– Si vous me dites bien toute la vérité, comme je le pense, vous ne retournerez pas d'où vous venez. Je vous en donne ma parole : vous irez coucher dans votre chambre, tout près d'ici, n'est-ce pas, à l'hôtel du duc de Chevreuse. Vous retrouverez votre lit ! Cela vous convient-il ?

– Je m'en réjouis, Monseigneur, répondit Pierre en s'inclinant autant qu'il le pouvait sur sa petite chaise.

Il recevait toutes ces courtoisies avec la grande réserve qui convenait, observant le petit homme mince dont les yeux gris avaient des éclats fulgurants et le fouillaient, pendant que sa bouche produisait un sourire affable. Les vers de la *Miliade* lui revenaient à l'esprit presque malgré lui :

> Autant que sa main est cruelle,
> Il ne parle qu'en caressant
> Et n'étouffe qu'en embrassant...

Le chancelier Séguier lui fit prêter serment en posant la main sur la Bible, puis Richelieu se mit à l'interroger, tandis que M. des Noyers servait de greffier à la séance. Ainsi que l'avait fait le maître des requêtes, il le questionna sur son rôle dans la correspondance de la Reine avec l'Espagne et la Flandre – rôle que Pierre continua à nier, protestant qu'il n'avait jamais fait office de messager et qu'il ne savait rien de toutes ces choses. Le Cardinal le regardait d'un air bénin :

– Voyons, La Porte, je ne vous demande pas de trahir un secret...

Il se prit à marcher dans la pièce d'un pas nerveux, entre la table et une haute cheminée qui occupait tout un pan de mur. Il opérait des demi-tours à la virevolte et jouait à glisser sa main au-dessus des flambeaux à chacun de ses passages.

– Il n'y a plus de secret pour personne : Sa Majesté a tout avoué. Elle a eu la bonté d'en demander pardon au Roi. Qu'il n'y ait aucune obscurité entre nous sur ce point : lorsque je dis que la Reine écrit en Espagne, ce n'est pas une question que je vous fais, je le sais. C'est elle-même qui me l'a dit. Elle l'a répété au Roi, elle l'a écrit... Elle a dit qu'elle écrivait souvent et que c'était vous qui la serviez pour transmettre ses lettres... C'est pourquoi nous en parlons, monsieur.

– Il est possible, dit Pierre. Cependant, c'est une chose que, moi, j'ignore.

Le Cardinal changea brusquement de trajet et s'avança vers lui en souriant. Il lui posa familièrement une main sur l'épaule :

– Encore une fois, vous n'avez rien à craindre, La Porte, en avouant ce que tout le monde sait déjà, de la bouche même de votre maîtresse... Ni pour vous ni pour elle, puisque la faute est déjà pardonnée ! Nous avons seulement besoin, M. le chancelier, M. des Noyers et moi, que vous en demeuriez d'accord de votre côté afin de classer le dossier et d'oublier toute cette affaire. C'est une simple question de forme, après quoi, je vous l'ai dit, vous serez libre... Et comme je veux aller vite, mon ami, je vous propose que nous écrivions paisiblement votre déposition ici et je vous ferai donner dès ce soir une récompense à rendre jaloux tous vos amis !...

Son Éminence était fort enjouée et serrait de sa main sèche l'épaule du porte-manteau avec une effusion qui se voulait chaleureuse et complice. Pierre sentit avec un petit frisson ce qui semblait la serre d'un gerfaut ; il répondit d'un ton calme et désolé :

— Monseigneur, je ne sais pas si la Reine écrit en Espagne et en Flandre. Ce que je sais, de manière certaine, c'est que si elle y écrit elle se sert d'un autre que moi, car je ne me suis jamais mêlé que de faire fidèlement ma charge.

— Vous avez connaissance de quelqu'un d'autre dont elle se sert ? demanda vivement le Cardinal, qui se tourna vers lui, le sourcil haussé, la moustache frémissante.

Pierre songea que l'homme n'était pas aussi sûr de son fait qu'il désirait le paraître et il répéta, avec la modestie attristée d'un domestique sans importance, qu'il ignorait tout de ce qu'on lui demandait. Alors Richelieu changea de visage. Il lui dit assez en colère, que s'il voulait continuer à s'obstiner il était bien facile d'instruire son procès et que, dans une affaire comme celle-ci, qui intéressait l'État et le service du Roi, l'instruction allait bien vite en besogne et que son entêtement l'envoyait à la mort.

— Vous vous piquez bien mal à propos de générosité, mon ami ! Vous voulez servir fidèlement votre maîtresse : et elle, que fait-elle pour vous, je vous prie ?...

Sans attendre une réponse qui n'avait guère lieu de venir, le Cardinal s'était approché de la grande cheminée où demeuraient quelques tisons éteints et un monceau de vieilles cendres ; sa santé délicate le rendait frileux et il lui arrivait de faire allumer du feu même au cœur de l'été, si le temps venait soudain à fraîchir... Son Éminence souleva sa soutane, défit son haut-de-chausses et se mit à pisser, par petits coups, dans les cendres. Il demeura assez longtemps silencieux et penché, comme un homme qui éprouve ordinairement quelque peine à uriner ; en même temps, il cracha plusieurs fois dans le foyer.

— A propos ! lança-t-il quand il eut fini, remettant en place sa braguette. On n'a trouvé que cinq cents livres dans votre cabinet. Est-ce là tout votre bien ?

— C'en est une grande partie, Monseigneur.

Richelieu se tourna vers la chambre, défripant du plat de la main les plis de sa robe, et s'approcha du chancelier Séguier, disant d'un ton de commisération attristée et narquoise :

— Voilà bien de quoi être si opiniâtre à nier une chose que la Reine a déjà avouée !

— Je ferai humblement remarquer à Votre Excellence, intervint doucement le prisonnier, que c'est bien là une marque certaine que je ne sers pas la Reine en toutes ces choses que Votre Excellence croit. Car, si cela était, la Reine m'aurait fait plus grand bien qu'elle ne m'en a fait. Cependant, mon devoir n'en est pas moins de la servir fidèlement en tout ce qui touche ma charge.

— Cela est vrai, La Porte, cela est vrai... Je suis certain que vous connaissez pleinement votre devoir, répliqua Richelieu, mi-figue, mi-raisin. Mais justement (ajouta-t-il en venant se placer en face de Pierre, les mains croisées sur la ceinture de sa robe), votre devoir est de servir le Roi avant même de servir la Reine. Cela pour la raison que vous êtes né français : ne l'oubliez pas, je vous prie. Vous êtes français et vous devez donc d'abord fidélité au roi de France !... Vous êtes né en Anjou, d'une bonne et noble famille angevine, nous sommes presque pays... Et l'Anjou, monsieur, ce n'est pas la Castille. En conséquence de quoi vous devez obéir, après Dieu, à votre Roi, qui est son messager dans ce royaume béni de Lui et qui vous commande et ordonne de parler. Le Roi vous fait demander, par ses ministres et officiers ici présents, de lui dire la vérité, sans rien celer, sur tout ce que vous savez, pour son service et le bien de l'État. Vous êtes obligé, en conscience, de la lui dire.

Le Cardinal, un doigt levé, prit un ton encore plus grave et solennel :

— C'est votre conscience, avant toute autre considération,

qui vous y oblige ! Et si vous ne le faites pas, vous ne vous en trouverez pas bien.

La Porte connaissait depuis longtemps les célèbres talents oratoires du ministre et du prélat ; il ne doutait pas un instant qu'Armand du Plessis, qui avait su convaincre des rois et des reines, et le pape lui-même à l'occasion, fût capable de trouver les arguments les plus solides et les mieux présentés pour l'autoriser à s'épancher sur les secrets de sa maîtresse, en lui fournissant toute caution morale et sa pieuse bénédiction par-dessus le marché. Il écoutait cet homme sec lui exalter son devoir avec tendresse, avec gravité... Il y avait un souffle d'émotion et de sincérité dans sa voix, laquelle s'était faite onctueuse, religieuse, avec des pauses, des intonations vibrantes ou, au contraire, des voltes soudaines et le passage à un ton presque murmuré... Pierre éprouvait une sorte de charme qui s'insinuait en lui, une douceur émolliente et subtile qui invitait à la confiance et à la confession. Il eut besoin, pour se ressaisir et contrebalancer l'effet gracieux du discours, de se réciter intérieurement le portrait d'Armand dans la *Miliade*, qui lui semblait pris sur le vif :

> Il flatte lors même qu'il tue,
> Son âme n'est jamais nue,
> Il déguise ses actions,
> Dissimule ses passions,
> Compose son geste et sa mine,
> Le démon à peine devine
> Le mal qu'il cache en son sein...

Le Cardinal avait répété : « Vous ne vous en trouverez pas bien », et il l'avait presque chuchoté. Pierre lui répliqua, doucement aussi, que sa conscience ne l'obligeait pas, cependant, à accuser la Reine d'écrire en Espagne puisqu'il n'en savait rien et n'en avait jamais eu connaissance.

Richelieu sauta brusquement en l'air, frappant dans ses mains, et hurla :

— Mais elle l'avoue ! Elle l'avoue ! C'est elle qui le dit :

nous n'accusons personne ! Je vous le répète : c'est elle qui dit que c'est vous ! Vous, La Porte, qui l'aidez !...

Il se remit à parcourir la pièce avec agitation. Ses yeux étincelaient de colère et il entreprit de marteler du poing une table de trictrac qui se trouvait sur son passage :

— Combien de fois faut-il vous le dire ? La Reine assure que c'est par vous qu'elle entretient ses correspondances, non seulement avec l'Espagne et le Cardinal Infant, mais avec Mme de Chevreuse, avec le duc de Lorraine ! C'est vous qu'elle nomme, monsieur !

— Si la Reine dit cela...

— Elle l'écrit, monsieur, noir sur blanc !

— Dans ce cas, il faut qu'elle veuille sauver ceux qui la servent en ces intelligences, en disant que c'est moi.

L'argument calma le Cardinal aussi soudainement qu'il avait pris flamme. Il posa lentement un poing sur sa hanche et regarda Pierre de biais, immobile, un très long moment. Et si cet homme, dans son obstination insolite, disait vrai ? songeait-il... Si la Reine, en l'accusant, essayait de cacher une filière bien plus compromettante et redoutable que le service assez banal de son porte-manteau ordinaire ? Elle pouvait assurément lui avoir joué une pièce, feignant la sincérité — ce ne serait pas la première fois que l'Espagnole lui aurait fait accroire que les vessies sont des lanternes. Il convenait d'agir avec prudence et, après tout, ne pas refuser un témoignage trop légèrement. Si témoignage il y avait...

Richelieu possédait un moyen fort simple de vérifier si La Porte disait ou non la vérité et si la Reine s'était jouée de lui : il suffisait de le sonder sur le rôle de La Thibaudière... Aussi, après cet examen mental au cours duquel M. des Noyers n'avait cessé d'écrire, rattrapant son retard dans la rédaction du procès-verbal, alors que le chancelier demeurait assis, frisant sa moustache en silence, et que Pierre écoutait le crissement de la plume sur le papier, le cardinal de Richelieu, reprenant l'offensive, cracha dans un coin obscur de la chambre et dit :

– Eh bien... Admettons que j'en demeure d'accord. Savez-vous quelqu'un d'autre que la Reine utilise pour faire tenir de ses nouvelles ?

– Non, Monseigneur, je ne connais personne.

– Assurément ?

– En vérité, non.

– Cependant, lorsque la Reine vous donne une lettre, il faut bien que vous la remettiez à quelqu'un ! Tenez : cette lettre que l'on trouva sur vous, quand on vous mena à la Bastille...

Le Cardinal faisait semblant de chercher dans sa mémoire, feignant ne n'être que médiocrement au courant de la lettre à Mme de Chevreuse. Il prit à témoin le secrétaire d'État :

– Elle était destinée à Mme la duchesse, n'est-ce pas ?

M. des Noyers opina ; le chancelier, qui n'avait encore rien dit, se tourna sur son siège :

– C'est cela, en effet, fit-il d'une voix rauque, comme une personne qui est dérangée dans un somme.

– Eh ! à moins que de vous rendre à Tours vous-même, vous deviez la confier quelque part, à quelqu'un – vous n'aviez pas instruction, je pense, de la garder dans votre gousset ? A quel messager était destinée cette lettre ?...

Pierre, invariable, répéta son même conte : que la Reine, dans son empressement, avait oublié de lui dire en la lui baillant ce qu'il fallait en faire, qu'il s'était trouvé fort embarrassé lui-même et que c'était la raison justement qu'on l'avait trouvée sur lui... Richelieu l'écoutait avec un sourire qui s'élargissait à mesure que le gentilhomme s'enferrait dans ses explications controuvées. Le ministre éprouvait en ce moment une joie très vive avec la satisfaction de connaître qu'il n'avait point été abusé par Anne d'Autriche. Après l'inquiétude qu'il venait d'avoir à la pensée que toute l'enquête était peut-être à reprendre, il déclara, presque riant d'aise :

– Vous êtes un menteur, La Porte !... Vous êtes un menteur ! Vous la vouliez donner à La Thibaudière, cette lettre. Vous voulûtes la lui donner dans la cour du Louvre : souvenez-vous ! Il vous pria de la garder jusqu'au lendemain par peur de la perdre.

Pierre pâlit en entendant cela. Il sentit son menton qui pendait, sa bouche s'étant ouverte de son seul mouvement sous le choc de l'étonnement. Son Éminence observait l'effet de sa botte d'un œil à la fois ironique et empreint de soulagement.

— Après cela, vous voulez que je vous croie !

Richelieu roulait fortement les *r* à la manière du Poitou ; il lança « que je vous crrroé ! » avec un tel accent de sarcasme que La Porte sentit toute la construction de sa défense s'écrouler d'un seul coup... Pour savoir les détails de la cour du Louvre, il fallait en effet que La Thibaudière en personne les eût confiés : nul autre n'était présent et n'avait pu les connaître.

Voyant la confusion dans laquelle cette révélation brutale jetait son prisonnier, le Cardinal poussa l'avantage jusqu'à lui donner une légère tape familière dans le dos, en passant près de lui, à la manière d'un joueur qui vient de réussir une belle passe au détriment de son adversaire.

— Eh bien ! Que dites-vous à cela ?...

Pierre ne disait rien. Sous le coup de l'émotion, son pied gauche s'était remis à bouger convulsivement. Quoique cette agitation fût imperceptible, il lui semblait que son pied allait se détacher de sa jambe et se mettre seul à danser. Il fit de son mieux, bien qu'assis, pour le coincer en le serrant fort sous sa chaise, tandis que Son Éminence concluait :

— Puisqu'en une chose de nulle conséquence vous ne dites pas la vérité, je ne dois pas vous croire en d'autres. A propos, pourquoi donc avez-vous fait finesse de ce détail avec tant de constance ?... Pourquoi n'avoir pas confessé à M. de La Potherie la vérité toute nue concernant cette affaire : que vous deviez bailler la lettre à La Thibaudière, lequel la devait porter à Tours en s'en retournant ?...

Pierre expliqua, tout à fait ingénument, qu'il n'avait point voulu ruiner la fortune de ce gentilhomme pour une chose de rien. Richelieu avait un éclat railleur dans ses yeux gris ; il dit d'un air de pitié, mêlée de persiflage :

– Vous êtes bien considérant, La Porte ! Vous êtes bien considérant.

Puis il s'approcha de la cheminée, leva de nouveau sa soutane et se mit à pisser.

A ces derniers mots, Pierre comprit qu'il avait été joué... Il vit clairement, dans une bouffée de violente amertume, que Son Éminence voulait lui faire entendre qu'il se mettait bien en peine pour protéger un homme qui était tout allé raconter de lui-même !... Ou bien était-ce encore pire ? Y avait-il eu une machination ?... Il se dit que La Thibaudière était grand ami de Chavigny, le surintendant de la maison du Roi : il avait pu prêter les mains à un complot et demander à la Reine d'écrire cette lettre, sachant que c'était pour la compromettre... Il la lui aurait alors laissée en garde, à lui, en sachant parfaitement qu'il devait être arrêté le soir même – et à cause de cela. C'était un guet-apens !... En y repensant, il semblait maintenant à Pierre que La Thibaudière avait quelque chose de louche, dans la cour du Louvre, en refusant de prendre la lettre – ses explications étaient peu claires et il n'y avait pas grande apparence qu'il pût la perdre. Il revoyait la mine gênée du gentilhomme tourangeau, sa manière de passer d'un pied sur l'autre, et se souvenait qu'en effet il l'avait trouvé bien inquiet...

Tout à coup, il se sentit floué. Il était le jouet de ces gens... Il vit les sacs de pistoles et d'écus trébuchants qui circulaient de main en main : La Thibaudière avait sans aucun doute été payé grassement pour cette perfidie. Pierre se dit qu'il était pauvre et petit, que tout cela était des affaires de grands : le roi d'Espagne et le roi d'Angleterre avaient tous deux épousé une sœur du roi de France, ils étaient beaux-frères ensemble, et aussi le Cardinal Infant qui gouvernait la Flandre, de même que l'Empereur qui avait pour femme leur sœur. Il songea que c'étaient là des différends et des histoires de famille auxquelles il n'avait aucune part et dont il se mêlait, lui, chétif, fragile jouet des caprices de Cour, bien inopinément. Qu'enfin il risquait sa liberté et sa vie pour ces gens qui ne risquaient, au fond, rien. Rien de plus important que leur gloire mondaine... Il risquait en vérité jusqu'au salut de son âme, en se parjurant chaque fois dans ces interrogatoires conduits sous la foi du serment !

Il eut soudain une brusque envie de pleurer, de rentrer à sa chambre dans l'hôtel de Chevreuse, là, tout près, de retrouver son lit à deux cents pas d'ici. Il eut envie de laisser le monde être monde... Demain serait alors un autre jour : il ferait apporter par Renaud un grand baquet d'eau tiède et il laverait son corps des odeurs infectes du cachot – il vêtirait du linge frais, qui n'aurait pas collé dans ses fibres les exhalaisons de la caguesangue.

Il avait envie de se lever debout et de dire là, brutalement, tout ce qu'il savait ! De fournir toutes ces précisions qu'il avait en tête, ces détails à faire battre à mort ces quatre rois de la terre et un grand quarteron de princes du sang... Et de demander, lui aussi, de l'argent pour le faire. Tirer son épingle du jeu avec des revenus en espèces sonnantes, les laisser régler entre eux leurs querelles privées. Il pourrait tout dire, tout de suite, dans ce palais du Cardinal, et s'en laver les mains ensuite.

Son pied s'était remis à trembler sous son siège. Il dit : « Dieu, éclairez-moi... » Il répéta mentalement, avec force, la tête baissée, les mains jointes et serrées contre sa bouche : « Envoyez-moi votre lumière, Seigneur, car je ne sais plus me conduire... » Il implora la Vierge Marie, qui est bénie entre toutes les femmes, de lui faire connaître par un signe s'il devait, après tout, se confier à ce cardinal de l'Église chrétienne. Il était dans un grand et profond désarroi.

La lune, à présent, était levée... Elle luisait par instants sur les jardins du palais, puis se voilait de minces nuages blancs qui ramenaient l'ombre au-delà des fenêtres restées ouvertes à cause de la chaleur. Les papillons de nuit entraient en foule ; ils tournoyaient avec des reflets blancs à l'entour des chandelles dont ils touchaient la flamme. Certains brûlaient tout de suite et tombaient en grésillant dans la flaque de suif au bas de la mèche ; d'autres virevoltaient encore un moment et glissaient capricieusement d'un luminaire à l'autre, mais tous ces papillons finissaient par se jeter dans les flammes ; il en entrait toujours du jardin, où ils naissaient inlassablement...

Quand les feuillages s'illuminaient, dehors, la lumière irradiait aussi la chambre, et les ombres fantasques qui dansaient sans cesse sur les murs, bougeant sur le chatoiement des immenses tapisseries qu'elles paraissaient animer d'une vie étrange, pâlissaient, perdaient peu à peu leurs contours... Les ombres s'apaisaient et quittaient leurs tourments, comme si la lune, en brillant, chassait les chimères.

Pierre pensa à la Reine, que tout le monde trahissait... Il pensa au mépris qu'éprouveraient quelques personnes pour sa lâcheté, s'il parlait. Il pensa à Hautefort... Il imagina l'étonnement, la déception, le regard dégoûté de la belle Marie, sa complice – elle qui risquait son crédit, sa situation, sans réflexion ni retenue, quoi qu'il pût advenir. Non, il n'allait pas trahir ces deux femmes qui comptaient sur lui. Il songea à sa famille ; les La Porte appartenaient depuis si longtemps aux Rohan et à Mme de Chevreuse ensuite : son frère Marc, qui était le valet de chambre de la duchesse, comme leur oncle l'avait été avant lui... Il pensa à son petit village, blotti dans la douceur du Loir. Il revit le petit pont et le chevet rond de l'église de Seiches, sa paroisse, qui se mirait dans les eaux plates et calmes de la rivière, où glissaient des barques... Il vit le manoir de la Suardière dans la plaine humide, avec son petit perron au bout duquel était son père. Et Pierre se dit que Dieu était bon – qu'il y aurait au jour de la Résurrection le grand Jugement annoncé au ciel par les trompettes des anges et que cela était écrit. Que les traîtres et les cupides devraient rendre compte, alors, de leur félonie et de leur vénalité, devant le Juge suprême en majesté... Il se dit qu'il attendrait bien jusque-là et offrit en pensée son silence à la Vierge, que la reine Anne aimait.

Un valet était entré dans la chambre pour moucher les chandelles. C'était un petit homme tout rond qui avançait en glissant les pieds, d'un chandelier à l'autre, et coupait les mèches brûlées avec des pinces ; il devait se hausser sur la pointe des pieds pour atteindre les chandelles hautes et remplacer celles qui étaient consumées par des neuves, qu'il apportait dans un panier d'osier.

— Je ne saurais plus vous croire, La Porte...

Richelieu revenait d'un pas lent, lissant les plis de ses braies. Il avait observé du coin de l'œil le trouble de son prisonnier. Il avait senti, en homme d'Église, un homme qui priait, et avait demandé à Dieu de l'inspirer.

— Puisque je ne saurais plus vous croire, il faut que vous écriviez sur-le-champ à la Reine et que vous lui mandiez qu'elle ne sait ce qu'elle veut dire quand elle dit qu'elle a des correspondances avec les étrangers et que c'est de vous qu'elle se sert pour ces intrigues.

— Jamais je n'oserai écrire à ma maîtresse de la manière que Votre Excellence l'ordonne. Ce serait trop de liberté à moi.

— Eh bien, messieurs, s'exclama le prélat en se tournant vers ses assesseurs, nous le verrons aussi respectueux que fidèle !

Il était minuit passé depuis longtemps. Le Cardinal était las et sarcastique. Il était sûr à présent que la Reine n'avait point menti ; il avait décidé de plier bagage.

— Vous aurez du temps pour y songer, mon ami. Il faut cependant retourner à la Bastille.

— Votre Excellence m'avait promis en arrivant que je n'y retournerais point, hasarda Pierre par acquit de conscience et de logique.

— Il est vrai ! Mais seulement si vous disiez la vérité ! Vous ne l'avez pas dite, La Porte, et vous y retournerez.

Le chancelier, toujours assis, faisait des gestes pour

chasser les papillons qui l'incommodaient au visage. Il bâilla largement puis demanda, avec une mine à tâter du vinaigre, si Mme de La Flotte, la parente de Mme de Hautefort, ne savait rien de toutes ces intrigues.

— Comme je ne sais rien, Monseigneur, je ne sais pas si les autres savent quelque chose, répondit le prisonnier avec une fraîcheur d'esprit qui, vu l'heure qu'il était, finit de décourager tout à fait ses inquisiteurs.

— N'insistons pas, messieurs, lança le Cardinal sur un ton désabusé. Il n'y a plus rien à espérer par la voie de douceur. Après l'affaire La Thibaudière, il nous faudra user d'autres moyens.

Il prononça ces mots en laissant planer les plus lourdes menaces, qui signifiaient d'ailleurs sans aucun mystère que le prisonnier serait soumis à la question.

— Tant pis pour vous, La Porte : votre fidélité sera mise à rude épreuve, cela c'est une promesse que je vous fais. A bon entendeur, peu de paroles.

Richelieu, toutefois, le regardait sans haine. Le ministre, habitué à corrompre avec de l'argent et des honneurs tout ce que la Cour et la ville comptaient de nobles comme de bourgeois, était à la fois irrité par son insuccès, qui était une sorte d'échec diplomatique, et conquis par un homme de cette trempe. Accoutumé qu'il était à traiter la terre entière avec le mépris souverain que lui inspiraient la faiblesse humaine, sans excepter la sienne, et la petitesse des plus glorieux, son œil gris courait ici et là d'une chandelle à l'autre, puis considérait son prisonnier avec une curieuse bienveillance. M. des Noyers ayant voulu faire signer hâtivement les dépositions, Pierre protesta qu'il ne les signerait pas à moins de les avoir lues. Étant donné l'heure extrêmement tardive, le secrétaire d'État faisait des difficultés pour le laisser se plonger dans une lecture minutieuse du détail de ses déclarations, mais le Cardinal intervint, décidément impressionné par tant de fermeté et de crânerie :

— Il a raison, monsieur des Noyers, il a raison !

Il y avait dans le ton une sorte de fierté qui voulait dire : « Vous ne savez pas à qui vous avez à faire ! » Et le ministre se frotta les mains comme s'il était tout de bon son compère.

Il le congédia sans froideur, avec un sourire presque cordial, dès qu'il eut signé, le reconduisant jusqu'à la porte de la salle pour le remettre aux mains du capitaine de ses gardes ; il lui souhaita même le bonsoir sans une once d'ironie.

Au reste, le calme étant revenu dans le palais, et tous ses visiteurs partis, Son Éminence demanda à l'abbé de Beaumont, son maître de chambre, de faire venir à son coucher tous les gens de sa maison. Là, pendant qu'on le déshabillait et qu'on lui préparait son lit, il leur fit à tous un long sermon sur le sens du devoir et la fidélité que l'on doit à ses maîtres. Il conclut, avant de réciter avec eux une courte action de grâces :

— Je souhaiterais pour beaucoup être assuré d'avoir parmi vous une personne aussi honnête et aussi fidèle que l'homme qui vient de sortir d'ici.

Quand Pierre revint dans son cachot, cinq heures s'étaient écoulées depuis son départ. De Herce, qui le croyait depuis longtemps en train de garder les moutons à la lune du haut d'un gibet, s'était couché dans son lit. Depuis une semaine, le pauvre garçon dormait sur une méchante chaise, appuyé contre la muraille ; aussi, ne voyant pas revenir le prisonnier, il avait pris bonnement ses aises... Il dormait si profondément et de si bon cœur qu'il ne s'éveilla point au bruit des portes que le sergent avait ouvertes, puis refermées avec fracas.

Pierre sentit une grande bouffée de colère qui l'envahissait : il avait eu son saoul de désillusions pour la soirée ! Que La Thibaudière, à qui il se fiait, eût fait sa cour à ses dépens, gagné du crédit en se prêtant à une combinaison infâme et touché des sacs d'écus au mépris du péril de mort qu'il lui faisait encourir le révoltait jusqu'à l'écœurement – pis : l'homme croyait, non sans raison, que le porte-manteau ne réchapperait pas de ce coup et ne pourrait jamais lui réclamer des comptes !... Tout cela lui causait un douloureux accablement. Mais La Thibaudière était loin à cette heure ! Il était allongé douillettement dans une alcôve, quelque part en Touraine, tandis que ce petit jeune homme était devant lui, vautré sans façons dans son méchant lit de sangles !... Ah ! il le croyait donc mort, lui aussi. On lui réglait son sort bien vite, à ce qu'il paraissait ! Pierre eut un mouvement de violence et s'avança dans l'obscurité de la tour pour rudoyer l'insolent, le jeter au sol et reprendre son bien avec rage.

Comme il portait la main sur lui, la lune sortit d'un nuage et un rayon, filtrant par l'étroite fenêtre, tomba droit sur le corps de De Herce. Il était étendu sur le dos, la chemise largement ouverte sur la poitrine, son bras droit pendant en dehors du petit lit étroit. Il avait la tête tournée sur le côté, avec son bras gauche replié devant son visage, le poing fermé contre sa bouche. Une mince moustache blonde et follette courait sur sa lèvre, se mêlait au duvet de ses joues ; sa respiration était lente et régulière, la chair de sa poitrine et de son cou luisait légèrement à la lumière pâle qui l'effleurait dans la moiteur du cachot. En se baissant pour lui secouer l'épaule, moins rudement qu'il n'avait prévu, Pierre eut une surprise qui l'arrêta dans son mouvement : de Herce avait la bouche ouverte et son gros doigt planté dedans... Il comprit tout à coup que ce garçon volontiers sentencieux dans la veille suçait son pouce en dormant.

Pierre songea qu'après tout il était lui-même bien trop agité pour dormir... Il se sentait brisé par la tension de cette soirée si emplie d'événements imprévus, mais il n'aurait pas vraiment sommeil tout de suite. Il tira la chaise auprès de la fenêtre pour profiter de l'air frais du dehors. Le soldat, qui avait ouvert un œil à son entrée et grogné un mot à l'adresse du sergent pour indiquer sa surprise de revoir son prisonnier – avec ses bottes ! –, s'était remis à ronfler lourdement sur sa paillasse. Le cachot sentait la sueur, les pets, l'urine froide, avec quelque chose de plus infect venant de la terrine découverte qui dégageait les miasmes des coliques du mousquetaire précédent.

Le gentilhomme fut surpris du silence inaccoutumé. Il chercha soudain ce qui manquait à cette immobilité de l'air carcéral : c'étaient les grenouilles !... La clameur s'était tue dans le fossé. Il se demanda ce qui avait bien pu les faire taire et quel mystérieux besoin réglait le chant des rainettes... Seul un chien aboyait assez loin, sur le port, il semblait, dans les chantiers de bois flotté qui s'étendaient au-delà du rempart. Pierre regarda la lune à travers les barreaux ; elle paraissait courir derrière une dentelle de petites nuées blanches sur un ciel foncé. Elle avait commencé de décroître et prendrait bientôt la forme du croissant. « La lune est en décours, les femmes sont folles », pensa-t-il ; et il ne vit point la raison pour ce vieil adage.

Il pensa au conte que lui faisaient jadis les femmes, du temps qu'on le menait en lisière dans la prairie du bord du Loir : que la lune un jour demanda à sa mère la raison pourquoi on ne lui donnait point une robe. Sa mère lui dit qu'elle ne saurait la lui coudre à sa taille, vu qu'elle était si changeante, tantôt ronde comme un écu, tantôt mince et torte comme l'alêne d'un savetier... Pierre pensa qu'il est des humains inconstants comme la lune et qui devraient aller nus comme elle, afin qu'on les vît clairement. Que les plus lourdes parures ne font que cacher la mobilité des âmes...

Il bâilla. Il étendit ses jambes au fond de l'embrasure, d'où sortit un rat. Il se dit que l'habit ne fait pas le moine. Il frotta ses mains contre ses cuisses et cala son épaule contre la paroi. Il eut encore des visions de moines qui allaient par les chemins, en robe de bure rouge, chantant comme des grenouilles à gorge déployée... Ensuite, il s'endormit sur la chaise, la tête appuyée contre les pierres du mur.

CHAPITRE VIII

La Porte ne fut pas pendu. Mais, le lendemain, il fut ramené chez le gouverneur de la Bastille. Là, on lui donna de l'encre et du papier, avec commandement de par le Roi d'écrire à la Reine sa maîtresse selon les instructions de Monsieur le Cardinal, afin de faire remarquer à Sa Majesté qu'il ne comprenait pas qu'elle pût dire qu'il l'avait servie dans une affaire de correspondance dont il ignorait tout... Il lança en réalité un appel fort habile et bien enveloppé par lequel il demandait, dans la circonvolution des phrases, ce qu'il fallait au juste qu'il dît : il en déduirait aisément tout seul ce qu'il devait continuer à taire. Pierre rédigea donc sa lettre en ces termes :

« Madame,

« Monsieur le Cardinal me dit hier que Sa Majesté avait dit au Roi qu'elle avait des intelligences avec le roi d'Espagne, le Cardinal Infant, l'archiduchesse, le duc de Lorraine et Mme de Chevreuse, et que c'était par moi que Votre Majesté entretenait ces correspondances. J'ai tant de confiance en la bonté de Votre Majesté et en sa justice que je ne saurais croire qu'elle me voulût accuser d'une chose dont elle sait bien que je suis innocent : toutefois, s'il y va du service de Votre Majesté de dire toutes ces choses, quoique je n'en sache rien, je les dirai, pourvu que Votre Majesté me fasse savoir ce qu'il lui plaît que je dise ; mais si cela n'est point, je la supplie très

173

humblement de détromper le Roi et Son Éminence de l'opinion qu'ils ont que j'ai servi Votre Majesté en toutes choses qu'ils disent. »

Quelques jours plus tard, le gentilhomme fut conduit chez le chancelier Séguier, qui lui communiqua lui-même la réponse écrite de la main de la Reine, dans cette haute calligraphie qu'il connaissait bien ; cette réponse était brève et sibylline à souhait... Pierre la lut deux fois sous l'œil d'aigle du chancelier, qui guettait ses moindres gestes :

« La Porte, j'ai reçu la lettre que vous m'avez écrite, sur laquelle je n'ai rien à vous dire, sinon que je veux que vous disiez la vérité sur toutes les choses dont vous serez interrogé. Si vous le faites, j'aurai soin de vous et il ne vous sera fait aucun mal ; mais si vous ne la dites point, je vous abandonnerai. »

ANNE.

Il était impossible de déceler quoi que ce fût dans un pareil message : aucun indice, nulle direction, sinon que la brièveté même, l'imprécision ostensiblement calculée de la missive, son ton détaché, son style si anodin dans une affaire où elle risquait sa couronne et sa liberté, traduisaient, pensa Pierre, le très grand embarras de Sa Majesté... Eût-elle souhaité qu'il dît véritablement tout ce qu'il savait, Anne eût employé une autre réplique. Il décida qu'on lui demandait de continuer à se taire et rendit impassiblement la lettre au chancelier.

Celui-ci lança d'un ton enjoué, brandissant le papier :

– Eh bien ? Êtes-vous content ?... La Reine vous mande de dire la vérité, vous pouvez dire tout ce que vous voudrez : cette lettre vous met à couvert.

– Quoi, monseigneur, s'écria Pierre, parce que la Reine me mande de dire la vérité, vous voulez que je l'accuse des choses dont je ne la sais point coupable ! Je veux bien que vous sachiez qu'il n'y a point d'envie de faire ma fortune, ni de peur de la mort, qui puisse me faire faire cette lâcheté.

La conversation, dès lors, recommença son cours habituel de questions perfides suivies de dénégations réfléchies et obstinées. Le chancelier Séguier, homme rigide et peu sensible au charme des finasseries, perdait résolument patience. Au bout d'une heure, il explosa :

– Mais ne savez-vous donc pas qu'il y va de la vie d'être dans des intrigues contre le service du Roi et de l'État ?

– Je ne crois pas, répondit le gentilhomme d'un air pénétré, que la Reine soit dans des intrigues de cette nature ; mais quand il me faudrait mourir, ce serait le plus grand honneur qui pourrait arriver à un homme de ma sorte que de perdre la vie pour le service d'une princesse persécutée.

– Persécutée ! Vous en parlez à votre aise !...

Le chancelier se mit à marcher dans la pièce d'un pas nerveux et la mine offensée.

– La Reine n'est pas persécutée, monsieur !

Il mit alors La Porte en mesure d'écrire une seconde lettre à sa maîtresse, afin qu'elle confirmât la première. C'est ce que Pierre avait souhaité pouvoir faire, espérant qu'un plus grand échange de correspondance entre la Reine et lui permettrait de clarifier le jeu. Il s'exécuta sur-le-champ et termina son message par ces mots :

« S'il plaît à Votre Majesté que je dise toutes les choses qu'on veut que je sache, qu'elle me fasse la grâce de me mander mot à mot tout ce qu'elle voudra que je dise, parce que, ne sachant rien, je pourrais manquer au service qu'elle désirerait de moi. »

Pierre avait deviné juste : à Chantilly régnait l'agitation la plus extrême, ensemble avec une très grande affliction. L'évêque de Beauvais, qui était du parti de la Reine, le Père Caussin, confesseur du Roi, qui travaillait généreusement et de tout son cœur à la réconciliation des époux royaux, s'abîmaient tous deux en continuelles supplications au Ciel et passaient, comme Anne, leurs journées à genoux, priant pour obtenir de Dieu la grâce que le porte-manteau demeurât muet... Mais le temps pressait : il était nécessaire que La Porte confirmât au plus tôt les déclarations que la Reine avait faites, et celles-là seulement, faute de quoi les suspicions demeureraient présentes, porteuses d'inimitié. Ce désaccord entre la princesse et son serviteur ne pouvait devenir que hautement suspect aux yeux de Son Éminence et lui donner sujet de relancer son enquête et ses accusations. Il fallait à tout prix que La Porte sût exactement ce qu'avait avoué la Reine, ainsi qu'il le demandait en effet dans ses lettres avec tant d'habileté ! Le cher homme ! Cher ami, jusqu'au bout dévoué, qui devant le péril trouvait l'audace et la finesse d'esprit de ruser face à des procureurs aussi retors et rompus à la chicane qu'étaient le chancelier et le Cardinal. La Reine ne pouvait tout de même pas lui répondre ouvertement et lui indiquer par la voie officielle ce qu'il convenait de reconnaître : cela eût ôté tout crédit à la confrontation !

Dans le désarroi où elle se trouvait, Anne écrivit secrètement à Mme de Hautefort, qui était restée à Paris dans l'entourage du Roi et ne savait qu'imparfaitement les graves nouvelles. Depuis deux mois, le Roi, qui ne savait plus à qui parler depuis le départ d'Angélique pour le couvent, errait tristement comme une âme en peine ; il s'était de nouveau tourné vers son ancienne favorite, ne fût-ce que pour épancher son cœur en parlant de l'absente. Ce faisant, il s'était réaccoutumé à l'esprit pétillant de la belle Marie, laquelle, mettant un peu d'eau dans son vin, avait graduellement regagné toutes les anciennes faveurs du monarque... Elle tâchait de son côté de calmer au mieux son esprit inquiet sur le sujet des correspondances, dont il s'était ouvert à elle, et de l'incliner à plus de clémence dès lors qu'il avait officiellement pardonné – mais sans connaître l'urgence des nouvelles menaces. Anne lui dépêcha Mlle de Chémérault, une de ses filles d'honneur dévouée et habile, qui la trouva auprès du Roi quand elle lui remit son message. En recevant l'appel désespéré de la Reine, Marie de Hautefort n'écouta que son courage chevaleresque : la fougueuse jeune fille organisa aussitôt une combinaison fort audacieuse, au risque de se perdre elle-même si elle était découverte et de ruiner définitivement, avec sa faveur reconquise, sa réputation et sa liberté. Elle n'hésita pas à prendre l'habit d'une femme de chambre pour se rendre à la Bastille en compagnie d'une amie, Mme de Villarceaux, qui y faisait ordinairement visite, afin de prendre langue avec des amis sûrs, entièrement dévoués à la Reine, dans le dessein de faire prévenir La Porte dans son cachot. Sous ce déguisement, elle put ainsi s'entretenir à la grille de la prison, sans être connue, avec le commandeur de Jars, le rebelle célèbre à la férule de Richelieu.

De Jars avait jadis connu l'effroi de l'échafaud et senti la main du bourreau se poser lourdement sur sa nuque ; sa haine du Cardinal s'en était trouvée décuplée. En effet, il avait été compromis dans ces intrigues de la Cour qui avaient eu lieu lors de la maladie de Son Éminence à Bordeaux, et il s'était vu arrêter et condamner dans le sillage de M. de Beaumont, qui avait mené le complot. Son procès avait été conduit dans la ville de Troyes par M. de Laffemas, maître des requêtes et grand gibecier de France, ce « fidèle satellite d'Armand » dont parlait la *Miliade*, celui

De qui les mains sont toujours prêtes
A couper les illustres têtes.

Le fougueux commandeur se défendait bec et ongles contre ce pourvoyeur du bourreau dont la conscience ne s'embarrassait guère de scrupules. Pour Laffemas, les témoignages manigancés à l'aide de fausses pièces ajoutées au dossier et les accusateurs véreux payés en espèces sonnantes faisaient partie du train ordinaire de la justice. Or, un jour de fête solennelle où les gardes avaient conduit le commandeur entendre la grand-messe à la cathédrale de Troyes, Laffemas avait communié non loin de lui. De Jars avait profité du moment où son juge venait de recevoir l'hostie de la main de l'évêque pour bousculer ses gardes et sauter sur lui comme un lion furieux. Le saisissant rudement au collet, il le pressa d'avouer publiquement, devant toute la ville assemblée et devant le Dieu vivant qu'il tenait encore sur sa langue, qu'il avait acheté tous les témoins qu'il lui avait confrontés !... La surprise fut grande dans l'église, et le maître des requêtes, violemment secoué, s'était contenté de répondre que le commandeur était trop violent et qu'il se perdrait. De fait, de Jars avait été condamné à avoir la tête tranchée.

Il fut donc mené sur l'échafaud, les yeux bandés, et préparé à l'exécution par le bourreau, qui lui coupa les cheveux et lui échancra rituellement le col de sa chemise. Après avoir dit ses prières, le malheureux fut contraint de poser sa tête sur le billot, et ce ne fut qu'à ce moment, alors qu'il attendait la chute de la hache, qu'un officier cria « grâce » de la part du Roi. On vit à cela que le condamné avait été l'objet d'une sinistre comédie destinée à le faire avouer et aussi à venger Laffemas de la peur qu'il avait eue dans l'église. Malgré sa bravoure, le pauvre homme avait été deux jours entiers sans pouvoir prononcer une parole !... Il avait ensuite été conduit à la Bastille, où il séjournait depuis lors : on peut juger que sa rancune était grande et sa haine aiguisée pour tout ce qui touchait les agissements du Cardinal. Marie de Hautefort pouvait donc se fier entièrement à lui et à son dévouement pour la Reine ; sous ses habits d'emprunt et sa coiffe de servante qui dissimulait son visage, elle conta au commandeur, derrière la grille du corps de garde, le grand péril où était Sa Majesté et expliqua qu'il fallait communiquer coûte que coûte des renseignements à La Porte, prisonnier dans la tour.

De Jars promit son aide de grand cœur après s'être assuré des réelles intentions de la favorite et confia la périlleuse mission à un valet plein de ruse et d'entregent qui s'appelait

Bois-d'Arcy. Celui-ci entreprit aussitôt de gagner les autres prisonniers qui se trouvaient au-dessus du cachot de La Porte, ce qu'il fit en grimpant sur la terrasse de la tour à l'insu de la sentinelle. Par le moyen d'une grosse pierre qu'il ôta au pavement, il parla à des Croquants d'Aquitaine qui attendaient là d'être conduits au supplice... Bois-d'Arcy fit si bien qu'en peu de temps le porte-manteau fut mis exactement au courant par le commandeur de Jars de ce qu'il fallait qu'il avouât absolument : la Reine avait écrit à son frère le Cardinal Infant par le marquis de Mirabel et il avait lui-même remis les lettres au secrétaire de l'ambassade d'Angleterre qui s'appelait Auger.

Il était grand temps!... Devant les dénégations obstinées de Pierre, Son Éminence lui avait dépêché depuis quelques jours un inquisiteur de marque : nul autre que le redoutable Laffemas en personne. Ce dernier avait curieusement commencé sa mission par mille embrassades et cajoleries, accompagnées de fermes propositions d'argent, puis, devant le total insuccès de ces protestations d'amitié, il lui avait brusquement fait montrer la question... Ils étaient donc descendus, en compagnie du sergent La Brière qui servait de guide instructeur, jusqu'à la salle basse de la même tour dans laquelle étaient installés en permanence les instruments de la torture. La Brière expliqua, comme il était légal de le faire, le rôle de toutes ces machines, exposa les ais, les coins, les cordages qui servaient à la question ordinaire et à la question extraordinaire, qui était comme l'embellissement de la première. Laffemas soulignait tout du long, avec exactitude et empressement, les détails précis des douleurs cruelles que ces engins faisaient endurer. La question ordinaire, apprit Pierre, consistait à étendre l'accusé sur un banc, à lui attacher les bras et les jambes avec des cordes, lesquelles étaient glissées, en haut des madriers, à quatre anneaux de fer qu'il pouvait voir. En tirant sur ces quatre cordages, le corps du supplicié se trouvait tenu en extension, suspendu en l'air. Dans cette position peu enviable, on lui faisait d'abord ingurgiter quatre potées d'eau claire. Après quoi on tirait un peu plus sur les cordes, qui le soulevaient encore plus haut et exerçaient une traction fort douloureuse sur les quatre membres. On obligeait alors le prisonnier à avaler quatre autres potées d'eau... Si tout cela se révélait insuffisant pour faire avouer le suspect qu'on ne cessait pendant tout ce temps de presser de questions verbales, on passait au stade de la question dite « extraordinaire ». Celle-ci, expliquèrent les guides, comportait d'abord l'enserrage des pieds dans de petits ais de bois appelés « brodequins » ; il s'ensuivait un écrasement progressif des petits os, qui provoquait des douleurs très aiguës susceptibles de délier les langues les plus récalcitrantes... La Brière fit également un discours détaillé sur un procédé parallèle qui consistait à lier fortement les jambes du sujet questionné, puis, en cette position, à lui enfoncer de gros coins de bois entre les genoux. Cet enfoncement s'opérait à grands coups de maillet, et le sergent montrait les coins, qu'il faisait tâter à Pierre, et donnait des coups de maillet terribles sur les montants de bois, comme pour éprouver la solidité de l'outil. Laffemas ajouta que les deux procédés pouvaient naturellement être employés simultanément : le résultat, précisa-t-il, était que le malheureux avait alors les pieds écrasés pendant qu'on lui aplatissait les genoux.

Pierre répondit crânement à ces discours que le Roi étant le maître de sa vie il pouvait la lui ôter et, à plus forte raison, lui faire aplatir les genoux si tel se trouvait être son bon plaisir... Il ajouta qu'il ne pouvait croire que Sa Majesté consentît qu'on le traitât de la sorte sans qu'il l'eût aucunement mérité. Il pâlissait pourtant et dut serrer les dents plusieurs fois à l'évocation des terribles souffrances qui l'attendaient. Certes, ses « aveux » étaient à présent tout préparés grâce à la diligence de ses amis, mais il voulait les retenir le plus qu'il lui serait possible, afin de ne pas paraître donner trop vite ce qu'il avait caché si longtemps : il ne voulait pas laisser croire qu'il était lâche, de crainte que

Laffemas ne lui fît donner tout de suite la question qu'il lui présentait, dans l'assurance d'obtenir à bon compte des aveux rapides et complets.

Le gentilhomme transigea donc du mieux qu'il lui parut raisonnable de le faire. Il se fit tirer l'oreille encore quelques jours, tout en évitant de se faire tirer les membres... Il reconnut d'abord qu'il avait, en effet, quelque chose à dire – mais il exigea aussitôt une nouvelle autorisation de la Reine, sa maîtresse, pour confier son secret. Autorisation qui devait être, cette fois, donnée de vive voix par un intermédiaire sûr, choisi par lui – tant il se méfiait, disait-il, des subterfuges des messages calligraphiés... il parlementa de nouveau, puis obtint satisfaction. Enfin, ayant de la sorte bien fait languir son monde et montré à l'envi combien il était dur à l'éperon, il « avoua », dans une déposition en règle et dûment signée, ce qu'il avait secrètement reçu ordre de déclarer. Comme sa déposition cadrait parfaitement, et pour cause, avec ce que la Reine avait admis quelques semaines plus tôt, la réconciliation fut définitivement faite entre les époux, à la très grande satisfaction et soulagement de tous et de toutes.

Donc, vers la fin du mois de septembre, quelques jours après la Saint-Matthieu, La Porte, grâce à qui la paix était revenue dans le ménage royal et à la tête du royaume, fut sorti de son cachot. Il put jouir ainsi des libertés de la Bastille et fut logé comme les prisonniers ordinaires à l'intérieur de la forteresse, où il fut reçu et fêté à l'égal d'un héros de conte par la plupart des pensionnaires du lieu, car, outre les deux ou trois personnes qui avaient été dans la confidence, tous étaient hostiles au gouvernement du Cardinal. Il eut le loisir de se promener dans la grande cour, ainsi que sur les tours et les terrasses de la citadelle, seul ou en société. Dès que fut connue la nouvelle de sa libération, il reçut également de nombreuses visites des amis qui voulaient le complimenter et savoir de sa bouche les tourments qu'il avait endurés. Ces visiteurs arrivaient à la grille qui séparait la grande cour du pont-levis conduisant au corps de garde, de sorte que les prisonniers pouvaient quelquefois apercevoir les personnes s'ils se trouvaient dehors et s'approcher d'eux-mêmes de la grille pour leur parler et les embrasser par-delà les barreaux de fer. L'une des premières à venir lui faire fête fut la fidèle Marie de Hautefort ; elle arriva en compagnie de Mlle de Chémérault, qui avait eu part à l'aventure, et cette fois à visage entièrement découvert. Il vit la belle favorite avec une telle émotion qu'il pleura en l'apercevant... Les jeunes filles s'entretinrent plus de deux heures avec lui, lui contant au travers de la grille les circonstances qu'il ignorait dans cette terrible affaire, lui fournissant tous les détails qu'il n'avait pu connaître... Elles lui dirent l'affliction et la grande frayeur où s'était trouvée la Reine et lui firent de sa part mille caresses. Sa Majesté les avait priées de lui dire combien elle se confondait en éternelle gratitude pour son courage et sa fidélité. Elle ajoutait des promesses de belles récompenses pour le jour où il serait complètement libre, ce à quoi elle tâcherait à s'employer de tout son pouvoir dans les mois à venir. Marie lui avait apporté et fait présenter par une jeune soubrette en chaperon un grand panier d'oublies pour partager avec ses amis, et un autre de friandises qu'elle avait commandées à propos au pâtissier de sa grand-mère. Celui-là était garni de poupelins au beurre et aux œufs frais, de pois sucrés, de dragées en grande abondance et de quantité de pains d'épice auxquels elle avait ajouté plusieurs pots de confitures faites par le confiturier de l'évêque de Beauvais. Il y avait aussi, apportés du carrosse par une autre servante pour le commandeur de Jars et ses amis, deux beaux pâtés de cailles qui étaient en saison et un autre de lièvre, bien doré dans sa croûte parfumée au fenouil confit. Après le départ des dames, Pierre donna la collation à quelques gentilshommes dont il partageait le sort. Dans la même chambre que lui se trouvaient logés deux autres prisonniers : le comte d'Achon, qui malgré sa jeunesse avait subi cinq ans de cachot sans voir le jour pour avoir fait partie de la cabale de la Reine Mère au moment où celle-ci avait essayé de sauver la vie au duc de Montmorency. Avec lui était M. de Chavaille, lieutenant général d'Uzerche en Limousin, sieur du Pouget, lequel avait eu des démêlés avec le gouverneur de la province, M. de Ventadour, à qui il refusait de se soumettre... Ces messieurs étaient fort occupés de diverses choses qui meublaient leur loisir : le comte d'Achon dressait des chiens au manège de la prison et il étudiait les mathématiques ; le sieur du Pouget écrivait un livre ; quant à Pierre, il profita du voisinage de M. du Fargis, qui savait le dessin, pour apprendre à dessiner selon les lois de la perspective que ce seigneur lui expliquait.

Quelques jours après que Mme de Hautefort fut à la Bastille, La Porte reçut la visite du Rousseau de l'hôtel de Chevreuse. Il était dans la cour quand il aperçut la chevelure flamboyante du portier de l'hôtel, ce qui lui fut une agréable surprise ; le Rousseau lui faisait des signes derrière la grille. Son chien, le voyant dans la peine de se faire entendre, s'était mis à japper si fort qu'il avait ameuté tous les autres chiens de la cour – ce dont l'attention du gentilhomme et de quelques autres personnes avait été brusquement attirée... Pierre s'avança, souriant de la bonne surprise que lui causait cette apparition. L'homme lui apportait assurément des nouvelles de la maison et, s'il se pouvait, des commissions plus particulières. Le portier l'informa en effet du train des affaires ; il lui raconta comment il avait été lui-même arrêté et interrogé toute une heure d'horloge chez M. le chancelier après que les messieurs eurent fouillé de fond en comble la chambre du gentilhomme, qu'il avait été mis en demeure de leur indiquer. Ils avaient emporté tous les papiers qu'ils avaient pu trouver... Ils avaient aussi emmené le petit Renaud, qui se trouvait alors dans la chambre, tout dolent de la disparition de son maître. Ils avaient fait cent questions à l'enfant, lui demandant si son maître écrivait souvent et ce qu'il faisait de ses lettres – toutes choses que le pauvre petit valet ignorait tout de bon. Renaud était si embarrassé et si apeuré de ces questions qu'il ne sut que pleurer pendant tout le temps qu'il demeura chez le chancelier : tous ces messieurs n'en purent tirer d'autre son que celui des sanglots. Le Rousseau avait lui-même été menacé du fouet s'il ne disait pas ce qu'il savait des activités épistolaires du gentilhomme de la Reine – mais il s'en était tenu à la plus entière discrétion. Il s'était entêté à répéter qu'il ne savait rien : « Nenni, jarni ! » et s'était enfermé dans le français le plus mal famé qui pût lui venir en tête, de sorte que – « Chut ! Motus ! La cane pond ! » – il n'en avait pas dit plus long au bout de l'heure que le petit garçon. Le Rousseau était encore tout joyeux d'avoir fait endêver tant de gens bien éduqués en passant pour un sot fieffé ; il éclatait de rire en contant cela, et Roussel, complaisamment, jappa deux fois... Quant au petit Renaud, il était retourné chez ses parents après tous ces fracas, où il attendait des ordres.

Pierre était fâché d'avoir causé ce tintouin à ces braves gens ; il enrageait qu'on eût malmené son petit valet. Le Rousseau protesta que cela n'était rien et produisit un paquet qu'il avait entouré d'un méchant drap tenu par des sangles. C'était là un habit propre et du linge de rechange qu'il avait pris la liberté d'aller quérir dans la chambre du gentil-homme ; il avait pris l'habit dans l'« ormoire » qui béait suite au tohu-bohu que ces messieurs avaient fait par deux fois dans ses affaires... Le portier avait aussi apporté quelques poires du jardin de Chevreuse, cueillies au poirier placé contre le mur du cimetière des Quinze-Vingts, où les fruits mûrissaient de bonne heure à cause du plein soleil qu'ils prenaient au midi. La Porte se confondait en remerciements, ému de toutes les attentions et gentillesses du Rousseau – surtout pour les habits, dont il manquait cruellement ! Avant de partir, le portier expliqua qu'il avait tenu à assister personnellement à chacune des fouilles de la chambre, de par sa charge auprès du duc de Chevreuse. Il s'était chaque fois tenu dans l'embrasure de la fenêtre, afin, disait-il, de mieux surveiller les opérations ; il avait interdit, de par le duc, que l'on sondât les murs – ce qu'un sergent proposait de faire lors de la seconde visite –, sous peine de plainte pour les dégâts causés à l'hôtel dont il avait la garde. Disant cela, l'homme passa plusieurs fois sa main dans sa chevelure roussâtre en fixant un caillou de la cour ; Pierre écoutait ces précisions avec le plus vif intérêt, il se demandait ce que savait au juste le Rousseau et s'il ne lui avait pas tout bonnement sauvé la vie, en même temps que l'honneur de sa Reine...

Les jours passèrent, et les semaines. Le temps demeura beau à la fin de septembre, l'air tiède et serein ; dessous le pont Marie coulait un bras de la Seine, l'autre bras coulait sous le pont de la Tournelle. Pierre aimait à se promener seul sur les tours de la Bastille ; il contemplait en rêvant les jardins du faubourg Saint-Antoine et les petits villages de Piacout, un peu plus loin, de la Roquette, de Charonne, dont les vergers étaient chargés de pommes et de raisins ; il suivait l'activité des chantiers de bois en grume qui arrivait par flottaison jusque sous ses yeux, au port de la Rapée. Il contemplait Paris, de l'autre côté de la forteresse, depuis la place Royale, toute proche, jusqu'au Louvre, au loin – la cathédrale Notre-Dame ne lui avait jamais paru aussi immense, particulièrement comparée aux chapelles qui hérissaient la montagne Sainte-Geneviève peuplée d'écoles ! En face, au septentrion, on distinguait fort nettement, quand le soleil luisait, le couvent des abbesses de Montmartre...

Pierre respirait l'air frais et vivifiant qui circulait sur le chemin de ronde et qui lui avait tant manqué dans son cachot. Il avait gagné, dans l'air confiné de la geôle, une fièvre lente qui, jointe à la tension où il était soumis, l'avait beaucoup affaibli. Il avait été touché par la contagion des miasmes malsains répandus partout – encore avait-il été heureux de ne pas être atteint par la caguesangue, dont le second soldat avait souffert à la suite du premier pour avoir couché sur la même paillasse ; à cause des rats aussi, sans doute, si nombreux qu'il fallait les abattre à coups de botte et qui allaient crever dans les lézardes des murs où ils pourrissaient lentement avec une odeur infecte dont le cachot était inondé nuit et jour. Le pauvre de Herce aurait fini par y perdre sa belle santé lui aussi, au bout du compte... L'infortuné gentilhomme ! Ils avaient fini par le pendre, après lui avoir fait hâtivement son procès. Parmi tous ses ennuis, Pierre en avait éprouvé une profonde tristesse et un regret qui s'attardait en lui ; car, malgré ses airs, qui lui venaient assez naturellement de sa grande jeunesse et de sa candeur, il s'était pris d'un doux attachement pour le petit gentilhomme – ils étaient devenus les meilleurs amis du monde dans l'adversité. Mais de Herce avait été condamné au supplice, tout à fait par erreur, songeait Pierre : parce qu'il n'avait eu personne pour le défendre. On lui avait imputé à lui seul la faute de cette évasion manquée au cours de laquelle un garde avait perdu la vie en tombant du créneau dans le fossé de la prison. Le jeune homme n'avait jamais eu assez d'entendement pour saisir la gravité réelle de sa situation... Sa mère, que l'on avait prévenue, l'avait abandonné à son sort ; prétextant l'endurcir, elle n'avait rien tenté pour le sortir de ce mauvais pas. De sorte que cette femme, l'ayant envoyé à la Bastille pour lui apprendre à vivre, lui avait en vérité appris à mourir.

Appuyé au créneau du chemin de ronde, le gentilhomme regardait à présent vers l'église Saint-Paul, au chevet de laquelle se dressait le gibet où de Herce avait terminé le cours de sa jeune vie, assez crânement, lui avait-on dit... Pourtant le pauvre garçon avait pleuré quand les archers de la prévôté étaient venus le chercher pour l'emmener pendre :

– Croyez-vous, monsieur, qu'ils me feront très mal ? avait-il demandé.

– Non, disait Pierre, vous n'aurez aucun mal si vous recommandez très fort votre âme à Dieu.

Et il s'efforçait d'en être sûr pour le dire.

– Assurément ?... J'ai grand-peur, cependant, je l'avoue. Se pourrait-il que quelqu'un criât « grâce » et qu'on me délivrât, au bon moment, comme on l'a fait pour le commandeur de Jars, de par le Roi ?... Le croyez-vous ?

Pierre ne sut que dire, tant la pitié qu'il éprouvait était forte et lui serrait la gorge.

– Cela se peut, monsieur, cela se peut...

– Ah ! je le voudrais de tout mon cœur ! disait le pauvre jeune homme en soupirant.

Au moment où il partait, Pierre l'avait embrassé. De Herce s'était accroché à lui si bien que le sergent La Brière, qui le pressait, dut lui défaire la main qui restait comme attachée au pourpoint du gentilhomme. La Brière, qui pourtant n'entendait pas raillerie, paraissait ému. Il lui dit en adoucissant sa brutalité coutumière :

– Allons, mon gentilhomme, songez à faire bonne figure, comme un homme le doit.

– A quoi cela me servira-t-il à présent d'être un homme ? répliqua de Herce, qui sanglotait.

Au moment de franchir le seuil de la première porte vers le degré, il se tourna et dit, de son air grave qui lui revenait soudain au visage :

– J'aurais aimé que vous fussiez mon père, monsieur.

Puis il avait ôté de son cou une miniature qu'il y portait suspendue à une chaîne d'argent ; pendant que le sergent attendait pour refermer la porte, il l'avait tendue à Pierre en disant :

– Prenez cela, s'il vous plaît... Je voudrais que ce pendant vous fît ressouvenir de moi. Prenez, je vous en prie, insistait le garçon, tandis que le gentilhomme, trop bouleversé pour faire un geste, sentait les larmes l'envahir. Le bourreau ne saurait qu'en faire et, du reste, ce serait trop d'embarras pour lui autour de mon cou !

Puis le garçon avait disparu sans sourire, d'un pas mécanique, à la suite du sergent La Brière.

Du haut des tours maintenant, dans l'air doux et lumineux d'octobre, Pierre contemplait le gibet où il avait failli périr lui-même. Il songeait que les desseins du Dieu sauveur sont impénétrables, mais que la justice des hommes était injurieuse pour les œuvres du Créateur et qu'il n'était pas bon qu'on pendît des enfants.

A mi-distance de Saint-Paul, presque sous les tours, La Porte voyait aussi le toit et le jardin du couvent de la Visitation, où s'était retirée Mlle de La Fayette. Le jardin des visitandines s'étendait sur l'arrière entre celui de l'hôtel Lesdiguières et les bâtiments de l'hôtel du Maine ; des Sœurs converses s'y employaient tôt le matin, cueillant les fruits du verger. Le Roi venait souvent rendre visite à la novice ; pendant qu'il était au parloir, son carrosse venait se ranger sur la petite place au pied de la forteresse. Souvent, Sa Majesté arrivait de loin pour voir Angélique – parfois il venait exprès de Fontainebleau, passait quelques heures avec elle au parloir, puis il s'en retournait. Pendant ces visites, le cocher dételait le carrosse et amenait boire ses chevaux, aidé du postillon, en les conduisant par le pont dans le faubourg où se trouvait un bief commode le long de la contrescarpe ; tous les chevaux du Roi pouvaient y boire ensemble, l'eau là était claire et fraîche, et le cocher fourbu se restaurait après dans un bouchon du port. Si le temps était mauvais, l'homme conduisait le carrosse royal à l'hôtel du Maine, où les palefreniers prenaient soin des bêtes – mais l'arrière-saison était belle, comme si Dieu eût ordonné que l'été devait s'attarder sur la terre et ne finir jamais.

Mlle de La Fayette, cependant, avait le cœur tellement déchiré en arrivant aux Filles Sainte-Marie, au mois de mai, qu'à peine installée dans le couvent elle tomba malade. Au bout de quelques semaines, elle dut prendre les eaux pour affermir ses forces et tempérer la langueur qui s'était emparée d'elle, avec des migraines et une fièvre persistante qui lui rendaient continuellement les mains moites, les yeux battus, le front las et triste – aussi il lui fut impossible pendant des jours et des semaines de lâcher son ventre à sa chaise de commodités, où elle demeurait des heures. Les regrets de la Cour étaient assurément la cause de cette altération de sa santé, comme la sûreté du renoncement auquel elle s'était résolue en choisissant les exigences de la vie monastique. La règle obligeait les religieuses à se lever dès avant l'astre du jour pour prier à la chapelle, dans la lueur faible et vacillante de rares chandelles de suif à l'odeur âcre... Angélique pleurait souvent et, en même temps, elle demandait pardon à Dieu de ce chagrin et de ne pas faire au Seigneur le sacrifice de son existence dans la joie... Mais, en dépit qu'elle en eût, elle traînait jusque dans l'austérité de sa cellule de nonne le souvenir incessant des gaietés de la Cour et la nostalgie impie des vanités mondaines. S'offrant en épouse au Roi du Ciel, elle souffrait comme l'amante d'un roi de la terre. Ces impressions avaient été si fortes que sa famille s'était émue: le bruit avait couru que son frère venait à Paris pour faire un éclat et l'arracher de gré ou de force aux murs du couvent – mais il n'en avait rien été.

Sa Majesté, quant à elle, n'avait adouci son propre chagrin qu'avec la promesse de l'aller voir. Dès qu'il se sentit un peu plus robuste, Louis avait en effet décliné l'offre insistante de Son Éminence, qui lui rebattait les oreilles des charmes de Mlle de Chémérault. Le 4 juin, il lui avait même fait tenir un billet dans lequel il demandait au ministre de cesser ses approches pour lui donner une nouvelle favorite :

« Si j'avais à aimer quelque personne, déclarait-il, j'aimerais mieux à essayer à me raccommoder avec Hautefort qu'avec quelque fille que ce soit à la Cour, mais n'étant pas dans mon intention de m'engager à jamais avec personne, comme je vous ai dit ci-dessus, et encore l'ayant promis à La Fayette, à laquelle je n'ai jamais manqué de parole, ni elle à moi, je persisterai jusqu'à la mort dans ledit dessein de ne m'engager à personne. »

Ensuite il avait écrit à la Mère supérieure pour lui marquer le jour et l'heure de la première visite qu'il souhaitait faire à sa chère Angélique. Il procéda de même par la suite, très civilement, chaque fois qu'il eut l'intention de se rendre au couvent de la Visitation. Leur première et touchante réunion avait duré plus de trois heures au parloir de la pieuse institution, ce qui fut partout admirablement rapporté et commenté à l'envi. Ce parloir était une assez grande salle, proche de l'entrée du monastère ; elle comportait, à une de ses extrémités, un passage ménagé dans la muraille épaisse, lequel communiquait avec le quartier des nonnes. Ce passage était entièrement barré en son milieu par une grille, où les religieuses avaient loisir de voir leurs visiteurs et de leur parler, sans pour cela pénétrer dans la salle commune. Cette grille était éclairée de chaque côté par de hautes fenêtres donnant sur le cloître... Le Roi et la novice s'asseyaient donc de part et d'autre, sur des bancs que l'on plaçait là à leur intention – Louis avait refusé dès le premier jour la chaise à bras garnie de velours que la Mère supérieure avait fait apporter de son côté pour la commodité de sa conversation ; il protesta qu'il ne voulait pas être mieux traité que la recluse dans la maison du Seigneur, auquel elle allait s'unir, et il exigea un petit banc pareil à celui qui servait à Angélique. Cette marque d'ascétisme avait été rapportée dans tout le couvent et lui avait valu des prières chaleureuses de la part des autres religieuses touchées de sa pieuse humilité. La petite troupe qui accompagnait le monarque au parloir se tenait éloignée par discrétion, de sorte à ne pas entendre la conversation qui avait lieu à la grille.

Le Cardinal, toutefois, n'avait pas apprécié d'aussi longues visites, dont il disait qu'elles avaient pris un éclat immodéré. Il avait demandé au Père Caussin, qui dirigeait la conscience de Sa Majesté, d'agir sur l'esprit du Roi de sorte que les visites pussent être notablement réduites et écourtées ; mais le bon Père, qui voyait aussi Angélique et les aimait tous deux, n'avait pas fort insisté dans le sens que désirait le ministre... Les visites de Louis demeurèrent à peu près semblables dans leur durée.

– Eh quoi, Monseigneur ! avait dit le jésuite un jour que Richelieu s'inquiétait devant lui de ces entretiens prolongés.

Qu'y aurait-il à craindre ? Mlle de La Fayette n'est qu'une enfant !

— Vous n'êtes pas méchant, Père ! avait répliqué Son Éminence avec un sourire amusé.

Il avait serré la main du confesseur et ajouté :

— Il faut que je vous apprenne la malice du monde. Sachez que cette « enfant » a pensé tout gâter.

De fait, la conversation roulait sur la vocation d'Angélique, qu'ils examinaient à neuf, ainsi que sur les bontés et les rudesses de l'état monastique, dont le Roi se faisait une représentation pleine d'attrait. Il lui aurait plu de pouvoir lui aussi chanter des cantiques dans l'anonymat d'une congrégation de moines, n'ayant devant ses yeux que la contemplation de son divin Seigneur. Il composait, du reste, de petits offices qu'il tirait des passages des Écritures pour son usage particulier et il avait été occupé tout l'été de cette musique à faire sur les grandes fêtes de l'année, les saints les plus renommés du royaume et le précieux sang du Sauveur... Il montrait ces offices à son confesseur, qui les approuvait fort, dans son cabinet de Saint-Germain, et le Père Caussin les chantait avec lui. Il lisait aussi saint Ignace de Loyola, ainsi que les écrits de Bérulle, qu'il se faisait commenter afin de mieux suivre les progrès en Jésus-Christ que faisait son aimée, avec laquelle il s'entretenait ensuite de ces belles choses — de manière que son âme à lui ne demeurât point rivée pesamment au sol pendant l'élévation de celle d'Angélique.

— L'âme doit rencontrer son Créateur seule à seul, disait-il.

Et c'était l'opinion de saint Ignace.

Louis était fasciné par la perspective de ce face à face géant avec Sa Divine Majesté. Il en parlait avec des yeux luisants, fixés sur la lumière qui tombait de la fenêtre haut placée du côté du cloître, derrière la grille, et qui enveloppait Angélique dans une auréole céleste... Ah ! les affaires de la Couronne étaient décidément bien lourdes à porter ! Les

191

armées, partout engagées, subissaient des revers : en Italie du Nord, les forteresses de la Valteline avaient dû être concédées à l'Espagne et évacuées ; en septembre, le duc de Savoie, son beau-frère, était mort subitement, laissant ce duché allié être la proie des convoitises ibères... Où que le Roi tournât son regard, ce n'étaient que guerres, misère, malheur ! Certains jours, confiait-il à la jeune recluse, il préférerait au trône l'humble miséricorde des stalles d'une abbaye ; retiré des courants d'ici-bas, il aimerait mieux la couche fruste d'une cellule de moine que son lit d'apparat. Il étonnerait le monde, assurait-il, s'il se laissait aller à son penchant ! Il choisirait sans plus de façons la voie que suivit jadis Charles Quint lui-même, l'arrière-grand-père de sa femme, lequel avait planté là pour reverdir sa grandeur et sa gloire d'empereur et s'en était allé finir ses jours dévotement au cœur obscur d'un monastère... Ah ! si seulement il avait un fils comme lui, à qui il pût sans dommage confier la lourde, l'écrasante charge des affaires terrestres ! Mais la Providence ne lui ayant pas donné de successeur, il ne pouvait de son chef abandonner son royaume, ses sujets, sans guide, au caprice du sort et aux coups des envieux. Hélas !...

Avec cela, les mauvaises langues ne cessaient de tourner, semblables aux bâtons des barattes qui changent le lait crémeux en babeurre : elles répandaient des bruits injurieux contre le gouvernement du Cardinal... Angélique, bien que tout occupée de ses méditations et tourmentée de la seule gloire de Notre-Seigneur, continuait à entendre, disait-elle, ces bruits fâcheux ; elle implorait le souverain, comme par le passé, de les faire cesser en arrêtant les guerres. Elle disait encore à Louis qu'il devrait rendre compte à Dieu, un jour, de tout le sang de Ses créatures qu'il faisait répandre en Son nom dans toutes les provinces, et le Père Caussin, ennemi des glaives, lui rapportait à cet égard les rumeurs mauvaises afin qu'elle usât de son crédit pour mettre ses sujets devant l'esprit du Roi.

Il fallait reconnaître, toutefois, que le Cardinal n'était pas toujours à blâmer : il avait fait merveille dans cette affaire de Croquants révoltés dans les vallées du Périgord... Ces gueux ayant mis un gentilhomme à leur tête, Son Éminence avait fait circonvenir ce nobliau en lui promettant de l'argent et des faveurs s'il ouvrait la ville de Bergerac aux soldats de La Valette sans livrer bataille. Ce Du Puy de La Motte avait obéi exactement aux émissaires du Cardinal, ce qui avait permis aux armées du Roi de faire des milliers de prisonniers et d'épargner autant de vies humaines qu'autrement il aurait fallu massacrer. Il ne s'était produit que quelques dizaines d'exécutions chez ces barbares, lesquels s'étaient tout de suite entre-tués, tellement cette trahison de leur chef avait semé la discorde parmi eux... Le duc de La Valette, en plein accord avec Richelieu, avait même eu l'élégante habileté d'enrôler tous ces Croquants prisonniers dans ses armées en échange du pardon de la Couronne et les avait sans plus tarder conduits à Saint-Jean-de-Luz devant les Espagnols !

La Fayette répondait que Sa Majesté ne se rendait pas compte à quel point la confiance aveugle qu'elle donnait au Cardinal la rendait coupable devant Dieu. Ils examinaient longuement cette hypothèse théologique ensemble ; mais le Roi, qui disait volontiers du mal de son ministre, souffrait difficilement qu'il fût blâmé en sa présence par d'autres que lui... Un jour que Mlle de La Fayette lui en parla trop fortement, il lui tourna le dos et partit sans lui répondre. Toutefois, il lui écrivit aussitôt en se repentant de l'avoir quittée si brusquement et il lui fit dire par le Père Caussin qui était leur lien et ami commun, qu'il ne désapprouvait point quant au fond la liberté qu'elle avait prise et qu'il reviendrait la voir bientôt. Cependant, après la Toussaint, la jeune fille, qui était entrée au couvent six mois auparavant, touchait au terme de son noviciat difficile. Son instruction étant achevée et sa résolution affermie de s'offrir tout entière à Dieu, le temps était venu pour elle de prendre le voile et de prononcer ses vœux.

Ce fut quelques jours avant la Sainte-Catherine, au milieu

du mois de novembre, que Louise « Angélique » de La Fayette retrouva de nouveau rassemblées pour cette occasion solennelle toute la Cour et les filles de la Reine accourues à la cérémonie. La prise de voile se fit dans le chœur de la cathédrale, à Notre-Dame, en présence des parents d'Angélique, qui étaient venus d'Auvergne pour assister aux épousailles de leur fille avec le Seigneur. Elle prononça ses vœux humblement, en pleurant, et effectua son renoncement au monde couchée de son long sur la dalle dure, les bras en croix, la face contre le sol... Le Père Caussin prêcha, mettant en épingle la beauté de l'abnégation chez les grands – qui sont pareils aux petits dans le Royaume de Notre Père. L'évêque de Limoges, oncle de la nonne, offrit l'anneau nuptial, et Anne d'Autriche, qui lui servait de marraine, lui donna le voile de sa main, tandis que les chœurs de la chapelle du Roi se faisaient entendre, louant le Créateur de leurs chants immenses qui vibraient sous les voûtes pompeuses de la vieille cathédrale.

Pierre de La Porte recevait les échos de tous ces mouvements qui lui étaient fidèlement rapportés dans sa prison par les personnes nombreuses et exactement informées qui lui faisaient régulièrement visite. Au reste, les nouvelles circulaient très activement à l'intérieur de la Bastille, et les actions des puissants y étaient pesées et longuement commentées ; au point que certains personnages, comme le maréchal de Bassompierre, tenaient registre des événements qui se produisaient en ville... Le vieux maréchal, dont la mémoire flanchait, avait besoin désormais de ces repères écrits qu'il dictait à l'un ou à l'autre de ses domestiques ; par ailleurs, il racontait à tout moment aux mêmes personnes l'histoire de ses amours passées ! Mais il ne renonçait pas pour autant à toute galanterie : il courtisait fort une demoiselle prisonnière à la forteresse, qui venait souvent le voir dans sa chambre, au point que le bruit courut qu'il l'avait épousée en secret et qu'elle était grosse de lui.

Le maréchal de Vitry fut mis à la Bastille dans ce temps-là, à cause des plaintes qu'il y avait eues contre lui pour sa violence à l'égard des Provençaux. Ses démêlés, l'année précédente, avec l'archevêque de Bordeaux, qu'il avait rossé de vingt coups de canne un peu avant Noël, l'appelant « bréviaire », étaient restés fameux et circulaient encore sur toutes les lèvres, l'archevêque ayant entamé une procédure pour le faire excommunier ! M. de Vitry avait d'ailleurs toujours eu dans le monde un air d'affaire et d'exécution depuis qu'il avait tué le maréchal d'Ancre, jadis, au Louvre, et livré par là même le pouvoir au jeune Roi ; il était pourtant curieux de voir que cet homme hardi jusqu'à la témérité ne pouvait souffrir la vue du feu sans en être violemment incommodé... Il logeait dans la chambre située immédiatement en dessous de celle qu'occupaient La Porte et ses amis, de sorte que dès les premiers froids son laquais prit l'habitude de monter tous les matins chauffer sa chemise devant leur cheminée, ne pouvant en aucun cas faire du feu dans celle de son maître. Par ce truchement, à cause de la réputation qu'avait acquise partout l'héroïque porte-manteau de la Reine, les relations s'établirent entre Vitry et lui ; les facilités de correspondance qu'on savait à Pierre incitèrent le maréchal à lui demander son aide dans une affaire de papiers qu'il voulait faire mettre en sûreté chez lui. Sa lettre étant tenue et ses papiers mis à couvert, il lui en sut un gré extrême.

— Il vient un temps que les vaches ont besoin de leur queue, remarqua le comte d'Achon avec quelque ironie.

Il voulait dire que les plus grands personnages peuvent parfois recevoir du bien des plus humbles. Le sieur du Pouget, quant à lui, qui admirait les prouesses du gentilhomme et goûtait sa finesse et son habileté, fut inspiré en la circonstance d'écrire dans son livre, lequel contenait des observations morales et politiques en forme de maximes : « Qui se trouve faible pour venir à bout de son ennemi, fait sagement de l'amuser pendant qu'il cherche à prendre ses avantages contre lui. La peau de Renard doit être employée où celle du Lion ne sert de rien, et où la force est inutile, l'adresse fait bien souvent des merveilles. »

Ce fut environ vers le même temps, quelques jours passé la Saint-Hubert, que la Reine vint à la porte Saint-Antoine, allant à Saint-Maur... La nouvelle avait fait le tour de la Bastille qu'elle devait rejoindre le Roi à Saint-Maur-des-Fossés et, en effet, dès la matinée, le charroi qui transportait son bagage avait franchi la porte conduisant au faubourg. Pierre, averti le premier, avait vu passer le convoi sous les tours de la Bastille – mais lorsque le carrosse royal lui-même fut aperçu de loin dans la rue Saint-Antoine, au début de l'après-midi, ce fut dans toute la citadelle une ruée vers les créneaux ! Pierre s'installa avec ses compagnons, d'Achon et Chavaille, tout en haut de la tour du nord-ouest, appelée avec beaucoup de justesse « tour du coin », parce qu'elle était la plus proche de la rue. C'était l'endroit d'où il pourrait le plus commodément voir le carrosse et aussi en être vu. Quand l'équipage s'engagea sur la petite place, le gentilhomme escalada l'embrasure du créneau sans craindre le vertige et demeura debout, appuyé contre le merlon... C'est alors que la Reine l'aperçut et reconnut sa mince silhouette qui se détachait sur le ciel clair.

Anne descendit du devant de son carrosse et se plaça à la portière ; puis, les chevaux s'étant mis au pas, elle fit en l'air un grand signe de la main... Pierre, tenant d'une main la muraille, ôta son chapeau et parvint à s'incliner dans une révérence au-dessus du vide qui fit frissonner toute l'assistance. En bas, la Reine agita de toutes ses forces un grand mouchoir brodé. Il y avait quatre mois qu'ils ne s'étaient vus : de terribles semaines. Pierre était tellement ému que des larmes coulaient le long de ses joues. Il soufflait tout en haut des tours un petit vent aigre qui lui coupait le visage comme une dague et gerçait sa peau humide de pleurs, mais sa joie était la plus forte de revoir sa maîtresse : la femme pour qui il avait failli donner sa vie, à qui il avait tout de bon sacrifié sa liberté... Il brandissait son chapeau dans le vent au-dessus de sa tête, tandis que tous les prisonniers massés sur le chemin de ronde poussaient du fond de leur poitrine le cri vibrant et répété de « Vive la Reine ! ». Sur la petite place évasée devant la porte du faubourg, le carrosse se frayait lentement un passage au milieu des curieux qui étaient accourus et sortis des boutiques adossées au mur d'enceinte de la prison. La Reine restait à la portière et continuait à faire des signes de la tête, du bras, de la main, pour montrer combien elle était contente de l'homme qui avait sauvé sa couronne ; il n'y avait pas à cette heure un seul prisonnier dans la Bastille qui ne fût envieux du sort de ce héros et qui n'eût souhaité avoir souffert bien pires traverses que lui pour mériter cet hommage de sa souveraine...

La Porte, beaucoup plus tard, nota dans ses papiers : « ... tant il est vrai que les Français se satisfont aisément d'un peu de fumée. »

CHAPITRE IX

Cette année-là, l'été de la Saint-Martin semblait se prolonger indéfiniment... Certains observateurs savants, qui savaient lire dans les étoiles et dans la pelure des oignons, prédisaient sans relâche un hiver très doux. Ce fut au point qu'avant Noël le duc de Saxe-Weimar, qui commandait un régiment de mercenaires du Roi en Alsace, décida, au vu du beau temps qui persistait, après avoir consulté les astres, de ne point prendre ses quartiers d'hiver. Il choisit de garder plutôt ses troupes sur le pied de guerre et de poursuivre son offensive en attaquant les forteresses tenues par l'empereur Ferdinand sur la haute vallée du Rhin.

A la fin du mois de novembre, profitant elle aussi des belles journées chaudes, Sa Majesté s'en était retournée à Versailles par les petits chemins, où elle avait chassé en forêt. Ah ! qu'il faisait bon retrouver la meute dans les petits matins frais, à l'orée des clairières ! Les grands limiers tremblants traçaient sur les sentiers des chemins de rosée. Les veneurs s'en venaient, la forte odeur des bois parfumait leur haleine et les ânes braillaient dans l'aube de la plaine où les coqs claironnaient... Louis frémissait de plaisir lorsque le grand veneur s'approchait à grands pas, son chapeau à la main, pour venir conférer, comme en secret, avec son maître, de l'éveil du gibier, des forts et des buissons, des voies et des brisées, et de l'âge des cerfs. Louis connaissait la chasse au bout de ses doigts depuis toujours, depuis l'enfance, et mieux que chasseur accompli qui fût en son royaume. Chacun le consultait, non comme un roi, mais comme un capitaine, pour son savoir, qui était éminent. Il était grand, alors ! Sans ministre, sans haine... C'était le seul endroit.

Toutefois, le premier samedi de décembre, qui était le cinquième jour du mois, le Roi, ayant couru toute la semaine, résolut de se transporter à Saint-Maur. Il voulait y entendre le lendemain un sermon qu'on devait faire à l'église de cette paroisse pour le second dimanche de l'Avent. Louis se disait qu'ainsi, traversant Paris, il pourrait s'arrêter une heure ou deux, guère davantage à cause de la courtesse du jour, pour faire visite à sa chère Sœur Angélique, à Sainte-Marie, qu'il n'avait pas encore revue depuis sa prise d'habit.

La Reine était demeurée au Louvre. Elle y préparait la Nativité par des prières qu'elle n'osait plus aller réciter à son oratoire du Val-de-Grâce à cause de la surveillance indiscrète dont elle continuait à être l'objet... La Mère supérieure, qui était son amie fidèle, avait du reste été exilée après les événements de l'été : Anne avait dû renoncer à se recueillir dans le couvent de sa jeunesse, parmi les Sœurs qu'elle aimait, où son appartement privé demeurait vide... Le Roi partit de Versailles vers les 11 heures, après avoir dîné tôt car il voulait arriver à la porte Saint-Antoine pour 2 heures. Son charroi le précédait, car les valets avaient fait diligence pour démonter son lit, détendre sa chambre et charger les coffres dans les chariots si tôt comme il avait été habillé. Le ciel était dégagé, sauf quelques rares nuages épars dont les effilochements blanchâtres suivaient le cours du fleuve. La matinée était riante, curieusement chaude pour cette saison avancée, une fois la rosée levée et les chemins secs. Certaines touffes d'arbres dans la forêt de Fausses-Reposes n'avaient pas entièrement perdu leurs feuilles jaunies qui avaient séché sur branche.

Sa Majesté était d'assez belle humeur ; la chasse, son vieux démon caressé à l'envi depuis quelques jours, lui avait fait du bien. La solitude, l'éloignement provisoire des tracas du gouvernement l'avaient aussi fort détendu et reposé, lui ôtant cet air sombre, préoccupé qui était le sien depuis plusieurs semaines. Il observait par la portière du carrosse au rideau relevé les pies et les corbeaux qui s'envolaient à l'approche des chevaux des gardes, qui allaient grand train devant son attelage. Certes, le Roi devait retrouver le soir même le Père Caussin à Saint-Maur : le confesseur lui avait demandé audience pour une affaire de quelque urgence... Ce serait encore, gageait-il, pour entendre parler de ces lancinantes erreurs du Cardinal ! Et toujours des moyens de faire la paix avec l'Espagne ! Mais il avait, en attendant, toute cette belle journée devant lui, avec le bonheur en sus de revoir Angélique.

Aux portes de Paris, l'air était lourd et immobile. Le ciel, sans se couvrir tout à fait, s'était chargé de nuages gris et bas qui projetaient des masses d'ombre sur la ville. A la porte Saint-Honoré, le Roi portait toujours un regard attentif et empli de fierté aux bastions des nouveaux remparts qu'il avait fait ajouter de ce côté-ci pour étendre la cité vers le ponant ; en longeant la rue Neuve-Saint-Honoré qui prolongeait à présent l'ancienne, il se plaisait à observer les constructions nouvelles qui poussaient dans les jardins maraîchers : le cloître des Capucins et, en face, le nouvel hôtel de Vendôme. Le samedi était jour de marché aux chevaux – lequel marché se tenait dans le bastion neuf au-delà de cet hôtel –, la rue était entièrement encombrée des bêtes que l'on y conduisait et qui en revenaient par la rue Gaillon, principalement aux abords de l'église Saint-Roch, puis au-delà jusqu'au Palais-Cardinal et à la place du Corps-de-Garde. Il y avait de tout sur ce marché : de vieilles rosses faméliques aussi bien que de beaux percherons de trait, des juments poulinières, des chevaux de selle anglais dans des robes aux nuances variées ; Louis les détaillait de l'œil en passant – il tâchait de se faire une idée de leur mérite, selon son habitude, avec la sûreté du coup d'œil qu'avaient les maquignons.

Il était donc un peu moins de 2 heures de relevée quand le Roi se fit annoncer aux Filles Sainte-Marie de la Visitation. La Mère supérieure, qu'il avait envoyé prévenir dès le matin par un éclaireur, s'empressa d'accourir à la porte pour accueillir Sa Majesté et lui souhaiter la bienvenue... Elle avait fait apporter des bancs au parloir selon l'usage maintenant solidement établi, puis elle se retira aussitôt que sa chère Fille apparut dans la lumière du cloître. Ce n'était plus aujourd'hui la jeune novice hésitant sur la réalité de sa vocation monastique qui s'approchait de la grille en souriant au Roi, mais bien Sœur Angélique, irrémédiablement liée à Dieu, comme le montraient les détails de son nouveau costume. Elle avança, le buste droit, et fit une profonde révérence devant son royal visiteur.

– Comment se porte aujourd'hui la nouvelle épousée du Christ ? demanda Louis d'un ton badin, un peu forcé, qui masquait son trouble.

– Bien, Monseigneur, répondit Angélique. Et je suis bien aise de constater que, grâce à Dieu, Votre Majesté se porte pareillement.

Il y eut un moment d'hésitation entre eux... Ils se regardaient. Le voile sombre faisait ressortir la pâleur du visage d'Angélique et ses yeux noirs n'avaient jamais été aussi lumineux.

Sur un signe de lui, ils s'assirent ensemble sur les petits bancs, face à face. Le mouvement qu'elle fit pour s'asseoir parut à Louis d'une grâce nouvelle et d'une majesté qu'il n'avait pas remarquée chez la jeune fille. Il observa que le mouvement de ses hanches, de ses genoux, prenait une sorte de gravité sous la robe obscure. Quand elle posa lentement sa main blanche et fine sur ce qui, sous l'étoffe, était sa cuisse, il vit la mince alliance d'or qu'elle portait à son doigt... Cet anneau lui causa un frisson : il sentit qu'elle était loin désormais ; qu'elle était véritablement devenue l'épouse du Seigneur – une mariée chaste et vierge à qui son divin époux épargnait les exaltations haïssables de la chair et les grotesques transports animaux auxquels sont obligés les mortels du commun troupeau, fussent-ils princes...

Louis baissa le ton de sa voix et dit avec timidité :

– J'ai une surprise pour vous.

Il bégaya nerveusement, ne sachant pas s'il devait lui dire « ma Sœur », comme il aurait dit « madame » à une femme de la Cour, ou bien s'il pouvait continuer à l'appeler par son petit nom... Il décida de ne pas pousser cette question plus avant et d'éviter de prononcer son nom, ou son « titre », en attendant de s'informer auprès du Père Caussin.

Ils parlèrent un peu des choses qui changeaient la vie d'Angélique, des obligations supplémentaires auxquelles étaient soumises les religieuses vouées. Il lui dit deux mots de la chasse, dont elle s'enquit – mais sans réel entrain. Puis ils parlèrent de la contemplation *ad amorem*, selon saint Ignace. La jeune Sœur fit remarquer que l'amour doit se mettre dans les actes, plus que dans les paroles. Elle avait une voix très tendre, très douce, en disant cela. Peu à peu, le Roi se sentait rassuré par elle. Il éprouvait comme l'envoûtement de ses paroles, de tout son aspect, comme si Dieu lui-même l'inspirait dans son nouvel état religieux.

– Cela est dit fort à propos, remarqua Louis, car j'ai de bonnes nouvelles à vous apprendre.

C'était la surprise qu'il lui avait annoncée : puisqu'il ne pouvait fonder lui-même un monastère (ce qu'il eût aimé par-dessus tout), il voulait marquer son attachement personnel à la Majesté céleste. Ne pouvant quitter le monde et ses turpitudes, il avait résolu d'offrir solennellement son royaume de France à la Vierge Marie !... Il avait décidé de procéder à cette consécration du royaume à Notre-Dame dans la semaine qui venait et il avait tenu à venir en avertir Angélique...

– Que Votre Majesté soit louée pour une action aussi noble et aussi pure, dit-elle, le regardant avec intensité.

La jeune religieuse rougissait de plaisir à l'annonce d'une résolution aussi éclatante qui paraissait avoir la forme d'un hommage tourné vers elle et son propre engagement marial... Louis souriait, content de l'effet produit sur la nonne, ému par son regard si beau en cet instant dans la pénombre du cloître, où ses yeux luisaient comme les braises d'un feu allumé par la volonté divine. Il lui conta fort en détail la cérémonie qu'il avait prévue. Il avoua qu'il voulait instaurer tous les ans une grande procession à la cathédrale et dans les autres églises le jour de la fête Notre-Dame, qui était en août.

Il était encore tôt, 3 heures à peine, mais dehors le ciel s'était assombri. Le capitaine des mousquetaires et quatre ou cinq personnes qui étaient dans la compagnie du Roi conversaient à voix basse à l'autre bout du parloir ; ils se penchaient de temps en temps à l'extérieur de la fenêtre qui donnait sur la rue pour observer les gros nuages d'encre qui s'accumulaient sur la ville. Autant que l'on pût en juger, l'atmosphère était à l'orage sur toute la vallée de la rivière, en amont de Paris... C'est aussi ce que rapporta Goulard, qui était sorti pisser dans la rue ; le capitaine avait fait quelques pas pour mieux juger de l'état du ciel, jusque sous les tours de la Bastille, passant même le pont après la porte Saint-Antoine. Un orage se préparait à coup sûr, c'était son avis ; du reste, on distinguait par instants comme le grondement lointain de quelque coup de tonnerre...

Il aurait fallu prévenir le Roi que le temps se gâtait. Il restait trois grandes lieues à parcourir jusqu'à Saint-Maur-des-Fossés, soit une heure et demie de route en fouettant ferme pour atteindre la fin du voyage. On risquait fort de prendre la pluie... Mais Sa Majesté était penchée contre la grille, dans l'obscurité grandissante de la salle. Le Roi hochait la tête par instants, le coude reposant sur ses jambes croisées, le menton dans sa main droite. Il n'avait d'ouïe que pour la sainte fille qui lui parlait doucement, dont il goûtait la voix feutrée, musicale, qui résonnait dans son cœur comme la voix d'un ange du Ciel.

En vérité, voyant le monarque aussi heureusement disposé

envers la Mère de Dieu, Angélique avait pris la liberté de tourner la conversation sur sa mère à lui. Un chapitre délicat entre tous, éternellement recommencé, que celui de l'exil de la Reine Mère ! C'était comme une épine cruelle dans la chair de Louis. Elle aborda le sujet avec mille précautions et douceurs pour ne pas heurter les sentiments du prince : mais enfin, il fallait en parler... Depuis six ans passés que Marie de Médicis s'était échappée de Compiègne pour ne pas tomber entre les mains du Cardinal – lequel avait fait courir le bruit qu'il la voulait faire mettre en prison ! –, demandant asile à la cour d'Espagne, dont sa fille était reine, le Roi n'avait jamais osé demander à son ministre de l'autoriser à revenir. Avoir chassé ainsi sa mère de son royaume était objet de murmure dans la Chrétienté et un grand tourment pour Louis XIII, dont la gloire s'en trouvait ternie. Or Marie de Médicis s'ennuyait à Bruxelles, où le Cardinal Infant, qui régissait à présent la province de Flandre, ne la traitait pas aussi bien que l'avait fait feu l'infante Eugénie, sa tante. Il ne lui payait plus qu'assez irrégulièrement la pension que son beau-fils le roi Philippe lui servait, à cause de l'état misérable des finances espagnoles.

La plus jeune des filles de la vieille Reine, Henriette, qui avait épousé le roi d'Angleterre et pour laquelle elle avait toujours eu beaucoup de tendresse, priait sa mère de quitter son exil et de venir la rejoindre à Londres. Mais Marie de Médicis objectait qu'elle préférait rentrer chez elle pour ses vieux jours, afin de profiter de son palais tout neuf du Luxembourg, qu'elle avait fait construire et dont elle n'avait eu jusqu'à présent que peu de jouissance... Le souhait de la Reine Mère n'était un secret pour personne, d'autant qu'elle clamait à toute l'Europe qu'elle voulait revenir à Paris ! Le Père Caussin, qui s'était donné pour une part de sa mission auprès du Roi la réunion et la bonne entente de la famille royale dans l'amour de Dieu, avait forgé le doux complot de prêter les mains à ce retour autant qu'il serait en son pouvoir de le faire. Angélique, de son côté, avait promis d'aider autant qu'elle le pourrait au succès de cette pieuse cabale qui consistait à fléchir le Roi – ou plutôt de lui donner la force de fléchir son ministre... Mais Richelieu, qui connaissait mieux que tout autre, pour avoir été son conseiller et l'exécuteur zélé de ses manigances, l'instinct de cabale et l'amour immodéré de l'intrigue qui étaient le démon favori de l'impérieuse Italienne, Richelieu refusait implacablement de donner son assentiment au retour de ce trouble-fête !

Il restait que cette conduite du Roi – Angélique le soulignait devant lui pour la centième fois peut-être –, ce refus obstiné s'apparentait aux yeux du monde à l'ingratitude filiale la plus crue. Cela était difficilement conciliable avec l'observation du quatrième commandement : « Tu honoreras ton père et ta mère, afin de vivre longuement... » Les arguties du Cardinal étaient sur ce point totalement irrecevables, cela n'était pas douteux ; elles faisaient vivre le Roi, quoi qu'il en eût, en état permanent de péché mortel ! C'était bien là, entre autres, l'un des thèmes favoris des sermons affectueux que lui faisait son confesseur, plein du souci de son âme, lors de ces petits entretiens privés qu'ils avaient eus tous ces temps derniers dans le cabinet de Sa Majesté. Ils se retrouvaient là en cachette de Son Éminence, qui les eût désapprouvés s'ils n'eussent été couverts par le prétexte d'oraisons à faire et de petits offices à chanter. Encore était-ce bien là, comme on dit, aboyer contre la lune, car les espions du Cardinal, soigneusement appointés, tâchaient d'ouïr au travers des portes et lui rapportaient sur les conseils du bon Père plus de détails qu'aucun d'eux ne se doutait...

Louis regardait à présent la bouche d'Angélique, ses lèvres rouges dans l'ombre, qui se mouvaient en une danse rapide et mièvre, tandis qu'elle prononçait les mots avec avidité, dans une sorte de hâte et de passion. Il éprouvait une sensation inaccoutumée à observer la nonne, dont l'éclat du visage était relevé par son accoutrement de tête ; il éprouvait un attrait physique qui n'avait jamais été aussi franc... Maintenant, La Fayette était séparée de lui bien plus fortement que par la seule grille du couvent : ses vœux, son habit, son mariage enfin l'éloignaient de lui irrémédiablement. Étant devenue hors d'atteinte dans sa chair, la jeune fille le troublait énormément.

Il se fit tout à coup un grand bruit, dont la voûte du cloître résonna tout entière. C'était la pluie ! La pluie venait de tomber en trombe, s'abattant d'un seul coup sur le toit des maisons, sur le sol des rues et des cours, où elle produisait un grondement sourd qui avait la violence d'une charge de cavalerie. En même temps, plusieurs coups de tonnerre éclatèrent tout proches, distincts, roulant en écho par-dessus la ville.

Angélique se tut. Ils écoutèrent tous deux en silence le roulement de l'orage, comme si cette diversion arrivait à propos et tirait leur conversation de l'embarras où ils l'avaient mise.

— Dieu nous envoie la pluie, dit le Roi.

— Les jardins ont souffert cet automne de n'en avoir pas, prononça rêveusement Angélique.

Elle ajouta, car elle était piètre jardinière :

— C'est du moins ce que disent mes Sœurs.

Louis fut frappé par cette tournure nouvelle : c'était la première fois qu'elle disait « mes Sœurs ». Ce mot, dans sa bouche, lui fit sentir, comme l'orage auquel il était étranger, qu'il était devenu profane, hors de son monde à elle... Il existait donc à présent toute une famille ailleurs, une communauté d'âmes vouées à Jésus à laquelle elle appartenait et dont il était exclu entièrement. Il se sentit délaissé, pérégrin, et un peu jaloux du Seigneur. Il marmonna en décroisant ses jambes pour changer de cuisse :

— Vous verrez que ce sera la fin des beaux jours.

— C'est probable, soupira-t-elle. Nous avons eu une bien belle arrière-saison.

— Tout a une fin, hélas ! dit le Roi.

Il bégaya péniblement pour ajouter :

— Même ce miraculeux été de la Saint-Martin.

– Je lisais l'autre jour, reprit la nonne heureuse de saisir au vol quelque chose à dire pour apaiser la tension de l'orage et le bégaiement du Roi, je lisais dans la vie de ce saint admirable qu'après sa mort, qui survint en automne, les moines de Marmoutier transportèrent pieusement sa dépouille dans une barque sur la rivière de Loire pour le ramener à Tours. Des miracles se produisirent tout au long du voyage à mesure que le corps saint avançait sur les eaux : les arbres reverdissaient sur les berges, les fleurs s'ouvraient et répandaient leur parfum sur les bords du fleuve, les oiseaux se mettaient à chanter... Toutes ces merveilles où la main de Dieu était visible ne laissaient pas d'étonner les rameurs. Ce fut le premier de ces étés tardifs, disait le livre, provoqué par le bon saint Martin en mourant...

Cependant qu'elle parlait ainsi, le tonnerre et la pluie avaient redoublé de violence ; le capitaine des mousquetaires traversa la salle et s'approcha discrètement pour prendre les ordres de Sa Majesté. Il était inquiet sur le chemin qui leur restait à parcourir, avec la nuit qui était proche, qui ne tarderait pas à tomber...

– Ce n'est rien, Goulard, dit le Roi qui s'était mis debout, une main posée sur la grille. C'est seulement un p...etit orage ! Il ne d... durera gu...ère. Nous partirons dès que la pluie aura sss...sss...sss...

Comme il reprenait cette syllabe qu'il sifflait convulsivement, ne parvenant pas à sortir de sa bouche le mot « cessé », il y eut un grand éclair blanc. Le feu du ciel tomba avec un fracas épouvantable sur le couvent !...

Angélique, qui s'était levée elle aussi, poussa un cri et agrippa la main du Roi à travers la grille, où la violence du choc l'avait projetée... Louis reçut comme une commotion au contact de cette main menue et tiède posée sur la sienne, qu'elle pressait nerveusement. Mêlés aux frissons de l'orage, dans l'obscurité qui était venue maintenant dans le cloître traversé d'éclairs et assourdi du tonnerre qui faisait vibrer les voûtes, cette main et le corps d'Angélique, qu'il sentait tout près, tout tremblant, lui produisirent un trouble immense. Il eut furieusement envie de prendre la nonnain dans ses bras, d'arracher la grille – il eut l'idée folle d'enlever Angélique pour galoper avec elle en croupe de son cheval sous la pluie battante dans la campagne en furie où nul ne les suivrait. Il eut envie de s'enfuir comme un voleur, comme un pillard, en l'emportant ! Partir avec elle ! L'arracher au cloître, aux prières, au silence ! La prendre pour lui tout seul !... Il eut envie de hurler dans la violence du vent. Il songea, en un éclair bleu qui traversa sa tête, qu'il pourrait être un de ces odieux soldats luthériens qui pillaient en ce temps les églises d'Allemagne ! Qui saccageaient les abbayes et qui violaient impunément la clôture des vierges consacrées à Dieu...

En même temps qu'il rêvait à ces exactions sauvages, il regardait Angélique dans l'ombre. Elle retira lentement sa main de dessus la sienne... Le Roi sentit alors qu'il était en état d'intense péché mortel dans son haut-de-chausses. Il se détourna brusquement de la grille afin de dissimuler la raideur de son péché, puis s'adressa au mousquetaire demeuré aux ordres :

– Il va falloir bander sa caisse, Goulard ! dit le Roi tout d'un trait, riant jaune un petit devant la mine interloquée du capitaine.

Louis aimait cette expression un peu rude qu'employaient les soldats pour donner le départ, au son du tambour.

– Mais nous avons le temps ! ajouta-t-il plaisamment dans le bruit du tonnerre, qui roulait ses échos et pilonnait la ville.

Il se tourna de nouveau vers Angélique :

– Voyez-vous... ma Sœur... parler de madame ma mère déclenche des orages.

Elle sourit. Elle répondit d'un air tendre :

– Je ne sais, Monseigneur... Je n'ai point connu la Reine Mère.

C'était vrai : La Fayette n'était pas encore arrivée à la Cour à l'époque de la fuite de Compiègne... Louis se sentit d'un autre âge. Il se rassit sur le banc.

— Prions, voulez-vous, pour que le ciel, au moins, redevienne clément.

Ils joignirent les mains. Tandis que le Roi, agité, était visité de pensées plus chastes et qu'il repassait doucement de B dur en B mol, ils prièrent ensemble, de très bon cœur.

Au bout d'une heure, il pleuvait toujours à verse. La nuit était tombée, on avait apporté des flambeaux. Le Roi continuait sa visite forcée en attendant la fin du mauvais temps. Deux des gentilshommes de sa suite vinrent faire observer à Sa Majesté qu'il était bien tard à présent pour se rendre à Saint-Maur-des-Fossés... Ils y prendraient deux grandes heures au moins, dans la nuit noire.

— Eh bien, dit le Roi, qu'à cela ne tienne ! Nous arriverons plus tard, voilà tout !

— Votre Majesté ne pourra pas prendre son souper en route, insista l'un d'eux.

— Peu importe, j'attendrai. L'orage est presque terminé, nous partirons bientôt.

En effet, le tonnerre s'était fait plus lointain, les éclairs plus rares. Quelques coups éclataient encore dans des régions proches, mais avec de longs intervalles de temps... Après s'être déchaînés avec une fureur surprenante pour cette saison tardive, les éléments mettaient un frein à leur emportement. La pluie, cependant, continuait, aussi drue que jamais ; avec le calme revenu, on entendait mieux son bruit de tambour sur les toits du couvent, sur les pierres des cours, et le ruissellement des eaux dans la rue.

Quand il fut 5 heures et demie, la compagnie avança qu'il ne serait plus raisonnable d'espérer atteindre Saint-Maur le soir même. Les gentilshommes indiquèrent respectueusement à Sa Majesté qu'il lui faudrait songer tout à l'heure à trouver un lieu de repli pour passer la nuit dans Paris et donner des ordres en conséquence. Ce propos fâcha le Roi, qui n'entendait point se priver de son lit : et son lit, avec toutes ses affaires, l'attendait au château de Saint-Maur.

— En outre, j'ai promis au Père Caussin d'assister demain matin à la grand-messe dans l'église paroissiale où l'un de ses amis doit prêcher l'Avent.

Il disait cela à la Mère supérieure, qui était venue aux nouvelles, et la consternation se marquait sur tous les visages. En effet, il n'y avait point d'apparence que la pluie cessât ; un petit vent s'était levé qui fouettait la bourrasque contre les portes et les fenêtres de la maison, et la pensée de se mettre à cheval dans le mauvais temps réclamait donc du courage !... Des frissons couraient sur les échines à cette idée, car on était en décembre et, avec la nuit, le froid était venu en même temps que la pluie et le vent, d'autant plus sensible que ces hommes qui avaient chevauché dans la tiédeur d'une belle matinée ensoleillée étaient tous vêtus fort légèrement.

— Ce serait folie que de nous mettre en chemin, Majesté, assura Goulard avec son air carré. Nous attraperions tous le mal de la mort.

Le Roi baissa la tête et ne répondit pas. Angélique, de qui le groupe s'était légèrement écarté à l'arrivée de la supérieure et qui demeurait seule à l'écart derrière la grille pendant ces conciliabules, intervint doucement :

— Goulard a raison, Monseigneur : vous devez aller coucher au Louvre... Votre Majesté ira demain à Saint-Maur ! En partant à l'aube, vous arriverez à temps pour ouïr la sainte messe.

Ces paroles raisonnables furent approuvées de tous ; la compagnie se rapprocha de la grille du parloir, tandis que la chère Mère commandait que l'on préparât du feu dans la cheminée de la salle, car ces gentilshommes paraissaient transis de froid. Louis objecta que ses appartements du Louvre étaient vides, qu'il n'y avait là-bas rien sur quoi il pût dormir, chacun le savait... Personne n'osait formuler devant le sourcilleux monarque la seule suggestion qui fût possible et qui était dans tous les esprits.

– Je voulais dire que Votre Majesté doit demander l'hospitalité à la Reine ! lança La Fayette, regardant Louis droit dans les yeux. Je suis certaine, Monseigneur, ajouta-t-elle modestement, que ce sera une joie et un honneur pour elle de vous l'accorder.

Toutes les personnes présentes approuvèrent bruyamment cet avis qui n'était que raison toute pure ! Un grand soulagement se lisait sur tous les visages.

– Il n'est que de faire prévenir la Reine, enchérit quelqu'un avec simplicité.

Mais le Roi paraissait piqué :

– Nenni, messieurs, nenni !... Je ne suis point d'humeur astheure d'aller importuner ma femme.

L'hospitalité de la Reine, cela signifiait en clair dormir dans son lit, par conséquent coucher avec elle... La chose lui arrivait de plus en plus rarement, et seulement par devoir, dans l'espoir de plus en plus futile qu'elle pût devenir grosse – ce que la Providence lui refusait obstinément, malgré toutes ces prières, ces neuvaines et quarantaines auxquelles elle s'astreignait. Sans parler des pèlerinages !... Cette femme avait parcouru la France, déjà, à la trace de tous les saints intercesseurs de fécondité : depuis le tombeau de saint Fiacre à Breuil, dans la Brie, jusqu'à celui de saint Norbert en Provence, à l'abbaye du Frigolet. Sans compter les eaux qu'elle buvait : les eaux de Forges, imposées à tous deux par Bouvard, son médecin, depuis des années – qui les avait même prescrites au Cardinal !... Pour ne rien dire des reliques que la Reine faisait venir de partout : de saint Martial de Limoges, dont l'évêque – qui était l'oncle d'Angélique – la servait fidèlement. Jusqu'à saint Guerluchon en Berry, dont on priait la statuette miraculeuse ! Anne se faisait apporter maintenant des reliques de sa chère Espagne, comme si elles eussent dû être meilleures – alors

211

que rien n'y faisait. Non, Dieu ne le voulait pas : donc, pourquoi lui, sire lassé, devrait-il se démener comme un Satan dans la couche royale ? Et puis, enfin, la Reine se couchait tard, comme une Espagnole. Elle soupait de même, quand personne n'avait plus faim, à une heure avancée de la nuit !

– Allons, messieurs, nous irons à Saint-Maur !

Il n'avait nulle envie, décidément, de partager de nouveau, après les esclandres de l'été et la froideur qui était demeurée entre eux comme le reliquat d'amères cicatrices, le lit si parfumé d'Anne d'Autriche. La pensée de se retrouver dans ces draps si soignés qu'elle faisait changer tous les jours lui répugnait – outre qu'il avait chassé toute la semaine sans avoir le temps de se faire donner un bain : il se savait sale et malodorant... Non, cette idée d'aller au Louvre le contrariait beaucoup : il préférait demander à ses gens d'affronter la pluie et le vent pour l'amour de lui.

Goulard lui représenta derechef les hasards de ce voyage nocturne. Il fit observer que, les conversations aidant, 6 heures étaient passées depuis longtemps, que l'on approchait de 7 et que, le temps de faire l'attelage qui avait pris abri à l'hôtel de Sully par suite d'embarras à celui du Maine, ils n'étaient pas encore en route ! Il lui faudrait aussi faire quérir des manteaux pour sa compagnie de mousquetaires : un attifement convenable pour affronter les rigueurs de ce temps subit qui était à ne pas mettre un chien dehors.

Le Roi ne répondait rien à ce discours dicté par la sagesse de son capitaine. Il estimait Goulard, il savait la prudence et la justesse de son jugement : et que ce n'était point par couardise qu'il argumentait, ni pour se soustraire à la tâche. Il savait que ses mousquetaires étaient prêts, au moindre signe, à l'emmener sur des traverses bien pires... Il se tourna vers Angélique, qui avait pris son rosaire entre ses doigts et priait en silence derrière la grille. Le feu que l'on avait allumé flambait et illuminait la pièce dans un joyeux crépitement de bourrée sèche.

Goulard parla ensuite des difficultés de la route sur les trois grandes lieues qui restaient à couvrir ; il insista sur le fait que cette pluie torrentielle, venant après une longue période de sécheresse, aurait provoqué des ornières infranchissables qu'il faudrait contourner. Ce faisant, il y aurait de grands risques de s'embourber dans les terres et les chemins détrempés. Dépêtrer ce pesant carrosse au fort de la nuit, sous la pluie battante, avec des chevaux glacés et fourbus, n'était pas une mince entreprise ! Que Sa Majesté voulût bien y songer à l'avance et avoir pitié de son pauvre cocher... Le capitaine l'assurait très respectueusement à son maître : c'était folie noire que de vouloir se mettre en chemin ; Cependant, ce n'était que son humble avis...

– A vos ordres, Sire ! conclut-il en se redressant.

Sur ces entrefaites, on entendit dans la rue le bruit d'une cavalcade qui cessa à l'entrée du couvent. Les portes battirent, et Guitaut, le capitaine des gardes de la Reine, entra dans la salle. Son chapeau aux ailes tombantes ruisselait de pluie, comme son visage qui luisait à la lueur vacillante des torches. Il avait toute l'apparence d'un canard qui sort de la mare, ce qui provoqua des rires, mais, sans prendre la peine d'ôter son manteau qui dégoulinait sur les dalles, Guitaut marcha droit vers le Roi, tirant légèrement la jambe car il se ressentait encore de sa blessure de l'été qui l'avait gardé tout un mois au lit. Il salua Sa Majesté d'un geste large de son chapeau – aspergeant dans ce mouvement de grosses gouttes glaciales sur l'assistance –, puis, s'essuyant le front du revers de sa main libre, il parla.

Il dit que Sa Majesté la Reine, ayant appris que le Roi se trouvait en peine d'un gîte pour avoir été surpris par l'orage et ne savait où se retirer, le conviait très humblement à souper chez elle et à passer la nuit au Louvre, dans ses appartements.

– Elle m'envoie tout exprès, Sire, prier Votre Majesté d'en disposer à sa guise.

Louis remercia le messager ; mais il répondit que la Reine

soupait et se couchait sans doute beaucoup trop tard pour lui... Sur quoi le capitaine l'assura en souriant que sa maîtresse se conformerait en tout point à sa manière de vivre :

— La Reine a du reste déjà donné des ordres à ses cuisines pour que Votre Majesté soit servie selon ses désirs, au cas où il lui plairait d'accepter son offre.

En effet, l'un des gentilshommes de la suite du Roi, après s'être entretenu avec Goulard de l'impossibilité réelle de poursuivre le voyage, était parti en éclaireur une heure plus tôt, afin de prévenir Anne d'Autriche de l'embarras où l'on se trouvait — mais Guitaut avait mission de taire cette entremise.

Cette dernière objection balayée de la sorte, le Roi ne pouvait plus en aucune manière décliner une invitation que chacun le suppliait d'accepter dans l'intérêt de tous. Il se tourna vers Angélique, qui souriait, puis vers le capitaine, qui attendait :

— Eh bien, Guitaut, vous m'en voyez d'accord : nous irons chez la Reine, puisque tout le monde le veut. Je vous prie de le lui annoncer.

En arrivant au Louvre, une demi-heure plus tard, le Roi descendit de carrosse dans le coin de la cour où donnait le petit degré par où l'on accédait à ses propres appartements comme aussi au cabinet privé de la Reine. Cet angle de la cour était abrité du vent d'ouest, mais il frissonna ; la pluie ruisselait sur le chantier de construction de l'aile occidentale, dont les travaux languissaient désespérément, et tambourinait sourdement sur les madriers des échafaudages abandonnés, dont on devinait faiblement les squelettes dans l'ombre de l'aile nord éventrée... Louis éternua. Il se dit qu'il avait peut-être pris froid dans la voiture et que le temps avait véritablement tourné au pire.

En franchissant le seuil du petit degré, il songea à son père que l'on avait ramené mourant ici même autrefois, après le criminel attentat dont il avait été victime. Le roi Henri avait rendu le dernier soupir devant cette porte, avant d'entrer... On avait été contraint de monter son cadavre assis sur une chaise, par ce même degré de pierre tournant, jusqu'à sa chambre en haut, d'où il n'avait plus jamais contemplé la rivière de Seine dont il aimait le cours grave et lent. C'était un 14 mai, il faisait beau et chaud : lui-même, dauphin choyé, n'avait pas neuf ans tout à fait... On l'avait emmené à cheval se promener dans les champs.

Il y avait longtemps que Louis n'avait pas ainsi pensé à son père. Il se rappela la longueur du deuil et l'étrangeté de ces pompes funèbres pendant lesquelles on avait placé un mannequin à l'image exacte du feu roi. On avait laissé ce frappant simulacre tout un mois sur le catafalque dans la salle du tribunal, au rez-de-chaussée, pour servir aux dévotions du peuple, qui était venu là, continuellement, lui faire ses adieux, pendant que son véritable cadavre pourrissait en haut, dans sa chambre. Il se rappela l'odeur... Il se rappela les mouches. Il semblait que toutes les mouches d'Ile-de-France se fussent rassemblées pour un conseil plénier dans l'aile occidentale du Louvre.

Louis se dit que ces pensées, comme parfois les songes qui l'assaillaient dans son sommeil et qui le réveillaient trempé de sueur, lui venaient ce soir pour avoir parlé de la Reine Mère. Les vieux souvenirs l'effleurèrent de ce que l'on disait du temps de Concini : que les grands avaient trempé dans un complot qui avait abouti à l'assassinat de son père... Que Ravaillac n'avait été qu'un instrument imbécile – c'était l'opinion que soutenait de Luynes, lequel avait ajouté une fois que la mère du Roi savait plus de choses qu'elle n'en dirait jamais... Gravissant les marches usées en leur centre, Louis chassa ces songes de son esprit, de crainte qu'ils ne portassent quelque message funeste concernant la vieille femme, qu'il n'avait pas revue depuis si longtemps... Elle avait peut-être changé, comme le suggérait le Père Caussin, brave homme, qui croyait fort à son amendement. Elle était peut-être sincère et ne voulait plus se mêler d'aucune chose du gouvernement, ainsi qu'elle le lui avait écrit, le mois dernier, dans une longue lettre où elle se plaignait de sa misère... Mais Richelieu était d'un avis tout à fait contraire et ne voulait pas qu'elle revînt en France. « Chansons, chansons ! disait-il avec agacement. Elle ne bat pas encore le tambour avec les dents ! » Il est vrai que le Cardinal en parlait à son aise, lui qui regorgeait de tout – et la vieille dame n'était point sa mère.

Au premier étage, Guitaut introduisit cérémonieusement le royal visiteur dans le petit cabinet de la Reine, après avoir écarté le garde qui se tenait en faction devant la porte basse donnant sur le degré. Il n'y avait personne dans la pièce, mais la porte du fond s'ouvrit bientôt ; Anne apparut elle-même, dans une robe brochée d'argent, à la lueur d'un chandelier que tenait une chambrière. Elle s'était fait coiffer à neuf et souriait... Elle fit à son époux une profonde révérence. Il la salua à son tour d'un air timide.

– Soyez le bienvenu, Monseigneur.

– Le bonsoir à vous, Madame, répondit-il.

Il la baisa, bec à bec ; puis ils passèrent dans la chambre éclairée de chandelles, où flambait un grand feu. Une table carrée, couverte d'une forte nappe empesée à la poudre d'amidon, était dressée devant la cheminée, chargée de victuailles... La pièce était vide, à l'exception du maître d'hôtel et d'un gentilhomme servant qui se tenaient à l'écart. Anne expliqua que ses femmes s'en étaient allées coucher de bonne heure...

En cette soirée du samedi 5 décembre 1637, le roi de France, contraint par un orage inhabituel en cette saison tardive, soupa donc seul en tête à tête avec sa femme, laquelle avait renvoyé sa cour. Ils mangèrent devant un feu clair et beau qu'on avait allumé dans la grande chambre privée de la Reine, tendue de fort beau cuir rouge de Cordoue et de belles tapisseries de haute laine. Sa Majesté, qui avait été saisie par le froid à la sortie du couvent de la porte Saint-Antoine, but pour se réchauffer les entrailles deux grandes coupes de vin de Bourgogne à la santé de la Reine, qui en but aussi, pour l'amour de lui. La soirée se passa, en somme, beaucoup plus gaiement que ni l'un ni l'autre n'aurait pu l'espérer.

Cette réconciliation historique s'acheva dans la petite chambre à coucher, qui était attenante et avait vue sur la rivière, où se trouvait le grand lit d'argent qu'Ana de Austria avait rapporté jadis de son royaume de Castille. Il était, comme à l'accoutumée, garni de draps de lin, fins et frais, qu'une servante avait bassinés l'instant d'avant que Leurs Majestés n'y entrassent...

Le Roi avait passé la journée dans le trouble et l'exaltation secrète causés par la compagnie prolongée d'une jeune vierge cloîtrée. Son corps, transi par le froid soudain qui avait suivi la pluie de décembre, réagissait en une flambée d'érections incontrôlées ; il fit, cette nuit-là, merveille. La Reine, surprise et ravie de tant de sève ravivée chez son époux débonnaire, remerciait le ciel à tout instant ; elle récitait dans la joie et l'aise, à voix très basse, une oraison à Notre-Dame, une autre à saint Norbert, chanoine de Cologne, qui, après d'innombrables dévotions et suppliques, semblait enfin répondre à ses vœux. Saint Norbert, homme viril, ayant été frappé par la foudre à un moment de grande exaltation, son vit était demeuré éternellement roide sous l'effet de la commotion ; c'est la raison qui le faisait supplier par les femmes dans le besoin d'enfants et prier des amantes qui vivaient chastement... Anne ne voyait jamais un orage sans une pensée pour lui – ce soir encore, à sa fenêtre en haut, elle avait vu le feu du ciel s'abattre et avait imploré dans son âme le bon saint de la fécondité. A mesure que saint Norbert lui répondait de plus en plus clairement, la Reine adressait toutes ses prières à la Vierge Marie et une à saint Guerluchon en Berry, pour que la semence royale, en elle, portât ses fruits.

C'était également le souhait le plus cher de toute la France – ensemble avec le désir ardent de la paix –, et ses sujets, dans la grande cité autour d'elle, l'accompagnaient dans son élan. Car un mystérieux cavalier, bravant la pluie d'orage, s'était mis en chemin aussitôt que le Roi était entré au Louvre. Il était allé par les rues de la ville : « Priez, bonnes gens ! » Ce messager diligent s'était arrêté dans toutes les églises, tous les monastères, toutes les chapelles et les couvents, portant la nouvelle aux prêtres, aux vierges, aux bourgeois, aux manants, disant : « Priez, car ce soir le roi Louis connaîtra la Reine. Priez pour que Dieu nous donne un dauphin ! »

En sorte que cette nuit-là, pendant que le Roi était ainsi couché sur la Reine et la besognait, Paris, sa bonne ville qui ne dormait pas, était à genoux à ses côtés, dans l'ombre, et priait.

CHAPITRE X

Le roi Louis XIII aimait son confesseur. Le Père Caussin avait succédé dans la tâche subtile de diriger la conscience royale à un vieux jésuite écossais, le Père Gordon, qui était devenu paralytique et ne pouvait plus assurer ses fonctions. Le côté amical et direct, l'air de franchise qui se dégageait de toute la personne de ce confesseur suppléant, son amour du bien et de Dieu, enfin le caractère un peu naïf, sans doute, mais parfaitement sincère de cet honnête chrétien plaisaient infiniment au prince, qui l'écoutait volontiers ; il s'entretenait avec lui fort souvent des affaires temporelles aussi bien que des spirituelles.

Le Père Caussin, de son côté, s'était donné pour mission très haute, en entrant dans sa charge, de rétablir l'entente et l'harmonie dans la famille royale. Il se l'était promis avec une détermination discrète mais agissante, avec l'aide de Dieu ; les raccommodements de l'été entre les époux divisés par les enjeux politiques, comme aussi leurs retrouvailles de l'automne, lui devaient beaucoup. En sorte que le confesseur s'était rangé insensiblement du côté de ceux et de celles qui professaient les mêmes intentions que lui dans l'entourage du souverain : ils visaient les mêmes buts d'union et de paix pour la plus grande gloire du Seigneur. Outre Mlle de La Fayette, qu'il voyait régulièrement, le Père se trouvait abouché avec Marie de Hautefort, si pieuse et si dévouée ; cette belle âme, pour laquelle le Roi avait repris du goût et de l'estime, était par ailleurs totalement, inébranlablement fidèle à la Reine. Touché de compassion pour le sort de la Reine Mère en exil, dont le retour lui paraissait souhaitable pour l'équilibre moral du Roi, que la rigueur avec laquelle il traitait sa mère faisait vivre en permanence dans le péché, il prêchait le pardon après tant d'années de pénitence et travaillait de tout son cœur à la réconciliation du fils et de la mère. Ce raccommodement avait-il pour principal obstacle l'hostilité du Cardinal ? Eh bien, il s'opposerait à Richelieu ! Il ne serait certes pas le premier... Ni le dernier.

Le Père Caussin désapprouvait du reste ouvertement la conduite de Son Éminence, qu'il rendait lui aussi responsable de la misère causée par une guerre déclenchée contre une puissance très catholique – et si proche parente ! Une guerre inique soutenue à l'appui de puissances impies, odieuses à l'Église et au pape, telles que les Pays-Bas... Richelieu ne méditait-il pas à présent de faire alliance avec les Turcs contre l'empereur d'Allemagne ? Cette chose incroyable se murmurait !... Et le ministre tâchait de justifier auprès du Roi, par des arguties sans fondement, ce rapprochement sacrilège avec les infidèles ! C'était le diable cet homme-là ! Satan déguisé en pourpre et en robe !... Le confesseur s'était juré en conscience de mettre à tant d'abus le holà. Il faisait donc des remontrances réitérées à Sa Majesté lors de leurs conférences privées, seul à seul dans son cabinet ; il s'efforçait de combattre l'influence pernicieuse du Cardinal satanique en rétablissant dans l'esprit du Roi des jugements plus équitables et de lui montrer où étaient ses vrais amis. Le Roi croyait, par exemple, que la guerre qu'il conduisait contre l'Espagne était nécessaire, que sa femme était stérile et qu'elle n'avait aucune affection pour lui, que la Reine Mère voulait le détrôner pour mettre la couronne sur la tête de son frère, Gaston d'Orléans, et que les grands du royaume, qui ne lui étaient point attachés, étaient disposés à le trahir. Il était persuadé que c'étaient ces gens hostiles qui soulevaient le peuple contre lui – un peuple qui n'était pas aussi malheureux ni écrasé d'impôts que d'aucuns se plaisaient à le clamer par pure malice ! Il pensait qu'après tout il y aurait même du danger à laisser le peuple dans une trop grande abondance... Il était d'avis, enfin, que sans le Cardinal il aurait beaucoup de peine à se maintenir sur un trône branlant, secoué par les tempêtes de la rébellion. Le Père Caussin avait consacré une partie de l'été et toutes ses conversations de l'automne à instruire le monarque en des opinions contraires à celles-là. Il lui représentait patiemment, par des réfutations péremptoires et renouvelées, que ces croyances le plongeaient dans l'erreur, et tâchait à lui inspirer d'autres sentiments...Ce faisant, il s'était aperçu, avec scandale, que le jugement de Sa Majesté était comme détourné, corrompu, par l'autorité du Cardinal et la tyrannie de son influence ! Le bon Père, chemin faisant, dut se rendre à l'odicuse évidence : le souverain était, pour ainsi dire, prisonnier de la volonté de son ministre et comme envoûté par lui !... Le Roi ne lui avait-il pas confié, à la fin de novembre, peu après la prise de voile de Sœur Angélique, au cours d'une conversation qu'ils avaient eue dans son cabinet :

— C'est un fait étrange que le Cardinal ne se contente pas de tyranniser mon peuple, il veut aussi tyranniser ma personne.

— Monseigneur !... Il convient que Votre Majesté se protège de cet abus !

Ils étaient assis côté à côte devant un lutrin, en train de vérifier l'un de ces petits offices chantés que Louis venait de composer pour l'Avent et qu'il voulait donner à étudier aux chœurs de sa chapelle. Le temps était clair, un rai de lumière dorée tombant de la fenêtre derrière eux illuminait la chambre, noyait les papiers ; la conversation avait dévié comme à l'accoutumée sur le tempérament du Cardinal.

— Au reste, poursuivit le Roi, la misère et la pauvreté sont partout, c'est vrai, mais dans sa maison l'or et l'argent sont à pelletées !... Il a quantité de bénéfices qu'il s'est octroyés : et savez-vous, monsieur (Louis se tourna tout entier et

221

se pencha légèrement vers son confesseur), savez-vous qu'il ne dit point son bréviaire ?

— Ah !... fit le Père avec horreur.

— Non, il ne le dit jamais !

— C'est assurément un grand péché !

Le jésuite était sincèrement étonné de cette nouvelle qui ouvrait des perspectives inquiétantes sur l'impiété du premier prélat de France. Louis se redressa et croisa ses cuisses :

— Il dit qu'il en est dispensé en récitant les Heures de la Croix, annonça-t-il.

— Mais Sire...

Ce petit office fort court fait pour honorer la Croix de Jésus-Christ semblait au confesseur scandaleusement insuffisant pour un cardinal de l'Église romaine, qui devait, tout le premier, montrer le chemin.

— Les Heures de la Croix ?...

— Et encore, ajouta le Roi avec un petit rire navré, je crois qu'il ne les dit pas...

Le jésuite s'était trouvé de la sorte, par l'enchaînement de ses actes, et sans délibération préalable, du parti de ceux qui travaillaient en secret à la ruine du Cardinal. Aussi, le sixième jour de décembre, à l'annonce de cette copulation princière et inespérée qui avait empêché le Roi de le rejoindre à Saint-Maur – l'objet de tous ses vœux, de ses plus ardentes prières : œuvre de chair qui couronnait tous ses efforts de la saison d'automne –, le bon Père ne se tint plus de joie ! Il décida de partir en croisade. Il songeait que le temps était venu de délivrer son Roi des serres d'un cagot qui s'alliait au Grand Turc ; le mardi suivant, 8 décembre, le Roi, qui était rentré la veille à Saint-Germain-en-Laye, l'ayant fait appeler au château Neuf pour se confesser à lui selon l'habitude des jours de fête, le Père Caussin le supplia de lui accorder tout d'abord un petit entretien dans son cabinet pour lui présenter une affaire urgente. Le moment, croyait-il, était enfin venu de frapper un grand coup pour le triomphe de la justice et de la foi ; il mit d'abord Sa Majesté, avec obstination, sur la misère du pays de France : il lui dit que son peuple était surchargé de tailles, d'impositions et de logements de gens de guerre qui n'avaient point de fin et qu'un roi était obligé de traiter ses sujets comme ses enfants.

Louis s'écriait, en jetant de profonds soupirs :

– Ah ! Ah ! Mon pauvre peuple !...

Le Père lui dit alors combien il avait grande raison d'avoir compassion de son peuple, car il en était aimé ! Il n'y avait que le Cardinal, seul, qui fût l'objet de la haine des honnêtes gens... Puis, voyant que Sa Majesté l'écoutait avec beaucoup d'attention, il en vint au sujet de la Reine Mère, qui lui avait fait réclamer d'urgence cet entretien. Il conjura d'abord le prince d'avoir pitié, de ne pas laisser plus longtemps sa mère dans l'exil et dans la gêne où elle était : il lui déclara tout net que la loi de Dieu, au moins, l'obligeait de pourvoir à sa subsistance et de lui payer son douaire. Il lui montra enfin une lettre qu'il sortit de sous sa robe...

En effet, Marie de Médicis avait écrit de Bruxelles, au début de novembre, pour demander à son fils la grâce de lui accorder la jouissance de ses revenus, dont le défaut lui faisait à présent cruellement besoin dans son exil ; elle implorait aussi un asile dans son royaume où elle lui promettait avec soumission de ne se mêler jamais des affaires de l'État... Le Roi avait montré, avec beaucoup de scrupules et le cœur touché, cette déchirante requête au Cardinal. Richelieu lui avait fait répondre par le même courrier qu'elle n'était assurément pas aussi malheureuse qu'elle le disait et qu'il entrait dans ses misères et ses souffrances beaucoup de chimères. Il fit ajouter qu'elle n'avait jamais été tenue prisonnière et que le prétendre montrait combien elle était une mère dénaturée. Il concluait enfin sans ménagements – la notoire méconnaissance qu'avait la Reine Mère de la langue française la rendait incapable d'écrire ses lettres toute seule – qu'elle se servait bien mal à propos d'écrivains qui lui dictaient les billevesées qu'elle lui avait écrites. Le Père

Caussin avait donc reçu depuis quelques jours, au travers de discrètes entremises, une réponse à cette injurieuse missive. Il avait mission de la montrer au Roi en particulier et, naturellement, à lui seul, devant même garder la lettre par-devers lui après lecture afin qu'elle ne tombât point entre des mains ennemies.

Le confesseur tendit donc à Sa Majesté, après en avoir reçu la promesse ferme qu'il lui serait rendu sur-le-champ, un rouleau qu'il avait caché sous son habit et qui était écrit de la main de Marie de Médicis. Louis prit les feuilles, puis, s'approchant de la fenêtre pour mieux capter la lumière dure et froide du petit matin de décembre, il déchiffra lentement tout du long l'écriture hésitante de sa mère :

« Monsieur mon fils,

« Je ne mérite pas, ce me semble, tant de rigueurs que vous me témoignez par votre lettre, et si le même sentiment de la nature vous pressait aussi fort en bon fils comme je le sens pour vous en bonne mère, il ne faudrait personne pour nous accommoder. Ce que je vous dis sont menteries, ce que je souffre sont imaginations, voyez quels compliments votre bon naturel me fait ! Ce sont mes écrivains, dites-vous, qui empruntent ma main pour vous écrire, et vous ne voyez pas que vous en avez un seul qui me dérobe votre cœur pour me maltraiter. Malheur sur lui, mon fils ! Dieu est trop bon pour souffrir qu'il vous traite aussi cruellement ; car, quoi que vous me disiez ou fassiez, je vous vois pleurer de regret dans votre âme. Vous m'entendez bien, et quoi qu'il vous dise contre moi, je sais aussi très assurément que vous n'en croyez rien, et cependant, encore que vous soyez le maître, il nous arrache l'un à l'autre, et nous tient aussi séparés que si nous étions ennemis. Vous m'écrivez que je n'ai jamais été en prison. Je le crois, de votre intention, mais que cela aussi n'ait été fait sous votre nom, il ne faut qu'aller à Compiègne et parler à ceux qui m'ont gardée, pour le justifier. Voyez, mon fils, par cette action que vous désavouez, comme il vous surprend, et combien d'autres extrémités par cet échantillon vous avez à craindre de la violence de son humeur. Il est où il désire, parce qu'après ce qu'il m'a fait, n'y ayant plus sûreté pour moi il n'y a plus personne aujourd'hui qui osât parler contre lui, quand bien il s'agirait de votre vie. Et pour vous rendre un parfait témoignage de ce que je dis, considérez qu'il m'a toujours fait proposer de m'éloigner et jamais de retourner auprès de vous ; je n'entends pas pour me mêler de vos affaires et assister dans vos conseils, mais pour vous voir seulement ; tant il meurt de peur que la nature ne rejoigne ce que sa cruauté divise ! Il m'impute des cabales et des actions afin de couvrir les siennes, et veut découvrir en moi ce que je n'ai pas seulement pensé, et couvrir en lui ce que j'offre de vous justifier. Mais, mon fils, ceci est bien plus court que tant d'écrits et répliques : voulez-vous recevoir votre mère et votre frère à vos pieds, et remettre votre esprit et la France en repos ? Donnez la sûreté nécessaire, et vous verrez s'il nous attendra, et s'il ne s'enfuira pas aussitôt qu'il entendra que vous nous voulez voir. Y a-t-il réplique à cela, et pouvez vous refuser cette proposition sans blesser votre réputation parmi les hommes, puisque je ne demande que votre bien et la justice que vous devez à vous-même et jusques au moindre de vos sujets, ou l'amitié que vous êtes obligé de me porter. Vos actions, dites-vous, sont connues à toute la Chrétienté. Cela est bon pour la guerre, où il a plu à Dieu bénir votre courage et vos desseins, mais non pas pour votre naturel en mon endroit où vous allez renoncer publiquement si vous me rejetez de la sorte, et si vous ne prenez autre part à mon injure. Vous le devez, mon fils, et ce seul nom de fils vous doit également toucher de pitié et de ressentiment pour mon affliction et les outrages que j'ai reçus de lui. Si je suis dénaturée, comme il dit, je ne veux plus vivre ; si cela n'est pas vrai, pouvez-vous excuser un serviteur qui choque atrocement l'honneur de votre propre mère ?

« Voyez donc, s'il vous plaît, qui a raison ; et comme il est ma partie et moi la sienne, ne nous croyez ni l'un ni l'autre, remettez-en le jugement à votre Parlement : je m'y soumettrai si volontiers que je ne veux aucun privilège ni considération pour ma personne. Vous seriez bien détrompé. Autrement pensez-vous que Sa Sainteté, qui est le père de la Paix aussi bien que de l'Église, ni vos sœurs, les reines d'Espagne et d'Angleterre et la princesse de Savoie, vous laissent en repos sans vous crier avec moi : faites justice à votre mère. Voulez-vous attendre ce second éclat après celui de ma prison ? Cela, mon fils, n'est pas une guerre, non plus qu'une cabale, puisque tout n'aboutit qu'à vous demander justice d'un mauvais serviteur et à vous faire voir ses crimes et ses desseins contre votre État. Et si vous voulez que je lui pardonne, je le ferai de bon cœur pour l'amour de vous ; mais comme je suis sortie de la France pour sauver ma vie et me mettre à couvert de sa persécution, quand bien je voudrais derechef pour votre service l'hasarder entre ses mains, je ne lui puis relâcher l'intérêt de mon honneur ; il faut auparavant, s'il vous plaît, qu'il soit juridiquement condamné ; et lors, si vous lui donnez la vie, je vous rendrai aussi volontiers tous mes ressentiments.

« Que me dites-vous donc, mon fils, sur tout ceci ? Il ne faut point pointiller par des lettres. Je vous dois et je vous aime trop pour le vouloir. Quand bien vous me diriez encore plus d'injures, vous êtes mon Roi et mon fils, faites-moi justice comme l'un et m'aimez comme l'autre. C'est ce que je vous demande à mains jointes. Ce sera une action digne de vous, de rendre même en ce faisant la vie à celle qui a eu le bonheur de vous la donner. C'est, Monsieur mon fils,

Votre humble », etc.

Le Roi s'était interrompu plusieurs fois au cours de sa lecture pour réfléchir, appuyé de l'épaule contre le chambranle de la fenêtre ; il paraissait touché... Il rêva encore, parvenu à la fin de la lettre, les lèvres serrées ; ses yeux lointains contemplaient sans les voir les forêts brunâtres, décharnées, étendues sous sa vue au-delà des jardins... Il commençait à pleuvoir. Le silence de l'automne se rehaussait du doux grésillement de la pluie sur les feuilles mortes ; Louis tendit le rouleau de papier au Père Caussin, sans dissimuler son trouble et son embarras.

– Je voudrais bien, dit-il, lui donner contentement.

Il fit quelques pas, prit une feuille sur le lutrin, feignant de donner son attention à un vers latin qu'il ne voyait pas ; il ajouta, d'un ton si humble et si apeuré que le Père en eut pitié :

– Mais je n'oserai jamais en parler à Monsieur le Cardinal.

Le confesseur s'offrit aussitôt de s'entremettre lui-même, heureux des bonnes dispositions du monarque et sûr que Dieu enfin l'inspirait. Il proposa d'en toucher d'abord quelques mots à Son Éminence.

– Vous m'obligeriez fort si vous faisiez cela, dit le Roi.

Le Père se lança alors dans une vibrante homélie sur le devoir filial, exhortant le souverain à soutenir sa volonté sans faille face à son ministre... Louis, qui était lassé de l'entendre, lui dit qu'il était fâché de l'avoir fait appeler ! Il regrettait de n'avoir remis cette conversation à un autre jour – puis il se repentit de son impatience :

– Je vous demande pardon, dit-il, voyant la mine décontenancée de son confesseur. Je vous ai répondu trop rudement... Je reconnais que tout ce que vous m'avez dit est pour mon bien.

Le lendemain, qui était le mercredi, le Roi dit au Père Caussin, après avoir ouï la messe dans sa petite chapelle surplombant les terrasses :

– J'ai pensé à ce que vous m'avez dit. Je vois le désordre que vous m'avez représenté et je reconnais l'obligation que j'ai d'y remédier. Je vous promets, Père, d'y travailler sérieusement.

Le confesseur s'en fut donc à Rueil dans l'après-midi trouver le Cardinal et lui faire des remontrances, en ouverture à la visite du Roi qui devait suivre la sienne afin de fixer définitivement les bornes et régler les sujets litigieux. Le jour suivant, le 10 décembre, le roi Louis consacrait son royaume à la Vierge sur une inscription rédigée par Richelieu et son conseiller particulier, le Père Joseph du Tremblay, frère du gouverneur de la Bastille, qui était depuis de nombreuses années comme l'ombre de Son Éminence... Le Père Caussin, quant à lui, ce jeudi-là, reçut une lettre de cachet qui lui ordonnait de se rendre à Rennes, en Bretagne, où le conduirait un exempt des gardes. Deux semaines plus tard, *la Gazette* de Théophraste Renaudot donnait les raisons officielles de ce départ :

« *De Paris, le 26 décembre.* Le Père Caussin a été dispensé de Sa Majesté de le plus confesser à l'avenir, parce qu'il ne s'y gouvernait pas avec la retenue qu'il devait et que sa conduite était si mauvaise, qu'un chacun et son ordre même a bien plus d'étonnement de ce qu'il a tant demeuré en cette charge que de ce qu'il en a été privé. Le déplaisir que ceux de son dit ordre ont de sa faute est proportionné à la grande et sincère passion qu'ils ont au bien de cet État et au service du Roi. Pour tenir sa place le Roi a fait élection, dans le même ordre des Pères Jésuites, du Père Sirmond, qui est en réputation il y a plus de cinquante ans d'être un des plus savants hommes de l'Europe, auquel Sa Majesté se confessa avant-hier à Saint-Germain. »

Un peu après Noël, cependant, le bruit courut que la Reine était grosse. Ce ne fut tout d'abord qu'un murmure de Cour, un ragot chuchoté de bouche à oreille avec des clins d'yeux entendus et des airs de mystère...Ce commérage était fort mis en doute ; il revint aux oreilles du Roi, qui ne le crut pas.

Certes, Anne d'Autriche avait déjà été enceinte d'autres

fois – elle était en âge de l'être encore. Louis avait agréablement souvenir d'avoir œuvré pour qu'elle le devînt... Mais
c'eût été véritablement trop beau que Notre-Dame eût
voulu, en échange du royaume qui venait d'être mis sous sa
protection céleste, offrir le miracle d'un enfant à la France !
Le Roi répondit à Hautefort, qu'il avait interrogée sur le
fondement de ce bruit persistant de gravidité royale, et
comme celle-ci lui confirmait le trouble où était la Reine et
les espérances qu'elle n'osait pas avoir, qu'il ne fallait pas
prendre tous ces songes creux pour bel argent. Il était d'avis
que le désir qu'avait sa femme d'enfanter lui faisait voir des
signes de conception à tout bout de champ.

– Une truie songe toujours bren, conclut-il.

Ces derniers propos fâchèrent fort la belle Marie, qui le
querella là-dessus, disant, toute rouge et enflammée, que Sa
Majesté n'était pas une truie ! Qu'il tenait des discours
indignes d'un souverain de son âge ! Que ces façons de parler
étaient bonnes autrefois, au temps du feu roi Henri son père,
peut-être, mais qu'elles étaient aujourd'hui viles et grossières, et que ce n'était point ainsi que l'on parlait chez Mme la
marquise de Rambouillet ni chez les gens bien nés – et que s'il
continuait à s'exprimer de la sorte, ajouta-t-elle, furieuse, la
mère de Dieu ne lui donnerait jamais d'enfant !...

Louis répliqua qu'il n'avait voulu que railler ; il se jouait
à elle, sachant que c'était justement lui passer la mouche
devant les yeux que de parler ainsi... Comme elle se récriait,
il ajouta qu'on voyait bien qu'elle ne connaissait pas les
manières des veneurs, des piqueurs à la chasse, ni celles des
gens d'oiseaux, dont le langage était sans doute moins sucré
que celui des salons de femmes où fréquentaient tous les
petits marquis trousseurs de sonnets ! Mais que ces gens
savaient conduire une meute, marcher sur des brisées que la
marquise de Rambouillet serait bien empêchée de connaître,
non plus que M. Voiture, ou M. Corneille, ni aucun de ces
grands farauds comme Benserade, lequel était ignorant
comme un chien et ne savait détrier un autour d'un aigle.

Marie devint alors cinglante ; elle riposta d'un air piqué qu'hors la chasse – et sans doute l'art de composer des motets ou des sarabandes – Sa Majesté était assez ignorante elle-même !

– Quand le soleil est couché, Monseigneur, il y a bien des bêtes à l'ombre.

Elle dit cela le regard distant, avec un petit rire hautain, qui était une manière de signifier : « Puisque Votre Majesté aime les proverbes, je lui en servirai ! »

Ils boudèrent.

Le Roi revoyait beaucoup Mme de Hautefort ces temps derniers et ils se querellaient fort souvent. Louis s'était de nouveau embéguiné de la favorite blonde et spirituelle, maintenant que La Fayette était définitivement retirée du monde ; il en venait à ne plus pouvoir se passer de sa compagnie… Marie le tenait sous le charme de sa beauté, de sa grâce, de sa vivacité ; mais il était séduit bien davantage par l'absolue sincérité, la générosité de la jeune fille et son sens de l'honneur. Même son attachement à la Reine, qui l'irritait quelque peu, plaidait finalement en sa faveur. S'il la taquinait parfois là-dessus, il admirait cette fidélité même et sa totale absence d'obséquiosité, voire sa rudesse et son manque total de diplomatie… La distance qu'elle gardait fièrement à l'égard du Cardinal malgré les avances réitérées, les ouvertures flatteuses que celui-ci avait faites pour tenter de la mettre dans son camp, enchantait Louis ; elle était tellement réfractaire à toute forme de vénalité et de corruption ! Cette manière de tenir tête, malgré sa jeunesse, au redoutable ministre le rendait heureux. De même qu'elle était attendrissante dans sa façon de toujours requérir des faveurs pour ses amis avec une insistance inlassable et de ne jamais rien demander pour elle… Le Roi l'aimait d'amour tendre.

Bien entendu, la Reine avait eu quelques malaises. Il fallait bien se garder d'en conclure quoi que ce fût. Au bout de l'an, la jeune femme fut prise de vomissements répétés – mais quoi ? Elle avait eu quelques échauffaisons de viandes ! Point n'était besoin de parler de grossesse pour cela... Aussi vrai n'était-elle pas assez friande, elle se nourrissait de n'importe quoi à la mode des Espagnols, qui sont peu délicats sur les mets ; elle se faisait servir des *ollas podridas*, par exemple : des pots-pourris dont elle se délectait et qui eussent fait reculer d'effroi le plus brave soldat de Brichanteau. Nulle surprise qu'Anne eût jeté du cœur sur le carreau !

Cependant, le 14 janvier de l'an de grâce 1638, la Reine, n'ayant pas eu ses flux pour la seconde fois de rang, quatre jours pleins étant passés, le premier médecin du Roi, qui s'appelait Bouvard, fut de nouveau mandé en consultation avec ceux de ses confrères ordinaires qui servaient leur quartier. La princesse n'osait encore croire à son bonheur... Bouvard la questionna cent fois, la tâta, la palpa de ses doigts experts au travers de la chemise de batiste qui la recouvrait tout entière, puis il hocha le chef avec beaucoup de satisfaction. Ayant conféré brièvement avec les autres, il déclara, devant les femmes intimes qui entouraient le lit et qui étaient mortes d'impatience, que le doute n'était plus de mise : il y avait bien dans les entrailles de Sa Majesté le germe d'un petit enfant qui, si Dieu voulait, demanderait quelque jour à naître.

Ayant dit, il se signa de félicité, imité de tous en cela ; les femmes plièrent le jarret et s'agenouillèrent d'un seul mouvement, joignant les mains avec extase pour réciter sur l'heure une action de grâces... Elles entouraient la couche royale avec une vénération nouvelle et rajeunie. Bouvard s'éclipsa le plus vite qu'il put et se précipita vers un pupitre, de l'encre et du papier ; il écrivit à son Éminence le cardinal de Richelieu, qui lui demandait de l'informer toujours le premier avec la plus grande exactitude de la santé des souverains et lui savait gré de cela :

« Monseigneur,

« Je n'ai pu, ni dû, tarder de vous faire savoir les signes les plus certains que jamais de grossesse de la Reine, qui font foi d'un enfant déjà conçu et formé de six semaines, et, partant, hors des dangers des jours qu'autrefois Sa Majesté a souffert... »

La nouvelle se répandit comme une traînée de poudre enflammée par la torche d'un sapeur ; d'emblée, elle fut considérée à Paris et dans tout le royaume comme la marque d'une intervention divine. Toutes ces prières ardentes, toutes ces offrandes, toutes ces supplications enfin – y compris la dernière, qui fut faite un beau soir de décembre par les âmes pieuses de la capitale –, toutes ces dévotions n'avaient pas été en vain ! Les prières avaient été entendues, les offrandes avaient été acceptées par la main de Dieu.

Il restait à faire que cette grossesse, contrairement à celles qui s'étaient produites – dont la dernière remontait à sept ans –, fût conduite sans encombre et sans alarme à son terme naturel. Il fallait, en outre, qu'au bonheur d'une naissance s'ajoutât la suprême félicité d'une succession possible sur le trône de France et de Navarre avec la venue au monde d'un enfant mâle. Dans ce vieux pays de loi salique où les filles étaient depuis toujours exclues de l'accession au trône, qu'elles fussent aînées ou non, et ne pouvaient prétendre au gouvernement de l'État, il était absolument nécessaire que Sa Majesté accouchât d'un dauphin !... Les prières, de toutes parts, reprirent donc de plus belle pour remettre à contribution la Divine Providence. Les oraisons, les pèlerinages, les offrandes se multiplièrent à qui mieux mieux et, partout où la nouvelle courait, se mettait à vibrer le frisson de l'attente.

Le Roi, de son côté, commençait à recevoir des messages officieux et des félicitations des quatre coins du monde civilisé – l'événement, attendu depuis vingt ans par toutes les cours souveraines, étant de première importance pour l'avenir de l'Europe. Le Roi ne pouvait donc plus différer davantage l'expédition de son vœu solennel du 10 décembre dernier qui mettait le royaume sous la protection de la Vierge

Marie, mère du Roi des Cieux : le plus éclatant hommage que jamais vassal rendît à son Seigneur et Maître... Son Éminence, pour sa part, hâtait la rédaction des lettres patentes, qui furent imprimées au Louvre sans délai et prirent la forme d'une déclaration royale. Le 10 février de l'an 1638, et le vingt-huitième du règne, fut expédiée à tous les pouvoirs civils et ecclésiastiques du pays la déclaration que voici :

DÉCLARATION DU ROY
QUI PREND LA BIENHEUREUSE VIERGE POUR PROTECTRICE DE SES ÉTATS

« LOUIS, par la grace de Dieu, roy de France et de Navarre. A tous ceux qui ces présentes lettres verront, Salut.

« Dieu qui élève les rois au trône de leur grandeur, non content de nous avoir donné l'esprit qu'il départ à tous les princes de la terre pour la conduite de leurs peuples, a voulu prendre un soin si spécial et de notre Personne, et de notre État, que nous ne pouvons considérer le bonheur du cours de notre règne, sans y voir autant d'effets merveilleux de sa bonté que d'accidents qui nous pouvaient perdre. Lorsque nous sommes entrés au gouvernement de cette Couronne, la faiblesse de notre âge donna sujet à quelques mauvais esprits d'en troubler la tranquillité ; mais cette main divine soutint avec tant de force la justice de notre cause, que l'on vit en même temps la naissance et la fin de ces pernicieux desseins.

« En divers autres temps l'artifice des hommes et la malice du Diable ayant suscité et fomenté des divisions non moins dangereuses pour notre Couronne, que préjudiciables au repos de notre Maison, il lui a plu en détourner le mal avec autant de douceur que de justice ; la rébellion de l'hérésie ayant aussi formé un parti dans l'État, qui n'avait autre but que de partager notre autorité, il s'est servi de nous pour en abattre l'orgueil ; et a permis que nous ayons relevé ses saints

233

autels en tous les lieux où la violence de cet injuste parti en avait ôté les marques. Si nous avons entrepris la protection de nos alliés, il a donné des succès si heureux à nos armes, qu'à la vue de toute l'Europe, contre l'espérance de tout le monde, nous les avons rétablis en la possession de leurs États dont ils avaient été dépouillés.

« Si les plus grandes forces des Ennemis de cette Couronne se sont ralliées pour conspirer sa ruine, il a confondu leurs ambitieux desseins, pour faire voir à toutes les nations, que comme sa Providence a fondé cet État, sa bonté le conserve, et sa puissance le défend.

« Tant de graces si évidentes font que pour n'en différer pas la reconnaissance, sans attendre la paix qui nous viendra sans doute de la même main, dont nous les avons reçues, et que nous désirons avec ardeur, pour en faire sentir les fruits aux Peuples qui nous ont commis, nous avons cru être obligé, nous prosternant aux pieds de Sa Majesté divine que nous adorons en trois personnes, à ceux de la Sainte Vierge et de la sacrée Croix, où nous relevons l'accomplissement des mystères de notre Rédemption par la vie et la mort du Fils de Dieu en notre chair, – nous consacrer à la grandeur de Dieu par son Fils rabaissé jusqu'à nous, et à ce Fils par sa Mère élevée jusqu'à lui, en la protection de laquelle nous mettons tout particulièrement notre Personne, notre État, notre Couronne, et tous nos Sujets pour obtenir par ce moyen celle de la Sainte Trinité par son intercession, et de toute la Cour céleste par son autorité et exemple ; nos mains n'étant pas assez pures pour présenter nos offrandes à la pureté même, nous croyons que celles qui ont été dignes de la porter les rendront hosties agréables ; et c'est chose bien raisonnable qu'ayant été médiatrice de ses bienfaits, elle le soit de nos actions de grâces.

« A ces CAUSES, nous avons déclaré et déclarons que prenant la très sainte et très glorieuse Vierge pour protectrice spéciale de notre Royaume, nous lui consacrons particulière-ment notre Personne, notre État, notre Couronne, et nos

Sujets, la suppliant de nous vouloir inspirer une si sainte conduite, et défendre avec tant de soin ce Royaume contre l'effort de tous ses ennemis, que soit qu'il souffre le fléau de la guerre, ou jouisse de la douceur de la paix, que nous demandons à Dieu de tout notre cœur, il ne sorte point des voies de la grace qui conduisent à celles de la gloire. Et afin que la postérité ne puisse manquer à suivre nos volontés en ce sujet, pour monument et marque immortelle de la consécration présente que nous faisons – nous ferons construire de nouveau le grand autel de l'Église Cathédrale de Paris, avec une image de la Vierge qui tienne entre ses bras celle de son précieux Fils descendu de la Croix ; nous serons représentés aux pieds et du Fils et de la Mère, comme leur offrant notre Couronne et notre Sceptre.

« Nous admonestons le Sieur Archevêque de Paris, et néantmoins lui enjoignons, que tous les ans, le jour et fête de l'Assomption, il fasse faire commémoration de notre présente Déclaration à la grande Messe qui se dira en son Église Cathédrale, et qu'après les Vêpres dudit jour il soit fait une Procession en ladite Église, à laquelle assisteront toutes les compagnies souveraines, et le corps de ville, avec pareille cérémonie que celle qui s'observe aux processions générales plus solennelles. Ce que nous voulons aussi être fait en toutes les Églises, tant parochiales que celles des Monastères de ladite ville et faux-bourgs ; et en toutes les villes, bourgs et villages dudit diocèse de Paris. Exhortons pareillement tous les Archevêques et Évêques de notre Royaume et néantmoins leur enjoignons de faire célébrer la même solennité en leurs Églises Épiscopales et autres Églises de leur diocèse, entendant qu'à ladite cérémonie les cours de Parlement, et autres compagnies souveraines, les principaux officiers des villes y soient présents.

« Et d'autant qu'il y a plusieurs Églises Épiscopales qui ne sont point dédiées à la Vierge, nous exhortons lesdits Archevêques et Évêques, en ce cas, de lui dédier la principale Chapelle desdites Églises, pour y être faite ladite cérémonie et d'y élever un autel avec un ornement convenable à une action si célébre ; et d'admonester tous nos Peuples d'avoir une dévotion particulière à la Vierge, d'implorer à ce jour sa protection, afin que sous une si puissante patronne notre Royaume soit couvert de toutes les entreprises de ses ennemis ; qu'il jouisse longuement d'une bonne paix ; que Dieu y soit servi et révéré si saintement que nous et nos sujets puissions arriver heureusement à la dernière fin, pour laquelle nous avons tous été créés : CAR tel est notre plaisir.

« Donné à Saint-Germain-en-Laye, le dixième jour de février, l'an de grace mil six cent trente-huit. Et de notre Règne le vingt-huit. »

LOUIS.

(Et scellé sur double queue de cire jaune.)

Un bonheur ne venant, sans doute, jamais seul, ces lettres patentes eurent à peine touché leur destination à travers tout le pays que la Vierge démontra de manière très éclatante qu'elle voulait, en effet, favoriser ce royaume mis sous sa protection : elle envoya, pour ainsi parler, par retour de poste, une éclatante victoire à nos armées.

Bernard de Saxe, le duc mercenaire qui guerroyait en Alsace contre l'armée impériale de Ferdinand sous la haute direction de Richelieu, n'avait point reposé les armes pour la saison d'hiver. Grâce au beau temps qu'il faisait, il s'occupait à assiéger toutes les têtes de pont de la vallée du Rhin, en remontant le fleuve vers sa source... Le hasard voulut que la plus importante de ces garnisons tenues par l'Empereur, la ville de Rheinfelden, fût gardée par le célèbre et terrible Jean de Werth en personne. Ce capitaine redoutable avait manqué de mettre Paris à genoux moins de deux ans auparavant, lors de la grande débâcle de Corbie – ses éclaireurs croates, qui

236

avaient semé la terreur jusque dans les environs de Compiègne, étaient encore dans toutes les mémoires. Le dernier jour
de février, Bernard de Saxe attaqua donc Jean de Werth dans
son repaire solidement protégé ; il fut d'abord repoussé par
les troupes qui défendaient la forteresse et battit en retraite
après un combat peu glorieux... Mais, le lendemain, au
moment où le foudre de guerre, mis en joie par cette action
facile, festoyait dans son camp pour célébrer sa victoire avec
ses reîtres, soudain sans bruit, l'armée française reparut en
catimini alors qu'on la croyait en fuite ! Le duc Bernard
tomba sur le poil de son ennemi et transforma les festins
en massacre, faisant main basse sur la ville et retenant tout
le monde prisonnier. Parmi les captifs se trouvait évidemment le *nec plus ultra* : le capitaine haï lui-même, et Bernard manda aussitôt, par un courrier extraordinaire, qu'il
envoyait à Paris, sous bonne garde, solidement enchaîné
dans une cage de fer, l'abominable Jean de Werth rugissant
de fureur et de honte.

La nouvelle de ce triomphe, où la protection divine était si
clairement exprimée, fut accueillie, comme bien on pense,
par une explosion de joie : ce ne fut partout que messes,
louanges et actions de grâces. Le Roi, qui était pour lors à
Saint-Germain, organisa dans l'église paroissiale de la petite
ville un *Te Deum laudamus,* lequel fut chanté par les
chantres de la musique de sa chapelle, en sa présence et celle
de toute la Cour, tandis qu'une messe solennelle était
célébrée par son premier aumônier, le révérendissime évêque
de Meaux.

La Cour, du reste, sortait en ce temps-là de quelques
semaines fort chargées en dévotion, qui avaient fait suite à
l'annonce, encore tout officieuse au demeurant et point
encore proclamée au grand jour, de la royale grossesse.
L'église paroissiale de Saint-Germain-en-Laye avait été le
centre d'une mission évangélique qui avait occupé toute la
dernière quinzaine de février ; elle avait été organisée dans la
paroisse royale, à la demande de Louis XIII, par les disciples

du bon M. Vincent, lui-même une des plus belles incarnations de la Divine Miséricorde. Cette activité apostolique était animée par Jean de La Salle, l'un des fils spirituels du saint homme, accompagné d'autres prêtres de la mission, et dirigée par l'évêque d'Alet, nommé Nicolas Pavillon. Pavillon était un prédicateur de très grand zèle et d'ardente foi que M. Vincent avait désigné spécialement pour cette pieuse charge.

La mission avait été quelque peu houleuse, car bien qu'elle s'adressât au premier chef au tout-venant des paroissiens de Saint-Germain, elle fut également suivie par la Cour au grand complet. Le Roi donna l'exemple en venant plusieurs fois entendre la prédication en l'église paroissiale située à quelques pas de l'entrée principale du château Vieux. Le premier sermon qui laissât une impression fort vive fut prêché par Nicolas Pavillon sur le sujet de la nécessité qu'il y a de préparer sérieusement son salut ici-bas afin de jouir après la mort des délices que le Père réserve aux pieux. Il insista sur le fait qu'au Royaume des Cieux n'étaient admis qu'un petit nombre d'élus, que Dieu demeurait seul juge du mérite des âmes, toutes étant égales devant Ses yeux augustes et toutes semblablement pécheresses. Il réaffirma qu'il n'entrait au Paradis que les âmes qu'il plaisait au Tout-Puissant, dans Son infinie bonté, de choisir ; ce qui était un point de théologie à méditer sérieusement. Toujours afin de guider les créatures dans la voie de leur Créateur, Pavillon prit l'exemple qu'il avait, hélas ! sous les yeux, de l'immodestie de la vêture, et particulièrement de l'odieuse coquetterie des femmes qui offraient aux regards concupiscents les démoniaques appas de leurs poitrines nues... Il s'emporta avec beaucoup de virulence contre ces femmes effrontées qui excitent à pécher en exposant leur col, leur dos et leurs bras découverts ! Il cita la parole de saint Paul, selon qui de pareilles femmes sont « sorties du secret cabinet de l'humble connaissance de Dieu ». Il vilipenda le temps qu'elles passaient à leur vaine parure, un temps si précieux qui était dérobé de la sorte à la pensée et à l'adoration de la sainte présence du Père éternel. « Qu'on y songeât ! » hurlait Pavillon en agitant devant sa face un bras vengeur.

La Reine assistait au sermon. Elle était assise sur un épais carreau de velours cramoisi, dans une robe de damas vert avec des franges de soie, à l'encolure carrée, avec passement d'argent et collet de fine dentelle ; sa jupe, amplement étalée sur le sol de l'église, était de satin couleur paille. Marie de Hautefort, à son côté, était vêtue de soie blanche rehaussée de parements d'or qui jouaient avec beaucoup d'élégance avec sa haute coiffure blonde voilée de broderies délicates ; les autres dames s'étalaient autour d'elle, Mme de Sénécey était en taffetas noir et moiré, Mlle de Chémérault en damas orangé ; Saint-Louis, en satin rouge, était rayonnante et avait les bras nus malgré la saison d'hiver ; Pont-Briant était en violet ; Saint-Pons en gris perle ; Ségue portait une jupe couleur de fer, et toutes les filles d'honneur, cérémonieusement rangées par terre autour de Sa Majesté, découvraient qui leur dos blanc et lisse, qui leur col gracieux comme celui des cygnes, qui la forme arrondie de leurs seins jusqu'à l'orée de leurs mamelles comme si elles eussent été quêteuses d'église en mal d'époux. Les protestations indignées de Pavillon jetaient la confusion et le désordre sur tous les visages... Le lendemain, la Reine ordonna que l'on fît une ample moisson d'écharpes avant de se rendre aux offices et, donnant elle-même l'exemple de la retenue la plus chaste, elle distribua ces voiles à son service d'honneur, qui s'en couvrit les épaules et la poitrine dans une pieuse observance de la pudeur.

Cependant, le prédicateur étendait plus loin encore son sacré zèle dans la recherche du salut. Fidèle en cela à la parole et à l'enseignement de Vincent de Paul, et n'écoutant que la voix de son maître, Pavillon voulait que la charité fût l'arme de choix du fidèle dans sa lutte contre les puissances obscures et les entreprises du Malin. Il se mit en devoir de montrer comment la vie à la Cour, tout absorbée par les plaisirs, les divertissements, la toilette et les bavardages, était le plus souvent un état d'oisiveté, qui est mère de tous les déportements, y compris les plus graves et les plus scandaleuses licences. La vanité des conduites était le chemin le plus assuré vers l'Enfer, clama-t-il ; puis il établit longuement un parallèle entre les existences inutiles à Dieu et l'accomplissement privilégié des personnes qui accordent tous leurs soins, tous leurs instants, aux œuvres de charité et au soutien des pauvres. Il osa conclure sa longue homélie devant ce parterre princier en disant que la véritable noblesse, aux yeux du Créateur, ne découlait pas des liens du sang, mais qu'elle se créait par des actes agréables à son regard. Des actes !... Dans les actions seulement résidait la grandeur !

La leçon fut entendue ; il se créa dès les jours suivants dans ce royaume de la terre et à l'instigation de Mme de Hautefort, conjointement avec plusieurs de ses compagnes que la prédication du Père avait beaucoup touchées, une confrérie de la Charité, dont Mme de Chaumont fut la présidente. Cette pieuse association s'établit en vue de porter des secours aux pauvres et de soulager les malades par des soins et de la nourriture. Toutes les dames et toutes les filles d'honneur s'y inscrivirent, mues par une précieuse et sainte émulation. Ce ne furent, pendant quelques semaines, que visites et offrandes dans les taudis les plus sordides des environs ; les dames entraient avec leurs servantes, qui portaient les présents, dans des salles encombrées de vieillards haletant sur des bottes de paille, mêlés à de petits enfants faméliques, au milieu des animaux avec lesquels ils vivaient ordinairement : leurs chèvres, leurs poules, une oie et, chez les mieux nantis, un cochon, qui partageaient leur logis. Les nourrissons pendaient aux mamelles des femmes exsangues, les vieux rassotaient, les malades geignaient, les moutons bêlaient, et aussi les chèvres... Et les dames s'émerveillaient entre elles de tant de simplicité biblique, qui était l'image même des récits de la Nativité entre le bœuf et l'âne ; il leur semblait contempler la sainte crèche en ces galetas obscurs. Jamais les misérables de Saint-Germain-en-Laye ne virent pareil régal qu'en cette évangélisation du mois de février 1638 – jamais les estropiés, les pustuleux, les scrofuleux, les chancreux, les tuberculeux et les affamés de la paroisse ne reçurent autant de friandises ni de princesses à leur chevet.

Tant de zèle et de dévotion finit toutefois par alarmer quelques personnes qui n'oubliaient pas que la Reine était porteuse des espérances de la France entière. Plusieurs furent pris d'inquiétude à voir ainsi sa précieuse santé mise, pour ainsi parler, à l'encan, par la promiscuité dégoûtante dans laquelle cette charitable ardeur l'obligeait à vivre. Non pas qu'Anne d'Autriche visitât les taudis en personne, mais enfin son entourage revenant tous les jours de tournées nauséabondes, ses domestiques mêmes, avec qui elle était en contact journalier, pouvaient être souillés par les miasmes morbides rapportés de ces bauges où croupissait l'humanité souffrante.

Ce fut Mme de Sablé qui, venant en visite un jour à Saint-Germain pendant qu'avait lieu cette frénésie, souleva la question des miasmes. Mme la marquise était fort savante en miasmes et l'une des plus grandes visionnaires du monde sur le chapitre de la mort. Elle soutenait que tous les maux sont contagieux et que même le rhume se gagne. Elle reléguait souvent dans leur chambre l'une ou l'autre des filles qui la servaient, sous prétexte qu'elle nasillait et que, disait Mme de Sablé, elle serait bientôt enrhumée. Si quelqu'un était venu chez elle qui pouvait avoir approché auparavant une personne atteinte d'une maladie, elle faisait brûler dans sa chambre toutes sortes de plantes dont la fumée chasse le mauvais air et, dans les moments où l'on parlait de peste, elle triplait toutes ces précautions... Des gens qui la connaissaient bien racontaient aussi que, s'il fallait la saigner, elle faisait d'abord conduire le chirurgien dans le lieu de sa maison le plus éloigné de sa chambre, car ces gens sont par profession continuellement en visite chez des malades. Là, on donnait à cet homme un bonnet et une robe de chambre ; on en usait de même avec son garçon s'il en avait un, lui faisant quitter son pourpoint, tout cela de peur que ces messieurs ne lui apportassent du mauvais air... D'aucuns la raillaient un petit, disant que ces précautions étaient bien inutiles. Toutefois, la marquise de Sablé étant la fille du maréchal de Souvré, qui avait été le gouverneur de Louis XIII lorsqu'il était enfant, elle vivait en termes de familiarité et de confiance avec Sa Majesté, qui l'écoutait volontiers. Elle parla au Roi dès qu'elle vit les dangers auxquels la Reine était exposée, en particulier dans son état, du fait de cette pieuse confrérie coureuse de miasmes – avant de regagner Paris elle-même, en grande alarme, où elle manqua se faire étouffer dans les fumées odorantes des brûlots qu'elle alluma dans toute sa maison, interdisant sa porte pour un temps à toute personne venant de la Cour avec autant de sévérité que s'il y eût eu la peste à Saint-Germain !

Ces propos firent naître une très vive appréhension chez Sa Majesté, ainsi que chez beaucoup d'autres seigneurs qui étaient par ailleurs secrètement hostiles à la mission et rongeaient leur frein. Tous, en effet, n'avaient pas apprécié les prônes arrogants du prédicateur roturier... De nombreux gentilshommes, ayant mal accepté sa théorie de la vraie noblesse, tâchaient par tous les moyens d'abaisser Pavillon ; aussi ils saisirent l'occasion des propos de la marquise pour former contre la confrérie un « parti des miasmes » afin de protéger la Reine et, en la circonstance, l'avenir de la Couronne. Louis manda donc sa femme pour lui faire souvenir des soins qu'en dépit de ses pieuses intentions il convenait qu'elle prît. Anne dit que son domestique savait allier la prudence à la charité et que, comme ses filles pleines de zèle étaient logées au château Vieux et elle au château Neuf, les contacts en étaient éloignés d'autant ; les miasmes, si Dieu voulait qu'il y en eût, n'avaient point de cause de mieux traverser l'esplanade entre les deux résidences que de venir des maisons au château... Marie de Hautefort, qui parlait alors au Roi deux ou trois fois la journée, se chargea de le convaincre que les soins dont tous entouraient la Reine enceinte étaient un garant de sa sauvegarde.

La cabale des mécontents se rejeta alors dans la critique des sermons que continuaient à faire les prêtres de la mission. Au lieu de les subir en maugréant, ils leur prêtèrent une oreille attentive afin d'y relever, ici ou là, une parole imprudente qui pourrait discréditer les Pères devant le Roi. Ainsi, quelques jours avant la fin de ces semaines évangéliques, l'évêque d'Alet ayant proposé une comparaison entre Louis XIII et la Bête de l'Apocalypse, ils crièrent au scandale ! Bien que la comparaison fût, dans l'esprit du prédicateur, à l'éloge du monarque, ils protestèrent avec la dernière énergie, accusant les religieux d'offense insupportable et de lèse-majesté, disant qu'il fallait châtier ces butors ! Ils feignirent de croire et firent malicieusement courir le bruit qu'on allait désormais appeler le Roi « la Bête », cela afin de fâcher Sa Majesté...

Pendant ces dévotes semaines de Saint-Germain, on avait vu Sa Majesté s'entretenir à plusieurs occasions avec un jeune homme fort beau, d'esprit vif et de primesaut, vêtu avec la dernière élégance, en compagnie duquel elle était venue deux fois au sermon. La grâce rayonnante et l'extrême jeunesse de ce garçon, ses propos agréables et diserts, furent remarqués de tout le monde à la Cour. On sut bientôt que ce bel éphèbe, qui avait le commandement d'une compagnie des gardes du Roi, était Henri de Cinq-Mars, le fils de feu le maréchal d'Effiat, l'ancien surintendant des Finances. Il appartenait entièrement à M. de Richelieu, chez qui il avait été page, puis membre de sa garde, avant de passer à celle du Roi... Le 27 mars, qui était la date de sa naissance et le jour même de ses dix-huit ans, le jeune marquis de Cinq-Mars fut nommé grand maître de la garde-robe de Sa Majesté, en reconnaissance des services rendus naguère à la Couronne par le maréchal d'Effiat.

Ce printemps-là, la vie suivait son cours. Le duc de Saxe-Weimar, tout auréolé de sa prise de Rheinfelden, poursuivit ses conquêtes jusqu'à Brisach, dans le pays de Bade, un point stratégique très fortement gardé par l'armée impériale. Il mit le siège, au début de mai, devant l'enceinte de cette ville clef, tandis que Richelieu faisait activer des démarches diplomatiques par le Père Joseph son ami, qui était comme son double et son ministre officieux des Affaires étrangères.

Ce fut au début du mois de mai, aussi, qu'Anne d'Autriche choisit de faire annoncer officiellement sa grossesse. En effet, dans les derniers jours d'avril, le fruit de ses entrailles avait commencé à bouger... Elle avait attendu d'en être absolument certaine avant de s'en ouvrir à Bouvard qui la visitait tous les jours ou presque – et après en avoir conféré avec Marie de Hautefort. Elle sentait remuer tous les jours un peu plus nettement cette chose en elle qu'elle se mettait à appeler son « enfant » – *el niño*, disait-elle ; de temps en temps, elle murmurait : *niño mío* ! Elle le faisait sentir à Marie, lui posant doucement ses mains sur sa chemise, de chaque côté de son ventre arrondi, et la jeune fille frémissait d'une joie intense. Hautefort ne quittait plus du tout son amie ; elle faisait alterner ses prières avec les soins attentifs à son bien-être fort au-delà de ceux qui sont la charge d'une dame d'atour. Elle venait dès le matin du château Vieux, où elle logeait, après avoir entendu une courte messe à la chapelle, assister au réveil, puis au lever d'Anne dans son pavillon du château Neuf, lequel faisait pendant , du côté du midi, au pavillon du Roi, qui était à la tramontane. Marie surveillait le déjeuner de sa maîtresse, la qualité de son dîner, mieux que si elle eût été tout à la fois son médecin et son maître d'hôtel. Elle s'enquérait auprès de sa grand-mère, Mme de La Flotte, et auprès d'autres vieilles femmes d'expérience pour connaître les tours à éviter, comme les recettes bénéfiques aux mères en espérance.

A Saint-Germain, l'allégresse était générale : Sa Majesté

avait pris de l'embonpoint, tellement qu'il avait fallu élargir toutes ses robes de plus de quatre doigts. Toutes les filles d'honneur, chacune des dames, lorgnaient avec envie ce bienheureux élargissement de la ceinture royale qui signifiait l'avenir du royaume de France et de celui de Navarre... Le Roi, pour sa part, se montrait fort joyeux de la tournure que prenait sa paternité. Le 30 avril, il était parti pour Compiègne, où il devait séjourner, mais il envoyait chaque jour un messager à Saint-Germain prendre des nouvelles de la santé de sa femme. La Vierge l'ayant protégé miraculeusement en lui accordant cette grossesse, Louis ne doutait en aucune façon que la Reine du Ciel n'accédât aussi à sa demande complémentaire de lui donner un dauphin... Il lui avait expressément montré le désir, qui était celui du pays entier, que cet enfant fût un garçon et il avait ajouté des prières spéciales en ce sens au moment de la déclaration de son vœu solennel en février. Aussi, lorqu'aux premiers jours du mois de mai Sa Majesté apprit par son messager que son fils avait donné un grand coup de pied au ventre de sa mère, il n'en fut aucunement surpris mais manifesta une joie tranquille : tout cela confirmait à ravir ce que les astrologues lui ressassaient depuis des lunes. Son nouveau maître de la garde-robe, qui venait de prendre les fonctions de sa charge avec le plus grand sérieux malgré la tendresse de son âge, lui offrit alors sur un ton très enjoué d'égayer la sévérité ordinaire de sa vêture en faisant tailler deux ou trois habits rutilants dans la mode des jeunes gentilshommes, pour mieux célébrer cet événement. Louis répondit à Cinq-Mars, tout en se riant d'aise, qu'il seyait moins que jamais à un père de famille de donner dans les folles dépenses et de se bercer des pensées frivoles d'un mignon de Cour !

C'est à ce moment que la Reine voulut profiter de la belle humeur où on lui disait qu'était le prince pour lui demander la grâce de son fidèle serviteur : Pierre de La Porte, lequel attendait à la Bastille de sortir de prison pour mieux partager avec tous la joie générale. La démarche, toutefois, demeurait délicate ; c'était rappeler au Roi, peut-être mal à propos, des incidents que tout le monde à présent, à l'exception du porte-manteau, avait intérêt à oublier entièrement... Il paraissait malencontreux de faire resurgir hors de saison la tragédie de palais qui s'était jouée l'été précédent. Ne valait-il pas mieux temporiser encore ? se demandait la Reine... Plutôt que de risquer un brusque renfrognement, voire un refus brutal, en hâtant trop une démarche incertaine, pourquoi ne pas attendre les fêtes de la naissance, par exemple, à la fin de l'été ?... Marie de Hautefort était d'un avis différent ; tout en craignant elle aussi une rebuffade, elle croyait qu'il fallait s'ouvrir au Roi dès maintenant. Elle disait que tout atermoiement ne serait pas charitable pour le pauvre garçon qui se morfondait et que, tant qu'à passer l'été à couvert, La Porte préférerait certainement une ombre plus riante que celle des funestes tours de la porte Saint-Antoine. Tant qu'à réveiller le chien qui dort, assurait-elle, mieux valait le faire sans tarder... Cela aidant, la Reine demanda à M. de Chavigny, le secrétaire d'État qui avait l'oreille du Roi et qui se rendait à Compiègne, de s'entremettre auprès de Sa Majesté pour faire relâcher le prisonnier.

Le Roi se méfiait depuis toujours de l'habile porte-manteau ; son nom seul lui rappelait les souvenirs déplaisants de Boukingame liés à la Reine – il ne parut guère satisfait d'avoir à se ressouvenir de lui :

– C'est un fourbe et un espion de Mme de Chevreuse ! répondit-il d'abord à Chavigny. Qu'il prenne son mal en patience !

Le secrétaire d'État insista. Il avait choisi pour placer sa requête le moment où Sa Majesté allait entendre la messe et communier, le dimanche de la Saint-Pacôme ; au mieux, il savait que le Roi ne se mettrait pas en colère avant de recevoir le saint sacrement... Debout devant l'église pleine où l'aumônier n'attendait que l'entrée du souverain pour commencer l'office divin, Chavigny fit respectueusement observer que c'était un sujet que la Reine avait à cœur, car le fait de continuer à tenir sous les verrous un de ses fidèles serviteurs après que les plaies et les rancœurs de cette malheureuse affaire se furent refermées et dissipées pouvait laisser croire que Sa Majesté avait été bien coupable en vérité ; il insinua que La Porte embastillé constituait comme un témoin permanent des fautes qui lui avaient été pardonnées et que le souci que lui causait cette diffamation prolongée était, dans son état, un sujet de tourment bien inutile... Chavigny plaida si bien que Louis se laissa fléchir, mais seulement à moitié.

– Soit, dit-il enfin, car l'impatience régnait dans l'église. Je le veux bien, mais à la condition qu'il ne retourne pas à la Cour... La Porte est angevin, qu'il aille à Saumur : il y boira du vin des coteaux et il y mangera du pain de la belle cave !...

– Bien, Sire.

– En outre, ajouta Louis, il pourra y disputer avec les parpaillots tout à son aise.

Le mercredi suivant, qui était le 12 mai, Pierre fut appelé chez M. du Tremblay, le commandeur de la forteresse. Il y trouva M. Le Gras, secrétaire des commandements de la Reine, qui était venu tout exprès de Saint-Germain en compagnie d'un commis de M. de Chavigny pour lui faire signer une promesse au Roi de se rendre immédiatement à Saumur, qui était la condition de sa liberté. Pierre signa ; il pensa que cet exil, destiné à ne pas donner à sa libération trop d'éclat, durerait peu de temps... Le lendemain, 13 mai 1638, dans l'après-dîner, il sortit de la Bastille, où il était entré un 13 août. Il avait pris congé de tous les prisonniers, qui lui firent autant de fête qu'ils avaient témoigné d'inquiétude à son arrivée. Beaucoup lui faisaient mander chez eux des nouvelles et tenir des lettres qu'ils lui confiaient ; il avait promis à ses nouveaux amis, d'Achon et Chavaille, d'agir en leur faveur dès qu'il serait en mesure de le faire. Une parole qu'il eut à cœur de tenir.

En longeant le petit pont qui menait de la grille de la

grande cour, où ses camarades l'avaient accompagné, lui criant encore des paroles plaisantes, Pierre leva les yeux vers la tour sinistre à main gauche où s'était trouvé son cachot. Le lugubre séjour était sans doute occupé à cette heure par un nouvel infortuné qui attendait d'être conduit au moins à la question et peut-être au gibet. Il pensa de nouveau au pauvre de Herce, qui ne connaissait pas la cruauté des hommes et des temps ; il espéra que le garçon avait obtenu justice en son âme dans la gloire du Seigneur...

Une fois franchi le second pont-levis et traversé la basse cour, il se mit à marcher rapidement le long de la rue Saint-Antoine, refaisant d'un pas léger le chemin qu'il avait cru faire pour la dernière fois de son existence dans le carrosse de la prévôté. Plus de trente ans plus tard, le gentilhomme devait noter sur ses carnets : « Ainsi le premier coup de pied du Roi me fit ouvrir toutes les portes de la Bastille et m'envoya à plus de quatre-vingts lieues de là... J'y étais demeuré neuf mois, comme dans le ventre de ma mère ; avec cette différence qu'elle ne fut point incommodée de cette grossesse, dont j'eus seul toutes les tranchées et toutes les douleurs. »

Le 15 août suivant, jour de l'Assomption de la Vierge, tombait un dimanche. Après les vêpres eut lieu la première procession ordonnée par le vœu de Louis XIII. Outre son caractère d'inauguration d'une tradition nouvelle, cette procession solennelle revêtait, à cause du prochain accouchement de la Reine, un éclat grandiose. A Notre-Dame de Paris, l'archevêque déploya croix et bannière pour parer la cérémonie d'un prestige inégalable, afin d'obéir à la déclaration royale du mois de février, dans l'esprit et dans la lettre. Selon les termes de celle-ci, « toutes les compagnies souveraines et le corps de ville » avaient obligation d'y assister dans la grande tenue habituelle à leur ordre respectif.

Aussitôt les vêpres dites, à 4 heures de relevée, l'ordonnance du cortège se mit donc en place à l'intérieur de la cathédrale, au milieu de la nef, de sorte que la sortie, grave et lente comme il convenait qu'elle fût, s'opéra avec toute la pompe requise dans l'éclatant soleil de la mi-août. C'est alors que l'on entendit dans le cœur de Notre-Dame des éclats de voix et quelques exclamations qui n'entraient en aucune manière dans l'ordonnance liturgique de l'Église romaine... Un tumulte, fort peu catholique lui aussi, monta tout à coup sous la voûte sacrée, tandis que messeigneurs les présidents des deux plus hautes cours souveraines, vêtus de leurs longues robes rouges d'apparat, étaient en train de se colleter comme deux anges de Grève !

En effet, les deux institutions les plus élevées par l'importance de leur charge étaient tout d'abord la grande cour du Parlement de Paris, qui l'emportait en préséance sur toutes les autres ; venait ensuite la Chambre des comptes, de fort grande qualité et renom, qui était la seconde cour du royaume. Après bien des disputes et quelques violentes querelles d'étiquette pour savoir qui marcherait le premier dans les cérémonies, il avait été établi par l'usage que les deux compagnies rivales marcheraient de front partout où elles se rendraient, les membres de l'une et de l'autre étant disposés en deux files parallèles ; leurs présidents venaient en tête, suivis des vice-présidents, puis de tous leurs membres à la queue leu leu par ordre décroissant d'importance et d'ancienneté. Ils s'en allaient donc ainsi par les rues, deux à deux comme frères mineurs, le Parlement sur la file de droite, la Chambre des comptes sur celle de gauche. S'il arrivait que la procession atteignît un passage si resserré qu'il n'y avait pas la place pour deux personnes de front, dans des terrains boueux, des portes étroites, des venelles ou des sentiers, les deux compagnies se croisaient pour que leurs membres défilassent un à un, le premier président du Parlement s'avançant en tête, suivi du premier président de la Chambre des comptes, lui-même suivi du second président du Parlement, auquel le second président des Comptes emboîtait le pas, et ainsi alternativement grain à grain jusqu'au dernier des conseillers de chaque corps, de sorte qu'aucune des parties ne perdît la face... Or, cette procession du Vœu étant nouvelle, elle n'avait aucun précédent ! La cour du Parlement avait donc décidé de saisir l'occasion pour damer le pion à messeigneurs les gens des Comptes en obligeant leurs présidents à marcher après *tous* les présidents à mortier du Parlement, lesquels viendraient seuls en tête. Ils espéraient accomplir un coup de force lors de cette première cérémonie inaugurale, afin d'établir un nouvel usage de préséance plus conforme à leur haute dignité ; ils avaient informé en conséquence le lieutenant général de Paris et d'Ile-de-France, Hercule de Rohan, duc de Montbazon, qui leur avait promis son appui.

Les deux assemblées furent donc assises à vêpres chacune d'un côté du chœur, se faisant face selon la coutume... Lorsque le premier président du Parlement, Nicolas Le Jay, un homme rouge et corpulent, fut descendu de sa stalle dans sa robe de soie vermeille, tenant à la main son chaperon à courte cornette bordé d'hermine, qu'il se fut placé face à la nef après une courte génuflexion vers l'autel accompagnée du signe de la croix, Antoine de Nicolay, le premier président de la Chambre des comptes, se leva de sa stalle et s'apprêta à l'imiter pour descendre à son tour se placer à sa hauteur. Mais le second président parlementaire, Novion, l'arrêta d'un geste haut de la main, disant avec emphase :

— N'avancez pas, monsieur !...

— La raison, je vous prie ? rétorqua Nicolay.

— Il faut que tous les présidents du Parlement marchent d'abord, assura son vis-à-vis, la barbiche haute.

Le président des Comptes éleva lui aussi la main devant son visage avec ces mots :

— Nenni, monsieur ! Je ne saurais m'y résoudre et je tiendrai mon rang, comme mes prédécesseurs l'ont tenu avant moi.

Il dit et descendit noblement les marches.

– Torchez-vous la barbe et dites que vous avez bu !
répliqua rudement Novion, qui se précipita aussi vite qu'il
put au bas des marches pour le devancer...

Le président Nicolay parvint néanmoins à venir se placer
esquivant sa génuflexion, aux côtés du président Nicolas Le
Jay. Cet homme considérable était fort et gros, avec la face
ronde et réjouie des bons buveurs, mais il avait le caractère
sanguin et colérique, et ses emportements se tournaient
souvent en de fracassantes tempêtes. Voyant venir à sa hauteur son confrère ennemi, il le saisit bonnement au collet, lui
criant au visage :

– Vous devez laisser passer devant tous les présidents à
mortier !

Ce que voyant, le duc de Montbazon qui se tenait à deux
pas, guettant l'algarade sa main gantée posée sur la garde de
son épée, s'approcha vivement, disant à Nicolay, qui se
débattait comme un diable pour faire lâcher son furieux
adversaire :

– Non monsieur, non monsieur ! Vous ne passerez
pas !

– Je ne reçois de commandements que du Roi ou de M. le
chancelier ! répondit le président des Comptes avec beaucoup de fierté dans le ton.

Il montrait ainsi passablement de courage, car Nicolas Le
Jay continuait à le secouer comme un prunier de reine-claude
et lui cornait aux oreilles :

– Vous faites bien le puant ! Vous faites bien le puant !

La confusion qui s'établit dès lors dans le chœur s'étendit
bientôt à toute la cathédrale... Voyant leur confrère en cette
mauvaise passe, plusieurs autres présidents des Comptes
descendirent pêle-mêle pour tenter de le dégager, tandis que
les membres du Parlement couraient de même prêter main-
forte aux leurs... Animant le tumulte au lieu de le restrein-
dre, Hercule de Rohan tira brusquement son épée du
fourreau, hurlant à ses archers :

– Tuez ! Tuez !... Je vous avoue ! Allons enfants ! Tuez, vous dis-je !...

Les archers brandirent alors leurs hallebardes contre les gens de la Chambre des comptes qu'ils avaient l'ordre de repousser, mais plusieurs conseillers s'échappaient malgré eux vers le transept et vers la nef, arrachant de vive force maintes hallebardes, dont les bois se rompaient sous la violence des combattants. Les petits enfants hurlaient de terreur, les femmes criaient : « Pitié ! Pitié ! » Elles joignaient les mains dans la bousculade, tandis que pleuvaient les soufflets, les horions et les hallebardes, au point que le sanctuaire tout entier résonnait comme un tonnerre, comme une foire aux cochons, aussi fort qu'un champ de bataille foisonnant de diables et de huguenots !

L'échauffourée dura deux heures d'horloge ; elle s'était prolongée sur le parvis, puis dans la rue Neuve-Notre-Dame, cependant que le clergé, au loin, chantait sans se douter d'aucune chose en tête de la procession, psalmodiant les cantiques et les répons dans un ondoiement harmonieux de chasubles d'or, de surplis et de courtibaux. Pour finir, les membres de la Chambre des comptes durent abandonner la place à ceux du Parlement ; ils se retirèrent dans leur hôtel avec leur président, en séance plénière, pour y écrire sur-le-champ une longue lettre au Roi, qui était pour lors aux armées, lui exprimant par le menu toutes les circonstances de l'affaire et comment ils n'avaient pu suivre, à leur corps défendant, son honoré commandement pour la célébration de la Vierge.

Cette bataille pour le respect des préséances, loin de ternir en quoi que ce fût l'éclat de cette belle journée, ne fit que donner à la procession du Vœu une renommée plus considérable encore et un très glorieux retentissement. Partout on commenta l'audace des uns, l'acharnement des autres, et on loua très fort la nouvelle patronne de la France, en honneur de qui s'étaient déclenchées toutes ces passions... Le Roi, qui commandait un siège en Picardie, n'en fut pas en courroux mais fut flatté de cet hommage à l'obéissance que lui devaient les grands corps. Il avait, quant à lui, suivi sa procession inaugurale à Saint-Quentin, en compagnie du Cardinal, qui surveillait avec lui les opérations militaires, confiées à des capitaines sans nerf qu'il fallait éperonner sans cesse pour les exciter au combat... Mais Sa Majesté s'apprêtait à regagner Saint-Germain, fort à regret, car elle aimait les sièges et aurait bien voulu voir tomber la ville ; il lui fallait cependant assister aux couches de la Reine, sans conteste l'événement le plus considérable de l'année et l'un des plus marquants de son règne.

CHAPITRE XI

En ce temps-là, les reines portaient neuf mois tout juste. Louis naquit le 5 septembre 1638 à Saint-Germain-en-Laye, un peu après midi. C'était un dimanche...

Dans la soirée du samedi, vers les 11 heures, la Reine avait éprouvé quelques douleurs avant-coureuses qui parurent tout de suite annoncer l'événement que l'on attendait avec impatience depuis plusieurs jours déjà, avec frénésie depuis un peu moins de huit mois, et une sereine habitude depuis presque vingt ans. Les médecins arrivèrent en hâte du château Vieux où ils avaient monté une garde vigilante, ceux qui étaient déjà couchés se relevant fébrilement. La sage-femme, maîtresse d'œuvre, s'en vint tâter l'endroit précis et déclara qu'en effet l'on devait s'attendre à quelque chose pour la nuit...

D'un château l'autre un frisson se mit à courir. Des valets, des servantes se prirent à trotter avec des huissiers, des gentilshommes, des écuyers, des chapelains, des dévots, dans tous les sens. Il fallait avertir, bien que toutes les précautions eussent été prises, mander ceux que la délivrance concernait ; ils étaient nombreux, sur le pied d'attente, à devoir jouer un rôle : les princes, les princesses, les grands serviteurs de l'État, le Parlement... A Paris, le saint sacrement avait été exposé toute la semaine dans les églises dès que dame Péronne, la sage-femme, eut donné le mot ; la nouvelle courut comme l'éclair et les messagers firent remettre toute la ville à genoux, dans une sorte de roulement nocturne des moines, des nonnes, des clercs et des gens ordinaires, qui se prosternèrent en prières assidues, tandis qu'à Saint-Germain tous ceux qui usaient depuis quelque temps leurs nerfs dans l'attente se levèrent, s'apprêtèrent, réjouis, émus, pâles, ennuyés, et commencèrent à se diriger vers le château Neuf, où se trouvait le principal théâtre des opérations.

Ainsi le voulait la tradition en France : l'accouchement d'une reine devait être surveillé de près ; la naissance s'accomplissait en public, afin d'éviter toute tentative de tricherie. Il fallait couper court à tous les doutes et soupçons concernant les possibilités de substitution d'un enfant à un autre, empêcher par exemple qu'un bébé fille, inacceptable par la loi salique pour la succession au trône, pût être remplacé subrepticement par un bébé mâle que les monarques régnants auraient tenu au chaud pour conserver la couronne dans leur branche... Les autres héritiers présomptifs, tels que les princes du sang, les plus concernés parce que les successeurs directs dans l'accession au trône, devaient donc être présents, témoins de la venue au monde, voir et toucher, et ne point quitter la chambre, afin que toute contestation fût plus tard impossible et la légitimité du dauphin, puis celle du souverain par la suite, inattaquable. Ces grands personnages attentifs jouaient en somme le rôle des scrutateurs dans les bureaux de vote, qui veillent à la régularité absolue des enveloppes glissées dans la fente de l'urne – sauf qu'en ce cas d'espèce, c'était l'urne elle-même, si j'ose écrire, qui expulsait le bulletin.

Ce n'était, à la vérité, une partie de plaisir pour personne. Les malheureux témoins étaient habituellement régalés (c'est le mot pour le dire) par les cris déchirants, et parfois difficilement supportables, des reines catholiques qui enfantaient nécessairement dans la douleur. Or ces gens étaient extraordinairement sensibles à ces douleurs particulières, et ordinairement prolongées, qui faisaient hurler les femmes en couches ; les hommes de ce temps-là étaient fort spontanés dans leurs pulsions – ils se montraient instables, émotifs et réagissaient avec une acuité extrême aux émotions fortes...

Ils étaient, par exemple, excessivement sujets aux emportements colériques, aux accès de fureur, au point qu'ils frappaient généralement la personne qui les contrariait, et ils pouvaient, dans l'échauffement de l'instant, la tuer net, quelque affection qu'ils lui portassent, quitte à sombrer l'instant suivant dans le repentir le plus extrême. Ils pouvaient aussi s'étrangler eux-mêmes de leurs humeurs excessives, mourir d'apoplexie et de rage impuissante... Ainsi ces gens étaient-ils capables de se tordre de ressentiment, de se cogner durement la tête contre les murs, de verser des larmes à pleins seaux, accompagnées d'imprécations, de cris terribles et de gémissements stridents à l'occasion de la mort d'un proche parent, tandis que la vue d'un homme roué vif sur la place publique, ébouillanté dans un chaudron ou grillé sur un bûcher ne procurait qu'un frisson, le plus souvent agréable, à leurs sens en émoi. Ces ancêtres supportaient en foule et d'un œil sec le spectacle d'un écartèlement à quatre chevaux, la décapitation à la hache accompagnée des immanquables giclements du sang des suppliciés – cela sans faillir... Quant au pendu, si banal sur les places publiques, à tous les carrefours d'Europe et de Navarre, si discret et même drolatique dans son balancement grotesque, la langue pendante, il n'effarouchait ni les femmes ni les petits enfants. Il est demeuré longtemps, en ces temps heureux où le monde se mouchait sur la manche, le symbole raffiné de Jésus de Nazareth cloué à mort dans un pays de rêve.

A ces époques donc, fertiles en rixes mortelles, en bastonnades estropiantes, en poings coupés et en morts généralement violentes, les êtres les moins douillets s'évanouissaient pour un oui, pour un non ; ils se pâmaient aussi bien dans une joie soudaine qu'à l'annonce d'un grand malheur. Entendre une femme geindre du mal d'enfant constituait en particulier une torture insoutenable pour quantité d'hommes rudes, tout à fait aguerris, qui pouvaient entendre agoniser les égorgés d'un champ de bataille et les éventrés sans battre un cil... Les princes, par conséquent, grands pourfendeurs, outre cela, de cerfs aux abois, et dont certains auraient passé les habitants d'une ville au fil de leur épée pour peu qu'ils eussent excité leur ire, étaient tout à fait capables de tourner de l'œil aux cris d'une accouchée ! Lorsque Sa Présente Majesté le roi Louis XIII était venue au monde, à la fin de l'été 1601, le roi Henri son père s'était fort inquiété en convoquant les princes du sang, ses cousins, de la fragilité de leurs nerfs. « Si jamais l'on a vu trois princes en grand peine, avait-il dit alors, l'on en verra tantôt : ce sont trois princes grandement pitoyables et de bon naturel, qui voyant souffrir ma femme, voudraient pour beaucoup de leurs biens être bien loin d'ici. Mon cousin le prince de Conti ne pouvant aisément entendre ce qui se dira (il était sourd comme un pot), voyant tourmenter ma femme, croira que c'est la sage-femme qui lui fait du mal. Mon cousin le comte de Soissons, voyant souffrir ma femme, aura de merveilleuses inquiétudes, se voyant réduit à demeurer là. Pour mon cousin de Montpensier, je crains qu'il tombe en faiblesse, car il n'est pas propre à voir souffrir du mal » (il est incapable de soutenir la vue d'une crise d'épilepsie). Tout cela se passait trente années plus tôt seulement : en ce nouveau mois de septembre, pour la naissance du petit-fils d'Henri, notre sire, les complexions et les humeurs de ces mêmes gens n'avaient point changé.

Leurs Altesses furent donc prévenues, mais en même temps on leur fit savoir qu'ils pouvaient attendre que la naissance fût prochaine avant d'accourir dans la chambre... Il y avait naturellement Gaston d'Orléans, appelé Monsieur, frère unique du Roi dans la lignée légitime – et à ce titre le successeur direct jusqu'à présent, celui qui fût monté sur le trône en cas de mort du Roi. Ce second fils d'Henri IV était le favori de la Reine Mère, avec laquelle il avait déjà comploté... Il était dans les meilleurs termes d'amitié avec sa belle-sœur, Anne d'Autriche, et avait été autrefois soupçonné de vouloir l'épouser en cas de disparition du Roi son frère, au temps de l'attentat de Chalais. Il était mortel ennemi du Cardinal, qu'il avait voulu tuer de sa main lors d'une cabale, sans avoir eu le courage de frapper au moment du geste fatal... Le duc d'Orléans jouait dans cette naissance tardive sa place sur le trône avec son rang dans la lignée : la venue d'une fille ne changeait rien pour lui, il demeurerait le premier successeur dans l'éventualité de la mort de son frère si souvent malade – mais la venue d'un dauphin, par contre, le ferait reculer d'un rang et pouvait mettre fin à toute espérance d'être un jour couronné... Pourtant, le prince était de fort belle humeur ; arrivé à Saint-Germain depuis le 22 août pour être sûr de ne rien manquer, il s'était installé au château Vieux, dans l'appartement qui lui était réservé sur les lieux où il avait passé son enfance. Le fait est que Monsieur ne croyait pas à la possibilité d'un dauphin, des clairvoyants et des pythonisses lui ayant prédit, à lui, la naissance d'une fille.

Il y avait outre cela Mmes les princesses de Condé, Charlotte de Montmorency et la sœur de Monsieur le Prince, cousin du Roi – Condé lui-même étant pour l'heure sur le front d'Espagne, où il faisait le siège de la petite ville de Fontarabie qu'il était sur le point de prendre ; la comtesse de Soissons, femme de Louis de Bourbon, cousin du Roi et de Condé ; la duchesse de Vendôme, belle-sœur de Sa Majesté ; la connétable de Montmorency, mère de la princesse Charlotte et du supplicié de Toulouse ; la duchesse de Bouillon, ainsi que beaucoup d'autres personnes de grande condition. Toutes les femmes de l'entourage de la Reine étaient présentes, à commencer par Mme de Sénécey, première dame d'honneur qui dirigeait sa maison, Mme de La Flotte, la grand-mère de Marie de Hautefort et gérante de ses intérêts, Marie elle-même, naturellement, qui ne quittait plus son amie depuis le début de sa grossesse, Charlotte d'Escars, sa sœur, et toutes les filles d'honneur. Le premier président du Parlement de Paris, Nicolas Le Jay, avait été mandé de par ses fonctions à assister à l'accouchement ; le gros homme sanguin logeait à Saint-Germain, toutes affaires cessantes, depuis quatre jours pleins, afin d'être à pied d'œuvre le moment venu. Sa victoire sur la Chambre des comptes, lors de la procession fameuse, trois semaines auparavant, lui avait acquis une gloire immense, dont il n'avait cessé de s'entretenir. Son assurance, sa démarche, son port de tête, qui étaient déjà fort imposants par le passé, avaient gagné à la suite de ces événements une manière de splendeur comparable à celle d'un général victorieux... Nicolas Le Jay était accompagné du prévôt des marchands, mandé lui aussi ès qualités, avec lequel il était en bons termes. Enfin, en l'absence du Premier ministre, retenu sur le front des troupes en Picardie – et le Cardinal avait écrit à la Reine ses regrets de ne point pouvoir assister à ses couches –, les grands commis faisaient leur office : le chancelier Séguier, les surintendants des Finances Bullion et Bouthillier, Sublet des Noyers et quelques autres.

Bien sûr, il y avait les gens d'Église... Ils faisaient partie du personnel actif de l'accouchement au même titre que le corps médical – lequel était constitué, outre la sage-femme, dame Péronne, l'unique officiante proprement dite, seule experte en obstétrique et autorisée à manier l'utérus royal, de Bouvard, premier médecin du Roi, du premier médecin et du médecin ordinaire de la Reine, de l'apothicaire et de son aide, du chirurgien du Roi et de celui de la Reine, avec leurs garçons. Ceux-là s'occupaient du déroulement de l'opération physique et de la mécanique du corps. Les prêtres, de leur côté, se chargeaient de l'action morale et de l'intercession spirituelle, tout aussi nécessaires et qui devaient avoir lieu en même temps... Il s'assembla donc dans la chambre – en plus de quelques évêques courtisans qui passaient, dans la nuit de septembre, semblables aux pasteurs de Bethléem, guidés par l'étoile de leur ambition – le premier aumônier du Roi, évêque de Meaux, qui s'appelait Séguier et était parent du chancelier, le premier aumônier de la Reine, ainsi que l'aumônier ordinaire qui était en quartier, auxquels s'ajoutaient une demi-douzaine d'aumôniers sans gages, le confesseur ordinaire et celui du personnel, le chapelain ordinaire assisté d'une dizaine d'autres chapelains. Il y avait, de plus, M. de Metz, abbé de Saint-Germain-des-Prés, qui avait apporté, en compagnie de plusieurs de ses moines bénédictins, les reliques de sainte Marguerite, que la Reine avait fait demander. Il y avait surtout, dans sa présence rassurante, le grand aumônier d'Anne d'Autriche, Philippe de Cospeau, évêque de Lisieux ; ce saint homme, âgé de soixante-dix ans, avait été l'ami du cardinal de Bérulle, fondateur de l'Oratoire, avait connu François de Sales – l'auteur du *Traité de l'amour de Dieu*. M. de Lisieux fréquentait assidûment Vincent de Paul et tout ce qui existait de charitable et de dévoué à la cause chrétienne ; il était doux, sage, très pieux et appelait Anne « ma bonne fille ». Elle, qui l'aimait, le traitait exactement comme elle eût fait de son propre père...

Anne avait peur. Depuis deux semaines, elle s'était sensiblement assombrie. Marie avait beau lui répéter et la supplier de croire que tout irait bien et qu'elle était la protégée du Seigneur – et lui tenir la main dès qu'elle devait monter ou descendre une marche ! –, la crainte, à mesure que le temps passait, devenait plus pressante. Chémérault, d'Escars, Saint-Louis et toutes les autres filles à la suite avaient beau afficher un optimisme communicatif et ne parler que de la fête qui les attendait avec cette heureuse naissance... Ah ! elles étaient jeunes ! Marie parlait d'or : elle avait vingt-deux ans, elle ne doutait de rien... Anne allait avoir trente-sept ans le 22 septembre, dans une quinzaine, elle savait que les risques de mourir en couches étaient grands, à Dieu ne plaise. Bouvard, tout en calmant ses inquiétudes au mieux, ne lui avait point caché qu'elle risquait de souffrir beaucoup et longtemps – mais Sa Majesté était de complexion si robuste, avait-il ajouté, qu'elle tiendrait nécessairement. Les dames d'âge qui avaient elles-mêmes accouché plusieurs fois, Mme de Sénécey, Mme de La Flotte, faisaient de leur mieux pour dissiper gaiement les soucis de la souveraine.

La Reine avait proposé au Roi, s'il lui plaisait, d'accoucher dans sa chambre pour lui faire honneur – afin que le dauphin, si Dieu permettait qu'il y en eût, arrivât chez son père... C'était aussi un peu par superstition : la chambre du Roi était un lieu plus sacré que la sienne ; le Roi était oint des saintes huiles, il était le lieutenant de Dieu, il avait le pouvoir de guérir. Quels que fussent l'ennui ou l'agrément de son caractère, il était en liaison avec Dieu, fût-ce à son insu. Le Roi était nécessairement magique, jusqu'à un certain point ; Anne pensait qu'elle serait davantage en sécurité dans sa chambre, où le Tout-Puissant ne saurait abandonner une enfant qui était en quelque sorte comme son sous-lieutenant... Louis, de son côté, se sentit parfaitement flatté de cette demande et y accéda bien volontiers. A dire le vrai, Anne n'avait pas trop envie, non plus, de cette foule de gens qui seraient en permanence dans sa chambre... Il y aurait une nuée d'espions du Cardinal, tous s'assiéraient sur ses coffres, fouilleraient partout dès que l'attention des huissiers de la chambre serait tournée ailleurs ! On avait donc installé la chambre natale dans le pavillon du Roi, qui était à l'aile septentrionale du château Neuf, à l'extrémité de la galerie, derrière la chapelle. Anne y avait fait transporter son lit et y couchait depuis dix jours, en attente, tandis que le Roi avait regagné ses appartements du château Vieux.

Outre le lit d'apparat de la Reine, il avait été prévu un lit de travail pour l'y installer pendant les douleurs ; il y avait aussi, à côté de celui-ci, un fauteuil spécial destiné à l'accouchement proprement dit – c'était une chaise de velours rouge, rembourrée, dont le siège était évidé sur le devant pour faciliter la descente du bébé et les manipulations de la matrone. Ces installations pratiques, appartenant à l'ordre physique des choses, étaient en quelque sorte balancées, de l'autre côté de la chambre, par un autel tout tendu et préparé pour l'office de la sainte messe... C'est sur cet autel que l'on avait installé, selon la tradition, les pieuses reliques qui n'étaient autres que la mâchoire de sainte Marguerite, que conservaient les moines de Saint-Germain-des-Prés, dans le faubourg ; cette même mâchoire avait présidé jadis à la naissance du Roi, à Fontainebleau. Aussi sainte Marguerite était-elle alors fort en renom ; elle avait, dans le faubourg Saint-Antoine, une église toute neuve à elle dédiée, construite sur les deniers personnels du curé de Saint-Paul, dont c'était la paroisse : un prêtre zélé et créateur d'édifices comme il s'en trouvait beaucoup en ces temps d'ardente restauration de la foi chrétienne. En vérité, ce curé était un ami de la Reine, qui l'avait aidé à financer son érection ; elle avait obtenu en échange de sa bourse que la nouvelle église fût consacrée à sainte Marguerite, pour qui Sa Majesté avait une particulière dévotion. Vierge d'Antioche, païenne convertie, la sainte avait résisté aux entreprises d'un certain Olybrius qui, la voulant séduire, la fit persécuter. La petite Marguerite avait vu le démon dans sa cellule, sous la forme d'un dragon épouvantable qui ouvrait sa gueule toute grande pour la dévorer ; elle l'avait mis en fuite en faisant le signe de la croix, mais elle avait été décapitée le lendemain, sur l'ordre du bizarre Olybrius, qui soupirait pour elle... Anne éprouvait pour la vierge martyre une révérence particulière, mais elle avait aussi une passion sincère pour sainte Marguerite d'Écosse, la pieuse fille du roi confesseur, qui avait été comme elle reine en terre étrangère et dont elle souhaitait fort faire son modèle – dans sa chambre à l'oratoire du Val-de-Grâce, son couvent dont l'accès lui était désormais interdit, elle avait un grand portrait de cette sainte.

La mâchoire sacrée était donc exposée dans un reliquaire serti de diamants qui avait été offert par Marie de Médicis autrefois, en remerciement de son heureuse délivrance ; les aumôniers se relayaient avec les chapelains au pied du petit autel, dans une longue prière ininterrompue pour demander l'intercession de la sainte. Gaston d'Orléans, qui n'avait pas le même respect que son frère et sa belle-sœur pour les choses sacrées, avait dit pour faire le plaisant que cet enfant risquait d'être fort glouton à venir ainsi au monde sous l'auspice d'une mâchoire – le propos ne fit rire personne et la vieille connétable de Montmorency lui avait fait remarquer qu'il était lui-même arrivé dans cette vallée de larmes devant ces mêmes dents mâchelières, elle s'en souvenait clairement.

Après les premières alertes, en fin de soirée du samedi, rien tout d'abord ne se passa... La nuit du dimanche s'avançait, quelques évêques, après minuit, purent dire les premières messes – mais tout ce monde éveillé en hâte ne savait réellement que faire. Certains se prirent à jouer, au château Vieux, pour tuer le temps et faire passer la veille. D'autres bâillaient ; beaucoup s'assoupissaient, ici et là, dans les salles du château Neuf, à la lueur des chandelles vacillantes, assis sur des coffres. On entendait des ronflements dans les coins ombreux, tandis que quelques-uns se parlaient à voix basse et que quelques autres discutaient très haut, en faisant les cent pas dans la galerie où l'on avait placé des torches toutes les dix coudées. Nicolas Le Jay, ayant pour sa part découvert des oreilles neuves dans le va-et-vient de la Cour, raconta une demi-douzaine de fois sa procession du 15 août... On entendait sa voix puissante s'éloigner et se perdre à l'autre bout de la galerie qu'il arpentait d'un pas ferme, puis revenir et s'enfler de nouveau, avant de repartir et de s'éteindre en un murmure inaudible. Dans son lit, entourée de ses femmes, Anne ferma les yeux et s'assoupit un moment ; dame Péronne reposait dans une chaise à bras à côté du lit, en compagnie de Marie de Hautefort, qui disait un rosaire. Le Roi était parti se recoucher, car il avait été patraque toute la semaine ; il s'étendit sur son lit, disant à Dubois, son valet de chambre, de le prévenir s'il survenait du neuf, et il s'endormit... Au château Neuf, les valets mouchaient les chandelles que Mme de Sénécey avait fait placer en abondance dans toutes les salles ; vers 2 heures du matin, il se mit à pleuvoir. L'averse dura peu, mais rafraîchit le temps, aussi la marquise commanda-t-elle que l'on allumât des feux dans les cheminées des chambres ; on en fit un grand dans celle de la Reine, où Bouvard contait à mi-voix une affaire d'empoisonnement par les plantes qu'il avait eu à connaître.

Gaston d'Orléans bavardait dans l'antichambre du Roi avec la princesse Charlotte et deux autres de ses cousines, très galamment selon sa coutume. Sa réputation d'homme passionné au service des dames, pour ne pas dire de coureur de guilledou – si différent en cela comme en bien d'autres choses de Monseigneur son frère ! –, lui attirait les piques de ces mères vertueuses... La princesse Charlotte n'avait-elle pas autrefois rejoint volontairement son mari à la Bastille, où Monsieur le Prince avait été mis pour avoir pris le parti de la Reine Mère ? Cela afin d'accomplir son devoir d'épouse et faire taire la rumeur notoire selon laquelle Condé n'aimait pas les femmes mais était depuis toujours un fervent adepte du ragoût d'Italie !... Comme démonstration éclatante des bonnes mœurs de son époux, elle était devenue enceinte dans la prison, plus de dix ans après son mariage – donnant naissance à leur fils, le jeune duc d'Enghien, qui avait aujourd'hui dix-sept ans et promettait de devenir bientôt un gentilhomme accompli dans tous les domaines des arts et des armes. Monsieur répondait avec esprit aux attaques de ses cousines ; elles lui reprochèrent de fréquenter la vieille duchesse de Rallewaert, dont le franc-parler scandalisait nombre de gens, maintenant que les Pères et l'Oratoire avaient établi infiniment plus de douceur dans les mœurs polies de la Cour – l'ancienne maîtresse du roi Henri continuait d'user sans aucune vergogne de la verdeur de langage qui avait cours au temps de la reine Margot.

– Il m'est bien permis, je pense, répliqua le duc d'Orléans en riant, de frotter ma langue là où le feu roi, mon père, a si bien frotté son lard !

L'évocation du roi Henri, qui l'avait poursuivie d'une passion aveugle quand elle avait quinze ans, troublait toujours légèrement la princesse Charlotte. Seule la mort avait interrompu cette dernière et farouche toquade du Vert Galant, qui l'avait donnée en mariage à son jeune cousin Condé à cause de ses mœurs inverties, dans l'idée qu'il pourrait ainsi faire de la jouvencelle comme des choux de son jardin !... Sa vertu n'avait dû son salut qu'à la fuite en Flandre.

— N'êtes-vous pas bien osé vous-même, mon cousin ? rétorqua Charlotte en rougissant un peu.

— Avez-vous toujours l'intention, comme on le dit, d'épouser la nièce du Cardinal, monseigneur ? demanda la comtesse de Soissons tournant la truie au foin.

— Ce sont des impertinents qui disent cela, répliqua le duc.

— Cependant, la veuve de Combalet est aujourd'hui un parti honorable, ajouta la dame, malicieusement.

Gaston d'Orléans se prit à rire aux éclats... Richelieu avait fait élever sa nièce au titre de duchesse d'Aiguillon, au mois de janvier, alors que cette dame avait passé l'été précédent chez Son Altesse, à Blois, ce qui avait fait jaser de la part d'un ennemi déclaré d'Armand.

— Voulez-vous, à ce propos, que je vous dise le beau morceau que m'écrivit monsieur son oncle pour me remercier ? Une seule sentence que j'ai retenue par cœur tellement elle m'a réjoui.

— Voyons le poulet, dit la comtesse.

— Je pense que c'est un chapon ! Voici, mot pour mot, soyez-en assurées, le billet que me fit tenir le Cardinal après le séjour de sa nièce chez moi : « Votre Altesse... » Il me l'envoya par la poste, s'il vous plaît, et il avait inscrit de sa main sur le pli : « A Son Altesse royale Gaston, duc d'Orléans, à Blois »... « Votre Altesse, je ne sais si je dois me réjouir, et vous remercier de l'honneur qu'il a plu à Votre Altesse de faire à ma nièce, étant en doute si c'est parce que vous croyez qu'elle puisse devenir telle que vous avez jusqu'ici témoigné désirer les dames, ou parce que vous commencez à faire cas des femmes de bien. »

Ayant dit, il ôta son chapeau et salua dans un grand geste ironique :

— Je n'y change pas un iota : c'est tout pur de la sauce cardinalice.

Les dames éclatèrent de rire si bruyamment que la vieille connétable de Montmorency, mère de la princesse Charlotte, qui s'était endormie devant le feu et ronflait par intervalles, s'éveilla en sursaut, bien qu'elle fût fort sourde.

– Avez-vous des nouvelles de la Reine ? demanda-t-elle tout de go à Monsieur, aussi naturellement que si elle eût poursuivi le fil d'une conversation ordinaire.

Le duc hésita :

– Laquelle entendez-vous, ma cousine ? cria-t-il bien haut, encore qu'il ne fût qu'à deux pas de la vieille femme.

– La vieille Reine ! Aussi vrai que je veux parler de votre mère, étourdi ! L'autre est dans la chambre d'à côté, je ne sache pas que je puisse vous en demander nouvelles.

La Reine Mère, en effet, avait brusquement quitté Bruxelles, où elle était réfugiée depuis sept ans, et le bruit courait qu'elle séjournait en Hollande... Gaston d'Orléans, son fils préféré, avec qui elle communiquait souvent, devait en savoir davantage sur les intentions de la reine Marie.

– Est-il vrai qu'elle se soit retirée chez les réformés de Flandre ?

Monsieur répondit évasivement qu'il croyait qu'elle se rendait chez Mme Henriette, sa sœur, qui l'avait priée de la rejoindre à la cour d'Angleterre. Il se fit un bruit qui tira Son Altesse de l'embarras où le mettait la question de sa cousine, soit qu'il ne sût que répondre, ou qu'il ne voulût point révéler des choses qui se devaient tenir secrètes ; la Reine présente s'était mise à hurler... Les douleurs l'avaient soudain assaillie, plus nettes, plus précises que la veille ; elle criait, tandis qu'un nouveau frisson courut à la traverse par tout le château Neuf. Il était 4 heures après minuit.

La sage-femme, ayant examiné Anne, la fit transporter dans le lit de travail par deux valets de la chambre qui la soutenaient. Quand elle fut sur ce nouveau théâtre, Bouvard l'ausculta. Il opina du chef avec satisfaction, déclarant que le pouls de la souveraine était égal et soutenu autant qu'un

pouls pût être... Mais Anne souffrait de plus belle et les jets
de douleur lui crispaient le ventre ; elle gémissait. Le Roi
entra dedans la chambre, très pâle dans la lueur vacillante des
chandelles qui projetait son ombre immense sur les murs et
sur le plafond ; il avait les yeux battus et la démarche
hésitante comme quelqu'un que l'on vient d'arracher au
sommeil. Il se plaça devant la cheminée, présentant ses mains
aux flammes – il bâillait... M. de Lisieux ayant parlé tout bas
à la Reine, dont Marie, qui s'était placée dans la ruelle, tenait
les mains dans les siennes, il se fit apporter les habits
sacerdotaux et les revêtit incontinent. L'évêque, placé devant
l'autel où il s'était prosterné, commença, dans le silence que
son geste avait provoqué, à dire une messe face à la mâchoire
glorieuse de sainte Marguerite. Les chapelains, qui n'avaient
cessé de prier depuis le début de la soirée, le servirent et le
Roi chantait les répons à haute voix. Il ne butait jamais en
prononçant les textes liturgiques ; au contraire, il les articulait avec une grande aisance et une parfaite souplesse dans
le ton, ce qui montrait combien Dieu le soutenait en ne
permettant pas qu'il bégayât ses oraisons.
    La chambre à présent était pleine de gens à genoux, les
princesses de haut lignage appuyées directement sur la dalle
du sol dans un mouvement d'humilité touchante, nul n'ayant
songé à se munir d'un carreau comme à l'église. Anne suivait
la messe de son lit ; elle répondait à mi-voix, ménageant son
souffle cependant un peu court. Le développement du rite la
rassurait, la calmait, au point qu'elle ne sentait presque plus
les douleurs de ses contractions, toujours présentes, qui
venaient par vagues du fond de son corps à intervalles
réguliers... Quand le vieil évêque eut achevé sa messe,
l'évêque de Meaux en commença une autre. C'était doux et
lent ; c'était immuable, divinement. Aucune chose fâcheuse
ou terrible ne pouvait arriver pendant l'office de Dieu. Anne
attendit la communion du prêtre avec extase : le mystère du
Christ présent à quelques pas d'elle lui rendait la paix ; les
douleurs se firent plus aiguës, sans l'inquiéter aucunement...

Peut-être allait-elle mourir ce matin, songea-t-elle – et elle ne fut pas émue par cette pensée. Mourir pendant une messe ! Rien au monde n'était si aisé !... C'était aller au Créateur tout droit sur les ailes des anges, portée par les chants suaves qui sonnaient agréablement aux oreilles du Père tout-puissant. Elle songea soudain à son grand-père, le vieux roi fils d'Empereur qui avait fait construire un monastère gigantesque autour de sa chambre : une chapelle à côté de son lit ! Elle comprenait tout à coup ce qui l'avait intriguée pendant son enfance : cette disposition des pièces à San Lorenzo, où tout communiquait avec la chapelle. Son grand-père, elle en était sûre à présent, avait fait construire l'Escorial pour pouvoir mourir en écoutant la messe...

Quand le second office fut achevé, il était 6 heures. Le jour s'était levé – une aube feutrée, lumineuse et blanchâtre... Une lumière immobile et mouillée d'Ile-de-France. Dame Péronne indiqua après examen qu'il y en aurait encore pour longtemps ; le Père Fernández, confesseur de la Reine, qui venait d'arriver, s'étant approché du lit de travail, prodiguait à voix basse de pieuses pensées et des paroles encourageantes... Le Roi déclara qu'il allait déjeuner. Il invita Marie de Hautefort à le suivre, mais la jeune femme lui demanda la permission de rester auprès de sa maîtresse, préférant se faire apporter un bouillon plus tard pour se restaurer. Louis se dirigea donc seul à travers la galerie vers le pavillon de l'aile du midi, chez la Reine, où on le servirait pour lui éviter de retourner au château Vieux, les deux grands lévriers qui ne le quittaient jamais collés à ses jambes. A son humeur taciturne, les cinq gentilshommes, valets et gardes conduits par Bailleul, le maître d'hôtel ordinaire, qui lui faisaient escorte pour son service, demeurèrent à quelques pas en retrait, comme ils avaient coutume de le faire quand Sa Majesté paraissait absorbée... Louis s'était querellé l'avant-veille encore avec Marie, qui lui battait froid ; ils se querellaient d'ailleurs journellement ou presque depuis son retour de Picardie et cette personne qu'il aimait n'avait plus aucun égard pour ses sentiments. La dame d'atour était tellement embéguinée de sa maîtresse qu'il n'y avait plus rien à lui dire, ni aucune place pour autre chose que cette naissance ! Elle aurait pu venir, à l'instant, se disait le Roi, rien ne la retenait que son obstination : elle avait passé la nuit sans sommeil et il n'y avait, selon l'opinion de la matrone, aucune urgence encore.

Louis s'arrêta pour pisser contre le mur de la galerie. Eh quoi ! maugréait-il à part lui, ce n'était tout de même pas Hautefort qui accouchait !... Certes, il le savait fort bien, cette naissance était capitale : l'acte le plus essentiel, le plus chrétien de son règne jusqu'ici ! Mais qu'en savait-elle, au juste ? Qu'avait-elle à en juger ainsi, cette péronnelle ? Selon Hautefort, les actions de la guerre ne devraient être comptées pour rien en comparaison, car il s'agissait d'une guerre injuste. Elle était bien jeune pour trancher ainsi de tout ! Mais c'était là un travers du siècle : la jeunesse à présent n'avait plus ce respect, cette soumission à l'opinion des gens d'âge qu'elle soulait avoir. Il y avait chez tous ces jeunes gens, à vrai dire, un courant d'idées qui le laissait pantois. Ils prétendaient tout connaître avant que d'avoir rien vu – et ils en tiraient gloire ! « Aux âmes bien nées, la valeur n'attend pas le nombre des années » : voilà quelle était leur devise depuis l'an dernier, où ce petit rimailleur normand avait fait jouer cette impertinente tragédie de son cru qui fâchait tant le Cardinal – comment s'appelait-il, ce cuistre ?... Corbeau ?... Corneille, peut-être. Il avait en tous les cas un nom d'oiseau – et une audace dans le caquet à nulle autre semblable. Marie le connaissait, elle le portait très haut. Le petit d'Effiat aussi, son jeune grand maître de la garde-robe... Où était-il, celui-là, à propos ? On ne l'avait pas encore vu ce matin. Il était en train de crapuler, probablement : il n'allait pas tarder à paraître, la mine déconfite, en disant qu'il avait mal dormi. Depuis qu'ils étaient revenus du front de Picardie, il en était de même tous les matins et toutes les nuits... Enfin, Cinq-Mars était ainsi lui-même, jugeant de tout, formant des opinions, brandissant des avis avant d'avoir des preuves ! Du reste, tous ces jeunes gens ne jugeaient point, ils portaient des arrêts – et il ne fallait pas y revenir. Ils étaient tous ainsi : le fils de Condé, encore dans un âge fort tendre, l'avait étonné il n'y avait pas six mois à l'occasion d'une audience qu'il avait accordée au père et au fils avant leur départ pour Fontarabie ; ce jeune présomptueux de duc d'Enghien ne lui avait-il pas déclaré, la tête haute : « Sire, je serai votre *Cid campeador* ! » Le Cid ! Rien de moins ! Ah ! Son Éminence avait fort bien fait de tancer vertement ce M. Tourterelle et de faire condamner sa pièce – que ne le logeait-il à la Bastille, cet impudent qui venait tourner la cervelle à la jeunesse de la Cour ? « La valeur n'attend pas le nombre des années » – que de sornettes ! Ils étaient tous péremptoires, voilà le mot qui convenait. Oui, Marie était ainsi : péremptoire !... Il le lui avait dit ; elle avait prétendu que ce mot n'existait pas ; ils s'étaient querellés.

Louis se reculotta, ayant satisfait cette envie énorme de faire de l'eau qui l'avait tenaillé pendant la seconde messe, puis avait passé... Les chiens faisaient des gambades contre ses jambes ; il les flatta sur la tête, il leur gratta le col. Marie, pourtant, il l'aimait... Marie si belle... Marie si cruelle ! Si spirituelle aussi, et si franche ! Ah ! trop franche !... Il ne pouvait se passer de la voir, malgré tout, de lui parler, d'ouïr sa voix un peu chantante qui avait conservé de la façon de parler des gens du Midi une clarté dans les mots qui accentuait le charme de ses paroles. Paroles dures, du reste, assez souvent... Elle était devenue tout à fait insupportable avec cette grossesse. Toujours à mignoter la Reine, à prendre soin du moindre de ses pas et de ses désirs, à guetter ses envies pour la satisfaire sur l'heure, disant qu'il y aurait du danger pour l'enfant de laisser la mère sur une convoitise – elle faisait cent contes aussitôt de femmes qui, pour avoir été contrariées, avaient donné le jour à des nourrissons tachés, raccourcis ou torts, toutes histoires qu'elle tenait de sa grand-mère et qui s'étaient produites dans les contrées extraordinaires du Périgord ! Enfin ! soupira Louis, tout cela va cesser, grâce au Ciel, avec la délivrance !... Mais il aurait mieux fait de demeurer en Picardie un peu plus longtemps – ces femmes l'avaient tué depuis deux semaines et demie qu'il était retourné du siège du Catelet, laissant le Cardinal à Saint-Quentin, où il surveillait l'investissement de la ville et la bonne conduite des armées. La garnison espagnole ne devrait plus résister beaucoup maintenant... Ah ! il regrettait d'être parti si tôt ! L'ambiance d'un siège, les sapes, les traquenards, les canonnades : il aimait tout cela, profondément ! Il y avait là un jeu passionnant qu'il connaissait par le menu, aussi bien que les arcanes de la chasse – une action où les soldats et les artificiers le respectaient non seulement en tant que roi, mais en tant qu'habile homme ; on quêtait son avis non par esprit de flatterie, mais à cause de son savoir-faire et de son expérience, et, dans ces matières, son avis était bien souvent le plus judicieux, le plus sage et en somme le meilleur. Dans ces moments-là, Louis se disait en lui-même : « Dieu, que la guerre est jolie !... »

Franchement, il avait failli repartir pour Le Catelet au bout d'une semaine. Il avait écrit à Richelieu qu'il ne tenait plus « au milieu de toutes ces femmes » et qu'il allait le rejoindre. Puis il avait réfléchi, s'était ravisé et s'en était allé se réfugier deux jours à Versailles. Il y avait chassé du matin au soir, loin de tout... Jeudi passé, il chassait encore dans la forêt de Saint-Germain, n'osant plus s'éloigner à de trop grandes distances, quand il avait été pris par un soudain accès de fièvre, en plein bois. Il était rare qu'il eût des malaises à la chasse – il est vrai que les chiens s'étaient dévoyés à cause de la sécheresse et qu'on tournait en rond ; cette irritation supplémentaire avait sans doute été cause de sa maladie... Toujours est-il que Saint-Simon, son premier écuyer, avait dû le ramener dans un carrosse. Bouvard avait dit que la fièvre pouvait avoir pour cause la tension de l'attente où les couches de la Reine le tenaient jour et nuit ; il affirmait que de tels cas se voyaient souvent, où les pères tombaient malades vers l'époque de la naissance de leurs enfants – surtout ceux dont le tempérament était ordinairement inquiet, comme c'était le cas pour celui de Sa Majesté. Billevesées ! pensait le Roi. Bouvard montrait parfois si peu de sens dans ses propos qu'on eût pensé qu'il sortait ses déraisons de la semelle de ses bottes.

– Vous raisonnez comme mes pieds, Bouvard ! avait dit le Roi à son premier médecin.

Bouvard s'était incliné, avec un sourire obligeant, et l'avait fait saigner... Heureusement, le soir même, il allait mieux ; il avait soupé dans la nuit, de fort bon appétit. Le lendemain, vendredi, il n'avait toutefois pas pu reprendre la chasse, la fièvre ayant reparu. C'est alors qu'il s'était de nouveau disputé avec Hautefort ! La Merveille était opiniâtre comme une mule !...

Louis ayant rêveusement rajusté ses aiguillettes à son haut-de-chausses, il s'approcha d'une fenêtre de la galerie pour juger du temps qu'il faisait. Le soleil commençait à paraître dans le petit matin humide ; quelques rayons très éclatants faisaient scintiller des traînées de brume légère dans les creux le long de la rivière, du côté de Chatou, et jetaient une lumière blanche et crue sur la colline de Suresnes, en face, qui était éclairée à contre-jour. Cette lumière matinale faisait ressortir les grandes croix du calvaire que l'abbé Charpentier avait fait ériger l'autre année sur le sommet de ce petit mont qui ne valait rien, cachant Paris. Les gens de Saint-Germain l'appelaient maintenant la « colline du Calvaire »... La journée allait être belle. Avec le sol légèrement trempé, ce serait une journée parfaite pour la chasse, où l'odeur reste nette et franche le long d'une voie bien discernée... Le Roi soupira : qu'en était-il à Saint-Quentin ?... Heureuse Éminence qui s'apprêtait peut-être aujourd'hui même à faire tomber les murailles du Catelet – quoiqu'on fût dimanche. Assurément, la saison militaire s'achevait mieux qu'elle n'avait commencé avec le succès naval que venait de faire connaître le cardinal de Sourdis. L'archevêque de Bordeaux annonçait qu'il avait détruit et dispersé la flotte espagnole dans la rade de Guéthary, au Pays basque. L'archevêque se vantait peut-être un peu, mais il n'avait pas dû y aller de main-morte : il avait fait cela un dimanche lui aussi, précisément, profitant que les Espagnols entendaient la sainte messe sur leurs navires ! Tous ces ennemis étaient nécessairement montés au Ciel d'une seule envolée, ce qui était un service à leur rendre – on disait plaisamment que le Cardinal recrutait pour le Paradis ! Naturellement, ce coup de Guéthary avait mécontenté le parti catholique, qui clamait bien haut que cet archevêque apostolique avait une bien rude façon de concevoir l'exercice du culte. Peut-être y aurait-il quelque chose à examiner là-dessous, c'était certain – le Père Caussin eût ergoté des heures sur une action comme celle-là, qui devait le fâcher, là où il était, s'il l'avait apprise –, mais le principal ne demeurait-il pas que les Espagnols eussent le bec dans l'eau ? C'était un excellent prélude à la prise de Fontarabie, laquelle était imminente – si elle n'était déjà achevée à cette heure même, ce qui était fort probable.

Le prince de Condé avait mis le siège conjointement avec le duc de La Valette, vainqueur des Croquants, devant ce verrou de l'Espagne ; la ville était aux abois sur son piton, privée de renfort par la flotte du cardinal archevêque, et elle devait tomber toute seule dans les mains des Français. La garnison espagnole enfermée dans Fontarabie n'avait aucune chance et, quelle que fût la maladresse quasi proverbiale de Condé son cousin, le Roi se félicitait à l'avance de cette prise stratégique sur l'entrée dans le royaume de son beau-frère ! Bien sûr, Condé s'était déjà couvert de ridicule et de honte plus d'une fois : ne serait-ce que, il y avait juste deux ans, devant Dole... il avait levé le siège de Dole alors qu'il était sur le point d'entrer triomphant dans la ville ! Aussi, ces derniers jours, des esprits malveillants avaient-ils composé une chansonnette qui circulait dans Paris sur les incapacités de Monsieur le Prince – Cinq-Mars la lui avait rapportée de ses débauches dans la capitale ; le refrain disait :

Il prendra Fontarabie,
Zeste,
Comme il a pris Dole !

Mais, cette fois-ci, il y avait aussi le duc de La Valette, bien armé ; l'échec dû à une lubie de Condé était impossible.

Le Roi contempla un moment les terrasses en contrebas des fenêtres ; le soleil jouait à présent sur ces petits jardins, miroitait dans les bassins au degré inférieur... Une vraiment belle journée pour la chasse ! Au loin, en face de lui, la flèche de Saint-Denis luisait à son tour... Louis regarda la basilique et pensa à tous les tombeaux des rois défunts, ses ancêtres. Ils allaient aujourd'hui avoir un nouveau successeur, avec la grâce de Dieu, en la personne de cet enfant qui allait naître, dont il avait demandé à la Vierge que ce fût un dauphin. Il pensa à son père, le roi Henri, à qui il donnait un continuateur ; il s'entendit prononcer ces paroles, tout uniment :

— Papa, je vais avoir un fils.

L'étrangeté de ces mots le fit rire. Après tout, il n'avait jamais appelé le feu roi autrement que papa... Il n'avait pas eu le temps de lui donner d'autres noms. Il ajouta à voix haute, en dérision de l'émoi qu'il ressentait à la vue de Saint-Denis illuminée :

— Et l'on fera mon cul chevalier !

Il se détourna de la croisée vers les chiens, qui battaient leur queue sur ses jambes et lui léchaient les mains en l'entendant rire et parler. Il prit dans sa poche une dragée qu'il leur tint haut pour les faire sauter, le bras tendu :

— Tout beau ! Tout beau, mes chiens ! On va faire mon cul chevalier ! chantonnait-il en gagnant le bout de la galerie avec ses bêtes, avant de pénétrer dans la grande salle de bal où Bailleul avait fait dresser un buffet.

Dans la petite escorte, les gentilshommes servants s'entre-regardèrent. Ils étaient faits depuis longtemps à la personne du monarque, à ses humeurs fantasques... Ils étaient habitués à le voir tantôt mourant et las, et le lendemain ingambe et joyeux, tantôt grave et confit en dévotion, alors que, parmi ses troupes, à la tête de ses armées, il riait aux éclats des jurons les plus grossiers de ses capitaines ! Ils avaient beau être rompus aux sautes d'humeur de l'étrange gentilhomme, à ses reparties invraisemblables – pleurant au milieu des fêtes, hilare aux enterrements –, ce que d'aucuns résumaient en disant : « Il ressemble à la mule du pape, il ne boit qu'à ses heures », quelque accoutumés qu'ils fussent, donc, le Roi, parfois, surprenait encore ses bons serviteurs.

Le mal d'enfant dura huit heures. La Reine avait des rémissions pendant lesquelles elle s'assoupissait presque ; puis elle geignait. Elle criait en serrant les dents, puis plus fort, sur les injonctions de la sage-femme, qui croyait que se retenir pouvait avoir des conséquences néfastes :

– Criez, Madame... Ne retenez point votre souffle. Laissez aller, insistait la matrone, cela vous purgera, Majesté.

L'assistance, visiblement, souffrait énormément de ces cris rauques, aigus, entremêlés de modulations en langue espagnole, de mots latins qui étaient des bribes de prière... Les hommes, surtout, semblaient incommodés. Monsieur, à bout de nerfs, s'était réfugié dans la pièce contiguë, d'où il passa dans la suivante. Le Roi demanda à la sage-femme s'il serait utile de faire venir des musiciens, des violons, des luths, afin de charmer les douleurs de sa femme et les adoucir.

– Croyez-vous, sage-femme ? Je peux lui faire chanter les chœurs de ma chapelle, si vous pensez qu'une belle musique puisse l'apaiser.

Plus il y pensait lui-même, en musicien qu'il était, plus il trouvait son idée intéressante : la Reine pourrait moduler ses cris sur le ton des psaumes, par exemple, et ainsi changer sa plainte en vocalises pieuses, de sorte que son cri suppliant serait mieux entendu de Dieu... Mais dame Péronne était d'un avis contraire ; elle croyait que ces harmonies pourraient gêner les efforts de l'accouchée sans être pour autant agréables au Seigneur à cause des fausses notes qu'elle ne manquerait pas d'y mêler.

Louis n'insista pas :

— Laissons braire, dit-il.

Anne souffrait beaucoup. A mesure que la matinée s'avançait, la sage-femme faisait grise mine ; Bouvard avait le front creusé de gros plis. Dans les conciliabules qu'il entretenait avec ses confrères, il se tenait le menton, puis lissait sa barbe, d'un air perplexe ; ils firent prendre à la Reine, entre ses accès de douleur, des potions malodorantes avec une petite cuillère pour la fortifier... Les dames avaient les yeux battus et Marie de Hautefort faisait pitié à voir, tant elle était inquiète. Les aumôniers, les chapelains, les bénédictins à genoux se relayaient deux à deux sans relâche devant la mâchoire de sainte Marguerite – et aussi l'évêque de Limoges, qui arriva de Paris dans la matinée et s'abîma devant la relique. Nicolas Le Jay avait affirmé dans la nuit, comme l'ayant su de source sûre, qu'il s'agissait en réalité de la mâchoire de sainte Marguerite reine d'Écosse, fille d'Édouard le Confesseur, et que c'était un présent de la reine Marie Stuart, qui avait régné en France autrefois. Il assura pour preuve que les moines de Saint-Germain possédaient aussi sa ceinture, mais il ne trouva personne qui voulût disputer ce point avec lui... Les princesses égrenaient en silence un chapelet, la vieille connétable racontait comment, à la naissance du Roi à Fontainebleau, la reine Marie avait eu la colique.

Sous la galerie, à présent, des groupes de trois gentilshommes jouaient à l'hombre dans la clarté du jour ; on entendait crier « baste », et « spadille », et « manille », tandis que les joueurs lançaient leurs matadors... Les dames, pour adoucir leur ennui, disaient tout ce qu'elles savaient des accouchements difficiles qu'elles avaient connus de leur temps. Mme de Sénécey disait que la fréquence et l'intensité des douleurs venaient de la violence des mouvements que l'enfant faisait pour sortir ; c'était l'âcreté des eaux, avait-elle ouï dire, au milieu desquelles l'enfant était submergé, qui l'incitait à faire ces mouvements pour se libérer quand il était à terme et aussi parce qu'il se trouvait alors incommodé et fort irrité par son urine et ses excréments. C'est ce qui expliquait, disait-elle, que les garçons donnassent souvent plus de peine à leur mère pour les mettre au monde que les filles, lesquelles font des mouvements moins rudes et plus déliés selon leur nature... Mme de Rosebrune, qui avait eu quatorze enfants, dont six étaient morts en bas âge et huit demeuraient vivants, fit remarquer cependant que les filles, selon son expérience, étaient plus dodues que les garçons et de corps plus replet, ce qui rendait leur passage plus contraint ; elle ajouta que l'accoutumance était pour beaucoup dans la brièveté du travail et que ses dernières naissances ne l'avaient presque point mise en peine... Mme de La Flotte, qui avait beaucoup vécu en Périgord, avait ouï le cas d'une femme de ce pays-là qui avait accouché par la bouche... Il était sorti un bébé fille de fort petite taille, qui en portait un autre, encore plus réduit, à l'intérieur ! Comme on se récriait que la chose paraissait impossible, l'une des dames affirma que son père avait été témoin autrefois d'une affaire semblable avec une jument qui fit une mule, laquelle en fit une seconde ! Mais, elle en convint cependant, ce n'était pas par la bouche... Elles parlèrent ensuite des retards prodigieux que l'on observe parfois chez certaines femmes et de celles qui mettent bas plusieurs enfants à la fois.

Un peu avant 11 heures, l'état de la Reine empira si fort que ses jours parurent un moment en danger. Les douleurs ayant repris de plus belle, à la suite d'une accalmie qui avait duré trois demi-quarts d'heure à peu près, dame Péronne avait jugé le moment opportun pour placer Sa Majesté sur la chaise d'accouchement ; là, l'enfant commença de venir, mais dans un cheminement si lent qu'il épuisait tout à fait la Reine, laquelle se pâmait de façon si affreuse que les médecins s'évertuaient à la faire revenir en lui mettant des drogues dans la bouche et sous le nez quasi en permanence. Ils lui frictionnaient le front et les tempes, où coulait une sueur abondante, cependant qu'ils la soutenaient sous les bras pour l'empêcher de glisser jusqu'au sol de la chambre. On n'entendait plus que faiblement, hélas ! d'un bout à l'autre de la chambre, ce seul mot qui sortait de ses lèvres pâles : *morir, morir, morir*... A ce murmure, un frisson parcourait l'assistance : tous ceux qui étaient présents pleuraient des larmes de pitié pour la Reine tellement affaiblie qu'elle paraissait mourante. La plupart, incapables de supporter la vue de tant de douleur, allèrent s'agenouiller devant la mâchoire de la sainte, joignant les mains et priant dans un murmure qui grossissait, couvrant les sanglots des uns et la plainte lente, épuisée, de l'accouchée... Dans les pièces voisines, la presse des gens qui avaient maintenant envahi le château Neuf s'agenouilla aussi, puis, de proche en proche, dans la galerie et dans la cour. On avait couru prévenir le Roi, qui s'était absenté pendant la rémission du travail, où la Reine avait paru contente et lui avait parlé.

Marie de Hautefort, pâle, défaite, folle de chagrin et de désespoir à l'idée de voir mourir Anne sous ses yeux, sortit de la pièce à la rencontre du Roi, aveuglée par ses larmes, secouée de sanglots, refusant de s'appuyer sur ses compagnes – sa sœur, Mlle d'Escars, Saint-Louis et Pont-Briant, qui l'entouraient et qui, tout en pleurs elles aussi, voulaient la soutenir... Le Roi arrivait à grands pas dans la cour. Il était suivi d'un groupe de ses gentilshommes, parmi lesquels marchait son jeune maître de la garde-robe, M. de Cinq-Mars, étincelant dans un habit de fête qu'il n'avait pas eu le temps d'ôter car il venait à l'instant de Paris, bride abattue. Le Roi avait en marchant le visage froid et dur, le regard fixe et brillant, comme sous l'emprise de la colère. Il s'arrêta en voyant Marie tomber à genoux devant lui, accablée de sanglots.

— Sire !... Oh ! Monsieur, ma dame se meurt...

— A-t-on l'enfant ? coupa Louis.

— On ne sait. Il est en route... Mais Sa Majesté n'y survivra pas ! Ô mon Dieu ! Ô mon Dieu ! s'exclamait la jeune femme, qui s'étranglait de pleurs.

Louis releva la favorite, lui prenant le poignet, qu'il lâcha dès qu'elle fut debout, vacillante. Son visage était figé, sa voix blanche et sèche :

— Calmez-vous, madame, dit-il sans une trace d'hésitation dans la voix. Ne songez qu'à l'enfant, vous aurez lieu de vous consoler de la mère...

Marie le regarda, saisie d'étonnement. Elle ouvrit la bouche, ses pleurs coupés, et ne répondit rien... Que voulait-il dire ?... Louis lui avait lancé en badinant, naguère, un jour que la Reine avait été prise d'une fièvre et gardait le lit : « Eh bien, madame, lisez-moi l'histoire des rois qui sont devenus veufs et qui ont épousé leur sujette ! » Maintenant, il ne badinait pas : il avait une fixité dans le regard qui rendait sa réponse atroce... « Vous consoler de la mère... » Qu'était-ce à dire ? Une promesse de mariage ? En un moment pareil ?... Marie demeura de pierre et ne répondit rien. Louis passa outre, d'un pas hâtif, vers la chambre.

La sage-femme tirait à deux mains sur un petit corps dont elle avait saisi la tête. Elle était en sueur ; une servante au grand cou épongeait son visage ruisselant avec un linge afin qu'elle ne fût pas aveuglée par son eau. Elle ahanait de façon pitoyable et lançait à voix brève ses exhortations :

— Encore, Madame !... Poussez, s'il vous plaît !... Voilà qui est bien, Majesté. Encore, je vous prie !...

Un silence lourd, tendu, régnait dans la chambre. Ceux qui priaient devant l'autel avaient cessé, gagnés par la stupeur du moment ; ils s'étaient retournés et demeuraient à genoux, aux aguets, fixes comme des statues de sel... Le souffle haletant et plaintif de la Reine emplissait la chambre, et

279

soudain elle jeta un grand cri, un cri rauque qui était de la douleur, du triomphe et de l'apaisement tout ensemble. La sage-femme poussa à son tour une sorte de râle d'épuisement et de joie :

— Il est né, Madame ! s'écria-t-elle.

Une chambrière, postée sur son ordre devant le feu avec un linge tiédi, s'était précipitée à son appel vers dame Péronne, accroupie pour envelopper le nouveau-né — au même instant retentit un petit râle neuf, qui se changea en cri aigu d'un timbre entièrement nouveau : le bébé vivait ! Il vagissait !... Une agitation inimaginable s'empara dès ce moment de toute la pièce : les gens s'embrassaient en pleurant maintenant de joie. Après tant de tension, la confusion prit place pendant quelques minutes, où des duchesses baisèrent à pleine bouche des valets de chambre abasourdis. Les médecins soutenaient Anne, cependant, qui était tombée en pâmoison ; ils lui faisaient respirer un flacon tout en lui frottant les tempes — la matrone avait enveloppé le petit corps avec les linges chauds et le frottait doucement dans ses mains, posé sur son giron...

Un murmure courait toutefois, une immense interrogation luisait dans tous les regards : un garçon ? une fille ?... La sage-femme avait dit « il » — « il est né » : était-ce suffisant ? Elle voulait dire « l'enfant, le petit être »... La curiosité était portée à l'extrême, d'autant qu'elle se taisait maintenant... Elle laissait planer volontairement l'épaisseur du secret qui était encore le sien tout entier !

Mme de Sénécey faisait pour lors approcher les princesses et les personnes de sang royal afin qu'elles assistassent, selon que le voulait la tradition, à la séparation ultime de la mère et de l'enfant. On chercha un moment Monsieur, lequel arriva hagard et défait : on pressa le Roi, qui demeurait raide et sans un mot, les traits crispés, d'approcher de la chaise... Alors, dame Péronne découvrit l'enfant. Elle montra le boyau du nombril qui le rattachait encore à la Reine, puis elle se mit en devoir de le couper et de le nouer sur son ventre... Dans cette action, elle découvrit largement l'entrecuisse du nouveau-né :

– C'est un dauphin ! s'exclama Charlotte de Condé, qui ne put retenir son cri.

C'était un dauphin !... La nouvelle passa dans les pièces voisines, où attendait la noblesse du royaume, et, de là, au-dehors ; le mot circula et s'étendit avec une vitesse merveilleuse, tandis que la sage-femme coupait le cordon avec des ciseaux d'argent qui lui servaient uniquement à cet usage. Ayant fait, elle enveloppa de nouveau le petit corps qui commençait à braire, puis elle le donna à Fillandre, la première femme de chambre, qui le porta auprès du feu ; la matrone, pendant ce temps, s'occupa à panser la Reine, qui, peu à peu, revenait à elle, grâce à l'agitation dont faisaient preuve les médecins.

Les princesses s'étaient retirées, animées et joyeuses, après avoir embrassé le Roi leur cousin. Monsieur demeurait silencieux et pâle auprès de la comtesse de Soissons, comme frappé d'étonnement d'avoir perdu un royaume... Le Roi son frère se mit à genoux là où il se trouvait pour réciter une courte action de grâces. Dame Péronne ayant fini avec la Reine, celle-ci fut portée par des valets jusqu'en son grand lit, que l'on venait de bassiner longuement aux braises du foyer, afin qu'il fût tiède et douillet. Quand Anne fut étendue sur sa couche, elle ouvrit les yeux. Marie se tenait près d'elle et lui baisa la main. Anne sourit. Mme de Sénécey se pencha sur le lit et lui dit doucement :

– Ne parlez pas, Majesté, reposez-vous. C'est un beau dauphin.

Marie de Hautefort, cependant, s'était approchée du Roi... Les convenances, la tradition, comme aussi les mouvements auxquels peut porter une affection naturelle, voulaient qu'après une heureuse délivrance le nouveau père donnât à la nouvelle mère un baiser : le mari le devait à sa femme, le Roi à la Reine. Voyant le monarque interdit, qui, son oraison terminée, parlait dans la chambre avec les évêques et son premier aumônier, d'un air agité, sans donner apparence aucune de vouloir dire un mot à sa femme, ni de faire aucun cas d'elle qui reposait enfin, pâle et lassée, la tête soutenue par des coussins, la dame d'atour – qui enrageait qu'un tel affront fût fait à son amie en une circonstance aussi mémorable – s'inclina dans une profonde révérence, disant à Sa Majesté :

– Dieu vient aujourd'hui d'exaucer vos prières, Sire, montrant assez le soin qu'il prend de votre gloire et de l'éclat de votre royaume en donnant un dauphin à Vos Majestés. La Reine attend que vous lui témoigniez votre gratitude pour la part qu'elle a prise dans ce rehaussement de votre couronne et que vous lui fassiez l'hommage d'un baiser.

– Elle vous l'a dit ? demanda le Roi, feignant la surprise.

A cette question stupide, Marie serra les poings de rage. Elle sentait qu'il y avait entre eux à présent cette oraison funèbre un peu prématurée – « vous aurez lieu de vous consoler... » Elle connaissait assez son caractère pour savoir qu'il était gêné et qu'il allait se buter, s'enferrer dans une attitude hostile sans autre cause que son propre embarras : il disputerait maintenant deux heures d'horloge sans obtempérer. Elle le sentait dans son maintien, le lisait dans ses yeux, il était inutile qu'elle raisonnât avec lui. Elle ne pouvait le quereller devant le monde et devait donc se payer d'audace, sans attendre, sans lui laisser le temps de réagir.

Marie fit donc un petit rire badin, agrémenté d'une courbette, et, repoussant sa fureur, elle répondit d'un ton joyeux :

– Il est des requêtes qu'un époux connaît sans qu'on les lui fasse !

En même temps, sans crier gare, elle lui prit la main et le tira brusquement, comme en se jouant, vers le lit... Il tenta mollement de résister, mais tout le monde les regardait ; elle serra sa main avec une fermeté farouche, refusant de la laisser aller, de sorte qu'il ne pouvait lui échapper sans un esclandre ridicule. Elle avait gagné. Il se laissa traîner jusqu'au chevet de la Reine, mais demeura comme une souche, planté, raide, sans un élan d'amitié, même feinte.

– Comment vous portez-vous ? dit-il en bégayant soudain.

– Elle se porte sur des coussins de plume, comme Votre Majesté peut bien le voir ! railla Marie que la colère étouffait.

– Assez bien, Monseigneur, répondit Anne faiblement.

La favorite, dont les yeux lançaient des éclairs, siffla entre ses dents, tout contre le Roi :

– Baisez, Sire. Baisez ou je ne vous parlerai plus jamais de toute ma vie.

Louis obéit. Il s'inclina, baisa Anne sur les lèvres – puis il lui dit tout à coup, lui touchant la main sur le drap d'un air de bonne amitié :

– Vous avez beaucoup souffert, il me semble, mais je suis bien aise que vous m'ayez donné un fils.

– C'est Dieu qui vous l'a donné, Sire, souffla la Reine.

Pendant ce temps, dame Péronne s'employait à donner ses soins au Dauphin devant la grande cheminée où l'on entretenait un feu clair et beau. Le petit prince était un enfant vigoureux, grand de corps et assez gros d'ossements, fort musculeux, bien nourri, dont la peau de couleur rougeâtre était bien lisse et égale. Il avait la tête fort bien formée, un peu grosse en rapport avec le reste de sa personne, couverte d'un poil noir et dru. Son nez était droit, assez long et mince du bout, sa bouche belle et bien dessinée, ayant le milieu de la lèvre haute fort canulé du dehors. Il avait le menton rond, ainsi que tout le bas du visage, les oreilles moyennes et bien ourlées, le col fort et courtaud, les épaules larges, la poitrine robuste, les jambes droites, les bras bien formés et d'attaches solides, et ses parties génitales étaient à l'avenant du corps. Bouvard lui fit d'abord prendre un peu d'électuaire, qu'il lui mit sur les lèvres avec une cuillère : c'était de la thériaque en pâte pétrie de miel et détrempée de vin de grenache, qui contenait, parmi les soixante poudres dont elle était composée, une petite quantité d'os du cœur de cerf et de la raclure de corne d'oryx, qui est une antilope d'Arabie.

Le Dauphin avala sur-le-champ cette excellente potion et suça ses lèvres comme si c'eût été du lait. Ensuite, la sage-femme le lava entièrement avec du vin vermeil mélangé à de l'huile de rose. Après l'avoir séché, puis frotté avec des serviettes chaudes que lui tendaient les servantes qui se tenaient près des flammes, elle l'emmaillota dans ses langes, qui étaient formés de longues bandes de cotonnade enroulées maintes fois autour de son corps, en partant des pieds jusqu'au cou. L'étoffe était croisée de sorte à ne laisser aucune fente, emprisonnant entièrement les jambes jointes l'une contre l'autre, ainsi que les mains et les bras de l'enfant étendus de chaque côté le long de son corps, sans serrer trop fort pour qu'il fût à son aise. Quand cela fut fait, elle remit le petit Dauphin dans les bras de Fillandre, à qui revenait l'honneur de le porter dans le lit à côté de la Reine, qui tournait souvent la tête pour lui lancer des œillades et souriait de contentement. Les dames s'approchèrent à ce moment pour le contempler aussi et l'on fit entrer la nourrice, Mlle de La Girardière, qui était la femme d'un procureur des finances d'Orléans, choisie par les gens du Cardinal de préférence à une femme que proposait la Reine... L'enfançon geignait quelquefois de l'incommodité de ses membres en prison et cette personne commença de le servir en glissant sa main sous son dos pour lui donner un peu de mouvement et le bercer.

Ces soins du corps étant accomplis, il restait à donner au dauphin de France, avant toute chose, ce qui devait être la première action de sa vie : il lui fallait entrer dans le sein de l'Église. M. de Meaux, dans sa charge de premier aumônier du Roi, ondoya l'enfant nouveau-né ; l'action eut lieu dans la chambre, à la vue de la Reine, en présence du Roi, du duc d'Orléans, de M. le chancelier Séguier, des princesses et de plusieurs autres seigneurs et dames. L'évêque versa quelques gouttes d'eau sur le front du prince, que Mlle de La Girardière soutenait dans ses bras, en prononçant les paroles sacramentales :

– Je te baptise, Dieudonné, au nom du Père, et du Fils, et du Saint-Esprit, ainsi soit-il.

Il était alors 1 heure après midi. Le Roi, ouvrant la marche, sortit de la chambre, où le Dauphin resta entre les mains des femmes, et il se dirigea vers le château Vieux pour aller y faire chanter le *Te Deum* dans la chapelle. Les cent Suisses de sa garde l'accompagnèrent sur l'esplanade, suivis du chancelier, du duc de Montbazon, gouverneur de Paris, du duc d'Uzès, du comte de Tresme, du président du Parlement, des princesses, des comtesses et de la Cour au complet. L'évêque de Meaux officia de nouveau, vêtu pontificalement, en présence de l'archevêque de Bourges, du vieil évêque de Lisieux, de ceux de Beauvais, de Dardanie et de Châlons, lesquels portaient tous le camail violet par-dessus le rochet de dentelle. La chapelle du Roi, composée des plus belles voix d'hommes et de jeunes garçons qui se pussent ouïr, chanta le cantique d'action de grâces avec une ferveur non pareille.

Te Deum laudamus, Te Dominum confitemur,
Te Aeternum Patrem, omnis terra veneratur.

Les voix, larges, souples, sonores, vibraient et résonnaient avec ampleur et majesté sous la voûte de la vieille chapelle de Mgr Saint-Louis...

Tibi cherubim et seraphim
Incessabili voce proclamant :
Sanctus, Sanctus, Sanctus Dominus Sabaoth...

Les voix pures des séraphins louaient le Dieu des combats avec une telle extase que tous en furent émerveillés et beaucoup versèrent des larmes de joie.

285

A la suite de cette belle et émouvante cérémonie, la compagnie des Suisses se posta en double haie dans la cour entre les deux châteaux ; Monseigneur le petit Dauphin quitta alors sa chambre natale, où la nourrice lui avait entre-temps donné sa première tétée, sous les yeux de sa mère émue et alanguie ; le petit prince fut porté en grande procession, tenu au bras par un huissier de la Reine, jusqu'à ses appartements dans l'aile méridionale du château Vieux, au premier étage, où l'on avait meublé et entièrement tendu sa chambre de damas blanc pour le recevoir.

L'air était doux en ce dimanche de septembre, le soleil chaud et tendre ; l'air immobile portait loin les bruits... Cette première marche triomphale de celui que, plus tard, on appellerait le « roi des revues », tant il goûterait ces étalages d'armes, se faisait au travers de l'esplanade au milieu des échos de la grande fête qui avait commencé à Saint-Germain-en-Laye. L'on défonçait des barriques depuis que le mot : « C'est un dauphin ! » avait couru les rues de la petite ville... Devant le château Vieux, il fut remis entre les mains d'une forte femme qui l'attendait pour être sa gouvernante. Mᵐᵉ de Lansac, fille de M. de Souvré, l'ancien gouverneur de Sa Majesté son père, avait été choisie pour ce rôle de haute confiance par le cardinal de Richelieu, contre le gré de la Reine...

Ce successeur tant attendu, ce prétendant si désiré à la couronne de France, était donc venu... Aussi bien, ce dauphin que Dieu offrait à son peuple était-il quarteron de Français ! Il était à moitié espagnol par sa mère, et de la vieille roche : le petit-fils de Philippe III d'Espagne, avec pour bisaïeul le bâtisseur d'empire – fût-il colonial – Philippe II, fondateur de l'Escorial, qui le faisait descendre glorieusement de l'empereur Charles Quint. Par son père, il était un quart italien. Quarteron de Français, Dieudonné l'était par

son grand-père, le roi de Navarre, Henri notre sire, quatrième du nom, qui avait conquis sa couronne de France à
la pointe de sa bonne épée – vieux Bourbon de souche
lui-même, il est vrai, et de la cuisse de Saint Louis.

Ce dauphin que Dieu donnait était donc le plus frénétiquement népotique de tous les souverains... Le roi régnant
d'Espagne n'était certes pas son cousin, puisqu'il était son
oncle – et la reine de ce pays doublement sa tante puisqu'elle
était aussi la sœur de son père ! Son oncle aussi, mais par
alliance, se trouvait être fort courtoisement l'empereur de
toutes les Allemagnes, Sa Majesté Ferdinand III, lequel avait
épousé sa tante María, la petite sœur de sa maman... Au
même degré se rencontrait le gouverneur de Flandre et des
Pays-Bas, le Cardinal Infant, leur frère à tous, chez qui
présentement était réfugiée sa grand-mère Médicis. La
duchesse régnante en Savoie, d'un autre côté, était sa tante
Christine, sœur cadette de son père, tout comme l'était la
reine d'Angleterre, Henriette, l'autre sœur de Louis XIII, ce
qui faisait du roi Charles Ier le dernier de ses oncles... Pour
dire autrement, ce nouveau dauphin de France se trouvait
être proprement le neveu de l'Europe entière. Il aurait dû
devenir, dans ce royaume dédié à la Vierge en honneur de
lui, un prince de famille : un Jésus de paix.

Il n'en fut pas ainsi... Dieudonné, dit Louis comme son
père, dit XIV encore enfant, était né d'un orage. Sa vie ferait
hurler les foules et tonner les canons : sa vie ne serait que
bruit, tumulte, fêtes, fracas, plaintes aussi, et guerres, et
rugissements – elle serait couronnée par les cris des pauvres
gens.

Pierre de La Porte, qui, pour l'heure, coulait à Saumur des
jours monotones, pourrait écrire, trente années plus tard,
sur ses carnets, parlant du nourrisson de ce dimanche de
septembre : « Avec raison, on le pouvait appeler le fils de
mon silence. »

DEUXIÈME PARTIE

Des châteaux en Espagne

CHAPITRE I

Dire la joie qui s'empara de la France entière à l'annonce du sompteux événement ne sera jamais possible, non plus que de décrire les éclats du tonnerre ou le fracas des canons. La population du village de Saint-Germain, prévenue la première, ouvrit des barriques dans les rues dès le dimanche à midi. Paris reçut les messagers avec des cris d'enthousiasme – le pont de Neuilly étant ruiné, des cavaliers étaient convenus de se relayer de part et d'autre de la rivière plutôt que d'attendre les lenteurs du bac : ceux qui venaient de Saint-Germain devaient croiser les bras sur leur poitrine pour annoncer une fille et agiter leur chapeau au-dessus de leur tête s'il fallait annoncer un dauphin. Ils avaient lancé leurs couvrechefs en l'air avec une telle frénésie que leurs relais s'étaient mis au galop sans perdre un instant, piquant des deux vers la porte Saint-Honoré dans l'agitation d'une joie sans bornes.

La ville entière se mit aussitôt à donner des preuves du contentement extrême que lui apportait cette miraculeuse naissance à laquelle elle avait le sentiment d'avoir un peu participé par l'abondance de ses prières. Paris, qui ne se contentait pas d'être la ville capitale du royaume de France, mais qui semblait l'être encore de tout le monde – c'était du moins l'idée que se faisaient ses habitants, lesquels se plaisaient à compter Madrid, sa rivale dans l'estime de l'univers, pour peu de chose –, Paris, l'orgueilleuse cité, voulut surpasser tout autre lieu par l'ampleur des actions de grâces qu'il s'y rendit pendant le jour et par l'éclat des feux incomparables qui s'y allumèrent de toutes parts pendant la nuit. Le Roi avait envoyé Bailleul, le maître d'hôtel ordinaire de sa maison, porter ses ordres au duc de Montbazon, le gouverneur, ainsi qu'au corps de ville, demandant de faire fermer les boutiques toute la journée du lendemain et d'organiser les feux de joie et autres célébrations publiques et coutumières.

Chacun oublia donc ses occupations dans la fièvre qui s'empara incontinent de la ville : on défonça force muids de vin pour donner à boire aux passants, qui, dans les rues, ne s'en privaient goutte, et certains riches bourgeois organisèrent de même des tables ouvertes où les gens étaient invités à se servir à satiété à seule condition de payer par le cri qui retentissait pour lors unanimement : « Vive le Roi ! » M. du Tremblay, gouverneur de la Bastille, donna le ton des canonnades, de concert avec le gouverneur de l'Arsenal tout proche, en faisant tirer par la garnison des centaines de coups de canon. Le soir venu, les feux de joie s'allumèrent dans toutes les rues à l'endroit où les carrefours étaient suffisamment dégagés pour ne pas mettre le feu aux maisons, tant dans la ville et dans le faubourg Saint-Germain que tout au long de la rivière de Seine. Le lieutenant civil Laffemas fit ordonner aux bourgeois de tenir des chandelles allumées à toutes les fenêtres, et les couvents de religieux en placèrent sur le sommet de leurs murailles, ce qui produisit à l'envi une lumière fort vive jusqu'à une heure avancée de la nuit.

Cependant, le bouquet de cette première nuit de liesse revint sans conteste au grand feu qui avait été préparé sur la place de Grève par le corps de ville, à l'initiative du prévôt des marchands et de MM. les échevins Pierre, Galland, Boué et Tartarin de Paris, dont la probité incorruptible n'avait d'égale, au dire des gazettes, que leur infatigable vigilance pour le bien public... Le bûcher ordonné pour ce grandiose artifice avait en effet vingt pieds de face en carré et quinze pieds de haut jusqu'à son sommet [1]. Il portait les armes du

---

1. Soit une pyramide d'environ 6,5 mètres de côté à sa base et un peu moins de 5 mètres de hauteur.

Roi, de la Reine, de la ville, avec celles de Monseigneur le tout petit Dauphin nouveau qui venait d'arriver. En son centre paraissait une machine, façon « rocher », dont le sommet se dérobait insensiblement à la vue et se couvrait d'obscures nuées, lesquelles étaient à leur tour dissipées par un SOLEIL NAISSANT. Aux deux côtés du rocher étaient peintes deux grandes reines. La première était la PRUDENCE, qui tenait un serpent dans sa main gauche et un miroir dans sa main droite, avec un roseau d'où sortaient ces mots :

IL VOUS ÉCLAIRE, JE VOUS CONDUIS.

La seconde reine représentait la FRANCE, avec sur sa tête une couronne royale. Sa main droite portait une fleur de lys dont la robe toute fermée composait le sceptre de cette reine des nations, chères délices du monarque, le fils aîné de l'Église romaine. Ce n'était pas sans sujet que cet emblème était composé de ces fleurs mystérieuses et pures qui remplissaient toute la terre de leur odeur ; le Ciel les lui avait données avec le signe de la croix : ce même sacré signe que les descendants de Louis, treizième du nom, à l'imitation de leurs illustres et saints aïeux, s'en iraient planter dans les contrées des infidèles... Là, comme dans une belle place d'armes, ils feraient voir les forces et la grandeur de la France. Toutes ces conquêtes seraient dues à la PRUDENCE, que pour cet effet la FRANCE regardait ici fixement – elle semblait même lui vouloir découvrir sa joie par ces paroles inscrites à son côté :

CES BEAUX ASTRES, DONT LA CLARTÉ
GUIDE LE NOCHÉ ÉCARTÉ,
JOINTS À CES FEUX JUMEAUX PAR QUI SE CALME L'ONDE,
CÈDENT À MON SOLEIL NAISSANT
QUI DOIT DONNER LA PAIX AU MONDE,
ET S'ASSUJETTIR LE CROISSANT.

Louis XIII, appelé le Juste, était fort souvent comparé à un SOLEIL éclairant le royaume très chrétien ; sa gloire éclipsait alors celle du Grand Turc, représenté par son croissant de lune traditionnel. C'est ainsi, avec l'habitude d'opposer le soleil à la lune, que l'on attribua tout naturellement à Dieudonné, qui venait de paraître, le symbole de l'astre du jour au commencement de sa carrière... L'enceinte de cette construction glorieuse en carton peint, installée au sommet du bûcher, était formée par une balustrade à quatre faces, dont chacune portait une figure, tirée en fort grande taille et que caressait en ce soir d'été une douce brise qui courait sur la rivière.

La première de ces figures était celle de la PAIX, représentée à son ordinaire avec une branche d'olivier à la main ; son cartouche portait ces vers, tracés en hautes majuscules pour le plaisir de ceux qui savaient les lire et qui les récitaient alors à leurs voisins charmés :

DÉESSE DES PLAISIRS, ET MÈRE DE LA VIE,
J'ÉTOUFFERAI BIENTÔT, ET L'ORGUEIL ET L'ENVIE,
QUI TROUBLE LE REPOS DES FRANÇAIS COURAGEUX ;
PARTOUT OÙ CE GRAND ASTRE ÉPANDANT SA LUMIÈRE
RAMÈNERA LES JOURS DE LA SAISON PREMIÈRE,
ON VERRA L'ABONDANCE, LES ARTS, ET LES JEUX.

La seconde figure, sur l'autre face du bûcher, représentait l'ABONDANCE, visible dans toute sa splendeur au débouché de la rue de la Tannerie. Elle embrassait une corne d'Amalthée d'où dégorgeaient une quantité de nourritures les plus riches et les plus délicates que l'on pût souhaiter... Cette corne tenue par l'ABONDANCE rappelait le privilège antique dont jouissait la chèvre Amalthée, qui fut la nourrice de Jupiter ; ces vers étaient inscrits sous sa figure :

LE BONHEUR QU'A CAUSÉ LA NAISSANCE ROYALE
M'OBLIGE DE VERSER D'UNE MAIN LIBÉRALE

DES CHÂTEAUX EN ESPAGNE

TOUT CE QUE LA NATURE A FAIT DE FLEURISSANT :
JE COUVRIRAI DE FRUICTS LES CAMPAGNES STÉRILES,
LES PARTERRES DE FLEURS, ET REMPLIRAI LES VILLES
DES TRÉSORS QUE PRODUIT CE GRAND ASTRE NAISSANT.

De l'autre côté, regardant l'église Saint-Jean-en-Grève, entre la rue de la Martellerie et la rue du Martroi, était dressée la SCIENCE. Coiffée d'une couronne de laurier, elle tenait une sphère en sa main et une équerre en l'autre, signalant à ses pieds, par l'inclinaison de son poignet, cette inscription apaisante où la Raison damait le pion aux passions belliqueuses :

JE M'EN VAIS INSPIRER DE MES DIVINES FLAMMES
LES LIEUX OÙ FUT LA GUERRE ; ET LES VAILLANTES ÂMES
SE SENTIRONT BRÛLER D'UNE DOCTE FUREUR :
DES PLUS RUDES GUERRIERS JE POLIRAI LA LANGUE ;
AU MILIEU DES SÇAVANTS JE VEUX QUE MARS HARANGUE,
ET QU'IL NE FASSE PLUS LA GUERRE QU'À L'ERREUR.

Du côté de la rivière se tenait enfin l'HARMONIE, couronnée d'une guirlande de fleurs. Elle rappelait, au-dessus des bachots du port, les charmes incomparables qui se forment par la bouche ou par les mains au moyen d'un hautbois et d'un luth, instruments qu'elle tenait dans ses bras, prête à les offrir... Son cartouche disait, en ces temps de troubles, combien la musique adoucit les mœurs :

MES DIVINES CHANSONS PAR LES SANGLANTES PLAINES
RALLIERONT DÉSORMAIS LES PLUS GRANDS CAPITAINES,
POUR SERVIR D'ORNEMENT AUX CERCLES DE LA COUR.
CHACUN SERA CHARMÉ DE CETTE ILLUSTRE TERRE ;
ET L'ON VERRA BIENTÔT LES FOUDRES DE LA GUERRE
HEUREUSEMENT CHANGÉS EN DES FLAMMES D'AMOUR.

Vers la fin de l'après-midi, quatre gueux s'étaient installés tout autour du bûcher, chacun sur une face, et récitaient pour les badauds qui ne savaient pas lire les vers de chacune des figures qu'ils avaient appris par cœur... Le gain de ces emplacements n'avait pas été sans bagarre et sans échange de coups de poing entre les candidats ; il y avait même eu d'intéressants duels à coups de bâton avec des cotrets arrachés au bûcher pour cet usage, des plaies et des bosses, et plusieurs prétendants assommés. Pour être les plus fiers-à-bras, les vainqueurs ne s'étaient donc pas toujours trouvés être les meilleurs diseurs ; ainsi, le colosse qui marmottait les vers de la Paix de manière tout à fait incompréhensible, en roulant des yeux furibonds, s'était arrogé le contrôle indiscuté de cette face la plus passante en démontant vilainement l'épaule d'un rival et en assommant trois autres loqueteux moins vigoureux que lui. Il articulait d'une voix rauque, sur un ton à la fois nasillard et menaçant : « J'étoufferai bientôt, et l'or, l'œil et la vie ! » où il aurait fallu dire « l'orgueil et l'envie », et terminait son sizain en grognant, on ne sait pourquoi : « Un verre à la bombance, et lézard les jeux. » De toute manière, il tendait la main après cela d'un air si terrible que les spectateurs cossus venus tout exprès voir la merveille de la Grève hésitaient à lui refuser un liard pour ses bons offices.

Toutefois, celui des quatre diseurs qui remportait le succès le plus franc, et non sans quelque mérite, était un grand mendiant sec et facétieux, vêtu d'un vieil et bel habit hors d'âge, que le lecteur a déjà aperçu à la porte de l'église des Carmes au commencement de ce récit. Il avait choisi de défendre les couleurs de l'Abondance, à l'entrée de la rue de la Tannerie, songeant probablement qu'elles étaient les plus propices à lui attirer des oboles mirobolantes... Soit que ce mendiant eût des lettres, soit qu'il eût pris soin de se faire expliquer par un clerc de ses amis le dessin de l'allégorie dont il s'était fait le porte-parole, il commençait par faire la chèvre en se pavanant de long en large devant sa part de bûcher, imitant par de longs bêlements, le nez pincé entre pouce et index pour plus de vérité, celle qui donna jadis son lait au Maître des Cieux. Il bondissait en même temps de place en place, et quand il avait suffisamment attroupé de gens, intrigués par son manège, il déclamait d'une voix de stentor, seulement un peu fêlée :

Le bonheur qu'a causé la naissance Royale,
M'oblige de verser d'une main libérale
Tout ce que la Nature a fait de fleurissant, etc.

Il agrémentait les vers, qu'il disait assez passablement, de gestes et de mimiques à la manière d'un acteur sur un théâtre. En proférant les derniers mots du sizain, il tournait brusquement le dos à son public et se prosternait jusqu'à la poussière du sol, les bras rejetés en l'air par-derrière, en criant : « ... ce grand Astre Naissant. »

Ce trait de gentillesse inattendue lui attirait des bravos ; il se relevait alors d'un bond et continuait sa harangue à son profit :

– En attendant ces jours fortunés, messeigneurs, s'écriait-il, faites comme la gracieuse chèvre Amalthée, dont vous pouvez voir ci-dessus la divine corne : répandez sur moi vos bontés... Mes gentes dames, demoiselles de beaux lieux, ayez considération de votre humble serviteur : soyez, je vous prie, mes vaches à lait !

Il joignait fort les mains en prière, les yeux au ciel, puis tendait subitement ses paumes ouvertes devant son grand corps, unies ensemble, comme qui veut recueillir de l'eau coulant à la fontaine.

– Prenez leçon, poursuivait-il suppliant, de ce que les oracles nous promettent aujourd'hui par la bouche de ces nymphes adorables qui viennent adorer elles-mêmes le bel astre qui nous vient de naître ! La Renommée, mes bons seigneurs, qui a soin de vos gloires, la Renommée a déjà publié les merveilles de celui-ci à la cour des plus grands

princes du monde... Apollon même, tout resplendissant
qu'il est, Apollon soumet sa lumière à celle de ce nouveau
soleil – et les muses, ses sœurs, lui rendent hommage...

Le pauvre diable, disant cela, passait les mains tendues
près des bonnes gens ; avec de tels discours célébrant le petit
prince, nouvelle idole du royaume, il récoltait un joli pécule.
Quand il avait épuisé de la sorte les ressources et la générosité
de son auditoire, il se reprenait à faire la chèvre pour de
nouveaux arrivants.

Les témoignages de l'allégresse publique durèrent ainsi la
plus grande part de la première nuit : tant que se consuma ce
feu de joie immense et que dura l'éclat des chandelles sur les
murs et sur les fenêtres... Les canons tonnèrent continûment
et partout éclataient de petits mortiers de fer de sept à huit
pouces de haut, appelés « bouëtes », que l'on bourrait de
poudre ; ces bouëtes figuraient le *nec plus ultra* des réjouissances, car elles figuraient à la fois le tonnerre et les éclairs
des foudres célestes. Le peuple, qui pour lors se tenait aux
murailles tant il avait absorbé de vin dans les rues et dans les
cours des maisons des grands personnages où tout coulait à
profusion, le peuple ne cessait d'acclamer les noms de Louis
et d'Anne, comme s'ils eussent été leurs bons parents ! Les
souverains représentaient la continuité de la vie, ils symboli-
saient l'espoir au-dessus des misères mortelles, ils partici-
paient de la manifestation divine : « Il ne se peut rien ajouter
à leurs vertus incomparables, ni au comble des biens que
nous recevons de ces deux anges visibles, disait la rumeur.
Par eux nous devons espérer de voir nos souhaits exaucés,
nos tempêtes calmées et nos prospérités affermies : par eux
enfin nos doutes seront éclaircis. » Ainsi le peuple accordait-
il à Leurs Majestés, qui avaient tant de peine à se conduire
elles-mêmes, les louanges d'une immense foi dans leur justice
et leur sérénité.

En se donnant une postérité, gage de survie du royaume, le Roi et la Reine fournissaient à leur peuple, enfin ! l'assurance que Dieu les aimait et qu'il n'abandonnerait pas la France au pillage et aux exactions des mercenaires étrangers... Ils prouvaient que les prières étaient efficaces et utiles, et donc, implicitement, que Dieu existait, dans toute sa gloire paternelle. Le retard de ce Dauphin, né après vingt années d'attente commune, constituait une preuve supplémentaire que sa venue était exceptionnelle et miraculeuse, et son existence au-dessus du commun. « Les grandes choses ne se produisent pas à la manière des communes », tel était le sentiment qui prévalait au cours de ces monstrueuses libations nocturnes. « La mère des êtres a coutume de se tenir quelque temps en réserve quand elle veut enfanter des prodiges : ces beaux accouchements ont leur raison et leur présage, comme ces funestes destructions, et l'on ne doit plus s'étonner si la stérilité d'Anne a devancé la naissance de Samuel... »

Les gazettes résumaient par ces mots la piété commune dans tout le royaume : « Notre SOLEIL NAISSANT, qui est le sujet de ces feux de joie, rendra serein le ciel de la France, et en chassera bien loin tous les brouillards. »

Le lendemain, qui était le lundi, sixième du mois de septembre, les boutiques demeurèrent toutes fermées, les études désertées, les chantiers et les échoppes vides. Les canons recommencèrent à tirer aux moineaux, les bouëtes à exploser à grand fracas ; dans la matinée, un *Te Deum* fut chanté en la cathédrale de Notre-Dame, où se réunirent dans le calme et la vénération tous les corps constitués, le Parlement en tête, la Chambre des comptes à sa suite, l'échevinage, dans leur tenue de grand apparat. Le soir venu, la ville entière ralluma ses feux...

Cependant, les représentants des autres maisons d'Europe ne voulurent point demeurer en reste ; elles surenchérirent dès ce second jour sur les festivités de la veille. L'ambassadeur d'Angleterre fit un très beau feu et prodigua à boire à tout le voisinage ; celui de Savoie, entre autres magnificences, donna superbement à souper... L'ambassadeur des États de Hollande fit dresser devant son hôtel six gros pieux au sommet desquels furent dressés six grands tonneaux huilés, remplis de bûches et de fagots qui faisaient dans la nuit une clarté non pareille. Il avait fait décorer tous les frontispices de sa demeure d'une variété de lanternes dont les feux, mêlés à la lueur des tonneaux, offusquaient la vue. Les mousquetades qu'il faisait tirer par intervalles attiraient l'attention des passants sur les tonneaux de vin qui étaient exposés devant la façade.

L'ambassadeur de Venise voulut, quant à lui, faire voir à la foule et aux gentilshommes de Paris une partie des splendeurs que l'on observait en de telles rencontres dans l'Italie. Outre les grands feux qui furent allumés dans son hôtel, Alvise Contarini fit suspendre en l'air des tours et des cercles de feu formés de lumignons nombreux à la façon de Venise et qui faisaient merveilleusement beau à voir. Au-dehors, l'hôtel était tout orné de festons, c'est-à-dire que les portes et les fenêtres étaient entourées de feuillages, d'herbes et de fruits, le tout éclairé par des flambeaux suspendus aux fenêtres. En même temps, l'ambassadeur faisait promener dans la ville un char de triomphe tiré par deux chevaux et qui était empli de bergers et de bergères qui dansaient au son des violons. Le char était suivi de tambours et de trompettes, dont les fanfares amassèrent la foule des curieux. Il se trouva tant de gens pour voir ce char de Venise que les bouëtes du lundi purent à peine être mises à feu par crainte des blessures qu'elles auraient pu causer dans la presse de gens.

Le mardi matin, les boutiques demeurèrent fermées. Les rues se repeuplèrent lentement, à mesure que le sommeil finissait de soulager les fatigues de la nuit et que les songes dissipaient les brouillards accumulés dans les cervelles des buveurs, qui ronflèrent très avant dans le jour sur les paillasses de leurs lits ou dans les bottes de foin des écuries. Tout ce que Paris contenait de granges, d'étables, de réduits, regorgeait de valets hébétés, de garçons ahuris par les libations publiques, qui restèrent vautrés sur la paille des litières, tandis que les chevaux hennissaient, les vaches meuglaient, les chèvres bêlaient, réclamant dans un concert lamentable de l'eau et du fourrage, et le soulagement de leurs pis gonflés que l'on tardait à traire... Cependant, plusieurs maisons, hôtels et couvents de moines continuaient sans relâche à préparer des festivités nouvelles, afin d'alimenter par de nouvelles magnificences la liesse qui paraissait ne devoir jamais se finir.

Les jésuites, qui s'étaient donné le temps d'une grande préparation – ne faisant que de simples feux de joie les jours précédents –, donnèrent, le mardi soir, un magnifique spectacle qui fut précédé par un ingénieux feu d'artifice dans la cour de leur hôtel. Un ballet et une comédie y furent donnés par leurs écoliers sur un théâtre de quarante pieds de long et vingt pieds de large, dressé dans la même cour, décoré de riches colonnes moulées sur leurs piédestaux, orné de pyramides, de vases, couronnes, fleurs de lys, et qui était entouré de toiles d'argent frisées d'or et de tapisseries de cuir doré. Le ballet fit paraître un soleil qui communiquait ses rayons à la lune et produisait un dauphin couronné par deux anges... Sur un tréteau de plus faibles dimensions était un globe transparent de dix pieds de diamètre : ce monde était soutenu par la statue du Roi, qui avait autour de lui l'Europe, l'Asie, l'Afrique et l'Amérique. Un peu plus loin se tenait un squelette qui représentait l'Envie ; malgré cette figure vilaine, après une contestation très vive entre la Guerre et la Paix, un dauphin fut amené dans une petite gondole en forme de berceau. Le dauphin ayant réconcilié joliment Mars et Pallas, toute la Nature vint prendre part à sa glorieuse naissance.

De leur côté, les feuillants de la rue Neuve-Saint-Honoré avaient organisé ce même jour une aumône générale de pain et de vin, emplissant les vaisseaux de tous les pauvres qui se présentèrent à leur porte. Le soir, ces moines firent une grande procession, chacun tenant un cierge allumé ; ils firent un château de feu d'artifice, tandis qu'ils chantaient le *Te Deum* au son des trompettes entremêlées du carillon de leurs cloches. Ces moines avaient placé au-dessus de la porte de leur rue un grand bassin contenant un feu grégeois, composé de soufre, de naphte, de poix, de gomme et de bitume, qui possédait la propriété merveilleuse de brûler sur l'eau... Ils avaient aussi hissé une grosse barrique sur la pointe de leur clocher, laquelle, emplie du même feu, faisait une gigantesque lanterne que saluaient les fanfares des trompettes, alternant avec des mousquetades jusqu'à minuit.

Mercredi matin, le Roi, la Reine et le petit prince furent salués derechef, en même temps que l'on fêtait la nativité de la Vierge, qui était jour chômé. Le faubourg Saint-Germain, qui avait été des premiers à manifester sa joie, organisa, sous la direction de M. de Metz, le supérieur de l'abbaye, une grande et belle procession qui fut suivie par les religieux, le clergé du lieu, les officiers de justice, ainsi qu'une très grande foule de peuple. Les moines ayant rapporté la veille de Saint-Germain-en-Laye la mâchoire merveilleuse de la bonne sainte, la précieuse relique – désormais doublement sacrée – fut transportée, entourée de cierges, avec l'image de sainte Marguerite, en même temps que le portrait de Notre-Dame la Vierge, car elles étaient toutes deux sujettes à une grande vénération.

Ainsi, au cours de cette première semaine, les réjouissances furent-elles universelles à mesure que la nouvelle de la naissance s'étendait de jour en jour plus loin de Paris et de Saint-Germain. Les villes des provinces organisaient à leur tour des feux d'artifice et vidaient des barriques. Certains gouverneurs, dans l'excitation causée par l'annonce d'un dauphin, firent ouvrir les prisons des villes et libérer sur-le-champ tous les prisonniers qu'elles contenaient. Ainsi, le renouvellement des festivités qui eut lieu à Paris le dimanche suivant, pour la huitaine, correspondit avec les derniers embrasements ordinaires des villes les plus reculées, proches des frontières du royaume... Le dimanche 12 septembre, en effet, le sieur Laffemas fit élever devant sa porte, malgré l'étroitesse de la rue, un théâtre qui s'appuyait au mur de son voisin où étaient posées sept figures de grandeur naturelle, divisées en quatre emblèmes. Le premier emblème représentait un dauphin sur le bord de la mer, reçu par les Grâces, qui lui présentaient des guirlandes de fleurs avec cet écriteau en lettres moulées :

TARDA, SED INGENS GRATIA.

Le second emblème était une Renommée couverte de bouches, d'yeux, d'oreilles, avec des ailes ; elle avait une gazette glissée dans sa ceinture et tenait un foudre à la main gauche et une trompette à la droite. Le troisième était une Espérance, le dernier une Bellone, le casque en tête, la cuirasse sur le dos et l'épée en main, ainsi qu'il convenait à cette divinité, sœur de Mars et déesse de la guerre.

L'ambassadeur de Venise voulut renouveler la flamme des splendeurs qu'il avait déjà fait paraître et fit construire au milieu de la rue, devant son hôtel, un château entièrement fait de lumières ardentes accompagné des armes de France et de Venise, avec force bouëtes et d'excellents feux d'artifice tirés dans les airs. D'autres feux leur répondaient à terre, cependant que l'hôtel était tout éclairé de lanternes à la manière de son pays, de fusées et de feux follets, et que l'ambassadeur et ses gentilshommes jetaient par les fenêtres des poignées de pièces d'or et d'argent... Dans la rue, une troupe de pauvres attirés par tant de splendeur se battaient avec une férocité divertissante pour ramasser les menues piécettes dans la poussière du sol.

Les cordeliers du grand couvent avaient, quant à eux, passé la semaine entière hors des célébrations mondaines et bruyantes, employant la nuit et le jour, sans cesse, à rendre grâces à Dieu de l'accomplissement du vœu qu'avait fait leur ordre pour l'heureux succès des couches de la Reine... Au terme de ces prières et méditations, ils dressèrent pour fêter la huitaine l'appareil d'un feu qui représentait un soleil étincelant de toutes parts, lequel imprimait un autre soleil au fond d'une nue. Plusieurs astres rayonnaient autour de ces deux soleils qui figuraient le Roi et son fils, et tous ces feux, ajoutés à ceux qui étaient posés en grand nombre aux fenêtres de leur cour, faisaient un beau jour au milieu de la nuit. Enfin, une quantité de flambeaux disposés en figure dessinaient des lettres dans les airs, composant ces mots :

SIC NOX EXTINCTA LUCET.

A Saint-Germain, cependant, le bébé quarteron était beau, fort et grassouillet ; il criait sainement dans sa chambre toute de blanc parée, au premier étage de l'aile sud du vieux château de ses ancêtres... Il pleurait sans excès, ficelé dans ses langes, et seulement aux heures où il jugeait qu'il avait grand-soif. Le roi Louis son père était superbement étonné, malgré sa très grande foi dans les promesses divines, d'avoir un enfant pour de vrai ; il passa le premier dimanche après-midi à lui rendre visite et à guetter le moment où Mlle de La Girardière lui donnait son gros sein à sucer.

Alvise Contarini avait été l'ambassadeur le plus diligent. Il avait guetté Sa Majesté dans la cour, au pied de l'escalier qui conduisait à l'appartement des enfants de France, afin que la république de Venise fût la première à lui présenter ses compliments. Louis le prit par la main et le conduisit jusqu'à la chambre de damas où dormait l'enfançon ; il demanda d'un geste à la remueuse qui veillait près du berceau de le découvrir un instant et il chuchota à l'oreille du *monsignore*, qui joignit les mains :

— Voici un effet mi... mi... miraculeux de la gue... grâce du Seigneur, articula-t-il avec beaucoup d'émotion.

Alvise se signa trois fois et prit toutes les poses de l'extrême ravissement :

— *Si, si, si, si...* chuchotait-il en hochant la tête avec animation. *Che bello !...*

– Vingt-deux années de m... m... m... m...

– Dé mariatgé, *si*, acheva le Vénitien que les convulsions du prince embarrassaient. *Bello, bello !... Bellissimo !*

Mme de Lansac se trouvait prise au dépourvu par ces visites soudaines et répétées ; elle commençait à s'irriter de ces retours du père, car son rôle de gouvernante exigeait qu'elle fût présente dans la chambre à toutes les visites. C'était à la fois une des règles du protocole, mais aussi les visiteurs princiers, tout au moins les personnes qui étaient en un office de haut rang, devaient selon l'usage lui bailler quelque présent à elle-même, ainsi qu'un autre de moindre valeur à la nourrice... Ces va-et-vient inopinés du Roi dans la chambre la contraignaient à rester sur le qui-vive pour ne point manquer l'entrée et pouvoir exécuter son salut au moment opportun. Elle accourut donc de toute la vitesse que lui permettait son gros corps dès qu'une servante la prévint de l'arrivée imprévue de Son Excellence et fit une profonde révérence au richissime Vénitien, souriant de toutes ses dents gâtées pour excuser son retard auprès du berceau. Alvise Contarini tira de sa poche une chaîne d'or, qu'il lui donna, et une autre d'argent, qu'il tendit à la remueuse, la prenant pour la nourrice.

Dès le lundi, les visites officielles se multiplièrent ; cardinaux, archevêques, ambassadeurs étrangers, représentants des corps de métiers, prévôts des marchands – tous ceux qui, quatre ans auparavant, s'étaient offerts à prêter de l'argent au Roi pour la défense du territoire après le désastre de Corbie – arrivèrent à Saint-Germain pêle-mêle avec les personnages les plus titrés pour présenter leurs congratulations au monarque et, si possible, s'extasier sur Monseigneur l'enfant du miracle. Mais tous n'avaient pas l'honneur d'être conduits au château Vieux – le seul fait d'être admis ou non à voir le Dauphin dormir, être langé ou prendre le sein de sa nourrice établissait une nouvelle échelle des faveurs et de l'intimité à la cour de France... Dans la matinée de ce premier jour, on avait installé le balustre de bois sculpté qui entourait le berceau du petit prince. Il s'agissait d'une balustrade à petits piliers sur lesquels courait une rambarde à hauteur d'appui, qui délimitait une aire privée en forme de rectangle, à une toise et demie environ du berceau, dans laquelle évoluait seulement le personnel du service pour les soins au nourrisson ; n'étaient admis à y pénétrer que de rares intimes ou quelques rares privilégiés que l'on voulait honorer et qui étaient souvent accompagnés de l'une ou l'autre de Leurs Majestés.

Dans l'après-midi de ce jour, Dieudonné fut aussi rapporté quelques instants auprès de sa mère, qui le réclamait au château Neuf, et il refit en sens inverse le trajet qu'il devait accomplir si souvent dans les bras d'un huissier entre les deux demeures royales. La Reine se trouvait encore très affaiblie de la tourmente de la veille, mais elle avait été ramenée sur sa demande, à bras de valets, dans ses appartements de l'aile méridionale. Elle était étendue sur son lit de parade, que Bouvard lui avait ordonné de ne point quitter pendant au moins deux semaines, afin de prévenir les flux de sang toujours à craindre après un travail douloureux. Ses femmes avaient passé deux heures à parer l'accouchée de ses plus précieux joyaux, et Marie, sa dame d'atour, l'avait coiffée pendant un temps aussi long avant l'arrivée des premiers visiteurs. Anne voulut caresser la tête de son enfant, lui disant pour la première fois, d'une voix douce qui sortait du fond de sa gorge :

– *Niño mío... Niño mío !...*

Elle fit mille questions à la nourrice sur la manière dont il prenait le sein, et s'il avait faim, et demanda qu'on lui montrât comment il ouvrait bien ses petites lèvres et aspirait goulûment... Mme de Lansac, imbue de son importance, ne laissait pas parler la nourrice ; elle répondait toujours à sa place à tout ce que demandait la Reine, avec circonspection, d'une voix neutre et mesurée. Ce manège, qui ressemblait au truchement d'un interprète, irrita si bien la souveraine, qui voulait savoir directement ce qu'éprouvait et pensait la jeune femme, qu'en peu de temps elle s'insurgea, le visage rouge de colère :

306

– Madame, dit-elle à la gouvernante, Mlle de La Girardière n'a point, sans doute, perdu sa langue en venant ici ! Elle n'est pas non plus, que je sache, d'un pays où l'on n'entend point le français !...

– Elle est d'Orléans, argua la grosse femme d'un air stupide.

– Eh ! madame, que n'est-elle de Pampelune ! Vous m'en verriez ravie !... Sachez, je vous prie, qu'il est certaines choses que je veux savoir de sa bouche et non de la vôtre, aussi vous m'obligeriez de la laisser me parler.

Le Dauphin avait à son service, dès les premiers jours de son existence, une petite armée de femmes toutes dévouées à le satisfaire. Après la gouvernante, qui avait la charge conjuguée de sa vie matérielle et de sa première éducation, la nourrice venait en tout premier lieu ; elle était à la fois la main et la manne : elle portait le petit prince, le chatouillait, lui parlait, se jouait à lui et surtout lui donnait le sein. Le lait de la nourrice était censé contribuer grandement au tempérament de l'enfant, comme d'autre part le sang de sa mère déterminait ses inclinations. Il disposait d'ailleurs d'une nourrice en second, ou suppléante, pour le cas où un accident adviendrait à la première et, plus ordinairement, en prévision des jours où le lait de la première ne suffirait pas à apaiser sa faim... Une autre femme, immédiatement après celle-là dans la hiérarchie et de grande importance dans l'assiduité des soins qu'elle donnait, était la remueuse. Comme son nom l'indiquait, elle avait la charge du sommeil et devait « remuer » le berceau pour endormir l'enfant et le garder de pleurer ; mais elle participait aussi activement aux soins du corps, à la toilette, ainsi que, plus tard, à l'administration des premières bouillies et aux agaceries, jeux et autres mièvreries dont on a accoutumé de divertir les petits enfants.

Ces trois femmes constituaient les trois piliers de l'existence de Dieudonné, lequel pouvait dès lors, en principe, se passer de mère. Chacune d'elles disposait d'une ou de plusieurs servantes attachées à leur personne pour leur service particulier et, pour les aider dans leurs tâches, il y avait les chambrières de la maison du Dauphin, des domestiques pour entretenir les feux et les chandelles, un huissier qui gardait la chambre mais portait aussi l'enfant au bras pour suppléer la nourrice ou la gouvernante pendant les promenades, un lavandier pour les langes et autres linges qui venait tous les jours, avec son grand sac, emporter ce qui était à laver. Les femmes logeaient dans le demi-étage situé au-dessus de l'appartement du Dauphin, mais elles dormaient le plus souvent dans la chambre même, à proximité de son berceau.

L'enfant royal disposait également d'un cuisinier attaché à sa personne, ainsi que d'un maître d'hôtel, lesquels ne prendraient leurs fonctions que quelques mois plus tard, et bien sûr d'un médecin, homme choisi pour son habileté, son savoir et sa prudence, et qui était chargé de lui faire traverser sans dommage tous les risques mortels inhérents à la petite enfance. Dieu sait, Dieu était admirablement placé pour savoir, lui qui accueillait tant de petites âmes de chérubins qui n'avaient passé que quelques jours sur la terre, quelques semaines, quelques mois ou quelques années, que ces risques étaient grands, nombreux, et particulièrement variés... A part ces gens appointés, le bébé pouvait compter, pour les relations humaines, ris, chansons, attouchements et caresses, sur toute la maison de la reine Anne, depuis sa première dame d'honneur et ses servantes, jusqu'à Michelette, qui s'occupait des petits chiens, en passant par la totalité de ses filles d'honneur, qui habitaient du reste les étages supérieurs du château Vieux et ne trouvaient pas de meilleure distraction que de venir jouer avec celui qu'on appelait uniquement, quelle que fût sa présente petitesse, Monseigneur le Dauphin.

Sa Majesté ne parlait de lui qu'en disant « mon fils » et le Roi avait un accent de fierté un peu solennelle que lui donnait le manque d'habitude. Toutefois il déclina, dans les jours qui suivirent, l'offre que lui faisait Mme de Lansac de le tenir un instant dans ses bras... On lui avait toujours raconté dans son jeune âge que son propre père, le roi Henri notre sire, hâtif, impulsif et vert galant comme il était, avait failli l'échapper lui-même, à l'âge de huit jours, pour avoir voulu le prendre sur un coussin, à Fontainebleau, et qu'il s'en était fallu d'un miracle s'il ne s'était pas fracassé sur le sol ! Un miracle et l'agilité de sa première nourrice, qui l'avait rattrapé quasiment au vol... Cet incident abondamment colporté pendant son enfance avait persuadé Louis, dès son âge le plus tendre, que manier un nourrisson n'était pas une affaire d'homme : en conséquence, il n'entendait pas risquer la vie de son fils pour lui faire une agacerie.

– J'attendrai, dit-il, qu'il soit en âge d'être cajolé. J'ai tant attendu qu'astheure je n'ai point de hâte !

En début de semaine arrivèrent les messages de Richelieu en réponse au messager du Roi ; il écrivait à Louis : « Sire, la naissance de Monsieur le Dauphin me ravit ; j'espère que, comme il est Théodose quant au don que Dieu en a fait à Votre Majesté, il le sera à raison des qualités qu'ont eues les empereurs qui ont porté ce nom... Je ne saurais exprimer ma joie. » A la Reine, il adressa ce message qui le dispensait de beaucoup de mots : « Madame, les grandes joies ne parlent point... »

En fin de semaine arrivèrent les courriers de la frontière espagnole annonçant le désastre de Fontarabie, survenu le mardi 7, surlendemain de la naissance. Le prince de Condé et le duc de La Valette, qui avaient pris la ville en tenailles, étaient parvenus à pratiquer une large brèche dans les murailles médiocres de Fontarabie, rendant leur victoire imminente et certaine : il ne restait plus qu'à faire donner le dernier assaut pour réduire les assiégés, en nombre très inférieur, et les tailler en pièces... Il s'éleva alors entre les deux capitaines une légère divergence de vues, qui venait d'une dissension quant à celui qui attaquerait le premier.

Comme ils tardaient ainsi, sûrs de leur succès, à pénétrer dans la forteresse aux abois, ce furent les Espagnols qui, utilisant la brèche par où devait venir leur perte, décidèrent de ne point l'attendre et de tenter une sortie de la dernière chance. Contre toute présomption, les Espagnols se ruèrent donc dehors et, poussant d'affreuses clameurs qui retentissaient jusque dans la petite vallée, ils se précipitèrent à lances raccourcies sur les Français indécis et désorganisés, qu'ils se mirent à hacher menu avec toute l'énergie du désespoir. La panique s'empara bientôt des forces royales, tandis que ni Condé ni La Valette n'étaient en mesure de parer à la surprise et de retenir leurs troupes ; celles-ci commencèrent à battre en retraite dans un désordre total.

La déroute fut aussi complète que soudaine : les Français laissèrent sur le flanc de la colline espagnole des centaines de morts, de blessés et de prisonniers, tandis que le reste s'encourut à toutes jambes jusqu'à la rivière de Bidassoa et jusqu'à la côte, où leurs navires les attendaient ! Toute la campagne de l'été, les espoirs qu'avait fait naître la victoire navale de Guéthary et les avantages qu'elle avait procurés se trouvaient anéantis en une heure à peine par le manque de décision et la mésentente du commandement des armées.

La nouvelle, qui venait en pleine liesse, alors que les feux d'artifice et les mousquetades n'étaient pas encore éteints, mit le Roi dans une fureur extrême. Il n'eut bientôt que le projet de se venger durement de ses généraux coupables d'une pareille mascarade... Ah ! Condé ! Le pitoyable prince ! « Il prendra Fontarabie comme il a pris Dole ! », disait la chansonnette. La chansonnette avait raison et l'Europe se tenait les côtes – sans compter l'oiseau de mauvais augure qu'était probablement l'auteur du libelle, qu'il aurait voulu voir écarteler... Sa Majesté apprenait de jour en jour des détails enrageants : comment le duc de La Valette riait à gorge déployée pendant la déroute et comment il aurait dit que ses soldats étaient payés par lui-même et non par le Roi, qu'aussi ne voulait-il pas les hasarder avant ceux du prince de Condé, lequel, après tout, était le commandant en chef. Monsieur le Prince devait, selon lui, porter l'entière responsabilité du désastre... Louis devenait chaque fois un peu plus blême d'indignation ; cette contrariété le faisait bégayer si fort qu'il se mura dans un silence empli de fureur et chargé de menace. Ah ! ces traîtres se moquaient de lui ! Il les ferait passer sur le billot ! L'on verrait bien si leurs vilaines figures grimaçantes riraient toujours sous la hache du bourreau ! Ah ! Condé, vieux pédéraste ! se disait-il. Vieille merde ! Car dans les émotions fortes le Roi retrouvait instantanément le langage vigoureux de sa jeunesse.

Il jeta un œil noir à l'accouchée triomphante : cette Espagnole, encore, toujours et avant tout – si futilement occupée de son nourrisson, à présent, que toutes les autres choses du monde lui paraissaient indifférentes... Il voyait bien, quoiqu'elle le cachât de son mieux, que le succès des troupes de son frère, cette fois encore, ne lui était pas désagréable. Il est vrai que Fuenterrabia, le dernier lieu sur terre où elle avait vu l'image de son père, où elle l'avait quitté pour toujours, était pour Anne une ville symbole : elle pensa que peut-être le vieux roi mort avait protégé la cité des adieux, qui ne devait pas devenir française... Dans le manque d'entrain à partager son courroux que le Roi voyait dans l'entourage de sa femme, il sentit que les soins à son fils n'étaient pas seuls en cause : il préféra se réfugier dans les forêts et poursuivre des cerfs plutôt que de rester plus longtemps avec toutes ces femmes. De surcroît, Marie de Hautefort lui faisait maintenant des réflexions aigres-douces et croisait bizarrement son regard. Il était clair que ses propos défaitistes dans la panique de l'accouchement avaient profondément choqué la jeune fille et qu'elle n'était pas sûre de les oublier...

Enfin, la première vague des visites protocolaires ayant passé sur Saint-Germain et le flot princier s'étant tari, Louis songeait à aller rejoindre le Cardinal sur le front de Flandre quand il reçut la nouvelle que Le Catelet était enfin tombé aux mains des troupes royales, le jour de la Sainte-Croix... Une victoire un peu terne, qui compensait mal l'irréparable gâchis de Fontarabie – à ce propos, le duc de La Valette s'était enfui en Angleterre pour ne pas affronter la colère royale ! –, mais enfin c'était une victoire qui mettait un terme à la campagne en cours et annonçait la prise des quartiers jusqu'au printemps. « J'espère, écrivit Richelieu, que le désordre qui est cette année dans vos armées y engendrera de l'ordre pour l'année qui vient. »

D'Espagne, il arriva une autre nouvelle : il venait de naître une petite infante à Madrid, presque en même temps que le Dauphin – en vérité le mardi 7, jour de Fontarabie ! Elle s'appelait María Teresa. Il ne pouvait exister parente plus proche de Petit Louis par le sang, puisque cette enfant était la fille de la sœur du Roi, Mme Élisabeth, et du roi Felipe, le frère de la Reine... La petite princesse était donc sa double cousine germaine, presque une sœur, et la concomitance de ces deux naissances parut à plusieurs comme un signe divin en faveur de la paix. Certains se hâtèrent de murmurer qu'il ne resterait plus, dans quelques années et la guerre ayant cessé entre les deux nations fraternelles, qu'à marier ces deux princes pour rapprocher encore les liens qui les unissaient. La petite infante n'était-elle pas, elle aussi, un quart de souche française par descendance du roi Henri ?... Anne, parée dans son lit et richement coiffée pour recevoir les visiteurs et les visiteuses, songeait avec un peu de nostalgie à la joie et à l'animation qui devaient régner dans le vieil Alcázar de Madrid ; elle eut envie du caquet rassurant des duègnes enrobées de noir, du chant voilé des servantes et des brises odorantes qui soufflaient des sierras dans la fin de l'été... Elle ajouta à ses dévotions des prières en espagnol pour María Teresa et parla du pays avec son confesseur, le Padre Fernández. Elle chanta pour Louis, dormant sur l'oreiller à côté de son épaule où le plaçait doucement la nourrice après boire, cette berceuse lente qu'elle avait retenue si longtemps dans sa gorge et qui fleurissait maintenant dans sa voix, chaude encore et passionnée :

Las mis penas, madre,
De amores son.
Salid, mi señora,
Del sol naranjales,
Que soy tan hermosa,
Que marvos ha el aire,
De amores, si.

Un peu après la Sainte-Croix du 14 septembre eut lieu la cérémonie de la première chemise. C'était un linge de très fine batiste aux armes de France qui avait été envoyé d'Angleterre par la reine Henriette, tante du Dauphin ; elle fut présentée au nourrisson par la princesse de Condé. Le choix de la donneresse avait fait l'objet d'irritation et de controverse entre la Reine et la gouvernante... Sa Majesté aurait voulu que ce fût Hautefort qui eût l'honneur de ce geste chargé de symbole. Mme de Lansac annonça que l'usage, en France, le donnait à une princesse du sang. Charlotte de Condé prit donc des mains de la gouvernante la petite chemise que l'évêque de Meaux avait bénite la veille et que lui avait passée une servante qui la tenait devant le feu ; elle traça avec son pouce le signe de la croix sur le devant et glissa le vêtement au Dauphin qui, du reste, hurlait comme un possédé entre les mains de sa nourrice. La chemise bénite lui étant posée sur le corps, il cessa ses cris ; tout le monde s'accorda pour y voir le présage qu'il aimerait se vêtir et qu'il serait coquet de sa personne...

Tout de suite après, Petit Louis recommença ses cris et la nourrice lui donna le sein. Il tétait à sa convenance, sans heure ni prévision, réglé seulement par sa faim... Mais il tétait souvent et fort goulûment. Cela donnait un excellent appétit à la jeune femme, qui se gavait autant qu'elle le pouvait de pois, de fèves, de raves et de choux afin d'avoir du lait en abondance. Au bout de quelques semaines, le petit prince se montra si glouton qu'il l'asécha à plusieurs reprises et on dut faire appel à la nourrice en second pour l'assouvir...

Cela à la grande colère de Mme de Lansac, qui lui reprocha durement la pauvreté de ses seins. Les deux femmes mangeaient de plus en plus copieusement, jusqu'à se donner des indigestions par peur de voir mollir leurs mamelles. Mme de Lansac, qui menait son monde rondement, leur faisait du reste des scènes de reproche et pavanait son gros corps en soufflant, ce qui causa qu'on l'appelait « la Baleine »... On parlait beaucoup chez la Reine des plus ou moins grandes qualités du lait des femmes ; on assurait que les Flamandes en avaient d'excellent, et aussi les Bretonnes, chez qui il était sucré. Les femmes d'Allemagne l'avaient fort et aigre, mais surtout il fallait se garder du lait des rousses, qui, disaient-elles, était puant. Quant à la durée de l'allaitement possible, chacune des dames disait qu'elle était extrêmement variable et chacune citait quelque exemple de nourrice très jeune, ou même très vieille. Mme de Sénécey contait qu'elle avait entendu dire en Bourgogne qu'une vieille femme de Milly ou de Solutré ayant présenté son sein à l'enfant de sa fille qui venait de mourir, il en sortit assez de lait pour le nourrir et qu'elle lui donna ainsi à téter pendant plusieurs jours... Dame Dupuis, la gouvernante des filles d'honneur, raconta alors qu'il n'y avait pas longtemps on avait vu dans les environs de Besançon un cas très semblable : une veuve âgée d'environ soixante ans avait eu la charité de recueillir dans sa maison un enfant trouvé ; comme elle était incommodée des cris qu'il poussait et ne sachant comment l'apaiser, elle lui présenta ses mamelles flétries et desséchées, et lui mit le mamelon dans la bouche. A force de sucer, l'enfant y fit venir un peu de lait, puis suffisamment pour qu'elle pût le nourrir pendant plusieurs semaines.

Chacune s'exclama que l'on voyait bien par là l'extrême bonté de la Providence et la récompense de ceux qui font la charité... Roberte de Beaumont avait un témoignage encore plus éclatant de la grâce que Dieu met dans les mamelles des femmes : elle avait ouï le cas d'une femme de quarante-huit ans, dans le Poitou, qui était fort pieuse et avait mis au monde six enfants, qu'elle avait nourris. Dix ans s'étaient écoulés depuis sa dernière grossesse quand sa voisine mourut des suites de ses couches, laissant un enfant de deux jours. Elle prit le bébé chez elle en attendant que l'on trouvât une nourrice convenable. Toute la nuit, elle pria Dieu et, cependant, pour apaiser les cris de l'enfançon à qui elle avait donné du lait tiède à boire, elle lui présentait son sein à sucer... Le lendemain, elle se rendit avec lui dans ses bras à une abbatiale toute proche où se trouvaient des reliques, afin de prier le saint qu'il fît trouver promptement une nourrice à cet enfant qu'elle lui présentait. Au bout de quelques jours, elle sentit, à sa grande surprise, son mamelon un peu humide... Le jour suivant, ses aisselles étaient gonflées et douloureuses. Elle eut des démangeaisons, une chaleur extraordinaire dans tout le corps et enfin une poussée de fièvre. Le lait vint à sa poitrine en abondance, comme si elle fût accouchée depuis peu de jours. Elle nourrit l'enfant seule, pendant deux ans et demi, et elle avait même des douleurs aux seins lorsqu'elle demeurait une demi-journée éloignée de son nourrisson.

Comme toutes les dames se récriaient d'étonnement et de plaisir à ce récit très véridique, Mme de La Flotte, qui était l'une des plus âgées de la compagnie, étant née au temps du roi Henri le troisième, assura que certains hommes même pouvaient avoir du lait. Elle conta qu'il y avait en Périgord, du temps où sa petite-fille, Marie de Hautefort, était encore en nourrice, un homme qui avait tellement de lait qu'on l'avait tiré et qu'on en avait fait un fromage.

Les visites, cependant, continuaient à affluer à Saint-Germain. Dès son retour de Picardie, à la Saint-Matthieu, le cardinal de Richelieu se rendit avec toute la pompe cardinalice auprès du Dauphin, dans la compagnie du Roi ; il pensa pleurer d'émotion à voir porter dans les bras dodus de Mme de Lansac l'héritier du trône, qu'il soutenait avec tant de zèle et d'ardeur. La gouvernante avait mis ses plus beaux atours pour la visite de Son Éminence, à qui elle devait sa position de haute confiance. Elle avait dès le matin fait parfumer la chambre en y faisant brûler du bois de genévrier, fait mettre des tenues propres aux servantes et assigné la nourrice et la remueuse au silence le plus complet ; elle les autorisa seulement à répondre par « Oui, Monseigneur » ou « Non, Monseigneur » aux questions que pourrait leur faire le Cardinal, se chargeant elle-même de développer avec prudence et à propos toutes les réponses qu'il y aurait lieu de faire. Son Éminence remercia encore tout haut le Seigneur de sa grâce et infinie bonté pour l'inappréciable présent qu'Il avait fait à la France ; il donna sa bénédiction au nourrisson qui dormait, sa bague à baiser à la gouvernante – et aussi à la nourrice, qui s'était tenue respectueusement à l'écart... Puis il passa au château Neuf faire une brève visite de courtoisie à la Reine, encore dans son lit, lui redisant en peu de mots combien sa joie était grande. Elle, de son côté, lui présenta son compliment pour le succès de ses armes et la prise du Catelet sur les troupes espagnoles, mais en n'usant aussi que du plus petit nombre de mots possible. Elle inclina la tête à son départ, n'étant pas obligée, dans sa position, de produire une révérence.

Les visiteurs les plus divers arrivaient toujours au château, venant apporter leur hommage au Dauphin ; ils venaient de toutes les provinces du royaume de France et de tous les endroits connus de la Chrétienté. Un jour, Jean Doucet arriva du village de Chambourcy avec un grand panier de pommes rouges qu'il apportait pour « Monseigneur le fils du Roi ». Jean Doucet était un paysan des environs que le Roi avait un jour rencontré à la chasse. Sa Majesté s'en revenait de voler la pie le long des haies, à une lieue et demie de Saint-Germain, et marchait le long d'un champ sans autre compagnie que celle de deux gentilshommes de sa suite, quand un paysan d'aspect assez déluré et bon vivant, qui le regardait venir, ne sachant qui il était, l'aborda assez gaiement :

– Eh bien, moncheur, les blés sont-y aussi biaux par cheux vous qu'ils le sont cheux nous ?...

Louis, surpris, fut ravi de cet incognito qui le rendait simple bourgeois aux yeux de cet homme, charmé qu'il était ordinairement quand il pouvait passer pour un homme d'art... Ce jour-là, il se sentit flatté que ce paysan pût le prendre pour un amateur d'agriculture. Loin de détromper le bonhomme sur sa condition, il engagea longuement la conversation sur les métiers des récoltes, la richesse des sols et la bonté des saisons... Le paysan, charmé à son tour d'avoir à faire à si brave homme, se présenta bientôt : on l'appelait Jean Doucet. A qui avait-il l'honneur ?... Le Roi s'étant nommé, l'homme fit part de sa surprise et de son plaisir de rencontrer son souverain en personne, affirmant qu'il avait beaucoup entendu parler de lui, mais sans se décontenancer un seul instant. Il invita même Sa Majesté à prendre un verre chez lui. Louis déclina fort civilement cette offre, mais il s'amusait si fort de la franchise de ce nouveau compère qu'il fit promettre au paysan de venir le voir à Saint-Germain.

Jean Doucet se présenta donc deux jours plus tard, avec la même simplicité, et le Roi le reçut, tout à fait enchanté de la naïveté de cet homme. Il joua avec lui à la pierrette, qui était le jeu de cartes le plus simple auquel s'amusaient les enfants et où il suffisait de sortir deux fois la même carte pour gagner. Il gagna ainsi dix sols au pauvre bonhomme, qui devenait enragé de perdre, et il fut si aise de ce gain qu'il porta les dix sols à Rueil pour les montrer au Cardinal. Louis fit tailler et coudre pour son nouvel ami une grande robe ample appelée « robe à l'innocente », en drap d'écarlate orné d'or. Jean Doucet revint dans son village... Cependant, il revenait voir le monarque quand celui-ci séjournait à Saint-Germain et, un jour de fête, il apparut sans son innocente. Comme on lui en demandait la raison, le compère expliqua que, les jours de fête, les gens ne faisaient que regarder son clinquant à l'église et que cela les empêchait de prier Dieu avec recueillement.

Un autre jour que le Roi lui avait donné vingt écus d'or, le paysan lui dit en frappant son gousset :

— I vous r'vanront, Sire, pour sûr ! Vous mettez tant de ces tailles et de ces dièbleries sur les pauvres gens : i vous r'vanront un jour !

Jean Doucet arriva donc de Chambourcy ayant vêtu son innocente et portant au bras son panier. Il se rendit directement au château Neuf, mais Sa Majesté était partie à Paris ; le bonhomme demanda donc à voir le dauphin Dieudonné, fils à son maître, ne voulant se départir de son panier de pommes qu'il ne les lui eût présentées en hommage. On le renvoya au château Vieux, où, eu égard à l'amitié que le Roi lui témoignait, on l'introduisit dans la chambre du Dauphin, qu'il admira longuement, appuyé contre le balustre. Tandis que la remueuse agitait son berceau en chantant la ritournelle : « Bergeronnette m'amiette, Bergeronnette mon souci », Jean Doucet chanta aussi pour l'aider à endormir l'enfant.

Les femmes lui prirent ses pommes avec des grands remerciements, ce dont elles se riaient à part elles, mais il demanda en grâce que la nourrice en mangeât une sur-le-champ, disant qu'ainsi la petite graine de roi en recevrait bientôt la saveur dans son breuvage — ce que fit la jeune femme de bon cœur. Le bonhomme voulut, à part cela, qu'on lui rendît son panier après l'avoir vidé, car, disait-il, c'était le plus beau et le plus neuf qu'il avait.

— Mais voyons ça, maître Jean Doucet ! lui dit la remueuse. Avec tout l'argent que le Roi vous donne, vous pouvez acheter autant de paniers qu'il vous plaira !

— Oh ! Je vous connais !... répondit finement le compère. Voyez ma folle, vous voulez me faire dire : « Adieu panier, vendanges sont faites ! »

Le samedi suivant, qui était le jour de la Saint-Léger, Petit Louis était fort cajolé par sa nourrice, qui le langeait et lui chatouillait le ventre ; soudain, l'enfant fit un souris qui fit venir des larmes de joie aux yeux de la jeune femme. Elle recommença à lui chatouiller le nombril, et lui recommença à lui sourire. Mlle de La Girardière dit alors qu'il fallait porter le nourrisson à la Reine pour que Sa Majesté profitât sur-le-champ de la grâce de ce sourire ; mais Mme de Lansac ne fut pas de cet avis, disant qu'elle ne recevait d'ordre que du Roi et qu'il était inutile de faire autant d'embarras... Là-dessus, elle entra peu à peu en une grande colère contre la nourrice qui avait fait cette proposition, la traitant de grande sotte et de dondon. Elle s'échauffa si bien la bile que ce qui paraissait devoir être ce jour-là un rayon de bonheur tourna tout de bon à la tragédie. La nourrice, humiliée, pleurait à chaudes larmes et se rongeait les sangs, si bien que son lait tourna ; quelques heures plus tard, elle ne put donner à téter à l'enfançon qui criait, hurlait et bavait tant il avait soif.

On dut quérir d'urgence la nourrice en second pour calmer la faim du Dauphin, et la gouvernante, plus en fureur que jamais, promenait partout sa forte corpulence et rabrouait les servantes et les femmes de la chambre qui sanglotaient toutes dans les coins et en oubliaient leur tâche. Enfin, elle injuria copieusement Mlle de La Girardière, l'appelant vieille souillon, vieille vache et visage à faire une enseigne de bière ! Pour finir, elle la chassa tout à fait, disant qu'elle n'était propre à rien.

Dès le lendemain, Petit Louis avait une autre nourrice, une brave fille un peu simple que Mme de Lansac avait fait quérir pendant la nuit ; elle avait de gros yeux rouges et répétait constamment « Pour sûr » à tout ce que disait la gouvernante, ce qui la fit nommer malicieusement par les servantes et par le lavandier, qui avait, bien malgré lui, assisté à une partie de la querelle de la veille, la mère Poursûr. Le Dauphin s'abstint de sourire pendant quelque temps ; lorsque, le jour suivant, on voulut lui chatouiller le nombril devant Sa Majesté, qui avait fini ses relevailles et était venue assister à la toilette de son fils au château Vieux, il se mit à pleurer et à se débattre le plus vilainement du monde, ce qui rendit sa mère chagrine. La Reine avait été informée par Michelette, la servante chargée de ses petits chiens, de toutes les circonstances du congé de la nourrice et de la dureté de celle qu'on n'appelait plus désormais que la Baleine. Elle n'osa toutefois s'opposer résolument à cette action, sachant l'appui que cette femme avait auprès du Cardinal, qui l'avait mise dans cette fonction contre son vœu... Elle avait beau se sentir à présent Reine à part entière, comme le lui répétèrent affectueusement ses proches, aussi bien Marie de Hautefort que la marquise de Sénécey, sa première dame d'honneur, ou son aumônier, l'évêque de Lisieux, et aussi celui de Limoges, oncle de La Fayette, la longue habitude de la crainte qu'elle avait de Son Éminence lui fermait la bouche. Elle se plaignit vigoureusement au Roi, cependant, de l'émoi causé par cette affaire et de la mauvaise humeur qui régnait dans l'entourage du Dauphin.

D'autant que, la mère Poursûr s'étant révélée décidément trop stupide, au point que l'on craignait pour le tempérament d'un prince qui avait à se nourrir du lait d'une personne aussi sotte, la Baleine dut trouver au bout de quelques jours une nourrice un peu plus dégourdie... Les désagréments qu'endurait Petit Louis et les contrecoups qu'il éprouvait de ces tensions et de ces changements firent, sans doute, qu'il se mit à jeter des petites gales sur le visage et sur le crâne ; c'étaient comme des dartres, avec des rougeurs et des desquamations de la peau. Vers la fin du mois d'octobre, son médecin lui frotta le ventre avec de l'huile d'absinthe, le nombril avec de la civette, la tête et le visage avec du beurre frais de Picardie, mêlé à de l'huile d'amandes douces... On lui passa au col un chapelet qui avait été donné à la Reine et qui avait appartenu à saint Ignace, et, le dimanche 31 octobre, on lui donna à boire trois gouttes d'un excellent vin d'Espagne qu'on lui versa sur les lèvres et qu'il suça avec une sorte de ravissement. Au demeurant, l'assistance déclara qu'il aimerait la bonne chère... Le Dauphin tétait si fort et si goulûment qu'il épuisait régulièrement aussi bien la nouvelle nourrice que la suppléante, ce qui fut la cause qu'on en changea une nouvelle fois. On finit par découvrir une paysanne de Chantilly dont le lait crémeux et sucré semblait inépuisable tant les mamelles de cette jeune personne, pleine de santé, étaient imposantes, avec cela blanches et rondes, et propres à ravir, avec des bouts larges et roses qui sentaient bon le chèvrefeuille. Petit Louis reprit dans cette confortable abondance une grande partie de sa bonne humeur.

Richelieu, pendant ce temps, ne perdait pas une miette de ce qui se passait et se disait dans la maison de la Reine... A la fois la gouvernante et les femmes de chambre qu'il honorait de sa protection et de quelques présents de valeur lui rapportaient dans les plus grands détails, avec une exacte vigilance, tout ce qui se disait contre lui dans la cabale jamais éteinte dont Mme de Sénécey portait la bannière. Ces gens s'appuyaient à présent sur le nouvel état d'une Reine désormais inamovible, mère d'un dauphin, pour lui conseiller une fermeté qu'elle n'avait jamais pu avoir et des exigences auprès du Roi son époux, lequel était maintenant obligé de compter avec elle... Le Cardinal aurait aimé se débarrasser de ces trouble-fête qui relevaient la tête avec tant de hauteur qu'ils ne se cachaient presque plus pour dire tout haut leur hostilité à sa personne et à son gouvernement : Hautefort, Sénécey, l'évêque de Limoges lui faisaient ombrage. Il décida qu'il lui fallait frapper un grand coup sans tarder davantage, avant que ces gens n'eussent réussi à s'emparer de l'esprit du Roi et fait remonter contre sa personne le danger qu'avait fait naître, un an plus tôt, le Père Caussin, aujourd'hui heureusement exilé à Quimper, au fond le plus obscur du duché de Bretagne. Il poussa donc de tout son pouvoir le jeune maître de la garde-robe, le marquis de Cinq-Mars, qu'il avait élevé dans sa maison, à devenir le confident du monarque et son compagnon assidu, cela afin de contrebalancer l'influence de la vertueuse Marie, qui, tout assotée à présent de la Reine et du petit Dauphin, devenait une réelle menace. Ne pouvant s'attaquer de front à la jolie favorite, il essaya de biaiser en poussant un beau favori dans le cœur de Louis.

Le jeune Cinq-Mars, qui aimait les femmes et les plaisirs, était peu enclin de son naturel à devenir le confident d'un homme, fût-il le Roi son maître, tellement confit en pratiques religieuses et si expert en matière de chasse à courre qu'il eût mieux valu un moine valet de chiens pour recueillir ses confidences. Le Cardinal dut supplier, tancer, puis menacer le jeune marquis et graisser la patte à Mme sa mère, la marquise d'Effiat, pour qu'elle exigeât de son côté une obéissance complète à son bienfaiteur. Il voulait obliger Cinq-Mars à déployer tous ses charmes auprès de Louis, s'attacher heure après heure à sa personne et ne le quitter qu'une fois tiré le rideau de son lit... Le jeune homme s'encourait alors, de toute la puissance de son cheval, retrouver à Paris la compagnie plus riante de ses compagnons de débauche et le lit des joyeuses femmes dont il préférait les jeux.

Cette entreprise de sape étant longue, et au demeurant incertaine, Son Éminence employa son talent à convaincre le Roi qu'il fallait à tout prix écarter de l'entourage de la Reine les influences pernicieuses de quelques-uns de ses membres – surtout quelques-unes, dont le clan hostile au gouvernement était devenu tout à fait incompatible, assurait-il, avec la bonne éducation d'un dauphin de France. Sa Majesté, plaidait Richelieu avec chaleur, ne pouvait laisser son fils aux mains d'un camp ennemi ! Il y allait cette fois de l'avenir de la Couronne ! Ce serait à lui un grand péché devant Dieu, et devant la vénérée Vierge Marie, sa mère du Ciel, que de garder plus longtemps à la Cour le spectre d'odieuses collusions. Il cita Juvénal et saint Augustin, parla de Justinien, de Néron, de Térence... Il étourdit le Roi d'arguments et de compliments :

– Sire, s'exclamait-il, j'estime Hautefort autant que vous l'aimez, mais si je ne m'abuse à lire dans son âme, méfiez-vous des desseins que forme cette femme !...

Cinq-Mars disait le soir la même chose, mais il n'avait pas la foi pour convaincre... Le Roi tenait à Marie. Le Cardinal revenait à la charge, remontrait qu'un roi père se doit à des obligations qui sont évidemment étrangères à un monarque sans descendance. Il faisait, quant à lui, de grands actes d'humilité :

— Sire, pardonnez à ma témérité si j'osais l'employer sans votre autorité : mais le péril approche ! Je hasarderais ma tête avec joie, et le sang qui m'anime est tourné tout entier au bien de votre empire... S'il me fallait la perdre, il me serait bien doux de sortir de la vie en combattant pour vous.

Pour avoir la paix et conserver Marie, Louis consentit enfin à donner ses ordres pour une épuration complète de la maison de sa femme. Il fit nommer M. de Brassac surintendant de sa maison, et Le Gras, le secrétaire des commandements dévoué à Son Éminence, devint l'intendant. Il fit exiler l'oncle de La Fayette dans son diocèse de Limoges, avec commandement de n'en point sortir sans autorisation. Enfin il envoya Chavigny, le secrétaire d'État qui était en bons termes avec la Reine, porter à celle-ci l'ordre de renvoyer sa première dame d'honneur et intime amie, la marquise de Sénécey, dans ses terres de Bourgogne. Il la voulait loin de Paris ou de Saint-Germain... Il la remplaçait dans cette charge capitale par la comtesse de Brassac, épouse du surintendant.

Richelieu choisit le moment où le couple était séparé, la Reine ayant quitté Saint-Germain pour Paris quelques jours après la Toussaint, pour faire porter le message du Roi, rédigé en ces termes :

« Ces trois mots ne sont pour autre chose que pour vous dire que j'ai résolu, pour certaines considérations qui vous sont aussi avantageuses qu'à moi, d'éloigner Mme de Sénécey, ainsi que vous dira plus particulièrement le sieur de Chavigny auquel vous aurez entière créance. »

Cependant Son Éminence redoutait l'indignation d'Anne d'Autriche devant ce qui pouvait passer pour un cruel affront à la mère du Dauphin. Il craignait à présent l'effet de ses larmes, de ses supplications sur le Roi... Un renoncement à ces dispositions après les plaidoiries que ne manquerait pas de faire la Reine offensée le mettait au péril d'un retournement de situation qui causerait sa propre perte. Il fit donc de son mieux pour prévenir l'esprit du Roi contre toute surprise, il rédigea à l'intention de Sa Majesté un modèle d'entretien qui la dispensait de tous frais d'invention. Le Cardinal lui préparait à l'avance des réponses possibles pour l'aider à affronter Anne, laquelle en effet quitta Paris toutes affaires cessantes pour venir trouver son mari à Saint-Germain.

Ces conseils étaient rédigés comme suit :

Ce 8 novembre 1638

« Si le Roi le trouve bon, la Reine arrivant à Saint-Germain, Sa Majesté peut lui dire : " Je vous ai mandé que quand Mme de Sénécey m'aurait obéi, je vous écouterai volontiers sur son sujet, si vous avez quelque chose à me dire. Si elle est partie de Paris pour s'en aller, vous pouvez dire ce qu'il vous plaira ; mais quoi que c'en soit, je veux que l'obéissance précède. "

« Si la Reine veut entrer davantage en discours, Sa Majesté lui répondra, s'il lui plaît, selon sa prudence, concluant qu'il lui suffit de savoir qu'elle fait les choses avec raison et sans être obligée d'en rendre compte. Après, si elle veut, elle peut ajouter : " Vous savez autant les impertinences de l'esprit de Mme de Sénécey que moi, je vous en ai vu cent fois rire la première. Si vous dites qu'on ne chasse pas les personnes pour des impertinences, je vous répondrai qu'aussi ne l'ai-je pas fait pour cela, mais pour des actions qui ne sont pas exemptes de malice. Vous n'ignorez pas la bonne volonté qu'elle avait pour ceux que j'emploie au maniement de mes affaires. Sur ce sujet vous savez beaucoup de choses que je ne sais pas, mais j'en sais aussi que vous ne savez pas. Je sais des personnes qu'elle a suscitées pour agir contre eux auprès de moi, quand ils me trouveraient en mauvaise humeur. Je sais de plus des avis qu'elle a fait donner à quelques personnes que je les voulais faire prendre prisonniers, contre toute vérité ; et de cela, si elle eût été crue, il en pouvait arriver beaucoup d'inconvénients. Il y a bien d'autres choses, mais je vous demande seulement sur ces deux points si je serais bien conseillé de garder en ma Cour une personne de cette humeur, bien capable de donner à diverses personnes et à vous-même de belles impressions au préjudice de mes affaires. »

« Si la Reine, qui a témoigné plusieurs fois être en mauvaise humeur contre le Cardinal, dit quelque chose de lui, Sa Majesté y répondra bien, s'il lui plaît, par sa bonté et sa prudence. »

On donna à Petit Louis un petit bonnet de satin et on le porta tous les jours au château Neuf, de sorte que sa mère le pût cajoler et mignarder tout à son aise... Il s'habituait ainsi à la voir et à la reconnaître tout autant que sa nourrice ou sa gouvernante. Anne, privée si longtemps des plaisirs de caresser les petits enfants, ne se lassait jamais de s'occuper de son fils ; elle voulut même le langer et le torcher à plusieurs reprises, malgré les protestations des servantes. Mais surtout, le Dauphin se riait à Marie de Hautefort, dont il aimait la voix. Il la reconnaissait à l'oreille dans une salle où on le portait et tournait sa tête vers elle en souriant sur les bras de la personne qui le tenait, jusqu'à ce que la belle favorite – qui devenait celle du fils comme elle l'était du père – s'avançât pour le prendre ou le chatouiller.

L'enfant, à présent, avait le front haut et bombé de sa mère, avec les yeux bruns de son père. Sa tête était grosse, son visage rond et considérablement joufflu, avec une bouche forte, un nez assez gros et un double menton au-dessus d'un cou court et grassouillet. Ses cheveux noirs et courts commençaient à friser... A partir de novembre, le temps avait fraîchi et le royal bébé, toujours ligoté dans ses langes comme une petite momie, commença à vivre devant l'âtre, dans l'un et dans l'autre des châteaux de Saint-Germain. Sous l'action du froid alterné avec la vivacité des flammes, la peau de son visage prit une teinte rougeâtre qui était un signe de bonne santé. Un peu avant Noël, il eut un rhume, son nez coula pendant quelques jours, ses yeux devinrent un temps chassieux ; puis les mauvaises humeurs se dissipèrent, il alla mieux. Son appétit s'accrut encore après ces quelques jours de diète et il fallut lui donner un peu de bouillie de froment entre les tétées... Il faisait à présent des petits sons rauques qu'il éructait gentiment de son petit gosier comme s'il allait se mettre à parler. On se récriait avec enthousiasme et l'on battait des mains pour l'encourager.

Sur les genoux de sa nourrice, Petit Louis aimait à écouter le feu brûler dans la cheminée... Il s'intéressait au crépitement des branches, et parfois, quand une bûche craquait très fort, il sursautait. Un après-midi qu'il était ainsi au giron de sa nourrice devant l'âtre de sa chambre, une agitation se prit à régner dans le château, où l'on commentait la prise de Brisach, sur le Rhin, par les troupes du duc de Weimar, le glorieux vainqueur de Jean de Werth, et aussi la mort à Rueil du Père Joseph, ami de Richelieu, deux événements qui étaient survenus le même jour.

L'apothicaire de la Reine, qui se chauffait avant de sortir, lui dit qu'il fallait être juste et bon, et que Dieu l'avait donné au peuple pour être un bon roi. Il souriait, paraissait entendre...

La nourrice défit son corsage et lui donna le sein, qu'il prit et suça goulûment. Puis elle le redressa et lui dit :

— Eh bien, Monsieur, m'aimerez-vous encore quand je serai bien vieille et que j'irai avec un bâton ?

Il considéra un instant, les yeux fixes, les sourcils froncés, le visage de la jeune femme et agita la tête avec un bruit de bouche qui paraissait dire : « Non. »

CHAPITRE II

Quand arriva le printemps, le petit prince était si gros et si fort qu'on ne pouvait le tenir emmailloté plus longtemps. Il mangeait de la bouillie tous les jours, un grand bol, que la Baleine lui donnait patiemment à la petite cuillère en lui contant des histoires de loups-garous qui emportent les petits enfants. Son esprit était éveillé en proportion ; il tendait les mains quand on lui présentait quelque chose, riait, balbutiait quand on le sortait pour la promenade. Les jours de beau temps, la Reine l'emmenait promener dans son carrosse avec la nourrice et la remueuse – la présence de Mme de Lansac était souvent si oppressante qu'Anne s'arrangeait pour qu'elle fût le moins souvent possible en sa compagnie. Petit Louis, qui reconnaissait parfaitement le carrosse, se trémoussait à la vue des chevaux... Il tendait sa petite menotte et, le cocher ayant mis pied à terre et tenant fermement le cheval à la bride, on lui faisait toucher le pelage de l'animal, le flattant au cou et dessous son gros œil cerclé de noir. Il tapotait la bête ; la personne qui le tenait répétait : « Dada, doux dada, doux dada ! », ce qui plaisait beaucoup à l'enfançon, lequel éructait et bavait de plaisir.

Puis on montait dans le petit carrosse, rideaux levés, et l'on allait tantôt dans la forêt où couraient des bêtes de tout poil, tantôt au bord de la rivière, mais sans jamais s'éloigner beaucoup du château. Un jour, Petit Louis vit un écureuil qui guettait sur une branche, après qu'on le lui eut montré pendant une minute entière sans parvenir à lui faire saisir la direction où il était. Quand il repéra enfin l'animal roux qui avait bougé sur la grosse branche basse où il se tenait, il poussa un cri et la bête disparut brusquement derrière le tronc... Le petit prince était fort drôle avec le petit chapeau de paille qu'on lui attachait sur la tête, par-dessus son bonnet, sans le serrer à cause des croûtes qu'il avait toujours sur le crâne ; aucun onguent ni aucune eau miraculeuse qu'on apportait de provinces parfois fort lointaines n'était parvenu à lui ôter ces gales. Il aimait à voir marcher les chevaux auprès de lui et l'on faisait aller les deux gardes du corps qui escortaient les promenades tout près de la portière du carrosse pour qu'il pût observer à son aise le mouvement de leurs jambes et le frémissement de leur carcasse. Quand ils poussaient vers le village du Pecq, ceux de Mareil ou de Fourqueux, il se trouvait des paysans sur le bord du chemin qui se découvraient comme au passage du saint sacrement. Quelques-uns en effet se mettaient à genoux et pleuraient en criant :

– Ah ! Monseigneur le Dauphin ! Que Dieu vous garde !

La Reine leur faisait toujours donner quelque argent de par le prince et il se trouvait de plus en plus de bonnes gens sur les talus quand s'en venait le carrosse de la Reine. Des bourgeois avec leurs femmes se trouvaient aussi au bord du chemin ; le carrosse étant arrêté, ces braves gens étaient parfois autorisés à venir faire risette de près à Petit Louis, qui les considérait généralement avec curiosité et bienveillance, ce qui ravissait d'aise ces personnes. Plusieurs fois, on lui présenta des petits enfants ; il voulut les toucher de sa petite main grassouillette et l'on devait prendre garde qu'il ne leur enfonçât ses petits doigts dans les yeux.

Si le temps était maussade, on le conduisait à vêpres, dans la chapelle du château, où il considérait avec curiosité toutes les actions de l'aumônier ; mais il se lassait bientôt des chants, et les femmes étaient obligées de l'emmener pour que ses cris ne troublassent pas la cérémonie. Le plus souvent, toutefois, la Reine passait les après-midi pluvieux au château

Neuf ; elle faisait alors jouer sa musique composée de deux violons, d'un luth, d'une guitare et de deux jeunes enfants qui chantaient. Petit Louis adorait entendre la musique, particulièrement celle des violons, au son desquels il se trémoussait et dansait tant qu'il pouvait dans les bras de la nourrice qui le tenait. Les dames assemblées chez la Reine se divertissaient fort à le voir taper de ses petits bras en cadence et, les divertissements étant pour lors fort rares à Saint-Germain-en-Laye, c'était une joie que de le regarder faire.

La conversation des dames roulait souvent sur les pouvoirs cachés de la musique et l'embellissement que cet art divin donnait aux fêtes aussi bien qu'à l'exercice de la dévotion. Non seulement c'était le langage le plus choisi pour s'adresser à Dieu, mais on disait aussi que la musique est capable de soulager grandement certains malades, surtout ceux qui sont sujets à de grands emportements. Mlle de Chémérault raconta comment un illustre musicien d'Italie qui avait été attaqué d'une fièvre tomba un jour dans un délire très violent ; ce dérèglement de son esprit devint continu, accompagné de larmes, de cris, de terreurs et d'une insomnie perpétuelle. Le troisième jour, le malheureux eut une courte période de lucidité, au cours de laquelle il demanda qu'on lui donnât un petit concert... Son médecin n'y consentit qu'avec beaucoup de peine, car il craignait le ridicule de cette exécution et que ce ridicule fût bien plus grand encore si le malade venait à mourir pendant l'administration d'un tel remède... Enfin, on chanta au pauvre malade des psaumes, accompagnés par deux luths ; dès les premiers accords, son visage prit un air serein, ses yeux furent plus tranquilles et, pendant que la musique se déroulait dans la chambre, les convulsions dont il était atteint cessèrent absolument. Le malheureux versa des larmes de plaisir, qui firent pleurer d'espoir tous ceux qui demeuraient à son chevet, et les musiciens même étaient émus. Il fut sans fièvre pendant tout le temps que dura le concert, mais, quand celui-ci fut fini, il retomba dans son premier état.

On continua cependant l'administration de ce remède imprévu et le même heureux effet se reproduisit chaque fois – la musique était devenue si nécessaire au malade que, la nuit, il faisait chanter une parente qui le veillait... Au bout de dix jours, il se mit à sombrer dans le sommeil dès que la musique cessait et cette circonstance le tira de sa fièvre. Enfin, il se remit tout à fait après une saignée qu'on lui fit au pied.

Mlle de Chémérault tenait ce récit d'un nonce apostolique qui avait lui-même assisté à l'un des concerts donnés au malade... Mme de La Flotte, qui était présente, assura qu'on avait vu en Périgord, du temps de sa jeunesse, un homme que l'on tenait pour mort, que l'on veillait sur son lit car il devait être enterré le jour même, et qui s'était brusquement réveillé en entendant une bourrée passer sous la fenêtre, conduisant une noce à l'église. On plaisanta un peu Mme de La Flotte qui voulait toujours qu'en Périgord advinssent des choses étonnantes – Mlle de Pont-Briant déclara dans des éclats de rire que cette bourrée devait être bien rude et bien aigre pour réveiller un mort !

A la fin du mois de mars, le petit prince se mit à baver plus que de coutume ; pendant plusieurs jours, il fut maussade, attristé et pleurnicheux. Il se réveillait la nuit, se mettait à geindre et à pleurer... La remueuse devait se lever pour le bercer pendant des heures... Anne, un soir, resta en sa compagnie jusqu'à 2 heures passé minuit pour lui tenir la main. Il avait le sommeil agité, le front fiévreux ; elle fut longtemps sans vouloir le quitter, lui chantant les chansons qu'il aimait :

> Las mis penas, madre,
> De amores son...
> Salid, mi señora,
> Del sol naranjales...

Enfin, le quatrième jour, la nourrice lui ayant mis un doigt dans la bouche, elle s'aperçut à une aspérité qu'elle rencontra sur la gencive qu'il avait percé une dent ! Cette nouvelle se propagea à toute la Cour, qui vint lui faire visite – on dépêcha un messager au Roi son père, lequel se trouvait cette semaine-là à la chasse à Fontainebleau, pour lui apprendre la chose.

A la fin du mois d'avril, Petit Louis avait quatre dents : la saison était chaude ; il en était incommodé et ne pouvait plus longtemps demeurer dans ses langes. Aussi Mme de Lansac, après avoir discouru avec la Reine, fit venir un cordonnier de Paris qui prit la mesure de ses petits pieds. La semaine suivante, Mme de Hautefort, revenant de Paris, apporta les souliers. On habilla le petit prince le lendemain, au milieu de l'après-midi, lorsqu'il s'éveilla de sa sieste. La Reine étant présente, ainsi que Marie et quelques autres filles d'honneur, ce fut Mlle de Montpensier, fille de Monsieur d'Orléans, frère du Roi, qui lui présenta sa chemise. Mme de Lansac passa ensuite au Dauphin un corps de jupe sans manches, en soie, et un bas de Milan de soie rouge ; on enfila sur tout cela une robe carrée, faite de satin blanc et rayée d'argent qui s'accordait à merveille avec ses petits souliers, blancs aussi. Cet habillement était si bien séant que le bonhomme paraissait avoir deux ans. La gouvernante, placée derrière lui, le tint debout, sur le balustre, de sorte qu'il apparut à tous comme un petit homme perché !...

Ce furent des cris de joie et d'admiration qui fusèrent de toutes parts. Les servantes s'étaient placées en grand nombre contre la porte du fond, où elles se tenaient coites pour assister à l'habillage ; en voyant le Dauphin rayonnant, tenu ainsi qu'un Jésus devant la crèche, elles s'agenouillèrent une à une, frappées de respect et se signant... Petit Louis, qui n'avait jamais encore été l'objet d'une ovation aussi unanime, souriait largement ; il remuait son gros corps trapu, tendant les bras vers sa mère, qui le prit et le serra contre elle, laissant couler des larmes de joie... Après cela, on le mena promener au château Neuf dans les jardins et chacun en s'en allant lui baisait la main. Sa mère lui apprenait à tendre sa menotte à point pour que le visiteur y posât sa bouche ; mais s'il souffrait volontiers ce geste des femmes qui le baisotaient, il retirait brusquement sa menotte au contact du visage des hommes dont les moustaches le piquaient désagréablement. Il serrait alors sa petite main sous son autre bras pour la protéger, et cela faisait rire aux éclats tous ceux qui étaient témoins de cette action mignarde.

Quand le Roi partit à la guerre, en ce printemps 1639, il voulut que le petit prince vînt le saluer dans la grande cour d'honneur du château... C'était au matin du 25 mai, il faisait un soleil splendide, le ciel était pur et lumineux ; les bois à l'orient s'étendaient sous la vue dans un manteau vert tendre. Au fond de la petite vallée, la rivière de Seine, large, pleine, lente, miroitante, coulait comme une épousée entre deux haies de fleurs nouvelles.

Un régiment entier de mousquetaires montés était venu attendre Sa Majesté dans la grande cour ; les hommes se déployaient en deux sections, de part et d'autre de l'allée d'honneur, sur la grande esplanade du château Neuf. Ils portaient tous le buffleton de peau chamoisée sur leur pourpoint et la mandille bleue à trois pièces, décorées de grandes croix d'argent par-dessus. Les officiers, serrés dans leur hausse-col de métal, ornés de leurs aiguillettes d'épaule selon la nouvelle mode militaire, avaient mis pied à terre dans la cour, où un valet tenait le cheval du Roi par la bride. Louis parut sur le degré, sortant de la grande salle, vêtu d'un costume sombre galonné de simples boutons, chaussé de hautes bottes de chasse ; les officiers crièrent tous ensemble :

– Vive le Roi !

La Reine sortit de la salle à ce moment, suivie de quelques dames ; Hautefort, Brassac étaient présentes, et Mme de Lansac, accompagnée d'un huissier, portait le Dauphin. Petit Louis écarquillait les yeux devant tant de faste, fasciné surtout par le cheval du Roi, haut et noir de robe, harnaché de cuir rouge. M. de Cinq-Mars, grand maître de la garde-robe, sortit à son tour avec quelques autres gentils-hommes, souriant ; il était élégamment vêtu d'un pourpoint à petites chiquetades richement brodées, doublé de soie écarlate, avec jabot, et une croate de fine mousseline entourait son cou. Ses rabats et rebras étaient de dentelle, son haut-de-chausses à petite oie, allongé au-dessous du genou, à la mode d'Italie. Il était chaussé de fines bottes basses lazzarines, au revers épanoui qui retombait presque sur le devant de pied, et dont les talons maintenaient une paire d'éperons argentés, étincelants.

Le jeune gentilhomme ôta son chapeau à triple panache et vint s'incliner devant le Dauphin, à qui il baisa la main, disant :

– Dieu vous garde, mon prince.

Petit Louis était émerveillé par la tenue somptueuse du grand maître. Il serra dans sa petite main le doigt de Cinq-Mars et ne voulut point du tout le laisser aller. Le marquis s'écarta ainsi tenu, le bras haussé, la main gracieusement abandonnée à l'enfant qui se mit à rire et lui secoua le doigt comme un hochet... La gouvernante lui prit le poignet :

– Laissez, Monsieur, laissez aller M. de Cinq-Mars qui s'en va se battre pour l'amour de vous.

Le Roi s'était approché ; il riait. Il posa sa main gantée sur l'épaule de l'élégant jeune homme avec une grande familiarité, puis s'en vint pour baiser le Dauphin au front.

– Adieu, mon fils, dit-il gaiement, soyez bien sage et point opiniâtre !

Il baisa ensuite la Reine avec bonne humeur ; elle fit une profonde révérence. Il s'inclina devant Marie de Hautefort, puis se dirigea vers le cheval qui piaffait au milieu de la cour. Tous les officiers présents se découvrirent tandis qu'un écuyer lui mettait le pied à l'étrier, l'aidant à s'envoler lestement sur la selle d'un seul mouvement. Une fois affermi en selle, bien calé sur ses étriers, Sa Majesté ôta son chapeau pour donner le signal ; à ce geste, les tambours se mirent à

battre tous ensemble, les trompettes sur l'esplanade sonnèrent le départ. Le Roi se donnait une fois encore le sentiment
profond et exaltant qu'il prenait la tête de son armée pour
chasser l'Espagnol des terres de Picardie ; suivant les plans
de son ministre, il devait rabaisser l'orgueil de la maison
d'Autriche gouvernée par ses trois beaux-frères.

De fait, Richelieu voulait surtout, en l'envoyant sur le
front des troupes, redonner à son maître de l'intérêt pour une
campagne qui semblait s'éterniser sans succès, tout en lui
procurant une distraction fort goûtée, qui avait été abrégée,
l'année précédente, par la venue du Dauphin. Louis aimait se
trouver au milieu des troupes ; il s'y plaisait. Pour le
ministre, c'était une manière, aussi, de le soustraire pour la
durée de l'été aux papotages, railleries, médisances et finalement aux mauvaises influences qu'il endurait à Saint-
Germain ou à Paris ; c'était tout particulièrement l'arracher à
l'emprise maligne de Marie de Hautefort, dont le Cardinal ne
pouvait par aucun moyen venir à bout. Or Marie, forte à
présent de la puissance acquise par la Reine, se croyait de ce
fait même presque intouchable et montrait dans ses propos
une audace nouvelle. Elle tâchait de tout son pouvoir de
dégoûter le Roi de la guerre et, si possible, de le dégoûter par
la même occasion de son tout-puissant ministre belliqueux.
Mieux valait ôter à la jeune femme sa proie et mettre Sa
Majesté à l'abri d'une propagande hostile au gouvernement.

Par ailleurs, il était devenu nécessaire de redonner à tout
prix un peu de lustre et de mordant à la politique de Son
Éminence : les actions militaires stagnaient dangereusement,
les places fortes des ennemis s'avéraient imprenables... les
seules actions d'éclat qui fissent quelque honneur à l'immense quantité d'argent dépensé dans cette circonstance
étaient les succès obtenus sur le front de l'Est – à grands frais,
il est vrai ! – par l'aventurier de Saxe-Weimar, qui continuait
à en découdre pour le compte du roi de France... Cependant,
les triomphes même du vainqueur de Jean de Werth deve-

naient fort inquiétants : ce général, maître de l'Alsace et des principales places fortes depuis sa prise de Brisach, se trouvait maintenant à la tête d'une armée bien entraînée, dont il avait su se faire extrêmement aimer. En effet, comme tout bon capitaine, il procurait à ses troupes fidèles, outre leur solde, les avantages de tous les pillages et aujourd'hui les mises à sac au fur et à mesure des conquêtes. Le duc de Saxe-Weimar se comportait d'une manière de plus en plus indépendante, au point que Son Éminence n'osait guère lui demander trop expressément à qui appartenaient réellement ces territoires et ces villes pour lesquels le roi de France avait baillé les fonds. Tandis qu'on éludait craintivement cette épineuse question, Bernard de Saxe-Weimar, héros acclamé, conquérant de charme, tenait bien en main ces nouvelles possessions. Il lui suffirait d'un mot, à présent, et de faire hommage à l'Empereur, son suzerain, à qui il avait extorqué ces villes et ces provinces, pour qu'il devînt à son tour un petit roi d'Alsace et des territoires annexes. Cette issue redoutable aurait non seulement réduit à néant toute l'ambition de Richelieu, mais, à l'évidence, ridiculisé pour toujours sa politique d'expansion et de grandeur ! La situation était donc extrêmement délicate et la bonne humeur fragile à souhait...

Il fallait donc, de la manière la plus urgente, raviver les enthousiasmes et rehausser l'humeur de conquête. Pour cela, le Cardinal avait décidé de faire participer Sa Majesté à l'enlèvement d'une place forte... il avait à cet effet concentré les troupes et les efforts sur la petite ville de Hesdin, au bord de la rivière de Canche, à cinq ou six lieues de Montreuil. Cette vieille forteresse bâtie par Charles Quint avait résisté la saison précédente aux efforts du maréchal de Châtillon ; Richelieu donna cette fois-ci le commandement à La Meilleraye, qui était son cousin, puis, ayant rassemblé toutes les troupes et l'artillerie nécessaires à une prise assurée de la ville, il convia le Roi à l'assaut de la victoire.

Pendant le siège, qui dura un mois, Louis mit à contribution ses talents d'artilleur et d'artificier ; il essaya de faire partager son enthousiasme pour ces techniques de poudre à canon au jeune maître de sa garde-robe, qui ne le quittait jamais d'un pas. Il goûtait de mieux en mieux les bons mots et la conversation brillante du jeune homme, autant qu'il appréciait ses prévenances et ses gentillesses renouvelées... Aussi le marquis de Cinq-Mars se montrait-il d'une complaisance extrême, demeurant toujours dans l'ombre du Roi pour s'en faire aimer. Il se hissa de la sorte, pendant cette campagne, au rang de nouveau favori, favori si nécessaire qu'il devint au Roi difficile de se passer de lui.

— Où est Cinq-Mars ? demandait Louis constamment...

Hesdin tomba le 29 juin dans l'après-midi. La nouvelle de cette prise apporta de la belle humeur à la Cour. Les messagers vantèrent les actions personnelles du Roi, qui était lui-même monté sur la brèche, et les servantes disaient à Petit Louis :

— Voyez, Monsieur, le Roi votre père a pris Hesdin, la ville forte !... Vive le Roi ! Allez, dites : « Vive le Roi ! »

Et elles le chatouillaient dans le cou afin qu'il rît.

— Forcerez-vous bien les villes à votre tour quand vous serez grand ?

Elles lui prenaient la taille, il marquait le pas de son pied contre le balustre où on l'asseyait parfois et se trémoussait comme un diable :

— A ce que je crois, Monsieur, vous forcerez bien les filles !

Mais ce qui faisait le plus rire le Dauphin, c'est quand sa nourrice le nettoyait avec de l'huile d'amandes douces, le matin, et qu'elle le tenait tout nu sur son berceau ; elle lui tâtait sa guillerie du bout du doigt, la lui balançant en cadence pendant qu'elle chantait :

> Qui veut ouïr chanson :
> La fille au roi Louis,
> Bourbon l'a tant aimée

> Qu'à la fin l'engrossit.
> Vive la fleur, vive la fleur,
> Vive la fleur de lys.

Petit Louis se riait alors à pleins poumons et trépignait d'impatience pour qu'elle recommençât... Il aimait aussi jouer avec les petits chiens de Michelette dans la galerie de la Reine au château Neuf. On avait cousu des lisières à sa robe, qui étaient deux cordons de satin attachés à ses épaules et qui servaient à le soutenir pour le faire cheminer. Les petits chiens couraient, se poursuivaient, se mordillaient et le bambin se dandinait sur ses petites jambes, faisant de son mieux pour les suivre ou tout au moins les approcher. Certains toutous venaient lui lécher les jambes ; il se tordait de gaieté sous la caresse de leur langue râpeuse contre sa tendre peau ; on lui apprenait à leur lancer de petites croûtes de pain pour les attirer, ou bien des os de chapon que Michelette récoltait pour eux aux cuisines et qu'elle mettait dans la main du petit prince. Il arrivait aussi, quand il faisait ses besoins sur le carreau de la chambre, que les petits chiens, attirés par le goût lacté de ses étrons, vinssent manger à mesure ce qui tombait de lui sous sa robe, chatouillant ses fesses de leur pelage. Parfois, ils passaient un coup de langue sur son petit derrière par pure gourmandise, ce qui mettait le petit prince dans des transes de plaisir et des crises de gaieté qu'on avait de la peine à calmer.

Anne, à présent, commandait presque tous les jours qu'on apportât l'enfant dans son lit dès la matinée et elle se jouait à lui sur le drap, dans la tiédeur du mois d'été... Elle baisotait son petit corps dodu, disant :

– N'êtes-vous point le mignon de maman ?... Où est le mignon de maman ?...

Elle lui prenait sa menotte et lui faisait frapper sa propre poitrine :

– *Aquí ! Aquí ! Aquí está !...*

Elle chantait aussi de courtes romances qui paraissaient le

faire rêver et qu'il redemandait quand elle avait fini, avec
force gesticulations qui la ravissaient :

> *Ojos morenicos,*
> *Irme a querellar*
> *Que me queredes matar.*
> *Quejarme de mi*
> *Que ansi me vinci,*
> *Que desde os vi*
> *Me aquejo el pesar.*
> *Que me queredes matar,*
> *Que me queredes matar.*

Parfois, elle se cachait derrière l'une de ses femmes, quand
ils étaient au jardin, et elle l'appelait pour qu'il la cherchât,
les bras tendus en avant, tirant sur les lisières qu'une dame
tenait. Cela donnait toujours lieu à de joyeuses rondes.
Souvent, dans la chaleur de ce mois de juillet sec et torride, à
l'heure où le soleil déclinant s'apprêtait à disparaître derrière
le village de Saint-Germain, les dames masquées descendaient au troisième jardin, celui des canaux, qui jouxtait la
rivière. Elles ne sortaient jamais à visage découvert pendant
le jour, par crainte de voir brunir la chair de leurs visages
pâles, mais la fraîcheur était douce alors, augmentée par le
cours des eaux. La compagnie des dames mettait les pieds
dans l'eau des bassins. On faisait patauger le Dauphin, qui
prenait un plaisir malin à éclabousser les demoiselles qui
riaient et le trouvaient espiègle.

Vers la fin du mois de juillet, on apprit la mort du duc de
Saxe-Weimar... Il avait été tué, selon certains, au cours d'une
contre-attaque dans le pays de Bade, le 16 exactement.
D'autres disaient qu'il était mort d'une fièvre lente, mais,
quelle qu'en fût la cause, la mort du héros causa la stupeur.

Par quel courroux du Ciel, disait-on, un si brave capitaine disparaissait-il sans raison ? Ô vanité des gloires terrestres !... On disait au Dauphin :

– Monsieur, le duc est mort. Jean de Werth va venir vous querre ! Hou ! Hou ! Voilà Jean de Werth, cachez-vous bien !

On joua ainsi pendant quelque temps à « Jean de Werth venant chercher le Dauphin », cependant que de mauvais esprits, comme il s'en rencontre toujours à Paris, trouvèrent étrange ce trépas qui supprimait aussi opportunément un si robuste combattant : au moment exact, disaient-ils, où il devenait dangereux pour la gloire du ministre et pour la sécurité de l'État... On disait tout bas, en bien des lieux, et jusque dans l'entourage de la Reine, que si le Ciel ne protégeait pas le Cardinal avec une ponctualité merveilleuse, c'était alors que le diable y avait part.

Par une autre coïncidence du sort, ce samedi 16 juillet 1639 qui voyait la fin des entreprises de Bernard de Saxe à l'intérieur du royaume, débutait à Avranches, en Basse-Normandie, une étrange révolte qui allait faire peur à force gens. En effet, c'était jour de marché dans cette petite ville lez la mer, et l'on y massacra, un peu avant midi, à coups de pied, de poing, de pierre et de bâton, un certain Poupinel qui venait de Coutances. On l'avait pris par erreur pour un des agents collecteurs d'impôts qui tâchaient de faire exécuter l'arrêt d'établissement de la gabelle dans cet endroit de la province.

Le pays, depuis longtemps, était tenu en alarme à cause des immenses quantités d'argent que la population devait fournir au Trésor du Roi pour les guerres continuelles que le souverain entretenait férocement depuis des années contre ses beaux-frères ; ce n'était qu'augmentation des tailles, création de nouveaux octrois, taxes, emprunts obligatoires, qui drainaient la région de sa monnaie et installaient la misère. Le logement des troupes, qui prenaient leurs quartiers d'hiver en Normandie, avait ravagé certains villages par les exactions que les soudards, du reste sans solde, faisaient dans les maisons, et, comme les malheurs aiment à être accompagnés, la peste ravageait la province depuis une dizaine d'années, décimant, ici et là, des villes entières pour leurs péchés. Toutes les villes devaient aux Impôts des arrérages importants, et les Normands pillés et battus par les troupes, les Normandes violées, étaient tendus, à bout de patience... C'est le moment que le Roi choisit, afin d'avoir encore plus d'argent et mieux châtier sa famille, de supprimer le privilège du quart bouillon sur le sel, dont jouissait la Normandie par voie de chartes libéralement accordées par les anciens monarques ; il résolut d'y établir la gabelle. Cette mesure donna une telle fièvre aux sauniers, que l'on appelait des Jean-Nu-Pieds parce qu'ils travaillaient pieds nus sur les plages à la collecte des sablons, qu'ils finirent, entraînés par des meneurs, par entrer en révolte ouverte... C'étaient ces sauniers qui venaient d'occire vilainement le pauvre Poupinel, à qui les femmes, ces mégères, avaient crevé les yeux de leurs fuseaux.

Dès les jours suivants, les séditieux d'Avranches firent circuler des écrits encourageant à la révolte les autres villes des alentours, ameutant les habitants des campagnes ; ils firent chanter des chansons horriblement séditieuses, où il était question de Jean Nu-Pieds, animateur supposé de cette grande révolte... De proche en proche, la colère s'étendit à la faveur de l'été comme un feu dans les broussailles. « C'est tout Nu-Pieds que Dieu a envoyé pour mettre en la Normandie une parfaite liberté », disait le libelle de ces insurgés ; ils organisèrent une armée, aidés de leurs nobles et de leurs curés, qu'ils appelèrent « armée de souffrance ». De Vire, de Coutances, de Caen, la sédition atteignit Rouen, où l'on assassina vers la fin du mois d'août et où l'on pilla dans une large mesure. Elle s'étendit encore, puis, de Bayeux à Carentan, embrasa des milliers de Jean-Nu-Pieds d'une fière colère...

Ce fut donc sur ce fond de troubles qu'arriva la fête du

petit prince, le 25 août, jour de la Saint-Louis, qui tombait un jeudi. Le cardinal de Richelieu fit apporter une petite épée au Dauphin. C'était une épée de chevet en réduction, à lame triangulaire, qui mesurait un pied deux pouces et dont la garde était faite de deux anneaux de côté avec un quillon droit composé d'une simple boule de cuivre. Le pommeau, de la grosseur d'une noisette, était serti d'une couronne de diamants et la lame était glissée dans un fourreau ouvragé en cuir de Russie. Le tout se portait au col à l'aide d'un baudrier de drap recouvert de soie bleue brodée aux armes du Dauphin... Mᵐᵉ la duchesse d'Aiguillon envoyait dans le même temps un petit tambour et un chapeau à la mode des gardes suisses, orné d'un triple panache de plumes blanches.

— Voyez comme vous êtes vaillant, Monsieur ! Et comme le Cardinal a de bonté pour vous ! disait Mᵐᵉ de Lansac en lui ceignant son épée par-dessus sa robe.

On lui présenta le tambour et les petites baguettes, qu'il voulut tout de suite manier à grand bruit, et c'est ainsi adorné que Petit Louis fut présenté à son peuple. Dès 11 heures, en effet, une foule de gens s'était assemblée d'autre part du fossé devant le château Vieux pour fêter la Saint-Louis. La gouvernante alla porter le Dauphin aux fenêtres de la tour d'angle, où étaient venus le plus de gens, puis au balcon de la salle des fêtes. Elle l'avait mis debout sur la balustrade et lui faisait ôter son chapeau, tout en le retenant pour qu'il ne le jetât pas dans le fossé au-dessous de lui. L'assemblée qui criait : « Vive le Roi ! Vive le Dauphin ! » s'était mise à genoux sur la place, et tous priaient pour la santé et la prospérité du petit prince, lequel écarquillait les yeux devant tant de gens assemblés qui lui voulaient du bien. Beaucoup pleuraient, joignaient les mains, les tendaient vers lui, dans une clameur un peu sourde d'enthousiasme populaire et frénétique. Cependant, Petit Louis se lassait de la foule et voulait battre son tambour ; Mᵐᵉ de Lansac le faisait donc cheminer, tenant ses lisières, le long de la galerie. Il maniait les baguettes avec gaucherie et frappait tantôt la peau, tantôt le bois, avec toute la force de ses petits bras. La grosse femme lui répétait :

– Doucement, doucement, Monsieur !... Vous allez briser votre tambour à cette heure.

Il s'enticha si bien de son jouet qu'il ne voulut point s'en défaire pour manger sa bouillie malgré les supplications de sa nourrice et il fallut placer l'objet dans son berceau pendant sa sieste pour qu'il consentît à s'endormir. Les femmes le réveillèrent à 4 heures pour le porter chez la Reine, qui avait fait venir sa musique pour le faire danser. Petit Louis aimait la compagnie de Marie de Hautefort ; elle le faisait danser au son du violon, tenant ses lisières par en haut et c'était merveille de voir comme il s'agrippait à sa jupe et sautait en riant ! Elle lui donna de la gelée avec une cuillère – ce dont il se montra friand ! – et lui répétait souvent : « Bonne fête, Monsieur ! », en lui faisant une courte révérence qui le mettait en joie. Ce fut Marie qui dut le porter au bras pour aller au jardin, car il refusa de se laisser porter par toute autre et se mit à pleurer quand sa nourrice voulut le reprendre.

Les dames lui firent visiter les grottes, puis le descendirent au bassin où il joua dans l'eau, jusqu'à ce que, le vent s'étant levé sur la rivière à cause d'un orage qui s'annonçait, on rentrât dans la galerie, où l'on fit apporter des sièges pour toute la compagnie. On s'installa devant les fruits et les raisins peints au long de la muraille dans l'imitation des feuilles et des branches qui évoquaient la végétation d'un verger. La Reine aimait cet endroit du château Neuf où elle se tenait volontiers : la succession des terrasses où errait la vue depuis ce point élevé lui rappelait l'Alcázar à Madrid et ses jardins en contrebas, qu'elle contemplait rêveusement des fenêtres dans son enfance ; tandis que la fraîcheur verdoyante de la rivière, au fond, entre ses berges, la faisait souvenir de la paix luxuriante d'Aranjuez... La construction elle-même du château Neuf, légère et hospitalière, n'était pas sans évoquer le palais de l'oasis des bords du Tage. Anne se sentait plus en sécurité dans cette demeure ouverte et basse que dans aucune autre résidence royale.

Il y eut au loin un grondement de tonnerre qui roula longuement au-dessus des bois, puis un second, ce qui fit prêter l'oreille à Petit Louis, qui s'amusait à poursuivre deux petits chiens. Soudain, l'enfant s'agita, criant : « Bou-bou-bou-bou ! Bou-bou-bou ! », et remuait les bras comme pour frapper quelque chose. Comme il recommençait avec insistance et se mettait à trépigner d'impatience, la nourrice expliqua qu'il devait probablement se ressouvenir de son tambour et demander qu'on le lui apportât – car l'instrument avait été laissé dans sa chambre. Toutes les personnes présentes s'émerveillèrent de la vivacité de son esprit qui avait pris le bruit du tonnerre comme un rappel de son jouet du matin... « Bou-bou-bou ! » fut considéré comme un début de parole, et Mme de Beaumont, qui était arrivée de Paris dans l'après-midi, décréta que, selon toute apparence, le Dauphin parlerait de bonne heure. La conversation tourna aux enfants qui parlent tôt et font le ravissement de leur entourage. En comparaison de ceux qui, à trois ou quatre ans, ne disent encore que quelques mots à peine audibles et que l'on désespère d'entendre s'exprimer un jour avec facilité. On glissa très vite sur le cas des bègues, par respect pour Sa Majesté le père du petit prince, auquel chacun pensait... La Reine fit même un petit signe de croix pour écarter le mauvais œil qui risquait d'affecter son fils du même embarras qui affligeait son époux ; elle s'écarta même de quelques pas pour aller toucher le bois du violon de son musicien, qui se reposait dans un coin de la galerie. On parla de ceux qui ont l'infortune de ne pouvoir parler jamais et qui se trouvent si démunis qu'ils ne peuvent de leur vie dire aucune prière. Une jeune fille demanda si de tels gens étaient nécessairement damnés pour n'être point capables de s'adresser à Dieu leur vie durant : plusieurs se récrièrent, disant que Dieu, ne leur ayant pas donné la parole, ne pouvait leur tenir rigueur de leur silence... C'était aussi l'opinion de la Reine, qui se trouvait en avoir discuté autrefois avec un savant jésuite espagnol et aussi avec la Mère supérieure du Val-de-Grâce, à propos d'une Sœur converse qui n'avait point de langue.

Marie de Hautefort, qui avait pris le Dauphin sur son giron, le faisant sauter et jouer avec un collier qu'elle portait au cou, pour calmer son impatience et détourner son esprit du tambour, dit qu'il y avait dans la ville de Périgueux, près du château de ses ancêtres, une pauvre fille qui était muette et qui, cependant, chantait fort bien. Elle occupait tous ses jours à filer la laine dans la maison de ses parents, en chantant les chansons qu'elle connaissait toutes dans la langue du pays, de la plus belle voix qui fût et avec une grâce inégalable qui enchantait tous ceux qui avaient le bonheur de l'entendre. Pourtant, de toute sa vie, cette fille n'avait jamais pu prononcer une seule parole, quelque assiduité et application qu'elle y ait mis et quelque patience dont eussent fait preuve ceux qui s'étaient mêlés de la vouloir instruire. Aucun son ne pouvait sortir de sa gorge ; elle était réduite à se faire comprendre par des gestes qu'elle avait accoutumé de faire depuis son enfance et par des mimiques de son visage que les personnes avec lesquelles elle avait commerce d'ordinaire entendaient sans peine. Son confesseur l'absolvait sur des séries de signes qu'elle lui faisait et sur la marque qu'elle donnait de la plus grande contrition, étant fort dévote... En effet, cette pauvre muette ne quittait sa quenouille et son fuseau que pour se rendre à l'église ; le miracle est qu'elle chantait, à la messe et dans les processions, les cantiques et les psaumes, dont elle savait tous les airs à la perfection et dont elle articulait audiblement toutes les paroles. Elle chantait si joliment qu'on reconnaissait entre toutes les autres sa voix douce et claire, et fort haute. Elle mettait dans son chant tant d'ardeur qu'elle charmait les plus grandes foules de fidèles dans la ville de Périgueux et les transportait de joie. Marie se souvenait de l'avoir entendue dans son enfance à la cathédrale Saint-Front, où on l'avait conduite le jour de la Fête-Dieu. Cette pauvre fille s'appelait Nanette et on l'appelait par toute la contrée « Nanetta la Cantaprim », ce qui voulait dire, dans la langue gasconne, qu'elle avait la voix fine et déliée.

Au début de la soirée, alors que la pénombre noyait déjà le contour des bâtiments, les dames résolurent d'accompagner le petit prince au château Vieux, où elles se firent apporter une collation légère en guise de souper, cela afin de demeurer plus longtemps en sa présence et d'assister à son coucher. La Reine et Marie récitèrent pour lui la prière du soir, lui tenant ses petites mains jointes devant sa poitrine ; puis le baisotant et le cajolant, elles le placèrent dans son berceau. Les deux femmes lui chantèrent, jusqu'à ce qu'il s'endormît profondément, *Las mis penas, madre, De amores son,* qui semblait sa berceuse favorite, puis le laissèrent après un dernier baiser sur ses petites mains, qu'elles replacèrent doucement sous le drap fin qui le recouvrait afin de le protéger des mouches, particulièrement voraces en ces temps lourds qui précèdent les orages.

Marie logeait à présent dans l'appartement de la Reine, qui lui avait demandé de demeurer ainsi plus longtemps auprès d'elle ; elles repartirent à pied dans la nuit, précédées seulement d'un garde et d'un porte-flambeau, au travers de la longue esplanade. Le ciel se zébrait de grands éclairs au-dessus de l'horizon, vers Paris, qui faisaient comme d'immenses cordes ondoyantes dans les nuées noirâtres et basses.

Lorsque Louis revint de guerre, quelques jours avant la Toussaint, il n'avait qu'un seul « cher ami » à la bouche : c'était le grand maître de sa garde-robe. Les mauvaises langues, qui étaient fort nombreuses, disaient que le jeune et beau d'Effiat était à présent tout à la fois le grand maître des hauts-de-chausses du Roi et la petite maîtresse de son cœur... Le monarque n'avait-il pas déclaré à son favori : « Je vous ai donné mon cœur et je vous promets qu'il ne sera point partagé » ? Les rieurs n'étaient pas tous du même côté : les chansonnettes allaient bon train ; les auteurs anonymes ne mâchaient point leurs rimes... Certaines chansons gardaient la saveur des couplets hauts en gueule et bas de chair qui avaient fait naguère le divertissement des licencieux, sous le règne du feu roi... Des libertins fredonnaient sur un air connu :

Le roi Louis de guerre revint
Tenant sa trique dans ses mains,
Sa mère à la fenêtre vint
Dit : « J'vois Cinq-Mars cherchant son Juin. »

De fait, après avoir fleureté tout l'été en parcourant la France et la Savoie, le Roi et son favori n'allaient plus nulle part l'un sans l'autre. Louis arborait un vif contentement, et le Cardinal, qui avait rejoint le couple à Dijon sur le chemin du retour vers Paris, ne se tenait plus de joie. Il avait enfin réussi à placer sa créature aussi haut qu'il se pouvait dans la faveur royale... L'un des secrétaires d'État, sieur de Chavigny, écrivait à une nouvelle recrue de Son Éminence, un Italien, habile diplomate, homme de *combinazione*, nommé Giulio Mazarini : « Nous avons un nouveau favori à la Cour, qui est M. de Cinq-Mars, dépendant tout à fait de Monseigneur le Cardinal. Jamais le Roi n'a eu de passion plus violente pour personne que pour lui. »

Le jour de Toussaint, Cinq-Mars accompagna son souverain pendant qu'il touchait rituellement les écrouelles au premier étage de la Grande Galerie du Louvre. Une armée de scrofuleux de tous âges, hommes, femmes, enfants, étaient massés en rang tout au long du passage de Sa Majesté ; ils étaient porteurs de goitres énormes sous des visages blanchâtres et bouffis. La plupart avaient les lèvres protubérantes, bleues et gercées, les yeux rougis, pustuleux, sans cils ; des petits enfants, offerts à bout de bras par leurs mères, étaient couverts d'impétigos, de dartres, d'abcès, et leurs mains étaient toutes rouges d'engelures... Ces gens toussaient à fendre l'âme et ils crachaient si copieusement que le plancher de la galerie au bord de l'eau restait deux jours humide et gluant de leurs déjections après chaque cérémonie des écrouelles. Sa Majesté passait lentement et gravement devant eux, les touchant au front du bout de sa main droite et répétant inlassablement la formule sacrée : « Le Roi te touche, Dieu te guérit... » Cinq-Mars venait derrière avec quelques autres seigneurs, vêtu de satin, richement botté, portant un petit sac de cuir dont il sortait des piécettes qu'il distribuait en aumônes aux plus pauvres, de la part du Roi.

A son retour de campagne, le Roi avait également fait visite à son fils et successeur, en compagnie de son inséparable ami. La rencontre s'était révélée bien décevante pour le souverain régnant... Non seulement Petit Louis n'avait eu aucun signe de reconnaissance filiale, mais encore il avait manifesté de la crainte devant ce gentilhomme étranger qui avait tenu à frotter de façon protocolaire une horrible moustache qui piquait sur la peau tendrette de sa petite main... Il s'était réfugié dans les bras douillets de sa nourrice et avait enfoui son visage, d'une manière un peu vexante, entre l'épaule et le cou de la plantureuse fille.

Il avait refusé ensuite avec obstination de sortir son nez de là, malgré les encouragements trépidants et conjugués de la jeune femme et de la gouvernante, qui présidait à la présentation :

— Faites un souris à votre papa, Monsieur !

— Votre bon papa qui est venu vous voir !

— Montrez comme vous êtes gracieux... Voyez M. de Cinq-Mars, que vous aimez bien ! Vous lui tîntes la main !...

– Vous lui tirâtes fort le doigt, à M. le marquis !... Un souris, s'il vous plaît... un petit souris...

L'enfant avait fini par se mettre à pleurer de bon cœur.

Bientôt, toutefois, le favori se montra de plus en plus exigeant vis-à-vis de son royal protecteur. Louis avait beau le couvrir de cadeaux, lui attribuer, lui si pincé sur les cordons de sa bourse, des gratifications de plusieurs milliers de livres qu'il ne se serait pas données à lui-même : le mignon devenait insatiable. Il exigeait deux choses principalement : la première, pour lui-même, consistait à revendiquer, à moins de vingt ans d'âge, l'une des plus hautes charges du royaume, celle du grand écuyer de France. Elle était alors tenue par le vieux duc de Bellegarde, qui avait soixante-dix-sept ans, glorieux compagnon d'Henri IV, duc et pair, et qui voulait mourir dedans. Ce Monsieur le Grand en titre refusait obstinément de se faire « récompenser », c'est-à-dire rembourser du prix de sa charge après avoir donné sa démission à Sa Majesté. L'affront fait au noble vieillard, ami du feu roi, était tellement cuisant que Richelieu lui-même se déclarait hostile à ce transfert ! La seconde exigence, non moindre, venait non pas tant du favori lui-même, mais du Cardinal son patron, lequel l'avait poussé dans les faveurs du Roi dans le but précis de lui faire éliminer toute concurrence directe : elle consistait à vouloir la disgrâce complète et définitive de Mᵐᵉ de Hautefort, dame d'atour. On exigeait son renvoi de la Cour...

Ces beaux projets étaient tous deux particulièrement malaisés – devenir, à un âge si tendre, Monsieur le Grand paraissait à tous le comble de l'outrecuidance –, mais la seconde entreprise, dans laquelle Son Éminence elle-même échouait constamment, malgré tous ses efforts, depuis plusieurs années, semblait également rude. A cette fin, le jeune homme avait été obligé de préparer le terrain d'assez longue main et de s'assombrir, déjà, sur le chemin du retour, disant qu'il redoutait l'arrivée à Paris et à Saint-Germain. Il prenait des mines déconfites disant que Sa Majesté, il le sentait bien, allait lui être infidèle avec la belle Hautefort... Sa Majesté n'aurait bientôt, hélas, plus d'yeux que pour elle ! Plus de regard que pour ses cheveux d'or, sa carnation si tendre ! Elle n'aurait d'oreilles que pour ses riants devis ! Ah ! Hautefort !... Comme il en était jaloux !...

Le Roi répondait que nenni : il ne la verrait même pas... Mais le marquis boudait d'avance, faisait le contrit. Louis était tout attendri de ce bel ami qui l'aimait, en somme, plus fort que la Hautefort... Richelieu, qui suivait le cortège depuis la Bourgogne et ouvrait l'œil, relançait son émule, veillait à ce qu'il n'y eût point de relâche ; il voulait que le jeune homme se fît cajoler et qu'en tout point il jouât les Jocrisses qui mènent les poules pisser, de manière à obtenir des promesses et des décisions qui seraient impossibles à prendre si le Roi revenait sous la coupe de la belle Marie.

Louis avait fait des serments :

— Je vous donne mon cœur et il ne sera point partagé.

Tout beau ! Mais à Saint-Germain le monarque n'osait plus se résoudre à franchir l'étape ultime, sans laquelle rien n'était ni ne serait jamais acquis : congédier Marie. Il lui faudrait affronter non seulement les reproches de la belle personne, mais soutenir aussi la colère de la Reine, ulcérée par cet affront personnel : chasser sa meilleure amie, sa dame d'atour, sans raison plausible, était matière à réflexion !... Depuis son retour, donc, le Roi hésitait à tenir ce qui, dans l'euphorie du voyage, les souvenirs de la Savoie, avait été propos légers, serments de carrosse, dans lesquels Sa Majesté aimait à se donner carrière. Cinq-Mars, de son côté, ne laissait point refroidir l'affaire : il partait continuellement à l'assaut des sentiments du monarque, sachant que, dans cette partie de trictrac, si la favorite regagnait son emprise à la faveur d'une conversation, c'en était fait du favori et de ses hautes ambitions ! Le Roi, certes, pour l'instant, évitait de voir Marie, il lui battait froid autant qu'il le pouvait – mais le danger, pour Cinq-Mars, de voir se rabibocher sur son dos le vieux couple d'amants caractériels demeurait sérieux et constant.

Enfin, après la Toussaint, la Cour étant allée à Fontainebleau pour y fêter la Saint-Hubert par des chasses magnifiques, le Roi, harcelé comme un cerf, à la fois par son mignon et par Son Éminence, consentit à porter l'estocade à celle qu'il avait tant aimée... Marie de Hautefort, qui sentait la lutte déloyale que menaient le ministre et ses gens sur le monarque aux abois, voulut marcher sur leurs brisées ; elle suivit le train de la Cour dans la forêt afin de remettre Louis sur sa voie et en chercha toutes les occasions. Le Cardinal, voyant cela, disait à cor et à cri qu'elle importunait Sa Majesté et parvint, à force, à obtenir l'autorisation de la faire partir. Le 8 novembre, tôt le matin, alors que Louis devait se mettre en route pour Versailles, il fit tenir à la belle Marie un mot lui ordonnant, de par le Roi, de ne plus paraître à la Cour. Il y avait une circonstance particulière : elle devait quitter Fontainebleau dans la journée, sans essayer de revoir le Roi et sans prendre congé de lui.

Marie, folle de rage, déchira d'abord le billet. Le Roi lui avait toujours promis dans leurs moments d'épanchement qu'il ne se séparerait jamais d'elle ; il le lui avait encore répété avant son départ pour la campagne d'été. Le monarque l'aimait depuis qu'elle avait quatorze ans, elle lui manquerait trop, disait-il, pour supporter son éloignement... Ils étaient convenus ensemble, comme une alliance secrète sous serment intime, que si jamais, un jour, par un hasard funeste, sous l'effet d'une cabale des méchants, un ordre lui parvenait lui commandant de se retirer, elle ne le crût pas, mais vînt lui en demander compte... Louis avait voulu se prévenir ainsi de sa propre faiblesse, qu'il ne connaissait que trop bien, et de son incapacité à résister aux ordres du Cardinal. Il agissait de la sorte comme un homme se sachant sujet à la boisson qui voudrait radier par avance les choix qu'il ferait sous l'emprise de l'ivresse.

Ce « hasard funeste » étant donc arrivé, Marie usa de cet accord explicite de leur vieille complicité et courut se placer sur le passage du Roi malgré la défense qui lui était faite dans le billet. Elle voulait obtenir de sa bouche le désaveu du commandement félon. La jeune fille prit position auprès du grand escalier de la cour d'honneur du château, où Louis devait descendre pour monter dans le carrosse qui l'emmenait à Versailles, et les gardes n'osèrent pas l'empêcher d'attendre. Quand le Roi, suivi de Monsieur le Grand, qui ne le quittait pas d'une semelle, atteignit le bas du degré, elle lui barra littéralement la route.

Louis était surpris, honteux, décontenancé... Elle lui rappela vertement leur accord, et qu'il avait lui-même ordonné naguère la liberté qu'elle avait prise aujourd'hui. Ah ! il ne le savait que trop bien ! Il était pâle et bégayait. Il souffrait la torture... Cinq-Mars était à son côté, présent, silencieux, insistant. Le Roi fut obligé d'admettre, piteusement, qu'il avait, en effet, donné l'ordre de ce retrait. Marie lui remit en mémoire sa promesse formelle de ne jamais la renvoyer : elle était jeune, elle l'avait cru – elle pleurait.

– Je l'ai cru, Sire, car c'était la parole d'un prince.

Louis était près de pleurer... Cinq-Mars toussa. Louis dit que ce n'était point une disgrâce définitive : seulement une petite séparation de deux semaines ou trois – c'est ce que Richelieu lui avait dit lui-même. Il se sentait parfaitement grotesque et odieux. Parjure de surcroît... Monsieur le Grand lui tenait le bras. L'attelage attendait. Il lui murmura quelque chose à l'oreille... Ils étaient pressés, n'est-ce pas ?

Le Roi passa. Il monta dans son carrosse en compagnie de son bel ami... Marie avait le visage couvert de larmes. Il lui dit par la portière les mots définitifs qui devaient constituer leurs adieux de Fontainebleau :

– Mariez-vous, madame, je vous ferai du bien.

351

Hautefort se retira donc. Elle avait fait buisson creux.

La Reine étant restée à Saint-Germain, prétextant des embarras de santé pour ne point s'éloigner de l'enfant qui faisait sa joie de vivre, sa dame d'atour alla prendre congé d'elle avant de se retirer au Mans, où sa grand-mère avait du bien, dans une gentilhommière. Elle emmenait sa sœur Charlotte – Mlle d'Escars –, qui était entraînée dans sa disgrâce, quoiqu'elle n'eût rien dit et rien fait, tout occupée que cette personne était de littérature et des vers qu'elle faisait et lisait. Leur amie, la belle Chémérault, était elle aussi priée de quitter la place pour se rendre à Poitiers, comme étant sa complice et son âme damnée... Ainsi, la Reine perdait deux filles d'honneur qu'elle aimait, du même coup qu'elle voyait s'éloigner Marie de Hautefort, qui lui était si proche au cœur qu'il semblait qu'elle fût sa dame et sa fille.

La séparation des deux femmes fut pathétique et déchirante... Marie avait été élevée à la Cour – elle ne connaissait que cela et n'avait vécu que dans l'intimité des souverains. Elle partageait leurs humeurs depuis bientôt douze années qu'elle était arrivée, petite fille inquiète et frêle, avec sa mère-grand, de ses terres d'Oc, bercée du temps des chevaliers croisés faiseurs de romances... Elle avait rayonné, percé la brume des cabales comme un soleil levant : Aurore ! Mais elle n'avait rien d'autre... Elle n'avait même pas eu la prudence de s'assurer une seule abbaye ni aucun bénéfice. Elle était chevalier errant, sans reproche assurément, mais non sans peur. Pour la Reine, ce renvoi de la personne qui lui était la plus proche et la plus fidèle, cette jeune fille qu'elle avait adoptée orpheline, qui partageait sa foi, outre l'offense éclatante faite à sa personne, représentait un grand malheur. Après l'épuration de l'année précédente, c'était achever son isolement – nier son rôle, lui retirer toute ombre de pouvoir ou d'influence malgré son état de mère et affirmer que l'on pourrait encore, à l'occasion, se passer d'elle aussi... Chasser Marie, c'était l'enfermer dans une tour, dame lointaine –

il s'agissait quasiment d'une répudiation morale et symbolique.

Marie ne parvenait pas à s'arracher des bras de la Reine... Elle avait déjà, dans l'aile sud du château Vieux, arrosé Petit Louis de ses larmes, mouillant sa joue, baisant mille fois les mains de l'enfançon interdit. Anne, dans sa chambre haute, sanglotait en embrassant sa meilleure amie...

– *Adiós !...* s'écriait-elle, les bras ouverts, les mains tendues. Adieu, ma belle amie !... Ne m'oublie pas !

– Oh ! Madame !... protestait Marie, à genoux.

– *Adiós, María !... María, María !... Adiós, preciosa...*

– Je prierai pour vous.

– *Reza por mí ! Yo nunca te olvidaré, nunca, nunca...*

Le chagrin de la Reine était si bouleversant à voir que plusieurs personnes qui se trouvaient à ce moment dans la chambre pleuraient aussi. Des dames gémissaient en se tordant les mains, lamentablement, et secouaient la tête d'un côté et d'autre d'un air fort affligé. M. l'aumônier ordinaire et deux chapelains de Sa Majesté étaient tombés à genoux aussi ; le vieil et saint évêque de Lisieux, qui était comme un père pour Anne d'Autriche, les avait imités, et ces gens d'Église, qui s'étaient mis solennellement en prière, les mains jointes, remuant les lèvres, figuraient assez bien l'image que l'on voyait sur la grande tapisserie qui ornait la salle, représentant le martyre de saint Laurent, où des vieillards faisaient une oraison pendant qu'on mettait le saint sur le gril.

Dans le trouble où était Anne, elle voulut soudain offrir un présent à Marie. Elle n'avait point d'argent et rien dans ses coffres qui lui parût convenir... Dans un mouvement de cœur, elle se saisit des pendants d'oreilles qu'elle portait, des joyaux qui valaient trente ou quarante mille livres, elle les détacha brusquement et les mit dans la main de la jeune femme, disant :

– Tiens ! Prends cela.

– Madame ! Que faites-vous ? protestait Marie, qui n'osait accepter un si riche présent.

– *Te los doy... Sí, sí... Que sean siempre tuyos.*
– C'est beaucoup trop beau !
– Pour l'amour de moi, prends... *Te los doy con toda mi alma.*

L'huissier du cabinet, qui se tenait debout près de la porte, la tête haute, avait de grosses larmes qui coulaient sur ses joues... Un petit homme tort, qui était aussi dans la chambre, regardait la scène d'un regard froid et sec, mais avec une profonde tristesse. C'était le marquis de Fontrailles, dont le corps disgracié était affligé d'une bosse par-devant et d'une autre par-derrière. Il avait le visage fort laid, sur une tête enfoncée de travers, sans cou, sur des épaules difformes. Seuls de grands yeux verts, mobiles et luisants à l'extrême, donnaient à son étonnante personne une intensité tellement remarquable qu'elle en était étrange et une puissante chaleur d'attrait... Le marquis était un intime de Gaston d'Orléans, frère du Roi, et portait au cardinal de Richelieu une haine immense, inépuisable, qui était du reste tout à fait réciproque. Un jour, au Louvre, devant le grand degré où l'on attendait en grande pompe l'arrivée imminente d'un ambassadeur important, Richelieu avait lancé très haut, d'un ton excédé, au marquis malgracieux qui se trouvait sur le passage :
– Écartez-vous, Fontrailles ! Allez-vous-en. M. l'ambassadeur n'est pas venu à Paris pour voir des monstres.

A voir la peine de Marie chassée, le désarroi de la Reine victime du Cardinal, Fontrailles se sentait hanté du démon. Venu à Saint-Germain porter des nouvelles du duc d'Orléans, il contemplait les deux femmes, et ses yeux avaient des lueurs de crime...

Ayant satisfait de la sorte aux exigences de son maître, Cinq-Mars gagna la semaine suivante, pour son propre compte, la seconde manche de sa si difficile partie de trictrac.

Au grand dam de Son Éminence, qui s'était opposée ouvertement à une faveur aussi insolente que démesurée, le jeune homme prêtait serment, le 5 novembre, dans la charge prestigieuse de grand écuyer de France, dont le vieux compagnon d'Henri IV, la mort dans l'âme, avait enfin consenti à se démettre... Le beau marquis devenait, en cette occasion mémorable, « Monsieur le Grand » – le plus précoce que le royaume eût jamais connu dans la charge.

– Aux âmes bien nées, la valeur n'attend pas le nombre des années ! répliquait le mignon, en riant, à tous les courtisans qui le complimentaient.

Et cette allusion au *Cid* n'était point faite sans malice, car on savait toute l'aversion que le Cardinal portait à la tragédie de M. Corneille !

Pour célébrer cette éclatante victoire, Cinq-Mars renchérit encore sur le luxe de son habillement ordinaire ; dès le lendemain, il ne sortit plus que cousu d'or des pieds à la tête. Le soir, dès que le Roi s'était couché après avoir récité ses prières, il s'esquivait du château Vieux, où il avait son logement, et partait de Saint-Germain sur son cheval, escorté de deux ou trois bons compagnons, pour se rendre bride abattue à Paris, chez sa maîtresse, la belle Marion Delorme, qui l'attendait. Il passait chez elle le reste de la nuit, à boire, à chanter d'autres airs que matines. De retour auprès du monarque, au matin, il faisait de son mieux pour ne pas se cogner dans les portes et s'endormait parfois pendant quelques furtives secondes, assis sur un coffre... Il essayait en conséquence d'éviter autant qu'il le pouvait d'accompagner le Roi à la chasse, exercice épuisant pour un oiseau de nuit !

Mais quand, au bout d'une semaine de cette fête continuelle, Monsieur le Grand apparut dans un carrosse entièrement doré qu'il venait d'acheter, Louis, qui était déjà chagrin de ces célébrations sans bornes auxquelles il n'avait aucune part, lui fit de vives remontrances sur ses dépenses somptueuses, son luxe, son étourderie. Il lui reprocha enfin amèrement ses odieuses débauches, dont il avait vent et qui le mettaient en rage. Cinq-Mars, rendu furieux par l'algarade, lui répliqua de plus en plus vertement, disant qu'il était jeune et que, s'il était beau et bien fait de sa personne, il n'en était pas la cause ! Puisque Dieu le favorisait, il ne voulait pas aller contre Sa Divine Volonté, mais au contraire lui obéir en faisant ce pour quoi les jolis garçons sont faits !... Il ajouta qu'il n'avait nulle intention de gâcher sa jeunesse à courir après des bêtes, ni à chanter des psaumes en caressant la guitare, faute de pouvoir caresser autre chose ! Ni, après tout, de se plier constamment aux caprices d'un dévot vieillissant qui, tout le temps, mangeait des patenôtres et chiait des avés... Il fut brutal, odieux, enflammé, cruel et superbe... Louis, qui n'aimait rien tant que la franchise chez ses favoris, en pleura de chagrin.

Le cardinal de Richelieu fut appelé à la rescousse. La brouille faisait du remous à la Cour, où l'on ne parlait plus que de la querelle. Son Éminence tança vertement le jeune marquis, son émule, comme un homme qu'il avait élevé à la fois comme un père en tant que page de sa maison et comme chef de bande en tant que rouage prestigieux de son organisation. Monsieur le Grand s'excusa, s'inclina, se fit tout petit et si humble devant son puissant patron qu'il lui en garda au fond de son cœur un beau ferment de haine. Armand fit si bien les choses que le Roi et son mignon se réconcilièrent bientôt avec éclat... Louis reversa quelques larmes, mais de joie cette fois, et les deux hommes signèrent, en présence du prélat qui en avait dicté les termes, le certificat d'accommodement que voici :

« Nous, cy dessous signés, certifions a qui il appartiendra estre très-contents et satisfaits l'un de l'autre, et n'avoir jamais esté en si parfaite intelligence que nous sommes a présent. En foi de quoi nous avons signé le présent certificat :

LOUIS.
Par mon commandement : Effiat de Cinq-Mars.
Fait à Saint-Germain le 26 novembre 1639. »

La bonne nouvelle fut aussitôt publiée largement à la Cour, où elle apaisa fort les esprits et réjouit les cœurs. La Cour devait encore tirer grande joie d'une autre excellente nouvelle à mettre au crédit du Cardinal, car c'était alors le temps que le colonel de Gassion entrait dedans Avranches...

Dès la fin du mois d'octobre, des mesures avaient été prises pour juguler la révolte normande de ceux que l'on appelait désormais les Nu-Pieds ; le Roi voulait faire un exemple de châtiment avec ces misérables et il avait envoyé Le Roy de La Potherie, toujours chargé des investigations délicates, pour enquêter à Caen. Mais l'« armée de souffrance » de ces canailles était encore maîtresse d'un grand nombre de lieux, et le marquis de Canisy, gouverneur d'Avranches, continuait à être séquestré dans son château, où il s'était enfermé dès le mois de juillet, au fort des émeutes. Le Conseil de Sa Majesté avait décidé en conséquence d'envoyer en campagne une expédition spéciale, qui fut confiée, à la mi-novembre, au colonel Jean de Gassion, un valeureux capitaine gascon, de Navarre, qui s'était illustré des années durant dans les armées d'Allemagne aux côtés du roi de Suède. Gassion s'était distingué au siège de Hesdin ; il avait la réputation d'un homme de guerre sans défaillance. On lui confia la conduite de quinze cents cavaliers et de quatre mille hommes de pied choisis dans des régiments sans peur composés de mercenaires wallons et de reîtres allemands pour l'essentiel. En effet, il arrivait, dans les opérations militaires intérieures au royaume, que les soldats, et certains capitaines au cœur mol, se laissassent apitoyer, parfois, par les cris et les supplications des suppliciés à genoux s'ils étaient leurs compatriotes... Les prières des femmes qui se traînaient à leurs pieds en criant : « Pitié ! Pitié ! » arrêtaient quelquefois l'élan des moins aguerris, qui songeaient alors à leur mère ou à leur sœur, et ces enfants perdus se les figuraient humiliées dans des villages semblables avec des pleurs identiques. Ces fâcheuses circonstances, compréhensibles sans doute pour des cœurs de chrétiens, risquaient toujours de gêner les répressions en incitant les troupiers à des clémences hors de saison... Étant donné qu'en cette circonstance normande on voulait exercer un châtiment qui fût un exemple, grâce à Dieu, pour les autres provinces qui auraient eu envie de se soulever, le Cardinal avait décidé l'envoi des étrangers, qui, n'entendant point du tout la langue du Cotentinois, seraient sourds à toute pitié... En de telles occasions, les cris des femmes suppliantes excitaient même agréablement l'ardeur de ces hommes d'armes, qui redoublaient leurs coups avec d'autant plus de cœur que les clameurs accrues les faisaient beaucoup rire.

De fait, sous les ordres du colonel de Gassion – lui-même, venant de Pau, en passant par la Suède, n'entendait guère le bas-normand –, ces Allemands firent merveille dans la ville d'Avranches... Louis XIII avait écrit à La Potherie et au colonel, qui se trouvaient à Caen, le 29 novembre, tout juste après les accordailles avec son favori, la sérieuse lettre suivante : « Après que vous aurez restably les bureaux de mes droicts et remis toutes choses dans l'obéissance et la tranquillité, mon intention est que vous alliez le plus diligemment que faire se pourra avec toutes mes troupes à Avranches et que vous fassiez tailler en pièces les séditieux s'ils se trouvent assemblés dans quelque lieu que ce soit et que vous fassiez raser les faubourgs de la ville d'Avranches. » Il fut obéi fort ponctuellement ; le 1er décembre, après un premier assaut héroïquement repoussé par l'armée de souffrance, dont le nom n'avait jamais été plus justifié, les troupes de Gassion entraient dans Avranches, à 3 heures, l'après-dîner, tandis qu'un régiment posté du côté des plages empêchait l'embarquement des vaincus vers les îles Chausey, Jersey et Guernesey. Ils taillaient en pièces les fuyards. Ayant fait, les reîtres de Poméranie continuèrent à se montrer à la hauteur des espoirs que l'on avait placés en eux : ils pillèrent la ville de fond en comble. Dévastant les églises, ils emportèrent le saint sacrement, égorgèrent les bourgeois et garnirent des grands sacs de toutes les trouvailles qu'ils faisaient dans les maisons. Ils faisaient main basse sur or, argent, vaisselle, et, déterrant les morts, fouillèrent les tombeaux pour voler les bijoux ; puis ils rôtissaient les animaux domestiques dans les fours à pain pour alimenter leurs ripailles. Ils jouissaient également avec bonheur des femmes et des filles, éventrant pour aller vite celles qui entendaient leur résister ; ils passèrent un jeudi fort gai et recommencèrent le vendredi, démolissant ici et là les maisons des mutins qu'on leur désignait. Gassion, pour sa part, fit pendre une trentaine de rebelles, séance tenante, aux ormes de la promenade, où ils se balancèrent à la brise de mer qui montait des salines, jusqu'au dimanche soir...

Le lundi, le Roi écrivit à La Potherie : « ... j'approuve entièrement la résolution que vous avez prise avec le sieur de Gassion de faire exécuter à mort trente des plus coupables, mon intention est que tous les autres qui auront, je m'asseure, esté retenus au plus grand nombre que l'on aura pu, soient mis aux galères... » Il envoyait ensuite son grand enquêteur et son sbire faire un tour au joyeux pays des vaux : « ... après que vous aurez fait raser toutes les maisons de mutins des faubourgs et que vous y aurez establi la police et l'ordre nécessaire, vous irez avec ledit sieur de Gassion à Vire et autres lieux où il y aura une sédition où après avoir vérifié vous-même que le général des villes a eu part à ceux arrivés comme l'on m'en a donné advis et à l'esgard de Vire vous ferez entièrement raser et desmollir les murailles. » Les choses allèrent donc si bien au souhait du gouvernement du royaume que, pour Noël, Richelieu écrivit au colonel béarnais une chaude lettre de félicitations : « Vous ne pouvez donner plus de satisfaction au Roi que vous avez fait dans la réduction des rebelles de Normandie. Ce ne sera pas une simple corvée que votre voyage et quand il n'y aurait que l'estime que le Roi a conçu de votre conduite, je ne sais si vous n'en devriez pas estre satisfait. »

359

Pour la Noël aussi, le Roi baisa la Reine... L'effervescence dans laquelle le contact continuel du jeune favori mettait les sens agacés du prince, entretenait en lui un feu toujours rallumé et jamais éteint. Louis ne trouvait auprès de son mignon aucun des délassements naturels et des expurgations physiques qui eussent fait de lui un homosexuel accompli. La même retenue, une pruderie égale à celle qui le tenait naguère éloigné de ses favorites, lui interdisait les ébats que sa grande piété et sa dévotion à la Vierge lui jetaient à la vue comme de grands péchés. Il se rapprocha une fois de plus de son épouse légitime pour écouler le trop de passion qui s'était accumulé en lui...

A Noël donc, émoustillé sans doute par la célébration que l'on faisait en tous lieux de la très chaste Reine du Ciel, il se mit au lit avec Anne d'Autriche. Depuis sa grossesse, Anne avait conservé quelque rondeur. Sa taille avait épaissi dans de bonnes proportions. Elle avait acquis un embonpoint qui lui donnait l'allure rassurante et chaude sur laquelle il plut à Sa Majesté de s'étendre. Il la baisa sans prières ni litanies, sans reliques, sans tambour ni feu du ciel, et sans trompette, cette fois, dans la nuit glacée des mages. Dans la nuit des pasteurs qui suivent leur étoile sur des chemins tracés, au pays d'Issachar et de Zabulon, des bergers blonds, bouclés, qui marchaient dans les fleurs, parfumés d'ambre et de musc, et dansaient en marchant au son des flageolets, Louis, Roi, creusait son sillon vers Nazareth, vers Marie de Galilée, d'Effiat, de Médicis, au temps où saint Nicolas circule avec sa hotte, et sa barbe, au trou des cheminées. Avec Anne, il fit le bœuf soufflant dans la crèche, après qu'ils eurent brûlé ensemble la souche de Noël, à Saint-Germain-en-Laye, dans l'âtre gris de sa chambre.

CHAPITRE III

A Saint-Germain-en-Laye, un soir de septembre, Petit Louis jouait gaiement à cache-cache mitoulas dans le giron des dames et se riait de fort bon cœur... Il venait d'avoir deux ans tout juste l'avant-veille et passait, comme à l'accoutumée, la soirée chez la Reine, où les femmes aimaient à le cajoler. Il marchait seul à présent, hardiment au milieu du cercle rieur des femmes assises en rond devant la cheminée ; il allait de l'une à l'autre souriant et câlin, avec mièvrerie et entrain.

Mᵐᵉ de Brassac, la dame d'honneur, lui avait conté l'histoire de l'ogre qui avait mangé toute une vache morte, il était une fois. Le gros, gras menton d'ogre avait branlé, le gros, gras nez d'ogre avait reniflé... Et la grosse, grasse main de l'ogre avait déchiré la chair de la vache et ses grandes dents grenues l'avaient grignotée – mais l'ogre n'avait pas trouvé les trois petits enfants qui se mussaient dans le ventre de la grosse vache morte ! Et qui avaient grand-peur, grand-peur, grand-peur !... Et Petit Louis, qui avait la courte haleine, disait :

– Ogue messant ! Ogue messant !... Ze vas le tuer !...

Il ajoutait chaque jour des mots nouveaux, des formules neuves à son petit caquet et des inventions qui faisaient le bonheur des dames.

Il était 9 heures, ou bien environ, ce soir-là ; le bambin, ayant dormi longtemps dans l'après-dîner, n'avait garde d'avoir sommeil – et, en tout état de cause, on se couchait toujours fort tard dans la maison de la Reine. Ces coucheries indues causaient au demeurant force querelles avec Mme de Lansac, qui aimait à se coucher comme les poules, car elle eût souhaité de gouverner le sommeil du Dauphin selon ses goûts rigides et paresseux... L'acariâtre gouvernante ne pouvait souffrir, en effet, ces coutumes espagnoles et décochait continuellement des traits de mauvaise humeur qui provoquaient des fâcheries incessantes ; elle ne se soumettait à Sa Majesté qu'avec des récriminations qui manquaient outrageusement de respect et passait constamment sa bile sur les personnes qu'elle commandait : elle se travaillait parfois contre les nourrices avec une telle rage qu'elle manquait de leur faire tourner le lait ! Ce soir-là, la Reine avait d'ailleurs donné quartier à la déplaisante femme et confié la responsabilité du Dauphin à la nourrice qui le ramènerait, aidée d'un huissier et des gardes, à sa chambre du château Vieux.

Pour l'heure, Anne d'Autriche était étendue dans la pièce voisine, sur un lit de repos où elle demeurait maintenant une grande partie du jour, dans la quiétude et la lassitude que lui procurait sa nouvelle grossesse... Car elle était devenue grosse ! Sa nuit de Noël au souffle des Mages avait porté ses fruits, amandes douces, oranges de Galilée ! Saint Nicolas, le porte-hotte, avait laissé tomber dans le trou de la cheminée un petit panier plein de graines de petits frères... Ainsi l'avait déclaré, dans son franc-parler, la vieille duchesse de Rallewaert Van Cutsem, qui l'était venue saluer – cette personne avait appartenu à la reine Marguerite et ne faisait jamais trois morceaux d'une cerise :

– Vous avez eu noces de chiens, Majesté, il vous faudra donner la danse à Mme de Manicon.

Le mot avait fait le tour de la ville !...

En termes plus courtisans, la Reine attendait donc sa délivrance vers la fin du mois de septembre – dans deux ou trois semaines, au plus. Les préparatifs étaient achevés, le berceau, les langes attendaient ; les médecins venaient d'un jour l'autre, la sage-femme avait été consultée (Anne n'avait pu s'empêcher de pouffer de rire, car elle pensait à « Mme de Manicon » sans oser le dire !). Elle avait pris cette fois-ci des formes plus rondes et plus grasses, qui la faisaient porter de plus en plus difficilement son ventre énorme, que les médecins lui tenaient à l'aide de bandages, ce qui l'obligeait à rester allongée une grande partie de la journée. On lui parlait, ses musiciens lui donnaient des concerts et le Dauphin s'ébattait ordinairement autour d'elle. Il jouait le plus souvent dans la même salle, avec les filles suivantes, ou bien il grimpait sur la couche où sa « maman menonne » reposait... Elle le faisait jaser, le peignait, le déshabillait et le mignotait de cent façons. Assis tous les deux sur le lit, elle lui apprenait à taper dans ses mains au rythme des comptines qu'elle savait – des jeux enfantins qui lui revenaient en mémoire sans qu'elle fît effort, comme d'eux-mêmes, avec le parfum des vieux enchantements du temps de doña Estefanía, sa bonne nourrice. *Pal-mas, pal-mi-tas, Hi-gos y cas-ta-ñi-tas !*

Petit Louis riait, tapait des mains en cadence, de mieux en mieux... Toutes les filles dans la chambre reprenaient avec la Reine, gaiement, lentement :

> *Palmas, palmitas,*
> *Higos y castañitas.*
> *Palmas, palmas,*
> *Higos y catañas !*

Ainsi, l'enfant partageait avec la compagnie de sa mère l'attente joyeuse de l'heureux événement. On lui demandait souvent, avec insistance :

– Que voulez-vous que les anges vous apportent ? Aimez-vous mieux un féfé ou une seuseu ?...

Il répondait presque toujours : «Un féfé » – mais on pensait que le mot lui plaisait davantage à dire et que le pauvre innocent n'en savait point l'aune... On riait. Quand il était sur le lit, avec sa mère, on s'amusait à le taquiner :

– Où est-il votre féfé à cette heure ? Dites-le-nous, s'il vous plaît.

Petit Louis prenait un air penché, complice, et touchait de son doigt sans malice le gros ventre bombé de la Reine :

– Est cy, féfé !

– Nenni ! Nenni !... Il est parti : il a pris son congé.

– Est cy !... insistait l'enfant, qui tapait plus fort.

On battait alors des mains, et les dames, capturées par sa grâce et ses bonnes façons, se pâmaient d'aise à le voir si briscard et si entendu.

La journée avait donc été plus fraîche que les précédentes à cause de la pluie qui était venue la veille, dans la nuit, à la suite d'un orage qui avait gâté le temps. Il avait plu dans l'après-dîner avec beaucoup de violence et la dame d'honneur avait commandé que l'on fît du feu dans les chambres de la Reine pour son souper, qu'elle prenait sans apparat sur une petite table dressée à côté de son lit. Aussi, après l'histoire de l'ogre méchant à qui on était parvenu à faire dévorer toute une vache au-dedans de laquelle se trouvaient trois petits enfants – un bon tour qui avait charmé le petit prince ! – jouait-on maintenant à cache-cache mitoulas avec beaucoup d'entrain.

L'amusement consistait à cacher un certain objet dans le pli que faisaient les jupes des femmes assises en rond. La personne qui cachait passait devant chacune d'elles, faisant le geste de déposer l'objet dans le giron, tandis que le joueur, qui devait deviner ensuite où il était, restait au centre du rond, lorgnant de son mieux pour saisir dans laquelle des robes la chose avait chu pour de bon. Le joueur regardait toutes les dames, puis désignait celle qu'il pensait receler l'objet en disant : « Cache, cache, mitoulas ! » Il lui restait alors à fouiller entre les jambes de celle qu'il avait désignée de la sorte pour connaître s'il avait dit vrai... S'il se trouvait,

364

après une minutieuse recherche, pendant laquelle on riait beaucoup, que le joueur en avait menti ou qu'il s'était trompé d'adresse, il recevait un gage que lui donnait la personne fouillée et qu'il devait accomplir sur-le-champ. En vérité, plus la chose cachée était minuscule, plus il était besoin de farfouiller longtemps au creux des jupons, et le jeu devenait extrêmement divertissant dès lors qu'il était joué avec des gentilshommes – il perdait même alors beaucoup de son innocence et s'achevait parfois par un soufflet, dans des rires dont Petit Louis ignorait la raison.

Petit Louis aimait passionnément cache-cache mitoulas... On lui faisait chercher ce soir-là des grains de fenouil confits, qui étaient la friandise dont il raffolait le plus. Il trépignait d'impatience à voir la main d'une des filles d'honneur voler au-dessus des jupons en cercle, pendant que l'assemblée des femmes scandait joliment :

> Mis tout cy, mis tout là :
> Est-il chéu dans mes draps ?

Le bambin plongeait joyeusement sa menotte entre les cuisses des demoiselles avec un petit rire d'excitation, comme s'il y entendait finesse :

– Cas' cas' mitouya ! s'écriait-il.

Les dames lui répondaient devant son air cajoleux ; chaque fois qu'il trouvait un grain de fenouil (mais, pour lui, elles trichaient avec complaisance et mettaient des grains partout) :

– Caquet bon bec la poule à ma tante !

La soirée s'annonçait ainsi dans les ris et plaisants propos, quand, tout à coup, un grincement se fit entendre dans le coin obscur où était la porte qui donnait sur la galerie. Toutes les têtes se tournèrent de ce côté-là dans un silence surpris, tandis qu'une forme blanche se glissait dans l'entre-bâillement de l'huis... Le Roi entra, enveloppé d'une longue robe de chambre et coiffé à la diable d'un haut bonnet de nuit. Sa Majesté, ayant chassé toute la journée du côté de Poissy, avait été saisie par la pluie au moment de rentrer au château et avait été trempée jusqu'aux os ; aussi l'avait-on frictionnée des pieds à la tête avec de l'eau de rose et elle était demeurée ainsi emmitouflée jusqu'aux cheveux pour venir prendre des nouvelles de la Reine et lui souhaiter le bonsoir.

Son grand bonnet de coton était noué de telle façon derrière sa tête qu'il lui faisait de grandes cornes, et, comme le valet qui portait le flambeau était entré à sa suite, Sa Majesté projetait dans toute la salle des ombres fantastiques, avec ce bonnet cornu qui s'agitait en tous sens et paraissait démesurément grandi jusqu'au plafond. Croyant que c'était le diable en personne qui entrait chez lui – ou tout au moins cet ogre mangeur de vache dont on lui avait fait le conte –, le petit Dauphin se mit à pousser bien haut des cris d'épouvante. Avant que la nourrice, qui était assise à l'écart, ni aucune autre dame, n'eût le temps de s'ensaisir des rubans de sa lisière, il se sauva de toute la vitesse de ses petites jambes et s'encourut dans la chambre voisine en hurlant : « Maman ! Maman ! » aussi terriblement que si on l'écorchait vif. Le Roi demeura un moment interdit devant une pareille algarade, puis il avança vers le groupe des femmes qui s'étaient levées pour lui faire la révérence :

– Mon fils... bégaya-t-il avec stupeur. Mon fils aurait-il peur de moi ?...

– Sire, commença la comtesse de Brassac, Monseigneur le Dauphin a cru...

– Peu importe, madame, ce qu'il a cru ! C'est un impertinent. Où se trouve donc Mme de Lansac, s'il vous plaît me le dire ?

La gouvernante n'était point venue.

En apprenant cela, le Roi se mit en colère, disant que la place de cette dame était auprès de son fils pour l'éduquer, afin qu'il ne prît point des habitudes de mollesse et d'insolence envers son père, comme il venait d'en montrer !

Là-dessus, la Reine, qui avait calmé Petit Louis à grand-peine, aidée par la nourrice qui s'était précipitée dans l'autre chambre à la suite de l'enfant, entra dans la salle ; elle esquissa pour le monarque une petite révérence, que son état ne lui permettait pas de pousser plus bas...

– Madame, je veux que cet enfant soit fouetté à cette heure, articula le Roi sans préambule, dans des convulsions de sa mâchoire qui faisaient peine à voir.

– Pardonnez, Monseigneur, à son âge tendre... Il vous aime ! lança la Reine, qui tomba à genoux dans l'effroi que lui donnait la colère royale.

Les dames poussèrent un *ho !* de crainte qu'elle ne se fût blessée quelque peu et Mme de Brassac se hâta vers elle pour la soutenir... Bien loin d'être attendri par ce geste inconsidéré, Louis n'en fut que mieux irrité contre toutes ces femmes misérablement inquiètes qui choyaient son fils et le pourrissaient en laissant la bride à ses caprices. Il exigea que le Dauphin vînt lui demander pardon à genoux sur-le-champ pour s'être enfui en hurlant comme un malappris et ne voulut céder nullement aux supplications de la mère.

Anne s'était mise à pleurer ; avec elle sanglotaient la plupart de ses filles d'honneur. On la releva en la tenant sous les bras, tandis qu'elle soutenait elle-même son ventre, et toutes l'accompagnèrent pour aller chercher l'enfant. Petit Louis s'était calmé mais se tenait blotti au creux de l'épaule de sa nourrice dans la pièce voisine. Il fallut revenir... Ce furent de nouveaux cris, des appels de détresse ; dès qu'il fallut reparaître devant le Roi, le petit prince se débattit. Il se présenta en braillant, entre sa mère et sa nourrice, devant son père qui restait debout, immobile, fulminant, insensible à ses larmes. L'enfant s'époumonait, rouge, tremblant de peur...

La Reine parlait au bambin, bouleversée, soufflant les mots – « Pardon papa » devait dire le Dauphin.

– Dites-le, je vous prie... *Dile ! Dile* : « Pardon papa... » *Díselo hijo mío. No te asustes... Dile con calma* : « Pardon papa... »

367

– Dites, Monsieur, dites ! renchérissait la nourrice, d'une voix suppliante.

Elle s'était mise à genoux, elle aussi, à côté du petit bonhomme terrorisé et lui baisotait la main. Enfin, alors que tout le monde pleurait dans la salle après un bon demi-quart d'heure de cet épuisant manège, le petit Dauphin, à bout de souffle et de hoquets, articula faiblement les mots fatidiques :

– Pa'don papa.

Il les prononça de manière suffisamment audible toutefois pour être entendu clairement par le Roi, lequel tourna les talons et sortit brusquement de la chambre, ayant lancé à Anne, d'un ton menaçant :

– Je vous demande d'agir de manière que cela ne recommence jamais. Je vous souhaite le bonsoir, Madame.

Dès que le Dauphin entendit la grosse voix, il voulut se remettre à crier, mais il s'était tant égosillé qu'il ne sortit de sa poitrine qu'un faible vagissement rauque. La Reine, tout aveuglée par les pleurs, lui posa cependant, en grande hâte, sa jolie main sur sa bouche :

– *Calla ! Cállate !...*

Malgré les convulsions de l'enfant qui pensait étouffer, elle n'ôta sa main que lorsque la porte de la galerie se fut refermée sur Louis XIII et sur son valet, qui tenait haut le flambeau pour éclairer son maître dont l'ombre fantastique avait agité les murs… La Reine pressa alors son enfant sur son cœur et ils se remirent à pleurer ensemble, entourés des filles et des femmes émues, qui s'agenouillèrent contre eux, en pleurant de même.

Le lendemain, le Roi se rendit au château Vieux pour y trouver la gouvernante et lui faire des reproches sur l'exécrable éducation qu'elle donnait à son fils. Il lui relata l'incident de la veille (dont la pauvre femme avait eu les oreilles rebattues une bonne partie de la nuit !) et il lui rappela avec force qu'elle n'avait point été nommée, par le Cardinal et par lui-même, à ce poste de haute confiance pour que le dauphin de France se trouvât livré aux mains de femmes niaises et écervelées qui faisaient de lui un poltron dégénéré !

De surcroît, on l'instruisait un peu trop à son goût dans une langue espagnole, prestigieuse sans doute, la plus considérable du monde assurément, mais qui était la langue des ennemis de son royaume.

Mme de Lansac, qui était sœur de Mme de Sablé et fille de M. de Souvré, l'ancien gouverneur du Roi lui-même lorsqu'il était dauphin, était fort libre avec Sa Majesté. Elle répondit qu'elle voyait bien tout cela, qu'elle tâchait d'y porter remède de tout son pouvoir, mais qu'elle ne saurait aller de son chef contre les volontés de la mère de l'enfant. Elle se lamenta sur le peu d'autorité que lui laissait la Reine dans le gouvernement du Dauphin ; elle fit cent contes de l'influence désastreusement émolliente qu'avait le cercle de ces femmes, en effet, qui prenaient le Dauphin pour un jouet. Elle fit si bien qu'elle conforta le Roi dans le ressentiment qu'il avait conçu la veille. De plus, celui-ci voulut se rendre dans la chambre de son fils pour voir en quel sentiment il était ce matin – or, dès que Petit Louis le vit s'approcher du balustre, il recommença ses cris et ses pleurs. Si bien que le monarque, ulcéré par cet autre mauvais accueil, dut battre en retraite, rageant de dépit.

Deux jours plus tard, le 10 septembre, il écrivit à son ministre :

« J'ai le profond regret de devoir vous donner des nouvelles de la grande aversion que mon fils éprouve à mon égard. Elle va si loin qu'il crie comme si on l'écorchait dès qu'il me voit traverser la cour de sa fenêtre ; il suffit qu'on prononce mon nom pour qu'il devienne tout rouge. Je l'ai visité deux fois dans sa chambre depuis que je vous ai écrit, sans l'approcher de trop près ; dès qu'il m'aperçoit, il pousse des braillements de colère. Je ne pourrais supporter de voir cet enfant dégénéré la dévorer de caresses [*sa mère*], n'avoir que son nom à la bouche, tandis qu'il abhorre le mien. Je ne

369

pourrais le supporter, et c'est pourquoi je vous prie, vous le meilleur ami que je possède au monde, de me conseiller, de me dire ce que je dois faire en ce cas. Mon intention est d'enlever le garçon sur l'heure et de le conduire à Chantilly, ou n'importe où ailleurs, afin qu'il ne voie plus la Reine ni toutes ces femmes qui l'adulent et le flattent toute la journée... »

Cette menace horrible que le Roi fit connaître se mit à planer abominablement sur Saint-Germain-en-Laye. Les funestes intentions du monarque couraient de bouche en bouche, d'un château l'autre, portant l'effroi au milieu des dames étonnées.

La Reine s'était alitée tout à fait. La peur, la fatigue, la détresse lui ôtèrent soudain toute envie de vivre. On lui avait enlevé ses meilleures amies – sa presque sœur et presque fille, Marie, se morfondait au Mans. Elle avait reporté sa tendresse, sa passion, sur l'enfant si longtemps désiré, donné de Dieu – on voulait, à présent, le lui arracher !

– *Mejor seriá morir !* disait-elle, d'un ton dolent : plutôt la mort !

Elle était percée jusques au fond du cœur de cette atteinte imprévue ; malheureux objet d'une rigueur injuste, elle demeurait immobile et cédait au coup qui la tuait. Parfois, la Reine affligée délirait un peu :

– Pleurez, pleurez, mes yeux, et fondez-vous en eau ! s'écriait-elle. Un orage si prompt qui trouble une bonace nous porte la menace d'un naufrage incertain !

Elle ne mangeait plus. Dans son état, l'absence de nourriture paraissait mortelle et, pendant deux jours, on craignit le pire, pour elle et pour l'enfant qu'elle portait. Comment le Roi pouvait-il être assez cruel, disait-on, ou assez déraisonnable pour vouloir mettre en danger la vie même de sa progéniture ? Comment pouvait-il sacrifier à son caprice, tel un tyran antique et païen – lui si pieux ! –, la mère accablée et l'enfant dans son sein ? Alors qu'il paraissait si joyeux, jusqu'à ce moment, de cet enfantement prochain qui s'annonçait sous les meilleurs auspices. Il en parlait avec tant de fierté ! Car certains disaient que la Reine risquait d'accoucher prématurément, d'autres soutenaient au contraire qu'elle pouvait ne pas accoucher du tout. La chose s'était déjà vue, à la suite d'une contrariété si forte et d'un semblable étonnement.

L'un des chapelains de Sa Majesté, qui était de Joigny, raconta qu'il était mort dernièrement dans cette ville une pauvre femme qui avait subi ce malheur. Elle était devenue grosse autrefois, au bout de quatre années de mariage, mais lorsqu'elle fut parvenue au terme ordinaire qui devait être celui de sa délivrance, son mari mourut, écrasé dans l'accident d'une charrette qui avait versé sur lui. La pauvre femme éplorée éprouva quelques jours plus tard les douleurs et les signes qui annonçaient un accouchement prochain. Cependant, alors que la sage-femme s'apprêtait à la délivrer, entourée par les voisines qui étaient entrées en nombre pour lui venir en aide, les signes demeurèrent sans accomplissement et se soutinrent dans le même état pendant deux ou trois jours. Puis, comme rien ne venait, les médecins appelés au chevet de la femme devant la difficulté du cas remarquèrent que la matrice était vide – quoique l'enfant remuât dans le ventre de sa mère avec force et facilité.

– Pauvre femme ! remarqua Mme de Beaumont, qui avait le cœur tendre. Il fallait qu'elle fût bien empêchée et bien marrie de la mort de son homme.

– Dans le mois qui suivit, continua l'abbé, cette femme eut quelques douleurs vives, mais passagères, puis elle tomba dans un état de faiblesse et d'épuisement qui fit craindre pour sa vie. Elle se remit peu à peu et, au bout de deux mois, elle reprit les fonctions de son état. Elle avait vécu dans cette situation pendant trente années, toujours grosse, ayant toujours eu, depuis son accident, du lait aux seins. Enfin, elle venait de mourir l'année dernière, à Joigny, d'une fluxion de poitrine, dans la soixante et unième année de son âge. Des médecins l'avaient ouverte par la curiosité qu'ils avaient conçue depuis longtemps de son cas extraordinaire et ils avaient trouvé dans son bas-ventre, enveloppé d'une masse de chair, un enfant mâle très bien conservé qui pesait huit livres. La peau de cet enfant était fort épaisse, il avait des cheveux et deux dents de devant prêtes à percer dans les mâchoires.

L'histoire du chapelain produisit un effet considérable sur l'auditoire et sur tous ceux qui l'ouïrent raconter par la suite. On se mit à craindre pour la Reine avec encore plus de vigueur. Toutes les filles d'honneur, les aumôniers et jusqu'aux gentilshommes servants demandèrent à Anne d'Autriche, qu'ils implorèrent, d'envoyer un messager à Richelieu, lequel était à Paris dans son palais, pour lui demander son aide. Le Cardinal fit répondre par le comte de Brassac, surintendant de la maison, qu'il implorerait Sa Majesté d'apaiser, s'il lui plaisait, sa colère, mais qu'il fallait aussi gouverner le Dauphin de telle manière qu'il présentât à son père un visage aimant ou du moins qu'il cessât de le voir comme le diable à quatre !

Le Roi étant allé passer son chagrin à Versailles, où il chassait sans joie, on tint vite un conseil restreint où se trouvaient les nourrices et la gouvernante, afin de s'accorder sur une ligne à suivre pour morigéner Petit Louis. Il fut décidé que désormais on lui parlerait de son père tous les jours, dans les termes les plus affectueux et les plus choisis. Dès lors, il ne devait être question que de « Votre bon papa », par-ci, « Votre papa qui vous aime » par ailleurs, et les dames entreprirent auprès de l'enfant une campagne de séduction, lui faisant toutes sortes de cajoleries qu'elles disaient être commandées par Sa Majesté le roi Louis. On lui apprit à nommer son père « Papa mignon ». Elles profitèrent de la gourmandise naturelle du Dauphin pour lui donner bonne opinion du monarque en feignant des libéralités qu'il n'aurait pas songé à avoir :

— Voici, Monsieur, un sucre rosat que vous envoie votre papa mignon, déclarait tout à trac l'une d'elles. Voulez-vous bien lui envoyer un baiser ?

Ou bien le page de la dame d'honneur entrait soudain dans sa chambre avec un pot de grès contenant de la gelée et disait au Dauphin :

— Votre papa veut que vous goûtiez de cette gelée de rose pour l'amour de lui. Voulez-vous bien lui obéir, Monseigneur, ou bien dois-je le remporter ?

— Ze veux bien ! Ze veux bien ! s'écriait Petit Louis, enchanté de l'aubaine.

Il tendait sa main vers la cuillère.

— Aimez-vous donc bien fort votre papa ? demandait le page.

Il tenait un moment la cuillère assez haute, dans l'attente d'une réponse qui tardait à venir :

— Il faut dire que vous l'aimez et ne pas être opiniâtre.

— Non !

— Si ! Vous l'aimez ! Dites : « J'aime mon papa... »

— Z'aime mon papa...

— Mignon !

— Minon...

— Mais encore ? insistait le garçon. Comment l'aimez-vous, s'il vous plaît ?

A cette question convenue, Petit Louis devait répondre : « De tout mon cœur », comme le lui avait enseigné sa mère, et se frapper la poitrine en même temps avec la main droite, à l'endroit de son petit cœur. Il lui arrivait d'oublier le geste, ou bien de faire le geste mais de ne pas dire les mots ; le page le faisait recommencer jusqu'à ce que l'enfant eût bien dit, puis il lui donnait une grosse cuillerée de gelée ou des pois sucrés, ou un grain de fenouil, en disant :

— A la bonne heure, vous êtes raisonnable ! Voici ce que votre papa vous donne.

Au bout d'une semaine de ces cajoleries cent fois répétées Petit Louis se construisait dans sa tête un papa tout en sucre : un amour de père, assez semblable aux gracieuses figures de la grotte d'Orphée, sous le jardin de la terrasse où on le menait assez souvent pour l'instruire de ces féeries. Il fut donc fort surpris, quand le roi revint de Versailles, de revoir le vrai visage de l'homme qui savait devenir l'épouvantail de ses yeux. Il pensa pleurer. Mais on avait demandé à Sa Majesté que sa visite fût courte, lui recommandant de ne pas ouvrir la bouche et de ne pas approcher à moins de trois pas. Moyennant ces précautions, avec la promesse d'une grande lampée de sirop d'abricot s'il faisait convenablement la petite révérence qu'on lui avait fait cent fois répéter, en tirant le pied en arrière, l'entrevue se déroula sans chaleur, mais sans incident. Le comte de Brassac s'était entremis, il est vrai, auprès de M. de Cinq-Mars afin que le grand écuyer expliquât au Roi la nécessité des restrictions qu'on souhaitait à sa visite, de sorte à réhabituer l'enfant progressivement à le voir sans émoi.

La Reine accoucha le 21 septembre, jour de la Saint-Matthieu, sur les 10 heures du soir. Quelques heures de plus, elle accouchait pour son anniversaire, qui était le 22, jour de ses trente-neuf ans. Pour cette fois, elle était demeurée chez elle, dans son grand cabinet du château Neuf, qui avait été animé toute la journée par le va-et-vient des praticiens, des servantes et des seigneurs en attente. Il y avait le Roi, qui faisait les cent pas ; on avait re-mandé les princesses de sang royal : Mme la princesse de Condé, la duchesse de Vendôme, la connétable de Montmorency – toutefois, Monsieur, le duc d'Orléans, que cette nouvelle naissance repoussait d'un cran supplémentaire dans le rang de succession au trône s'il venait un mâle, avait été empêché d'assister à l'événement. L'enfant vint au monde dans un grand silence : chacun se trouvait suspendu au souffle de la sage-femme. Puis une voix s'écria bien haut :

– C'est un prince !

Alors les dames et les seigneurs présents se prirent à gesticuler, à s'embrasser, à faire bruit comme des mouches à miel en ruche ; la Reine, heureuse, était trop lassée pour s'en incommoder vraiment. L'essentiel du moment consistait en ce que le nouveau prince était très beau : il avait le teint fort blanc, le poil noir, les membres extrêmement bien faits et une très grande vigueur. Louis embrassa la Reine : il était riant et fier, et la complimenta d'avoir réussi à refaire un fils ! Décidément, cette année 1640 était heureuse pour lui et pour son royaume, car déjà un mois auparavant, en août, ses armées avaient pris Arras en Artois : une victoire éclatante et décisive sur les Espagnols. Cela montrait à l'évidence, avec cette belle naissance en sus, que Dieu était de son bord.

On ondoya sur-le-champ, au vu des grands de ce monde, le prince nouveau qui venait d'arriver ; ce fut M. de Lisieux, le vénérable aumônier de la Reine, qui officia avec bonheur. On prénomma, du reste, le nourrisson Philippe, qui était le nom de baptême du saint évêque ; Anne y voyait aussi un hommage discret à ses aïeux les rois d'Espagne – en vérité, elle pensait Felipe dans le secret de ses sentiments. Comme tous les cadets de la famille royale, l'enfant fut déclaré duc d'Anjou, cela en attendant que le titre de duc d'Orléans se libérât par la mort de l'actuel tenant : son oncle Gaston précisément, qui n'avait pas pu venir à sa venue ! Il serait plus tard, à son tour, « Monsieur, frère du Roi ». En attendant ces jours lointains, on emmena le poupon, dès qu'il fut lavé et paré de son grand lange en forme de bandelette, et on le conduisit dans l'aile méridionale du château de ses ancêtres – le Vieux –, où on le remit entre les mains de sa gouvernante personnelle, Mme de Folaine, laquelle lui faisait préparer depuis le matin un appartement contigu à celui de Petit Louis son frère aîné, plus tard son maître.

Ces temps-là, le Dauphin demeura beaucoup dans sa chambre, dans la compagnie de ses femmes, car il fut trois jours entiers sans voir sa mère.

Mme de Lansac se mit en quatre pour l'occuper à toutes sortes de jeux : il passait du temps à découper du papier avec de petits ciseaux dont lui avait fait présent l'ambassadeur des Pays-Bas. Il disposait de deux douzaines ou davantage de poupées venues de bien des horizons et qui représentaient des princes et des princesses ; il aimait à les ranger dans le balustre, leur donnant des noms. Il arrangeait ordinairement une grande poupée blonde au centre de la petite société des mariotes et disait qu'elle était la reine. Il la promenait dans un petit carrosse, qu'on lui avait donné, par tous les couloirs et les chambres de ses appartements, quand on le menait voir son féfé d'Anjou, qui dormait dans son berceau à l'autre extrémité du premier étage. Monsieur d'Anjou était pour l'instant une chose informe, entièrement enroulée dans une bande d'étoffe figurant le corps d'une énorme chenille ; il en dépassait une tête rouge, hébétée, et Petit Louis se demandait à part lui pourquoi maman avait fait venir une horreur pareille. Cependant, il lui faisait assez bon visage et posait cent questions sur ses mœurs; on dut l'empêcher de lui toucher les yeux, qui étaient la seule chose humaine de ce paquet de linge, et qu'il voulait voir de trop près.

Le petit prince regrettait par moments les parties de fou rire sur le lit de maman ; il devenait songeur. Maman était à présent sur un lit plus grand, entourée d'oreillers, de draperies brodées d'or et d'argent, et elle avait constamment des dames assises autour d'elle, qui parlaient comme des moulins ; ces femmes ne laissaient plus à maman le temps de dire une seule parole. Elle écoutait, assise au milieu de ces splendeurs, coiffée avec infiniment de soin, fardée de rouge et de poudre de riz qui donnait à sa peau une senteur sucrée, des pendentifs étincelants aux oreilles ; elle portait un collier si gros et si lourd qu'il lui cachait la poitrine et des bagues aux deux mains – ses bagues ordinaires, et d'autres, que Petit Louis ne connaissait pas. Elle était « menonne » encore, mais lointaine : on ne le laissait qu'un instant sur son lit très beau, juste le temps d'un baiser.

Il avait pleuré, les premiers jours, pour redescendre, quand on l'avait porté voir maman. Toutes ces femmes, de surcroît l'importunaient de leurs cris, de leur ramage, de leurs révérences qu'il fallait leur rendre, de leurs baisers ; elles lui baisaient toutes la main, toujours, et certaines lui baisaient sa robe. Après tout ce vacarme assommant, il n'avait presque pas vu maman – elle souriait du haut de sa couche, belle comme la maman de Jésus sur la tapisserie de la chambre, avec sa tête entourée de ses grands cheveux couleur d'or. Alors il pleurait tout au long de l'esplanade, en revenant, sur le bras du nouvel huissier, qui venait d'entrer dans son quartier d'automne. Le Dauphin avait vaguement en pensée que tout ce chagrin qu'on lui causait venait en droit fil de cette informe chose qu'on avait mise à dormir à l'autre bout de ses appartements, cette grosse larve à qui on faisait téter les doudounes d'une femme qui était arrivée en même temps que lui.

Heureusement, les filles venaient lui chanter des chansonnettes ; Mme de Brassac lui contait des histoires et ces dames voulaient bien, parfois, jouer à cache-cache mitoulas si elles étaient plusieurs ensemble – mais on faisait asseoir aussi les chambrières. On riait assez ; quelquefois, Mme de Lansac, qui ne jouait jamais, grondait et querellait – les filles de la Reine disparaissaient alors pendant plusieurs jours ! Une promenade qu'il aimait, quand il pleuvait – et il pleuvait souvent après la Saint-Michel d'automne, dans les lunes d'octobre qui troublaient le beau temps –, c'était de se rendre avec la gouvernante à la salle du jeu de paume qui était au-delà du fossé, sous ses fenêtres ou peu s'en fallait, près de l'entrée de l'esplanade. Là, il faisait tiède et beaucoup de personnes jouaient à se lancer une balle à l'aide d'une grande main d'osier. La balle sautait, bondissait sur les hauts murs de planches en faisant beau bruit – ce qui était plaisant, mais dépassait de beaucoup l'entendement... Une presse de gens criaient et sautaient et gesticulaient gaillardement en observant ceux qui s'amusaient au milieu, bien cachés, bien à l'abri sous une galerie de bois où la balle ne pouvait entrer à cause de la grille.

Tout de suite, Mme de Lansac s'approchait de la grille, de même que l'huissier qui le portait au bras et aussi le garde qui venait avec eux ; ils s'entreprenaient à se trémousser, à rire, à gronder et à crier vers les deux ou trois pauvres personnages qui s'agitaient pour attraper la balle, que parfois ils ne parvenaient pas à prendre. Quand ils l'attrapaient enfin, ils ne la gardaient pas pour eux, mais la jetaient encore plus fort qu'elle n'était venue : ainsi tous leurs efforts n'avaient servi de rien. C'est pour cela que les gens étaient fort en colère et qu'ils se gaussaient d'eux : mais toujours, quoi qu'on leur dît, ces sots renvoyaient la balle qu'ils avaient eu grand-peine à saisir. Donc, le petit prince s'agitait bien fort avant qu'on le posât à terre, car là commençaient pour lui les merveilles, dans la tiédeur des jambes frémissantes, des mollets colorés d'étoffes diverses, des hauts-de-chausses bouffants ou pendants, des jupes lourdes, dans une odeur réconfortante, un air épais et douillet, chargé de suint de cheval, de cuir de bottes, de pets tremblants comme le tonnerre, de chien mouillé, et d'une vaste palette de pieds et de crotte cueillie sur les grands chemins.

Le bambin admirait avec de grands yeux ces tournoiements dans la pénombre du bas de la galerie. Au bout de quelque temps, on lâchait un peu ses lisières : la gouvernante jetait simplement un œil ou demandait à l'huissier de s'attacher à ses petites déambulations et, si le jeu était trop captivant, le petit prince avait campo de plusieurs toises. Il rencontrait de petits chiens, de grands chiens – un jour il y avait eu une chèvre, dont le maître n'avait su se défaire à l'entrée de crainte qu'on la lui volât ! La bonne bête lui avait mangé son toquet de soie cramoisi quand il s'était approché d'elle ; elle avait brouté de grand appétit le petit rebras de sa manche qu'il lui avait offert en lui tendant sa main à baiser. Une aventure délicieuse ! On y rencontrait quelquefois des autours, des éperviers, perchés sur le poing des hommes, les pattes liées par des lacets, la tête encapuchonnée, car le fauconnier et ses aides venaient y promener les oiseaux niais afin de leur donner l'usage des gens. Mais, surtout, il y avait les enfants, des fillettes, des garçonnets, qu'il observait comme en arrêt devant leurs prouesses et l'aisance de leurs propos. Il les regardait fixement, le temps qu'il lui plaisait, et ces petites gens le laissaient faire sans grimaces, sans cris de joie d'aucune sorte, révérences ou émerveillements que voulaient déployer les grandes personnes en le voyant.

Aux alentours de la Toussaint, il s'y trouvait la plupart du temps une fillette longue et mince qui pouvait avoir neuf ans, à qui le Dauphin faisait chaque fois qu'il la voyait grande chère joyeuse. Elle portait une robe d'encre, surmontée d'un bavolet blanc qui donnait à ses yeux bruns une luisance intense ; elle avait aux pieds des sabots et des bas rouges extraordinairement vifs. Elle faisait signe au Dauphin de venir près d'elle, lui montrant de loin des grains colorés dans sa main. Il s'approchait, riant d'aise :

— Venez ça, mon maître, je vais vous montrer mes joyaux.

Elle lui laissait toucher les petits morceaux de verre brillants au creux de sa main, lui en posait un dans sa paume ouverte, qu'il contemplait, mais elle le changeait pour un autre, et ainsi de suite tant qu'elle en avait. Puis elle entraînait le Dauphin à quelques pas et lui faisait des contes dans un coin. Ou bien elle ramassait quelques brins de paille et lui faisait choisir le plus court, ou le plus long, et lui parlait longtemps dans l'oreille. Parfois elle lui disait :

— Petit Louis, savez-vous bien danser ? Allez ! Allez !

Il tournait sur lui-même en tapant des pieds. Quand il avait bien virevolté, elle demandait :

— Petit Louis, où est votre nez ?

Il montrait son nez, ou sa bouche, et même son cul, d'un coup de main sur les fesses en se tournant, quand elle le voulait. La fillette prononçait alors :

— Petit Louis, vous êtes bon à marier.

Ils passaient ainsi du temps entre les jambes des personnes qui étaient occupées à regarder jouer à la paume ; puis Mme de Lansac arrivait en se hâtant de toute sa corpulente personne et entraînait le Dauphin vers la sortie. Il rentrait songeur, jouait avec ses poupées et leur parlait souvent en l'oreille. Un jour, Donie – elle s'appelait Sidonie – lui apprit, dans le bruit des huées, la rumeur des bottes, les grondements des chiens qui cherchaient à se mordre, une chansonnette qui l'emplit de joie et qui disait :

Jean Couillon, veux-tu faire à la paume ?
Non, maman, je veux faire au sidot.

Un jour, dans le jeu de paume, il ne trouva pas Sidonie. Son père faisait commerce d'épingles et portait sa boutique sur son dos. Petit Louis – elle l'avait baptisé ainsi pour leur usage, lui confiant un jour dans l'oreille, sur le ton d'une confidence extrême, avec la douceur d'un compliment choisi : « Vous êtes un dauphin de merde, Petit Louis » ; il avait dit : « Oui » –, Petit Louis chercha partout entre les cuisses de la galerie. Il erra parmi les hauts-de-chausses et les manteaux mouillés qui fumaient d'eau de pluie où se cachait d'ordinaire la longue fille mince, son blanc bavolet, sa robe d'encre, riant par avance du nouveau bon tour qu'elle lui jouait. Hélas ! Elle était fille à mercelot – « deux jours sur terre, un jour sur l'eau » –, une enfant de la balle.

Mais c'était alors en novembre, et la Reine à présent venait le voir chez lui, juste avant dîner. Il entendait son petit carrosse sur les pavés de la cour, quand il pleuvait ou qu'il y avait de la bise. Il se trémoussait. La Reine montait l'escalier aussi vite qu'elle le pouvait, entrait dans la chambre, allait devant la cheminée, où, confiant son manchon au petit prince, elle prenait du feu dans ses mains et le portait à ses joues. Ensuite, ils allaient ensemble voir le petit Monsieur d'Anjou, qui était toujours aussi médiocre ; il avait pris cependant un visage raisonnablement attrayant, avec des yeux qui avaient fini par regarder en face et une bouche qui s'essayait parfois à sourire, ces grimaces faisant dire à la Reine qu'il était une petite merveille du Paradis ! Pour Petit Louis, le seul intérêt de cet être falot était qu'on lui ouvrait largement les seins d'une nourrice plantureuse, aux doudounes débordantes de lait, que ce vermisseau sans bras et sans jambes suçait goulûment à faire envie. Car le Dauphin n'avait plus droit de téter la sienne depuis plusieurs semaines. On lui avait expliqué qu'il était devenu si grand qu'il lui fallait manger uniquement des bouillies, comme le font les grandes personnes, et du poulet, du chapon, du blanc de canard, de l'oie rôtie. Parfois, il faisait le câlin, il se faisait porter dans le lit de sa nourrice, au matin, et se jouait à elle ; il glissait sa main sous la chemise de la jeune femme et réclamait son « petit buffet »... Mais la nourrice lui pinçait le nez, disant :

– Voyez, voyez ! Astheure, vous en avez dans le nez !

Ainsi le petit prince était très satisfait de contempler les succions de l'être langé qui n'était encore qu'une fourmi, qu'on appelait son féfé gentil et qui ne savait mâcher que le tétin des femmes.

Petit Louis n'était même plus couché dans l'après-dîner. Il allait le plus souvent retrouver les femmes au château Neuf, quand on venait le quérir en carrosse. Parfois, aussi, il devait se montrer dans la grande salle de bal au milieu de la galerie, lorsque des ambassadeurs étrangers y dînaient aux frais du Roi et qu'ils voulaient lui faire leur harangue. Il les saluait d'une révérence en arrivant et d'une autre quand ils avaient fini de parler.

Il était devenu si grand, pour l'heure, que le soir et le matin il récitait avec la gouvernante un *Pater* et aussi un *Ave* ; c'étaient des salutations divines, qu'il ne fallait jamais omettre, sa vie durant, sous peine d'aller rôtir en Enfer avec monseigneur le diable, qui est cornu, fourchu et crache le feu par la gueule ! Un peu avant Noël, il ajouta chaque jour sa prière ordinaire, qu'il savait sur le bout des ongles : « Dieu donne bonne vie à papa, à maman, au dauphin, à son frère, me donne sa bénédiction et sa grâce, et me fasse homme de bien, et me garde de tous mes ennemis, visibles et invisibles. »

Autour de lui, on ajoutait : *Amen.*

CHAPITRE IV

Quand Pierre de La Porte était arrivé à Saumur, venant de Blois par le coche d'eau, la dernière semaine du mois de mai 1638, il avait aperçu d'abord, au fil de la Loire dont les berges étaient gorgées de fleurs, les moulins à vent qui peuplaient la crête au-dessus de la ville ; ensuite était venue sous ses yeux la masse sombre des remparts, puis les tours altières sur leur piton, de l'immense château fort qui gardait la cité fameuse.

A la sortie de la Bastille Saint-Antoine, il avait obtenu de M. de Chavigny l'autorisation de demeurer huit jours à Paris pour y régler ses affaires personnelles, lesquelles avaient été dérangées par son séjour en prison. Ce délai ne lui avait été accordé qu'à la condition qu'il ne mettrait point les pieds au Louvre ni à la Cour et qu'il irait à ses affaires uniquement de nuit, afin qu'il ne fût pas reconnu. La Reine lui avait fait dire par Mme de La Flotte, chez qui il était allé présenter ses hommages à Mme de Hautefort, qu'elle lui verserait sa vie durant six cents écus de pension. La veille de son départ, il avait en outre été l'objet d'une bien curieuse entremise, dont il avait sujet de se souvenir : la marquise de Mons était venue le voir, dans sa chambre de l'hôtel de Chevreuse, pour lui demander, avec beaucoup de précautions et de manières, s'il accepterait d'entrer au service de Richelieu. Le Cardinal le priait par sa bouche de se donner à lui ! Pierre avait refusé, fort civilement, mais il s'était senti flatté par l'offre inattendue que lui faisait son ennemi.

A son arrivée à Saumur, le gentilhomme s'installa donc dans une des bonnes hostelleries du bas de la ville, pour un séjour qu'il n'imaginait pas devoir excéder quelques mois ; on lui avait laissé entendre, aussi bien chez Chavigny que chez Mme de La Flotte, que cet exil serait de courte durée. C'était aussi l'avis de Marie de Hautefort, qui croyait que l'on voulait faire oublier pendant quelque temps celui qui était devenu le héros de la Reine et ne pas rappeler dans les mémoires, surtout à présent, le souvenir de l'« affaire ». Après les couches royales, disait Marie, Anne d'Autriche aurait acquis assez de crédit et de pouvoir pour le faire revenir – surtout si Dieu, qui peut tout, voulait qu'elle accouchât d'un dauphin ! En somme, Saumur n'était qu'un Purgatoire et Chavigny lui avait dit en riant : « Vous boirez du vin du coteau, vous mangerez du pain de la cave, vous prendrez aisément votre mal en patience dans la perle de l'Anjou ! »

De fait, la ville était riante et animée ; cette place forte huguenote se trouvait à ce moment à l'apogée de sa gloire, due principalement au rayonnement de son Académie protestante, de grande renommée, où venait étudier la fleur de la jeunesse réformée de France et de l'étranger. Les étudiants les plus riches, qui arrivaient de Hollande, d'Allemagne, d'Angleterre et de bien d'autres pays, vivaient avec leurs domestiques dans les hôtels particuliers ; la vieille cité grouillait de gens affairés et studieux, elle était animée en permanence des discussions et des commentaires que suscitaient les cours du célèbre mathématicien Marc Duncan, lequel enseignait la philosophie, l'histoire et le grec. Cet entourage des réformés fut d'abord pour La Porte un sujet d'inquiétude ; sa dévotion à la foi catholique était toute de tradition rigoureuse. Pourtant, avec la présence rassurante du collège des oratoriens, installés à Notre-Dame-des-Ardilliers, où les disciples de Bérulle apportaient une virulente contradiction aux théologiens huguenots, il prit goût à entendre l'écho des disputes et les débats d'idées qui donnaient à Saumur une densité et une vitalité intellectuelles qui lui plaisaient.

Ce fut du reste au cours de ces discussions, qui devenaient parfois générales autour d'une table d'hôte, que Pierre fit la connaissance d'un gentilhomme catholique, prudent et sage, qui s'appelait La Berchère. Cet honnête homme était premier président du Parlement de Dijon et avait eu l'infortune de se heurter de front avec le duc de Bourgogne : Monsieur le prince de Condé. Il défendait scrupuleusement dans son Parlement les intérêts du Roi, comme l'y obligeait sa charge, et Monsieur le Prince, qui l'entendait autrement, l'avait odieusement desservi auprès de Louis XIII, au point qu'il avait reçu commandement de s'exiler à Saumur il y avait huit mois de cela. Pierre, que l'injustice et les abus des grands indignaient, s'était lié d'amitié avec François de La Berchère, un peu plus âgé que lui ; il aimait le bonhomme à cause de sa discrétion, de son courage tranquille, du goût qu'il montrait pour les arts et de la curiosité qu'il affichait pour les choses de l'histoire. La Porte s'employa, pour tuer le temps, à dessiner, comme il avait commencé à le faire à la Bastille sous la direction de Du Fargis. Les deux hommes prirent ainsi l'habitude de passer presque tout le temps ensemble, à lire, à bavarder ou à faire de petites promenades dans la ville et aux abords immédiats ; ils se communiquaient en chemin les détails qu'ils avaient appris l'un et l'autre sur la vie des ducs d'Anjou et du roi René, dont on continuait à conter la légende. Ils allèrent ainsi plusieurs fois visiter la vieille église Notre-Dame-de-Nantilly, sur un pilier de laquelle le « roi de Sicile », prince, poète et lettré, avait fait graver une épitaphe pour sa nourrice Tiphaine. Le bedeau y montrait aussi l'oratoire où Louis XI, roi de France, avait coutume de venir faire ses dévotions. Pierre essaya même de recopier, en plusieurs croquis qu'il traçait patiemment, quelques-unes des très belles tapisseries des vieux siècles qui ornaient les murs de l'église. Grimpant quelquefois sur la colline aux moulins qui dominait le château, ils discutaient abondamment les mérites de ces fortifications bizarres, à bastions multiples, qu'avait fait construire autour de la forteresse l'ancien gouverneur Duplessis-Mornay, lieutenant et ami du feu roi Henri IV et fondateur de l'Académie des protestants. L'édification de cette ceinture avait été confiée à un architecte italien nommé Bartolomeo et n'avait encore jamais été imitée en aucun autre endroit du royaume.

Un soir d'été, les deux compagnons allèrent regarder la maison où avait vécu Yolande d'Anjou, dans l'île d'Offard, en face le port ; un autre jour, ils passèrent la petite rivière du Thouet pour se rendre à la grande « allée couverte » dans le petit village de Bagneux. Ils tournèrent longtemps autour de ce monument barbare de plus de dix toises de long et quatorze coudées de large que l'on disait venir des âges païens qui avaient précédé la venue du Christ sur la terre. Ces escapades hors les murs ne devaient d'ailleurs pas excéder quelques heures, tant la liberté des deux hommes était étroitement surveillée ; ils devaient être rentrés dans la ville ponctuellement avant le coucher du soleil. Aussi tardait-il à Pierre que, les semaines passant, l'ordre lui vint de la Cour de regagner Paris ; il avait promis à son compagnon que, s'il était libéré avant lui, il l'aiderait à regagner l'exercice de sa charge à Dijon. Ce fut donc une déception bien vive pour l'un comme pour l'autre lorsque, vers le milieu du mois de septembre, les fêtes de la naissance du Dauphin étant dûment célébrées dans la joie, Pierre apprit, par ses amis qui lui écrivaient les nouvelles de la Cour, que la Reine n'était pas encore en mesure de faire rentrer ses amis. Il fallait attendre ; mais les nouvelles s'aggravaient. Quand, vers la fin de novembre, il apprit le renvoi du Père Caussin, puis celui de la première dame d'honneur, Mme de Sénécey, malgré les supplications d'Anne d'Autriche, le porte-manteau comprit qu'il ne retournerait pas dans sa charge avant un temps beaucoup plus long qu'il ne l'avait imaginé. Aussi décida-t-il, un peu avant Noël 1638, de quitter l'hostellerie pour s'établir plus commodément dans un logement à son goût, où il lui faudrait passer de longs mois à venir – des années peut-être.

Il se trouva que la maison qu'habitait M. de La Berchère avait justement une chambre haute, qui était devenue libre par le départ d'un étudiant bruxellois retourné dans sa famille. La bâtisse, de grande taille, donnait sur la place Saint-Pierre, non loin de l'église, au bas de la rue montueuse qui menait au château – cette Grand-Rue de Saumur, chaude en été, froide en hiver, obscure en quelques endroits, étroite et tortueuse à ravir. La chambre était meublée ; Pierre y fit porter son bagage, qui tenait dans deux coffres et une petite malle, et, comme son peu d'activité ne nécessitait pas l'usage permanent d'un valet pour lui tout seul, il décida de partager les services d'un petit laquais avec François de La Berchère ; puisqu'ils employaient leur temps en commun, ils se trouvèrent bien ainsi.

Ce fut en rangeant des habits qui avaient passé du temps dans l'un des coffres qu'il n'avait pas touché depuis son arrivée, que La Porte retrouva le collier du jeune de Herce. Le colifichet glissa d'une de ses poches sur le carreau de la salle et il ne le reconnut d'abord pas. Il ramassa cet objet formé d'une mince lanière de cuir à laquelle pendait une médaille d'argent, pensant que cet étrange ornement ne lui appartenait pas, puis la mémoire lui revint, avec l'image du pauvre garçon partant au supplice. Il serra l'objet au creux de sa main, tandis qu'il se sentait envahi d'une grande émotion et que des larmes emplissaient ses yeux. Ainsi il avait oublié le pauvre innocent, qui lui avait dit : « Je voudrais que vous fussiez mon père ! » Pierre s'assit pour rêver, essuyant ses yeux qui étaient brûlants.

Il était vrai qu'il n'avait rien demandé ni rien promis à de Herce, lequel n'avait fait que traverser un moment terrible de son existence. Mais le garçon l'avait choisi au seuil de la mort ; il se sentait désolé et coupable de ne pas même avoir prié pour lui depuis presque une année et demie. Toujours en rêvassant, il se disait qu'un jour il devrait prendre femme et avoir des enfants. Il se leva et s'en alla sur-le-champ commander une messe pour le repos de l'âme du jeune homme au chapelain de l'église Saint-Pierre ; il assista à la messe en compagnie de son ami La Berchère, à qui il conta l'histoire du collier de cuir à la pièce d'argent.

Au début de janvier 1639, il écrivit à Marie de Hautefort pour la supplier d'employer son crédit à la Cour afin de lui procurer l'autorisation de se promener au moins aux environs de la ville de Saumur et de faire en sorte que ce sauf-conduit fût valable aussi pour son ami La Berchère, président du Parlement de Bourgogne. La jeune femme s'y employa avec tout le zèle et l'ardeur qui lui étaient coutumiers dans le service des autres ; mais elle eut beaucoup de peine à arracher cette autorisation et ses efforts durèrent plusieurs semaines. Enfin, quelques jours après la mi-Carême, elle obtint gain de cause, grâce à l'entremise de M. de Chavigny ; les deux hommes pourraient sortir sous condition qu'ils n'abuseraient pas de leurs promenades et que celles-ci ne passeraient pas sept à huit lieues à la ronde. C'était peu, mais, dans cette région d'Anjou fertile en monuments et en beaux paysages, il y avait de quoi passer bien agréablement le temps ; puis, pensait Pierre, une fois l'habitude prise de les voir sortir, les officiers du gouverneur n'iraient point mesurer si exactement la longueur de leur chaîne ! Il remercia chaleureusement la bonne Marie, la félicita d'avoir reconquis la faveur du monarque et s'acheta un cheval d'assez belle mine, haut en croupe, solide des paturons, à la robe noire et lisse. La Berchère acquit une jument.

La première sortie qu'ils firent, un peu avant Pâques, fut pour aller visiter la merveille des merveilles, qui, depuis quelques années, occupait toutes les conversations : la petite ville neuve de Richelieu, terminée depuis peu, avec son immense château. Cette construction passait pour la plus belle non seulement de France, mais de toute l'Europe assurément − et peut-être de l'univers, encore que sur ce dernier point les avis différassent ! Certains esprits curieux soutenaient qu'il existait peut-être, dans les provinces reculées des Indes ou de la Chine, quelques bâtiments aussi magnifiques mais inconnus de nous. Le Cardinal avait eu l'autorisation de bâtir cet étonnant petit bourg devant la grille de son château, quand sa terre de Richelieu avait été élevée en duché par le Roi, après le départ de la Reine Mère. La construction avait fait couler à la fois beaucoup de larmes, de sueur et beaucoup de salive. Son Éminence avait confié le soin de l'architecture à Le Mercier, qui avait déjà construit pour lui, outre le château lui-même, son palais à Paris, situé face au Louvre, ainsi que les nouveaux bâtiments de la Sorbonne, dont Armand était recteur. C'était la première fois au monde que l'on construisait un village tout entier en plein champ, sur un terrain vierge, plat et bien dégagé, à partir d'un plan dessiné à l'avance et qui comprenait la taille des rues, le tracé des places et des principaux bâtiments publics, avec autant de précision que s'il se fût agi d'une simple demeure. Pierre avait rencontré plusieurs fois l'architecte sculpteur ; Le Mercier avait même logé pendant un temps à la Grande Galerie du Louvre et il le dépeignait à son ami La Berchère.

Les deux hommes se mirent donc en chemin, de grand matin, jugeant que la journée d'avril serait belle et propice à une longue chevauchée. Ils firent une courte halte à Fontevrault, une autre à Chavigny pour faire souffler les chevaux, dont le comportement au bout de quatre ou cinq lieues de cette première randonnée leur parut tout à fait conforme à leurs souhaits – avec cette réserve que la jument de La Berchère avait un léger défaut quand elle trottait, mais elle était très douce à l'amble. Ils parvinrent en fin de matinée au village de Champigny dans la petite vallée de la Veude, où le soleil avait fait éclore une foison de primevères et de boutons d'or ; ils allèrent s'y recueillir dans la Sainte-Chapelle, qui possédait un fragment de la Vraie Croix, seul reste du très beau château construit au siècle précédent par Louis de

Bourbon et que Richelieu avait fait récemment démolir, honteusement, disaient sous cape les habitants, car la raison en était que sa magnificence portait ombrage au sien. Le Cardinal avait utilisé les matériaux de cette somptueuse demeure pour construire sa ville, située à une lieue et demie de là, et il avait fallu l'intervention du pape Urbain VIII pour qu'il ne rasât aussi la Sainte-Chapelle, malgré les protestations véhémentes du clergé et des gens du lieu.

Après avoir prié devant le maître-autel, dans le chœur, les voyageurs admirèrent pendant plus d'une heure d'horloge les mille trésors finement sculptés que contenait cette magnifique église, aussi bien la nef voûtée d'ogives à liernes et tiercerons qui portait en son centre la représentation du dernier duc de Montpensier priant, que les bourdons, les lances, les fruits, les fleurs, si finement ciselés qu'ils donnaient envie de les toucher. La Porte demeura un temps assez long en contemplation des vitraux qui ornaient les onze fenêtres de la chapelle et dont l'éclat des couleurs, la beauté du dessin, la pieuse élévation des scènes représentées lui tiraient des larmes de plaisir. La vie de Saint Louis y était peinte tout entière, ainsi que les principaux épisodes de la Passion, avec une saisissante vérité qu'augmentait encore la palpitation de la lumière du printemps en plein midi ; le soleil, dehors, baignait la verrière et faisait chatoyer toutes les couleurs, surtout les incomparables bleus prune à reflets mordorés. Mais ce qui enchantait Pierre, ce qu'il admirait par-dessus tout, c'était le dessin vrai de ces vitraux tracés selon les lois de la perspective ; ils donnaient l'impression d'assister soi-même à des scènes en vie et ne ressemblaient point à ceux des vieilles cathédrales dont les images à plat aux contours naïfs, parfois gauches en comparaison, étaient souvent sans nuances. Ces vitraux-ci étaient les plus beaux qu'il eût jamais vus, et son ami dut le tirer par la manche, le voyant si absorbé, pour lui faire souvenir du temps qui passait ; même alors, il ne voulut sortir de l'église qu'il ne se fût agenouillé pour rendre grâces à Dieu d'avoir protégé ces chefs-d'œuvre des griffes sacrilèges d'Armand du Plessis.

Ils dînèrent tranquillement dans une auberge au bord de la Veude, pendant que le garçon d'écurie s'occupait de leurs montures ; ils ne reprirent le chemin qui les conduisait à la ville du Cardinal qu'au début de l'après-midi.

En arrivant à Richelieu, ils entrèrent par la porte Nord, dite « porte de Chinon », et, malgré les froideurs que les deux hommes éprouvaient assez naturellement pour le maître des lieux, ils furent immédiatement transportés d'admiration. La petite ville, construite sur un rectangle parfait de trois cent soixante toises de long sur deux cent soixante de large, était traversée dans toute sa longueur, suivant la ligne médiane, par la plus jolie rue que l'on eût jamais imaginée dans une campagne ! Non point une de ces grand-rues de bourgades champêtres, tortueuses, inclinées, d'inégale largeur, bordées de maisons disparates et de vieilles boiseries d'encorbellement, comme il en existait même dans les villes notoires, à Saumur, à Angers ou à Chinon ! Au contraire, une avenue rectiligne courait d'une extrémité à l'autre, large de cinquante coudées ou presque, au milieu de laquelle trois carrosses de belle taille auraient pu avancer de front. Cette avenue était bordée de luxueuses bâtisses à parements de tuffeau, des hôtels particuliers disposés dans un alignement impeccable, avec leurs larges porches surmontés de frontons triangulaires dans le style italien, décorés de frises et de testons ; leurs toits d'ardoise bleue étaient hauts et étroits du faîtage comme des hottes renversées. Cette rue principale se trouvait coupée en son mitan par une avenue moins large, droite elle aussi comme un fil, laquelle croisait à angle droit d'un bord à l'autre de la petite ville. Deux places carrées siégeaient à chaque bout, rigoureusement symétriques, parfaitement ordonnées – et bien différentes, là aussi, de ces places sans forme et sans proportions des villages hideux qui ont poussé au cours des siècles sans ordre et sans plan. On eût dit des clairières dans un verger de pierre taillée, fit remarquer La Berchère, et si vastes qu'on eût tenu sans peine un grand carrousel dans chacune d'elles ! La place du côté de la porte Sud, qui était la place du Marché, était jouxtée d'un côté par une vaste halle couverte dont l'imposante charpente de bois était la seule concession à une tradition ancienne que l'élégance des bâtiments voisins rendait un peu lourde et mal venue, mais assez bonne assurément pour l'usage mercantile qu'elle était tenue d'abriter ; du côté opposé se dressait la façade de l'église toute neuve, dédiée à Notre-Dame, dont le pur style « jésuite » était tout en finesse, noblesse et harmonie, avec ses hautes niches qui abritaient l'image des évangélistes.

Une chose cependant heurta Pierre dans ce luxueux assemblage : habitué aux tenues de la Cour, aux toilettes qui devaient raisonnablement accompagner cette pompe lapidaire, il ne trouvait pas que ces rues magnifiques, ces portes monumentales, ces places altières eussent leurs dignes occupants dans la paysannerie du Poitou septentrional. Cette campagne, fertile certes, était sale et vachère à l'excès ; c'était jour de marché à Richelieu, et l'agitation qui régnait partout, qui eût semblé naturelle en toute autre bourgade champêtre sise dans les prairies grasses, au carrefour des chemins, paraissait en ces lieux une invasion détestable. Il y avait comme une erreur embarrassante dans la distribution des tâches et l'attribution des privilèges. Ce village si beau, aux lignes si pures, aux ornements si gracieux, eût mérité des équipages fringants, le passage de carrosses dorés, matelassés de velours cramoisi, de litières ducales adornées d'armoiries de gueules à besants de sinople, à lions d'azur passants... On s'attendait à voir sortir de chaque entrée de cour des livrées rutilantes, des toges à marteaux pour le moins, des chapeaux à panaches sur d'élégants pourpoints, des jupes brodées, des manches à crevés de dentelle ; on s'attendait au pas trépidant de vifs chevaux anglais. Au lieu de cela, ce n'était, dans cette avenue superbe, digne des empereurs romains, que bœufs d'attelage bassement encornés, ânes bourrus et crottés piéti-

nant devant des carrioles bringuebalantes, suivis par des oies
à fientes verdâtres et par toute une déambulation de Poitevins
rubiconds en drap de chanvre, en bliaux désolants et troués,
en braies lâches, maculées de fumier et semées de paille
blonde, en sabots ou nu-pieds. Ils avaient des mines silencieuses de pauvres hères, des barbes pelées, ou bien ils
jetaient des cris, dans le tintamarre des éclats et des disputes
des conducteurs de pourceaux et des gardeuses de chèvres
rouges. Cette populace terrienne en si beau lieu produisait
l'effet d'une ignoble mésalliance, et les deux gentilshommes,
qui durent se frayer un passage dans le charroi de la ville
neuve, en furent fort dépiteux.

A l'inverse, le château lui-même, séparé de la ville par un
terre-plein en demi-lune où débouchait la porte de Châtelle-
rault, était désert et silencieux. Le portail central était clos,
mais le mur d'enceinte se trouvait suffisamment bas pour
qu'en se dressant sur leurs étriers les deux cavaliers pussent
apercevoir l'enfilade gigantesque des avant-cours et des
jardins, avec la perspective des communs qui menait, au
fond, au corps du château proprement dit, qui formait un
rectangle. L'ensemble était grandiose et froid, en dépit du
soleil printanier qui noyait les espaces d'une lumière dorée.
Pierre imaginait le petit homme dur franchissant ces espaces
dans sa robe de pourpre ; il l'imaginait seul. Autant la ville
du Cardinal était inoubliable, en dépit de son peuplement,
autant son château était peu engageant. C'était beau, mais
c'était triste, songea Pierre, autant qu'une cantatrice
chauve.

Les deux hommes décidèrent alors de tourner bride et de
se diriger vers Loudun, à moins de quatre lieues de là, ville
désormais célèbre dont ils voulaient voir les possédées
fameuses, et contempler, face à l'église Sainte-Croix, l'emplacement du bûcher sur lequel avait fini ses jours, cinq ans
auparavant, l'abbé Urbain Grandier, accusé de sorcellerie
par les juges du Cardinal ; ville dont Son Éminence avait
aussi fait raser le château et démanteler l'antique tour car-

rée, qui faisaient de l'ombre à son duché tout frais et à la démesurée résidence perdue dans les prés, où il ne venait presque jamais. Ils atteignirent Loudun avant la nuit tombée, juste comme une violente et soudaine averse se déclenchait, les forçant à trouver asile dans l'auberge la plus proche, où ils s'installèrent pour souper et passer la nuit.

Pendant tout ce premier été, les deux exilés ne cessèrent de parcourir ces régions du pays de Loire. Ils s'étaient procuré, par l'intermédiaire d'un étudiant de l'Académie protestante avec lequel ils avaient pris langue, un exemplaire des *Antiquités et Recherches des villes et châteaux de France* du très savant Du Chesne ; ils lisaient abondamment tout ce qui concernait les villes qu'ils se proposaient de voir, puis ils partaient pour des randonnées de plus en plus extensibles qui duraient jusqu'à trois jours en dehors de Saumur. La jument de La Berchère s'étant mise à boiter davantage, il avait dû la changer pour une pouliche de quatre ans qui n'était pas complètement rompue à la selle, mais qui promettait d'être douce et de bonne conduite. Ils allèrent ainsi plusieurs fois à Chinon, dont ils avaient lu l'histoire du temps où la ville était le siège de la cour de France ; ils visitèrent son château en trois parties, qui était devenu depuis peu la propriété de Richelieu, lequel menaçait, au grand scandale des Chinonnais, de le faire raser comme il avait fait de celui de Champigny ! Pierre s'intéressa à cette occasion à l'aventure de Jehanne, la jeune Lorraine que les Anglais brûlèrent à Rouen, qui avait fait couronner son roi. Ils se firent montrer la grande salle du trône dans le château du Milieu, où elle avait reconnu Charles VII parmi des dizaines de courtisans ; la salle était en bien mauvais état, laissée à l'abandon. Envahie de toiles d'araignées, elle servait de logis aux hiboux, aux souris et aux loirs. Ils virent le fort Saint-Georges où était mort Henri, le roi des Anglais qui était l'époux d'Aliénor et dont les restes reposaient dans l'abbaye de Fontevrault. Ils s'amusèrent à se rendre au pied d'une vigne, passé la route de Tours, au nord, d'où un écho magnifique se faisait entendre quand on claquait des mains ou criait très haut en direction de l'enceinte blanche du château fort, en contrebas, bardée de tours rondes. La répétition, brève et sèche, de leurs cris les faisait rire et, en même temps, cet écho était un peu effrayant dans ces lieux si chargés de la vie d'autrefois – on eût dit que les coups qu'ils frappaient dans leurs mains, comme les éclats de leurs voix, éveillaient dans la profondeur des tours le ricanement moqueur des âmes mortes. Cette pensée les fit tellement frissonner qu'ils quittèrent la ville.

Ils visitèrent Ussé, splendide de clochetons, tourelles, échauguettes et mâchicoulis, qui fut la demeure d'une belle dame d'antan ; tout y paraissait dormant, à l'orée du bois qui l'entoure, et attendre le retour d'un prince absent. Ils s'en approchèrent dans le soleil couchant, quand les oiseaux perdus voletaient sous les mobiles ombres d'or. Ils poussèrent jusqu'à Azay-le-Brûlé, dans la vallée de l'Indre, revinrent par Langeais en passant à gué la rivière de Loire et par Bourgueil où avait habité un vieux poète qui aimait le vin et les vignes, appelé Pierre Ronsard. Un autre jour, vers la fin du mois d'août, ils décidèrent d'explorer les marches du Poitou, en remontant par étapes le cours de la petite rivière de Thouet. Ils virent les cités fortifiées, imposantes, de Montreuil et de Thouars. Dans cette dernière ville, la duchesse de La Trémoille était en train de reconstruire le château. Poursuivant le vieux chemin des pèlerinages à Saint-Jacques-de-Compostelle, les deux cavaliers arrivèrent à Airvault, où ils se recueillirent dans une très vieille abbatiale à la façade sculptée, au porche rond et bas, si ancienne qu'elle paraissait venir, disait La Berchère, du temps de l'empereur Charlemagne. Les deux amis poussèrent encore d'une lieue dans la vallée du Thouet à petits pas de leurs bêtes lasses, pour se rendre au village de Saint-Loup, dans lequel on leur avait signalé un très joli château neuf.

Ils prirent logement à l'auberge qui avait pour enseigne Sainte-Catherine, sise à côté du pont ; on leur donna un lit dans la grande chambre haute, sur l'arrière, où se trouvaient deux autres lits, fermés de vieux rideaux en laine rouge garnis de franges, qui étaient occupés par des marchands. Leur couche comportait une paillasse, une ballière servant de couette et un traversin de plume ; ils dormirent là d'un seul somme, brisés par leur chevauchée. Le lendemain, ils visitèrent le bourg à pied, laissant reposer les chevaux à l'hostellerie. Le château, à l'autre extrémité du village, avait été construit au bord de la rivière, par le comte de Caravas, fils du grand écuyer de Henri III et gouverneur du Poitou, lequel l'avait fait achever une douzaine d'années auparavant. C'était en effet une bâtisse de dimensions modestes, mais admirablement proportionnée et munie de douves. Elle avait été érigée à proximité d'un ancien château fort, dont le donjon carré demeurait debout à l'écart. La demeure comprenait un corps de bâtiment central flanqué de deux courtes ailes sobres, qui formaient pavillon. Au centre, la façade était égayée par une petite tour en décrochement harmonieux, surmontée d'un lanternon dominant les toits hauts, séparés, en forme de losanges comme ceux de Richelieu ; les parements saillants, les arrondis des lucarnes, les niches de la tour centrale, les hautes fenêtres rectangulaires à meneaux donnaient à ce château une allure heureuse et paisible à souhait.

— De tous les châteaux que nous avons vus depuis Pâques, déclara La Porte, les deux poings sur les hanches, c'est celui-ci qu'il me plairait le mieux d'habiter.

Il était charmé par l'équilibre, l'élégance et la modestie de cette façade neuve et propre, qui s'accordait admirablement à l'harmonie de ce vallon aux pentes doucement inclinées.

— Je ferais seulement raser toutes ces masures qui l'enserrent, afin de dégager la pureté de ses lignes, ajouta-t-il.

Il désignait les bâtiments en fatras – écuries, étables,

granges et maisonnettes au milieu desquelles le château avait été construit. Il y avait même une église, dont le chevet avait été coupé pour faire de la place.

Pierre avait tellement l'air de faire de réels projets d'avenir, semblable à un acquéreur sur le point d'aménager, que son compagnon se mit à rire :

— Eh bien, il vous faudra sans tarder demander à la Reine de l'acheter pour vous au marquis de Carabas !

— Caravas ! La Berchère : le gouverneur Gouffier est comte de Caravas...

Les deux hommes reprirent la direction de la Grand-Rue. Cette allusion à la Reine avait assombri le porte-manteau, car les nouvelles de la Cour qu'il avait reçues la semaine précédente n'étaient guère plus encourageantes. On avait su que le Roi, qui était en Champagne avec son armée, accordait une faveur extrême au tout jeune fils de feu le maréchal d'Effiat. Ce garçon était le parent du Cardinal : cela cachait quelque chose. Cela révélait en tout cas l'influence grandissante de Son Éminence sur l'esprit du Roi, ce qui ne pouvait que nuire à la Reine, par conséquent à ses amis, c'est-à-dire à lui-même.

— Ce n'est pas encore l'année prochaine que je pourrai acheter un château, dit Pierre.

Il faisait réflexion que depuis un an il n'avait encore touché que sept cents livres, que lui avait fait tenir M. de Brassac, sur les six cents écus que Sa Majesté lui avait promis.

En revenant à l'auberge, ils croisèrent le géant Guérin, qui sortait d'une venelle ; ils eurent d'abord un mouvement de frayeur en voyant paraître inopinément un homme d'aussi haute taille, mais le géant, qui était doux et inoffensif, les salua en riant. Il marchait en balançant des bras immenses et avait une si grande crainte d'écraser les petits enfants qu'il criait continuellement : « Gare ! Gare ! » en avançant. Ils dînèrent ensuite copieusement, dans une salle claire : au bord du Thouet, sous la fenêtre, un pampre étalait ses rameaux. Ils furent servis par une servante rieuse et une jeune fille d'une douzaine d'années, fort grande pour cet âge ; cette dernière s'appelait Renée Guérin, étant parente du géant par son père. Elle était aussi la petite-fille de l'aubergiste, une vieille et forte veuve qui régnait près de la cheminée, assise sur une selle basse, crachant au feu. Une chienne dressée tournait docilement la broche au moyen d'une roue en fer à l'intérieur de laquelle elle marchait à pas lents, inlassablement, afin d'imprimer un mouvement régulier à l'assemblage qui rôtissait une oie et deux chapons.

Pendant qu'ils mangeaient en compagnie de quelques autres voyageurs, un habitant du lieu nommé maître Arouet, qui dînait avec des marchands venus de la ville de Parthenay, conta l'histoire de Saint-Loup telle qu'on la connaissait :

« C'était, dit-il, au temps de sainte Radegonde qui était reine à Poitiers. Il y avait dans la forêt de Scévole, à côté de Loudun, un grand loup jaune qui ravageait tout le pays. Ce loup était terrible, on ne voyait que lui de nuit et de jour, dans tous les villages, où il emportait du bétail. Un jour, une jeune bergère faisait paître son troupeau au soleil, au bord de la forêt, quand d'aventure le loup survint à jeun qui cherchait à manger ; bien sûr, il sauta sur le plus bel agneau blanc et l'emporta sans autre forme de procès. La pauvre petite bergère criait : " Au loup ! Au loup ! " comme cela doit se faire en pareil cas, lorsqu'elle aperçut la bonne reine Radegonde qui passait par là, s'en allant à Poitiers.

– Hé ! Que cries-tu de la sorte, ma petite ? Qui te fâche ? demanda la sainte, qui était un peu dure d'oreille.

– Oh ! madame, le grand loup jaune m'a emporté mon plus bel agneau blanc dans la forêt ! Mon maître va se mettre en colère et je serai fouettée, répondit la pauvrette qui sanglotait.

« Là-dessus, la bonne reine se tourna vers la forêt profonde et appela trois fois le grand loup jaune, le sommant de revenir :

– Grand loup ! Grand loup ! Grand loup !... Reviens de suite.

« En effet, le méchant animal apparut bientôt, tenant encore l'agneau dans sa gueule, qui bêlait. Et, merveille ! il lâcha l'agnelet, qui courut vers sa mère, puis s'en vint lécher la main de dame Radegonde, comme un bon chien fidèle. »

Maître François Arouet s'interrompit pour avaler un verre de vin, comme font les conteurs quand ils ont la gorge sèche. C'était un homme au visage mince, aux yeux malicieux et rieurs, au rire vif : il lissa tranquillement sa moustache, posa sa main bien à plat sur la table et poursuivit :

« Radegonde leva sa main droite et dit au loup :

– Je te défends, au nom du Seigneur, bête méchante, de toucher dorénavant à aucun troupeau. Tu te contenteras, tant que tu vivras, pour ta nourriture, de gibier sauvage, afin que nulle petite fille allant aux champs ne puisse pleurer par ta faute.

« Lors, le grand loup jaune s'assit sur son train arrière et donna sa patte à la bergère, qui, séchant ses pleurs, l'embrassa et le cajola de tout son cœur. Depuis cette affaire, qui parut miraculeuse aux nobles comme aux manants, le grand loup ne fit plus de mal à personne dans le pays de Loudun. Il vécut plus de cent ans ; quand il passait dans les villages, les chiens ne lui couraient plus sus, les petits enfants allaient lui caresser la tête et lui tirer la queue – chacun l'appelait le " saint loup " en souvenir de la bonne sainte Radegonde qui l'avait instruit. Un beau soir enfin, le grand loup jaune mourut dans la paix et la félicité. Il vint se coucher pour expirer au bord de la rivière du Thouet, en cet endroit même où nous sommes. On y bâtit des maisons et une petite église pour faire un village, que l'on appela " Saint-Loup " en mémoire de lui. »

A la fin du mois de novembre arrivèrent de nouvelles catastrophes, en même temps que les pluies torrentielles qui se mirent à tomber sur l'Anjou. Pierre apprit le même jour avec stupéfaction que M. de Cinq-Mars était nommé grand écuyer et que Mme de Hautefort était chassée de la Cour ! Dès qu'il sut que Marie s'était retirée au Mans, il sella son cheval et, sans se soucier du mauvais temps, il se mit en route pour aller lui rendre ses devoirs. Il prit simplement quelques précautions afin qu'on ne sût pas où il se rendait, faisant dire qu'il allait voir son père à Seiches ; il voyagea sous le nom de L'Hermitage, qu'il donna à l'auberge de La Flèche où il coucha, de crainte qu'il ne fût mandé à la Cour qu'il avait vu l'exilée et que cela ne leur fît du tort à tous deux.

Le lendemain soir, quand il parvint dans la banlieue du Mans, ruisselant de pluie, au manoir qui appartenait à Mme de La Flotte, il se fit annoncer par l'huissier sous son nom d'emprunt. Il entendit la voix chantante de Marie qui s'étonnait dans la grande pièce voisine faisant suite à l'entrée où on le faisait attendre sous l'œil méfiant d'un valet de haute taille et carré d'épaules :

– L'Hermitage, dites-vous ? Il prétend qu'il me connaît ?

– Il m'a dit s'honorer de votre amitié, Madame.

La belle et célèbre favorite se gardait des importuns qui, depuis trois semaines qu'elle était arrivée dans la ville, venaient la voir sous les prétextes les plus futiles ; des inconnus lui débitaient des galanteries d'un autre âge en riant très fort ; certains vieillards lui contaient pendant des heures, comme si elle eût dû s'en délecter pour une raison mystérieuse, les campagnes du feu roi Henri, et elle avait reçu, parmi le flot des visiteurs manceaux, quatre demandes en mariage en bonne et due forme.

– Dites à ce gentilhomme que je ne connais point d'autre hermitage que celui qui nous abrite céans.

En entendant cela, Pierre cria à voix très haute derrière la porte :

– Si fait, madame, je vous assure que vous me connaissez fort bien.

– Qu'ouïs-je ? dit Marie d'un ton agité. Cette voix ?... Je la connais !

– Vous avez assurément connaissance d'un autre hermitage au moins ! lança le gentilhomme.

Il entrouvrit le battant de la porte de son propre chef, au désarroi du grand valet, qui fit deux pas vers lui pour l'en empêcher. Mme de Hautefort eut une longue exclamation de surprise et de joie – elle s'avança précipitamment vers lui, les mains tendues :

– C'est donc vous ! Mon ami !

Ils se revoyaient face à face pour la première fois depuis dix-huit mois ; les circonstances étaient bien changées, car ils se trouvaient maintenant tous les deux victimes des rigueurs de la Cour. Elle était tombée, fidèle à son devoir, fidèle à sa Reine, comme un preux chevalier de jadis – selon les contes que l'on faisait d'eux. Pierre accourait, image de l'honnête gentilhomme, lui, l'incorruptible ; celui qui méritait d'habiter le village de Fidèle Amitié des cartes de Tendre. Il était normal et vrai qu'il fût devant elle, le manteau au vent, dégoulinant de pluie. Il avait appris son infortune, il accourait dans la nuit de novembre. La nuit était tombée. Elle était soudain bouleversée de le voir.

Il avait ôté son chapeau, il s'inclinait, l'eau de pluie luisait sur son visage à l'éclat des chandelles. Elle s'écria :

– Oh !... La Porte ! La Porte !

Et elle éclata en sanglots. Il pleurait aussi. Il s'inclina devant elle et, d'un genou en terre, il lui baisa les mains, comme à une reine.

– Oh ! Venez, Pierre...

Elle continuait de pleurer, mais elle se mit à rire en même temps.

– Chauffez-vous, mon ami. Qu'on lui retire son manteau !

Une servante accourut ; Marie donnait des ordres, elle s'agitait. L'huissier écarquillait des yeux très ronds devant ce brusque retournement de faveur envers cet Hermitage

400

qu'elle rejetait l'instant d'avant. Le grand valet de l'entrée, en l'entendant crier : « La Porte », crut qu'elle souffrait des courants d'air et referma prestement le battant.

– Dites à Mlle Charlotte qu'elle vienne ! disait Marie.

C'était Mlle d'Escars, sa sœur. Elle donnait des nouvelles en vrac, dans l'émotion de l'instant. Puis elle fit servir à souper dans une chambre basse et douillette où ils mangèrent gaiement tous les trois, devant un bon feu. Mlle d'Escars était elle aussi ravie de le voir dans ce désert affreux. Ici l'hôtel de Rambouillet et tous leurs amis si polis n'étaient plus, hélas ! qu'ombres lointaines et irréelles. Elles contèrent en riant et en se moquant la visite de quelques hurlubrelus qui leur venaient faire la cour dans la manière de la province. Il fallait entendre les pointes et équivoques grossières que faisaient ces gens sous couleur de bel esprit.

– Pas plus tard qu'hier, disait Charlotte, nous avions un rustre dont la sœur vient d'être enlevée et qui se plaignait de cette circonstance fâcheuse pour son honneur. « Ah, ventre ! disait-il. (Et d'Escars imitait la grosse voix du maroufle.) Ah, ventre ! ma réputation est tachée par la gueule : ma putain de sœur a fait un trou à la nuit ! Et de plus, c'est un vieux couvercle qui couvre sa jeune marmite. »

– C'est ainsi tous les jours, ajouta Marie. Aussi devons-nous défendre notre porte.

Pierre, caressant d'une main la tête frisée du vieux chien Favory qui l'avait reconnu et s'était assis sous la table entre ses genoux, avoua qu'il devait lui aussi souffrir parfois des lourdauds semblables ; il raconta sa vie à Saumur. Il parla de M. de La Berchère, du Parlement de Dijon, et de l'injustice qui lui était faite ; il décrivit leurs promenades de l'été – qu'ils avaient faites grâce à cette autorisation qu'elle avait eu tant de mal à arracher pour eux ! Il raconta Chinon et la vie de Jehanne, la bonne Lorraine, telle qu'il l'avait apprise : la fière pucelle fit sacrer son roi, puis, pour prix de sa peine, périt brûlée par les Anglais à Rouen. Pierre assura que Marie le faisait beaucoup songer à Jehanne, malheureuse et fière héroïne ! Mlle d'Escars dit que le pape devrait en faire une sainte, de cette pucelle d'Orléans ! C'était bien trop tard, répondit le gentilhomme, elle était morte depuis deux cents ans au moins et personne, sauf à Chinon, et peut-être à Rouen, ne se souvenait d'elle à présent, ni de son martyre.

Cela les conduisit à parler des troubles de Rouen, justement de la révolte de ces Nu-Pieds qui avaient sévi tout l'été dans la Normandie. Les dames dirent que Gassion et le chancelier Séguier avaient ensemble été sans pitié, qu'ils avaient fait mettre à sac la ville d'Avranches dans cette province. Mais ils avaient beau écraser la sédition à feu et à sang, cette guerre contre l'Espagne que menait le Cardinal à grands frais conduisait le royaume à de grands malheurs. Ils soupirèrent ; ils parlèrent de la Reine et de la Cour ; ils dirent tout le mal qu'ils savaient du nouveau Monsieur le Grand – un si jeune homme ! Le vieux duc de Bellegarde avait pleuré de devoir se démettre en faveur de ce béjaune. Cette liaison incongrue faisait au Roi une renommée détestable. Certes, Sa Majesté avait déjà eu de jeunes favoris : ils parlèrent de Saint-Simon, toujours fort bien dans l'esprit du monarque ; ils se rappelèrent comment ce faux jeton à la solde du Cardinal avait poussé le Roi vers La Fayette, naguère – car c'était lui qui la lui avait fait remarquer ! Mais, avec Cinq-Mars, Louis se trouvait entièrement embéguiné, aveuglé et ridicule. On avait dit que, durant la campagne d'été, il leur était arrivé de dormir ensemble, dans le même lit. Et qu'y faisaient-ils, Seigneur ? Le vice italien avait-il pénétré la Cour, comme jadis, du temps des rois de la vieille roche ? Oh ! quelle horreur ! disait Marie, qui se couvrait en rougissant les yeux de sa main. L'odieuse abomination pour un roi si chrétien, si près de Dieu et des anges, que d'être saisi par de telles griffes ! Elle avait essayé de le faire entendre à Sa Majesté à son retour de campagne, elle n'avait fait qu'obéir à sa conscience – pour sa peine, elle était chassée comme une servante indigne. Ce petit marquis d'Effiat était assurément, croyaient les deux jeunes femmes, une émanation du diable :

l'ange déchu sous forme d'éphèbe. Ce n'était que trop visible ! Évoquer les anges les conduisit naturellement à parler de Petit Louis. Les deux femmes dirent combien il était beau et gros, et fort pour son âge, et glouton. Et doux avec sa maman, qui ne le pouvait quitter, semblait-il, d'un quart de jupe, tant il était toute sa joie... sa joie unique. Ils se lamentèrent encore sur le sort de leur Reine, si mal récompensée d'avoir donné un dauphin au royaume. Pauvre femme, que l'on continuait à poursuivre de toutes sortes de vexations indignes, lui arrachant tous ses amis, éloignant de force ceux et celles qui lui étaient le plus dévoués. Elles expliquèrent la mauvaise entente qui régnait à Saint-Germain-en-Laye entre Sa Majesté et la gouvernante, cette grosse bête visqueuse et acariâtre de Lansac, femme cupide et méchante avec tout le monde, servile et basse au contraire avec tous les gens du Cardinal : la Baleine ! Ce sobriquet amusa beaucoup le gentilhomme, qui ne l'avait pas entendu.

Pierre demeura quatre jours au Mans avec ses amies, attendant que la pluie cessât. Elles eurent pendant ce temps la visite de M. des Essarts, le sénéchal du Maine, qu'elles avaient déjà rencontré les premiers jours de leur installation et qui venait leur rendre ses devoirs. C'était un galant homme, neveu de la comtesse Charlotte, ancienne favorite du feu roi Henri ; mais il avait beaucoup fréquenté les libertins et sa conversation n'était point toujours des plus pures. Il parla avec un grand enthousiasme de l'un de ses amis qui servait de secrétaire à l'évêque du Mans, un jeune homme à l'esprit fulgurant, à la repartie vive et cocasse et qui écrivait quelques vers – il s'appelait Paul Scarron. Mme de Hautefort, assurait le sénéchal, se divertirait fort de sa compagnie si elle daignait qu'il lui fût présenté. Au reste, ce camarade, naguère si fringant, souffrait atrocement depuis presque une année entière de douleurs dans tous ses nerfs et ses os ; ces souffrances, pour l'heure, le clouaient dans son lit. Marie, touchée de ce qu'on lui disait de la maladie de cet homme, qui continuait à rire courageusement dans son infortune, promit qu'elle l'irait voir un jour prochain.

Ainsi, pendant les trois années que dura leur exil commun, le porte-manteau et la dame d'atour s'épaulèrent et se confortèrent ; ce fut soit à distance par les messages qu'ils se faisaient tenir, soit par des petites visites de courtoisie qu'ils ne manquèrent point de se faire plusieurs fois par an. Au cours de l'été 1640, ce fut Mme de Hautefort qui se rendit à Saumur avec toute sa suite ; elle y avait donné rendez-vous à Mlle de Chémérault, qui résidait à Poitiers. La Porte avait organisé leur séjour, qui devait demeurer secret, dans la meilleure hostellerie de la ville. Cependant, il y eut des fuites... Le voyage de Marie et de sa sœur fut connu, au point qu'elle eut la plus grande peine du monde à se défaire d'un soupirant qui s'était attaché à ses pas et qui, fou d'amour, menaçait de s'aller jeter dans la rivière de Loire si elle l'éconduisait.

L'année suivante, qui était 1641, les deux amis passèrent huit jours à Poitiers pour rendre visite à Mlle de Chémérault, fort bien traités par l'intendant de justice. A cette occasion, Pierre obtint la confirmation de ce qu'il craignait : la jeune femme, dont il se défiait depuis longtemps, gardait ses mesures avec la Cour, où elle avait des intelligences ; elle faisait connaître au Cardinal tous les faits et gestes de Hautefort et de ses amis. En retour, elle en recevait des bienfaits qui paraissaient aux dépenses qu'elle faisait et qu'elle n'eût pu soutenir de son propre revenu. Il essaya vainement d'avertir Hautefort qu'elle eût à se méfier de cette amie peu sûre, mais la franche et vertueuse Marie refusa catégoriquement de croire un seul mot de la duplicité de la petite Chémérault ; il fallut la découverte, à la fin de l'année suivante, des lettres que cette dernière avait adressées à Paris, et qui se trouvaient dans la cassette du Cardinal, pour qu'elle se persuadât de sa perfidie.

Ils apprirent aussi, non sans étonnement, mais avec joie, la seconde grossesse que Dieu accorda à la Reine. La naissance du petit duc d'Anjou leur fut mandée par Sa Majesté, qui faisait dire à sa dame d'atour combien sa présence lui avait manqué dans ce dernier accouchement ; elle ajoutait mille douceurs auxquelles Marie répondit, l'assurant qu'elle avait prié pour elle. Ils connurent les victoires des armées royales sur les ennemis, la montée des éclats, brouilles et retrouvailles entre Sa Majesté et Monsieur le Grand, les agissements de Richelieu et aussi les dangers où était la Reine de se voir enlever ses enfants ! Ils attendaient des jours meilleurs et voyaient peu venir l'amendement de leur infortune. Mme de Hautefort avait organisé, de concert avec sa sœur Charlotte, fort active et pleine d'invention, les habitudes d'une nouvelle vie adaptée à la ville du Mans ; écartant peu à peu les fâcheux, les éternels soupirants, les ennuyeux qui les avaient assaillies à leur installation, elles avaient établi un petit cercle de gentilshommes, gens honnêtes et de bel esprit, avec lesquels elles se plaisaient.

Les deux jeunes femmes étaient devenues les égéries de ce pauvre garçon malade, Paul Scarron, qu'elles plaignaient pour ses souffrances continuelles ; il trouvait le moyen de les égayer par des reparties les plus drôles du monde et leur tournait des rondeaux burlesques qui manquaient de faire mourir de rire. Elles le visitaient régulièrement, Charlotte répondait à ses rondeaux par d'autres rondeaux et elles lui faisaient porter force chapons, pâtés, pruneaux et autres provisions de bouche. Elles admiraient la manière dont ce jeune homme perclus faisait contre mauvaise fortune bon cœur. Son corps se déformait de mois en mois, au point qu'il ne pouvait guère quitter sa chaise ; en outre, dans le courant du printemps 1641, il apprit que son père, conseiller au Parlement de Paris, venait d'être démis de sa charge avec quelques autres, suite à certain refus de cette assemblée d'enregistrer un édit abusif. Le pauvre homme se trouvait sur le pavé et fort chagrin. Les deux sœurs conseillaient vivement à son fils d'écrire au Cardinal une supplique en vers telle que le ministre les aimait, afin de demander la grâce de son père. Il suffisait, disait-elle, de flatter Son Éminence en rappelant ses hauts faits et l'éclat de sa gloire. Ils griffonnèrent ensemble, riant de bon cœur pendant une brève rémission de la maladie, une épître qui commençait ainsi :

> Ô grand prélat, des hommes le plus sage,
> Étonnement et gloire de notre âge,
> Je ne dirai, car ce n'est pas assez :
> Prélat passant tous les prélats passés,
> Car, et passés, et présents, tous ensemble
> Vous surpassez de beaucoup ce me semble...

Scarron commença pour le Roi, aussi sur les conseils de Hautefort, qui était la personne du monde qui connaissait le mieux le caractère de Sa Majesté et savait que l'on n'attirerait son attention que si on la faisait rire, une requête qu'il n'eut pas le temps d'achever, dans laquelle il se présentait ainsi :

> Grand Monarque, chez qui Mesdames les Vertus
> Ont choisi leur demeure,
> Je suis un cul-de-jatte à qui membres tortus
> Font grand mal à toute heure.
> Je suis, depuis trois ans, atteint d'un mal hideux
> Qui tâche de m'abattre :
> J'en pleure comme un veau, bien souvent comme deux,
> Quelquefois comme quatre.

Puis il eut une rechute de ce terrible mal déformant qui le mena aux portes de la mort et l'empêcha pendant plusieurs mois d'achever ses suppliques.

A Saumur, Pierre de La Porte et son compagnon M. de La Berchère avaient lié connaissance avec une famille Cotignon qui habitait la Grand-Rue ; c'était, à mi-hauteur du château, une forte bâtisse grise à deux étages, dont le porche à parement de tuffeau luisait au soleil. M. Cotignon était conseiller au Parlement d'Anjou et fréquentait les oratoriens de Notre-Dame-des-Ardilliers ; M. de La Berchère et lui avaient pris langue, à l'occasion d'une mission que les Pères avaient organisée, et ils avaient longuement discouru boutique, pesant les soucis de la Bourgogne face aux prétentions de Monsieur le prince de Condé, les comparant à ceux de la province angevine. Les deux amis avaient été ainsi priés plusieurs fois à la collation chez le conseiller dans sa grande maison à mi-côte ; Pierre, à cette occasion, avait régalé la compagnie de cent histoires de la vie à la Cour. Pour ces oreilles provinciales, les faits et gestes de la Reine et de ses filles d'honneur, ses allées et venues entre les différents châteaux où elle séjournait, paraissaient autant de contes de fées. Les dames lui faisaient mille questions sur les toilettes, les sermons, les fêtes, les chasses ; les hommes se faisaient décrire le Cardinal.

M. Cotignon avait un frère cadet qui occupait à Paris les hautes fonctions de conseiller au Parlement et qui, ayant acquis du bien à quelques lieues de la grand-ville, se faisait appeler Cotignon de Chauvry, du nom de sa terre. Ce conseiller vint à Saumur avec sa famille, aux environs de Noël 1641, rendre visite à son frère ; durant son séjour, Pierre et La Berchère furent conviés plusieurs fois à goûter ainsi qu'à souper et à veiller dans la grande salle haute de la maison, illuminée par un grand feu que l'on entretenait dans l'âtre. Le sieur « de Chauvry » était un homme jovial et direct, qui exerçait à propos de tout une franchise de parole et une rondeur qui plaisaient à La Porte, jointes à une honnêteté scrupuleuse et à une piété qui l'enchantaient encore davantage. De son côté, le conseiller, qui était, comme toute personne mêlée aux affaires publiques, au fait des aventures passées de Sa Majesté la Reine et de la prison de son porte-manteau, était ravi de rencontrer ainsi, familièrement, le gentilhomme servant. Cet homme avait un fils et quatre filles, dont l'aînée, qui s'appelait Françoise, avait atteint vingt-quatre ans sans être encore pourvue. C'était une jeune personne de taille moyenne, d'assez jolie figure, dont la discrétion, la modestie et la grande dévotion aux choses sacrées dont elle témoignait à tous les instants touchèrent l'âme de Pierre. Il se prit à rêver, ayant cet objet sous les yeux, à l'idée de fonder un foyer à lui. Il avait trente-huit ans et, sans qu'il y eût de hâte, le gentilhomme songeait qu'il lui faudrait bientôt prendre une décision ferme en cette matière. Cotignon de Chauvry, qui avait des écus au soleil, lui faisait fort bonne chère et ne serait sans doute pas hostile à donner sa fille, bien dotée, à un gentilhomme qui avait charge à la Cour, en particulier si ce gentilhomme revenait en grâce, ce qui semblait prévisible, avec de singulières récompenses pour les immenses services rendus.

Tout le temps que la jeune fille demeura à Saumur, il fut enjoué et ne manqua aucune des visites auxquelles la courtoisie l'obligeait, ni aucune occasion d'entretenir Mlle Cotignon tandis qu'elle brodait auprès de la fenêtre avec ses sœurs. Un jour, il ne sut pourquoi, il lui parla de De Herce, lui contant la tragique aventure de cet enfant qui avait été son compagnon de cachot. Françoise fut si émue de cette malheureuse histoire que des larmes lui vinrent aux yeux, qui coulèrent sur son ouvrage – elle assura avec un regard très tendre qu'elle prierait pour l'âme de cet infortuné. Ce trait de pitié le toucha lui-même si fort qu'il se sentit comme transporté d'aise et le cœur épris.

Ce qui avait fait ressouvenir Pierre de ces infortunes, c'est qu'il avait reçu le livre que M. de Chavaille, lieutenant général d'Uzerche, était en train de composer lors de son séjour à la Bastille ; il venait de faire imprimer l'ouvrage à Paris et le lui envoyait pour ses étrennes, accompagné d'une fort aimable lettre où il lui souhaitait une bonne année 1642, qui, s'il plaisait à Dieu, verrait la fin de sa retraite et son retour à la Cour ! Le volume avait pour titre : *Observations morales et politiques en forme de maximes sur la vie des hommes illustres*, et il était dédié, de manière il est vrai fort

politique, « à Monseigneur le Cardinal, duc de Richelieu ».
Pierre le lut de A jusqu'à Z au cours de ses longues soirées
d'hiver. Le sieur du Pouget y assenait quelques principes et
vérités assez essentiels pour n'être pas profondément origi-
naux, mais dont beaucoup de gens pouvaient sans doute tirer
profit ; quelques-unes de ses observations eussent-elles
frappé l'exilé comme il eût convenu qu'elles le fissent, il s'en
serait fort bien trouvé dans la suite de sa carrière agitée...
Cette maxime-ci, par exemple, sur laquelle Pierre ne reposa
pas suffisamment son esprit, pour l'heure trop occupé par la
fille du conseiller : « La vertu trop sévère est un fâcheux
maître, principalement près des grands qui ne se plaisent pas
à être contrerollés. » Il y avait aussi ce conseil, utile pour un
homme qui hantait les palais des souverains : « La vérité n'est
pas toujours bonne, il la faut bien souvent taire ; ou s'il y a de
la nécessité à la déclarer, il est besoin de faire comme les
Pharmaciens & les Apothicaires, qui dorent la pilule pour la
mieux faire avaler. »

Mais, de toutes les leçons que contenait le livre de
Chavaille, celle qui aurait dû retenir le plus vivement
l'attention de Pierre de La Porte, pour la sécurité de son
avenir comme gentilhomme de la maison de la Reine et
bientôt de celle du Roi – une affirmation quasiment prophé-
tique, dont l'observation exacte eût modifié la tournure de
son existence, de la même manière qu'elle eût changé celle de
Marie de Hautefort –, était ainsi exprimée, à la page 339 de
l'ouvrage : « Il est très dangereux de se mêler des affaires des
Grands, mais plus encore d'émouvoir ou entretenir entr'eux
la division et la discorde ; d'autant qu'ils viennent à s'accorder le plus souvent, et laissent ceux qui les ont voulu diviser,
en peine. »

CHAPITRE V

– Et vous, petit bout de nez, mon petit galant, me chanterez-vous quelque chanson ?

Petit Louis regardait la vieille femme ridée qui s'était mise à croupetons dans la poussière devant lui et qui agitait devant ses yeux étonnés une énorme coiffure entourée d'une haute collerette de dentelle empesée. L'enfant prit un air honteux, porta un doigt dans sa bouche et secoua la tête.

– Vous ne savez point de chanson ? insista la duchesse.

De nouveau, il fit non. Le soleil luisait sur le jardin des Tuileries en cette fin d'après-midi du mois de mai. Le Dauphin, qui se dirigeait vers l'extrémité de la galerie conduisant au Louvre, venait de se promener en compagnie de sa gouvernante et d'un mousquetaire de la garde ; on lui avait donné sa collation dans le parc et sa figure était encore toute barbouillée de confitures collées à ses joues rondes. Il demeurait silencieux et interdit devant la vieille duchesse de Rallewaert, qui, sortant de chez Monsieur, frère du Roi, s'était écartée un instant de son carrosse pour le saluer.

– Vous ne savez point de chanson ! s'exclamait-elle d'une voix perchée. Vous m'en voulez conter, je pense. Je gage que c'est parce que vous ne me connaissez point. Sachez, Monsieur, que j'étais une fort bonne amie de feu votre grand-père et de Monsieur votre père aussi, quand il était un petit dauphin de votre âge. Vous pouvez voir qu'il me faut bien traiter. Chantez pour moi, s'il vous plaît.

La duchesse, qui semblait venir d'un autre âge, avait jadis appartenu aux filles d'honneur de la reine Marguerite ; elle avait reçu, pendant le temps de sa grande fraîcheur, qui était celui de la jeunesse de l'édit de Nantes, le fréquent hommage du roi Henri, notre sire, auquel elle avait donné deux enfants bâtards morts en bas âge. Elle continuait à se vêtir à la mode ancienne et portait toujours le vertugadin, dont elle disait en badinant qu'il lui servirait encore, à l'occasion, à cacher ses amants. Sa tête était agitée d'un léger tremblement, ce qui ne l'empêchait ni de rire aux éclats de toute sa bouche édentée, ni d'adresser autour d'elle des clins d'œil pleins de malice en débitant ses bons mots. Elle aimait raconter le temps où son défunt et extravagant époux, le duc de Rallewaert Van Cutsem, à qui le feu roi l'avait donnée avec une dot princière, l'éveillait la nuit en tirant des coups de pistolet sur les souris qui couraient dans sa chambre – cela afin de lui faire, en riant, tout botté et tout crotté de ses chevauchées, comme aux choux de son jardin.

– Soit, poursuivit-elle devant l'embarras du petit prince, je vais vous en apprendre une que vous redirez de bon cœur.

Elle se prit à chanter avec beaucoup d'entrain, de sa voix assez aigre, un peu cassée :

> A Paris sur un petit pont
> Le coil du pont, le poil du con,
> S'en allaient à la chasse.
> Le poil du con dit au coil du pont :
> Peu me chaut la bécasse
> J'aime mieux la perdrix !
> Mort de ma vie, dit le poil du vit !

– N'aimez-vous pas bien ma chanson, mon mignon ? dit la duchesse, étonnée du peu de plaisir que manifestait le Dauphin.

La vieille dame contemplait avec surprise ce gros garçon

411

joufflu qui allait bientôt avoir quatre ans et que Mme de Lansac tenait encore fermement en lisière. Il la fixait d'un air doux et stupide, et il paraissait que les fantaisies les plus primesautières ne parviendraient point à le dérider. Elle eut le sentiment qu'il ne comprenait pas le sens de ses paroles :

– Savez-vous seulement ce que sont les poils du con, Monseigneur ? s'enquit-elle d'un ton guilleret.

Petit Louis fit un signe de dénégation timide.

– Comme cela ? Ne savez-vous point ce que sont les petits conins des demoiselles ? Les petits conins velus ? N'avez-vous jamais grattouillé celui de mademoiselle votre nourrice quand elle vous tient au lit tout nu ?

A chacune de ses questions, le garçonnet continuait de secouer la tête avec un air de parfaite ignorance qui affligeait la duchesse.

– Ah ça ! dit-elle en se relevant, que lui enseignez-vous donc, ma fille ?

« Ma fille » prenait un air des plus pincés.

– Je lui enseigne, ne vous déplaise, madame, à ne pas offenser Dieu et à bien dire ses prières, comme il est de mon devoir. En outre, je ne crois pas que Sa Majesté la Reine approuverait cette conversation sur le velours des dames.

– Et Dieu, qui nous donne la vie par ces petits trous, n'est-il pas bien aise qu'on en parle aux enfants ? s'indigna Mme de Rallewaert, se moquant avec éclat. Quand je pense que son père au même âge mettait sa main sous mes jupes et qu'il tendait hardiment sa guillerie en relevant sa cotte pour qu'on la lui branlât ! Ah ! les temps deviennent bigots et revêches. Son grand-père, notre bon sire – Dieu ait son âme ! –, doit se retourner dans son tombeau à Saint-Denis ! Adieu, Monsieur.

Elle fit une brève révérence au prince interdit de cette algarade, s'en retourna d'un pas nerveux vers son carrosse où ses gens l'attendaient. Petit Louis, son garde et sa gouvernante montèrent à l'étage de la Grande Galerie, qu'ils arpentèrent lentement jusqu'au Louvre ; le petit garçon jouait au cheval et gambadait d'un côté à l'autre du passage, faisant résonner autant qu'il le pouvait les grosses planches du parquet sous ses petits souliers. Il tirait sur ses lisières, que la grosse femme tenait d'une main ferme, comme on le fait pour les rênes d'un attelage, criant : « Ho ! Là ! Hureau ! Hureau ! » afin de complaire aux jeux du prince.

– Laissez ! Laissez la bride ! disait l'enfant. Mam' Anzac, laissez la bride sur le col !

Mme de Lansac était devenue « Mam' Anzac » dans la bouche du petit prince, qui prononçait son nom comme s'il se fût agi de « Maman Zaques ».

– Un cheval ne parle pas, Monsieur ! Allez, allez toujours, répliquait-elle. Hureau ! Hureau !

En arrivant dans la grande chambre de la Reine, Petit Louis retrouva son féfé Philippe, le petit d'Anjou, que l'on avait levé de sa sieste ; à l'âge de vingt mois, celui-ci gambadait dans la pièce entre les jambes des demoiselles et des huissiers qui se trouvaient présents.

– Où est maman ? demanda le Dauphin.

On lui dit que la Reine était souffrante et qu'elle se reposait sur son lit. Mme de Lansac lui ayant noué les lisières – car on ne le tenait plus dans les appartements –, il prit la main de son petit frère pour le mener dans l'antichambre, où se trouvaient les gardes qui jouaient aux cartes et aux dés. Ils s'en vinrent ainsi trouver le tambour Chanlaine, qu'ils connaissaient bien, pour le supplier de battre la française, ou bien la suisse s'il aimait mieux.

Chanlaine, qui avait toujours quelque dragée dans sa poche ou un grain de fenouil confit, se faisait ordinairement beaucoup prier, en riant ; il accumulait d'abord toutes sortes d'excuses que les enfants devaient combattre et qui les divertissaient. Ou bien il couvrait son tambour de sa cape et disait à Petit Louis : « Monsieur, mon tambour est enrhumé ; il ne saurait jouer à cette heure. » Ou bien ses baguettes étaient allées au marché, ou encore visiter leurs

413

cousines : les baguettes d'un autre tambour qui prenait la relève du matin. Un autre jour, le soldat prétendait qu'elles étaient fâchées entre elles, ayant eu une violente querelle à propos d'un galant, un bâton de maréchal, qui les avait toutes deux demandées en mariage. Elles ne sauraient, disait-il, du tout s'accorder. Le plaisantin faisait en même temps le semblant de la chose : quand l'une des baguettes frappait, l'autre se relevait dans l'autre main et refusait de descendre. Les enfants les devaient d'abord raisonner, puis leur promettre à chacune un tricot en mariage avec une dot de trois mille écus, pour qu'elles consentissent à faire leur office. Après avoir ainsi bien bataillé et bien ri, la grande battait des rythmes, tandis que les enfants frappaient dans leurs mains ; il arrivait aussi que Chanlaine prît Monsieur d'Anjou à califourchon sur ses épaules et qu'ils fissent ainsi le tour de la salle, le Dauphin marchant devant, battant la chamade.

Ce jour-là, les deux enfants avaient réussi à convaincre le tambour de leur exécuter en sourdine une batterie à l'allemande, quand il se fit un déplacement de tous les gens qui étaient dans l'antichambre vers les fenêtres du midi, qui donnaient sur la rivière. La raison était qu'il y avait en bas, sur le port, une querelle entre des mariniers qui étaient venus aux mains avec des portefaix. Des hommes s'étaient empoignés de vive force sur l'un des bateaux plats et luttaient pour se jeter mutuellement à l'eau, tandis qu'un groupe d'hommes brandissant des rames et des gaffes faisait cercle autour d'eux sur les autres barques amarrées bord à bord. Plusieurs valets d'écurie qui amenaient boire les chevaux s'étaient massés sur le quai avec leurs bêtes, qu'ils tenaient par la bride, pour assister au pugilat, tandis qu'un groupe de crocheteurs, armés de gourdins, dont certains étaient entrés dans l'eau jusqu'à mi-cuisse, tentaient d'approcher le combat pour porter aide à leur camarade – toutefois, ils étaient durement repoussés par les bateliers à grands coups de manche d'aviron. Petit Louis avait couru pour voir, lui aussi, à une fenêtre ouverte, où un garde le haussa sur son bras, alors que Chanlaine, délaissant le tambour, élevait le bébé d'Anjou sur son col.

Les deux champions, des colosses qui faisaient bien chacun six pieds de haut, s'étaient séparés ; ils cognaient maintenant à coups de poing et à coups de pied parmi les balles de marchandises du bachot, qui tanguait assez rudement. L'un d'eux portait une blouse de grosse toile bleuâtre, l'autre une sorte de tunique courte, grise, en haillons – déjà les paris montaient dans la salle du Louvre, parmi les gardes et les courtisans massés aux fenêtres : « Vingt-cinq sols sur le gris ! – Deux écus sur le bleu ! » Il y avait même un fringant personnage tout en chapeau qui hurlait : « Un louis ! Je parie un louis ! » – c'était la pièce d'or toute neuve frappée par le Roi et qui valait dix livres. Les rires fusaient, une grande animation régnait dans la pièce, tandis que le cercle des mariniers s'était resserré sur le fleuve autour des combattants.

Petit Louis s'agita soudain pour descendre des bras de son garde ; il voulait voir sa maman, lui montrer, partager avec elle l'excitation du pugilat ! Il courut dans la pièce voisine où les dames étaient elles aussi pressées aux fenêtres, puis il passa dans la petite chambre, où l'huissier l'arrêta ; il avait ordre de ne laisser entrer personne dans le cabinet où Sa Majesté se reposait.

– Maman ! trépigna le bambin. Je veux maman !

– C'est impossible, Monseigneur ! regretta l'huissier.

Il avait des ordres très formels, même à l'égard des enfants royaux. Petit Louis se mit à pleurer. Mme de Lansac, qui galopait lourdement après lui, s'approcha, tâchant de lui prendre la main, afin de l'entraîner vers la fenêtre pour voir le combat des vilains.

– Ne soyez pas opiniâtre, Monsieur, ou bien vous serez fouetté ! gronda l'imposante matrone.

– *Mamá ! Mamá ! Qué yo quiero verla !* appelait l'enfant.

– Taisez-vous ! Vous savez que le Roi, avant de partir, a défendu que vous parliez espagnol. Si vous n'êtes pas obéissant, le diable viendra vous chercher avec ses grandes cornes pointues : il vous mettra sur sa grande fourche. Voulez-vous que je l'appelle, Monsieur ? continua la gouvernante devant les sanglots du Dauphin, qu'elle tirait par la main vers la grande chambre.

Elle l'entraîna vers la cheminée et feignit de se pencher sous le manteau, appelant :

– Diable !... Diable !... Venez s'il vous plaît, Monseigneur le Dauphin fait le fâcheux.

– Non ! Non !... supplia le petit prince, que l'évocation du grand démon cornu, épouvantablement cruel, avec lequel on le menaçait régulièrement, jetait dans des transes de terreur.

Il avala ses sanglots et articula :

– Mam' Anzac, ze suis plus fâsseux...

– A la bonne heure ! Vous voici raisonnable. Monsieur le diable, ne venez pas ! Restez où vous êtes, vilain diable, nous ne voulons pas de vous ici.

Quand ils se rapprochèrent des fenêtres, les dames s'écartèrent pour laisser passer l'enfant ; l'excitation avait crû parmi les courtisans, car les adversaires étaient maintenant tombés à l'eau. L'homme en bleu, qui était batelier, avait réussi en nageant à se raccrocher à une rame qui flottait, mais le portefaix avait été entraîné par le courant des eaux qui étaient hautes en cette saison de l'année, à cause des pluies de printemps qui avaient été incessantes au début de mai sur tout l'Auxerrois et dans la haute vallée de la rivière de Seine. Le flot bouillonnait sous les arches du pont Neuf, en amont, et la crue, la semaine d'avant, avait lavé les pieds d'une partie de l'île. L'homme, qui ne savait pas se tenir à la surface de l'eau, dérivait à présent vers la Grenouillère ; il avait crié d'abord, puis avait coulé une ou deux fois – il s'était tellement alourdi qu'il ne bougeait plus que par saccades. Le drôle, c'était clair, était en train de périr noyé, ce qui faisait beaucoup rire les dames agglutinées aux fenêtres de la grande chambre. Elles se penchaient au-dehors pour mieux suivre des yeux les morceaux de tunique grise qui ne flottaient plus que par instants sur les eaux de la rivière.

La Reine, ces derniers temps, demeurait presque tout le jour dans son cabinet, ou bien dans sa petite chambre, en proie – disait-elle – à des migraines affreuses qui lui faisaient fuir le bruit et l'agitation du monde. En réalité, elle se trouvait soumise depuis plusieurs semaines à une peur panique qu'elle cachait de son mieux : le Roi avait de nouveau manifesté son intention de lui enlever ses enfants. Cette situation, déjà tragique en elle-même, se doublait, en outre, d'une des plus terribles crises de conscience qu'elle eût jamais traversées, car elle était mêlée à une cabale qui s'était ourdie depuis de nombreux mois et qui, cette fois, paraissait inattaquable ; il s'agissait pour les factieux de rétablir la paix coûte que coûte avec l'Espagne en débarrassant le Roi de la tyrannie de son ministre cardinal. Cinq-Mars s'était placé de lui-même à la tête de ce complot contre son ancien protec-teur. A ses côtés, il y avait Gaston d'Orléans, frère du Roi, lequel s'était trouvé récemment chassé du Conseil ; le prince, qui avait passé sa vie à essayer de défaire le pays de Son Éminence, croyait fermement que l'heure du succès était enfin arrivée. Un troisième instigateur de la cabale était le duc de Bouillon, vicomte de Turenne, prince souverain de Sedan et ennemi mortel de Richelieu. Ils étaient aidés et soutenus par un jeune homme devenu l'ami intime de Monsieur le Grand, Auguste de Thou, fils d'un ancien ministre de Marie de Médicis, et aussi, fort activement, par une jeune femme naguère courtisée par Monsieur, et dont Cinq-Mars était le soupirant, la princesse Louise-Marie de Gonzague, qu'il voulait épouser. Richelieu, s'étant violem-ment opposé à leur mariage, avait déclaré à Monsieur le Grand, de manière fort méprisante, qu'elle n'était pas

« pour un aussi petit monsieur ». La jeune femme était, avec le brillant de Thou, l'âme pensante de l'intrigue, de concert avec un autre farouche ennemi du Cardinal : le marquis de Fontrailles, homme du duc d'Orléans, plus bossu et plus fielleux que jamais !

Un peu après Noël, les conjurés avaient mis la Reine au fait de leur dessein de paix, qu'elle avait vivement approuvé et encouragé de son mieux. Le projet avait pris sa forme définitive en janvier et consistait à vouloir signer un traité de paix avec l'Espagne, de sorte à faire cesser les folles dépenses guerrières qui mettaient le peuple à genoux et le forçait à se révolter ; du même coup, on abandonnerait ces alliances contre nature, pour un royaume aussi largement catholique, avec les puissances hérétiques d'Allemagne et des Pays-Bas. Ce traité avait été rédigé ; il ne restait plus qu'à éliminer Richelieu du pouvoir pour le faire accepter au Roi, lequel était de plus en plus indisposé par l'intransigeance de son ministre. Louis le vomissait fréquemment en paroles, soutenu en cela par Monsieur le Grand, qui faisait tout ce qui était en son pouvoir pour hâter une disgrâce définitive. La Reine le trouvait bon et ne souhaitait rien tant que la fin des hostilités avec « son » pays – surtout depuis qu'elle était en deuil de son frère, le Cardinal Infant, décédé au début de novembre.

Cette mort avait vivement affligé Anne d'Autriche, la faisant se ressouvenir de son enfance en Castille et du petit infant son frère, qu'elle n'avait jamais revu, mais auquel elle écrivait toujours – au point d'avoir risqué la répudiation pure et simple à cinq années de là. Quand Petit Louis l'avait vue pleurer, toute vêtue de noir, il avait demandé la cause de sa peine ; elle l'avait tenu longtemps serré contre elle et lui avait parlé de Madrid, d'autrefois, de ses merveilleux grands-parents, de son grand-père surtout : le roi Felipe, si bon. Elle lui avait conté Aranjuez, dans la vallée *del Tajo*, et ce palais si beau, si frais dans la verdure, qu'elle y revenait parfois en songe. Elle lui avait décrit le plus grand des châteaux du monde, tout de granit dur : *el Escorial*, dans la *sierra*, bâti par son grand-père à elle, bisaïeul du Dauphin, ce très grand et très puissant monarque, fils de l'empereur Charles Quint. Si parfaitement pieux, dévoué à Dieu corps et âme ! A l'Escorial, disait Anne, était une chapelle immense, si belle, si noble, qu'elle était assurément la vraie demeure de Dieu sur la terre. Petit Louis écarquillait des yeux très grands et disait qu'il voudrait bien voir la maison de Dieu dans la montagne et les longs corridors tout autour qui ne finissaient jamais — c'est du moins ainsi que se les rappelait sa maman. Pourquoi n'y allait-on pas tout de suite ou bien demain ? *Por qué mamá* ? Ah ! un jour peut-être ! Quand il n'y aurait plus la guerre. Pourquoi y avait-il la guerre ? *Por qué mamá* ? La mauvaise volonté des hommes, soupirait Anne. Elle aurait tant voulu, un jour, conduire ses enfants au pays de leurs ancêtres — revoir Valladolid, sa ville natale, berceau de ses jours, ses collines ocre. Elle se languissait du frais murmure des eaux du Tage, dans les roseaux, de la chapelle auguste où sa foi si vive s'était enflammée, où les moines chantaient la gloire infinie du Seigneur dans l'immense solitude des monts arides et sacrés : le monastère de San Lorenzo. Ana de Austria pleurait sur tous ces souvenirs ravivés par la mort du Cardinal Infant. Petit Louis passait ses petits bras autour de son cou délié, poussant de gros soupirs pour partager la peine des temps, et sa maman haïssait très fort la guerre, qui martyrisait les hommes et insultait à Dieu.

Le traité de paix que lui présentèrent les conjurés, très secrètement, venait comme mars en Carême ; fort à propos. Tout était prêt ; des contacts avaient été pris également avec Marie de Médicis, qui était arrivée à Cologne, où elle attendait, interrompant son voyage vers l'Italie ; elle devait s'y rendre pour finir ses jours après avoir été poliment, mais fermement, renvoyée d'Angleterre. La Reine Mère, totalement dépourvue d'argent, y vivait de charités princières, dans un relatif dénuement, tenaillée par l'espoir de rentrer en France, d'où son ancien protégé, fait cardinal par ses soins, l'avait chassée onze années plus tôt. Elle lui avait donné un royaume ! Elle se trouvait errante, harassée par les chemins, comme dans une vieille histoire racontée par un auteur anglais du temps. La vieille femme disait avec sentiment qu'elle ne voulait pas descendre en tombeau sans avoir embrassé ses petits-enfants et vu, de ses yeux affaiblis, le petit dauphin de France ! Chacun était attendri.

Anne ne pouvait que prêter les mains à une cabale aussi juste, aussi humaine et chrétienne à la fois, en faveur de la paix, de Dieu et de la famille. Écarter Richelieu était une bonne action qui sauverait le Roi son mari de l'état de péché insupportable où le contraignait la politique belliqueuse de son ministre – il fallait, en effet, délivrer le souverain de ses chaînes. Si Louis venait à mourir, malade comme il continuait à être, elle serait régente, en compagnie sans doute du duc d'Orléans son beau-frère ; ils pourraient alors apaiser les esprits. Cependant, la Reine demeurait échaudée par les revirements de fortune aussi sanglants que spectaculaires qui s'étaient succédé durant les vingt dernières années, lorsqu'il y avait eu des intrigues contre le Cardinal. Elle avait voulu prendre des précautions élémentaires au cas où, encore une fois, les événements iraient au pire et les armes se retourneraient contre les agresseurs – le complot pouvait être découvert et châtié avec la dernière rigueur. Aussi avait-elle convoqué, un jour, un ami de Son Éminence, le Père Carré, l'ancien confesseur de La Fayette, qui avait joué un rôle déterminant dans le départ de cette demoiselle pour le couvent. Le jésuite s'était encore rapproché du Cardinal depuis la mort du Père Joseph, l'« éminence grise » ; il passait à présent pour le rapporteur des propos et devis tenus à la Cour sur le gouvernement, comme le chef de son espionnage intérieur.

La Reine supplia donc le Père d'abord d'intervenir de toute son influence pour le retour en grâce de Marie de Hautefort, exilée au Mans, son amie, dont l'absence la faisait cruellement souffrir ; c'était la raison, lui confia-t-elle, qui l'avait amenée à lui demander de venir la voir. Mais la conversation devenant générale et roulant, comme cela arrive, sur les affaires du temps, ils en étaient venus à parler des personnages en vue. Inévitablement, ils évoquèrent le héros du jour, le favori qui défrayait tant la chronique : l'élégant Monsieur le Grand. Anne avait confié au Père Carré combien ce jeune homme était peu de son goût et surtout combien l'hostilité que Cinq-Mars affichait maintenant envers Richelieu, qui avait été son protecteur, qui l'avait élevé comme l'aurait fait un père, était choquante. Cette aversion qu'il montrait aujourd'hui, cette superbe qu'il arborait dans l'entourage du Roi vis-à-vis de son bienfaiteur avaient, selon elle, quelque chose de profondément grossier et révoltant. Tant d'ingratitude était insupportable à tout cœur sensible. Ce bon Monsieur le Cardinal qui lui avait fait tant de bien !...

La Reine se lança dans un bel éloge du Cardinal : sa droiture, sa dévotion aux affaires, son habileté, sa piété, sa bonté, son amour des arts et son goût exquis pour les belles choses. Son talent d'auteur, comparable à celui des meilleurs poètes du temps – bien supérieur, au fond, à ce roturier de Rouen qui faisait tant de bruit avec ses tragédies manquées. Il était odieux, disait la Reine en confidence, sachant que tout serait répété mot pour mot à Richelieu, il était inadmissible que ce béjaune de Cinq-Mars fît autant le faraud aux dépens d'un tel Mentor.

– Je ne l'aime point, confia-t-elle. Si mal lui arrive, il ne sera plaint de ma personne.

Ainsi, au cas où les espions du Cardinal parviendraient à percer le complot qui se tramait contre lui, dans l'hypothèse où le secret du traité avec l'Espagne viendrait à être découvert, on saurait que Sa Majesté n'avait rien à faire avec Monsieur le Grand, dont elle n'était point du tout l'amie.

Pourtant, l'affaire traînait désespérément en longueur. Quand le Roi était parti vers le Sud, aux premiers jours de février, accompagné de ses ministres, ses intrigants et toute sa Cour, Anne était demeurée à Paris avec les enfants, s'installant au Louvre pour plus de facilité. La résidence parisienne était enserrée dans un espace plus réduit qu'à Saint-Germain, où les navettes continuelles entre les deux châteaux devenaient incommodes pendant l'hiver ; et puis, dans la capitale, elle était mieux au centre des nouvelles qui circulaient. Louis XIII s'était mis à la tête de ses armées pour aller combattre directement les Espagnols sur leur frontière, en Roussillon. En effet, pour affaiblir Philippe IV et ébranler la stabilité du gouvernement de son ministre Olivares, Richelieu était parvenu, à force de truchements, à faire se soulever le Portugal, qui réclamait son indépendance ; il avait réussi, d'autre part, à faire désigner le roi de France comte de Barcelone par les Catalans qui s'étaient révoltés contre les exigences de la Castille. C'était à ce titre, nouveau, de chef de la Catalogne que Louis partait libérer « ses » villes catalanes de la tutelle des garnisons espagnoles qui les occupaient : Collioure, Salses et surtout la grande cité de Perpignan.

Les conjurés souhaitaient donc agir au plus vite. Cinq-Mars, qui organisait l'exécution de leur projet d'éviction de Richelieu, travaillait constamment le Roi pour l'irriter davantage contre son impérieux ministre. Faute de pouvoir le résoudre à le congédier – ce dont le Roi s'était lui-même déclaré incapable –, la solution de l'assassinat avait été caressée. A vrai dire, la proposition de Monsieur le Grand, un jour, à l'étape, quelques lieues passé la ville de Moulins, profitant de ce que le monarque était particulièrement en colère, avait quelque peu surpris Louis. Il suffirait, disait le gentilhomme, de faire assassiner Armand au moment où il viendrait dans le logement royal, où les gardes personnels de Son Éminence n'entraient jamais. Cette « voie la plus courte et la plus sûre » avait laissé le Roi rêveur. Après une longue rêverie, au cours de laquelle Cinq-Mars se demandait s'il n'avait pas risqué sa chance un peu loin, Louis avait enfin répondu : « Il est cardinal et prêtre, je serais excommunié. » La remarque constituait une défense un peu ambiguë du vieux collaborateur ; il y avait là, pensaient les conjurés, une interdiction singulièrement indécise. Pourtant, l'occasion s'étant présentée à Lyon, le courage manqua tout simplement au jeune homme pour mettre à exécution ses noirs desseins.

Le voyage avait donc continué sans embûche vers le Roussillon. En passant par Valence, dans la dernière semaine de février, le Roi avait donné la barrette de cardinal à un homme qui n'était pas prêtre, mais un auxiliaire précieux de Son Éminence : l'Italien Giulio Mazarini, à son service depuis quelques années. La Cour atteignit Narbonne, à la mi-mars ; rien de fâcheux n'était encore survenu au ministre, qui continuait à régir et à régenter avec son autorité coutumière. La Reine recevait les nouvelles des péripéties avec un retard qui grandissait à mesure que l'équipage royal s'éloignait de Paris. Sa conscience commença toutefois à s'alarmer lorsqu'elle eut vent des intentions manquées de Cinq-Mars. Certes, il lui tardait que le Cardinal fût contraint de quitter son office, mais sans être forcé de quitter le bas monde ! A tout le moins, elle n'avait jamais envisagé, en favorisant la cabale, de se rendre complice d'un assassinat. L'idée même lui faisait horreur. Avait-elle eu raison de donner sa confiance à ces gens ?

L'inquiétude commença à la saisir : elle devint, au début du mois d'avril, de plus en plus sombre et agitée ; elle était distraite. En l'absence d'amies réellement sûres à qui elle eût pu entièrement se confier – elle ressentait d'autant plus cruellement l'exil de Hautefort –, Anne demeurait de longues heures dans son petit cabinet ou sur son lit. Sa seule distraction dans cette attente énervante qui la laissait sans mouvement consistait à jouer avec les enfants, à les distraire, les promener ; elle tenait même à participer le plus souvent au soin de leur toilette, les habillant elle-même avec l'aide des nourrices – en l'absence de la grosse gouvernante, qu'elle ne pouvait souffrir et qu'elle dispensait de ses offices à toute occasion. Le Dauphin était attentif et caressant ; le petit prince Philippe gazouillait comme un pinson – il était vif et gai d'ordinaire, mais d'humeur changeante et sujet à des opiniâtretés qu'il fallait châtier sur-le-champ. Petit Louis manifestait une grave importance vis-à-vis de son « féfé d'Anzou », dont il s'ingéniait à tempérer la mièvrerie dans toute la mesure de ses faibles moyens. Il aidait maman, s'indignait avec elle ou bien félicitait l'enfant si elle le faisait. Ils lui apprenaient ensemble à jouer à *Palmas, palmitas, Higos y castañitas* en frappant dans ses mains ; ils se divertissaient fort à lui faire chercher des petits sucres rosat au jeu de cache-cache mitoulas et aussi à lui chanter des romances.

A Pâques, la Reine avait même restreint ses dévotions, pendant la semaine sainte où elle faisait ordinairement retraite, afin de ne pas manquer aux deux bambins. Le Vendredi saint, jour de la commémoration du supplice de Jésus, elle emmena le Dauphin suivre avec elle le chemin de croix à la Sainte-Chapelle ; elle lui fit un conte de la vie et de la mort du Christ, notre sauveur, crucifié pour nos péchés sur un coteau de Jérusalem, dans un pays lointain appelé Palestine, où poussait l'olivier. Il y coulait un fleuve saint, nommé Jourdain.

Le lundi de Pâques, pour fêter dans la joie la résurrection du Seigneur, Sa Majesté fit faire aux deux petits princes une promenade en chaise à porteurs. C'était une invention nouvelle qui se développait depuis quelques mois dans Paris et que M. de Cavoy, capitaine des gardes de Richelieu, avait fait venir d'Angleterre. Cela consistait en une chaise couverte, en forme de boîte munie d'un toit et de montants en bois, dans laquelle on entrait par une petite porte avec fenêtre : tout à fait semblable à un petit carrosse qui n'aurait eu ni roues ni timon. Au lieu de cela, la « chaise » était équipée d'un grand bâton sur chacun de ses côtés ; ces deux bâtons, dépassant largement à l'avant et à l'arrière, formaient comme des brancards qui permettaient à deux hommes robustes de la soulever et de la transporter à bras dans les rues avec son occupant assis tranquillement sur des coussins ! Ce moyen de transport, que Petit Louis voyait passer souvent devant les Tuileries ou qui arrivait avec certains personnages dans la cour du Louvre par mauvais temps, ravissait d'aise le Dauphin ; il avait demandé plusieurs fois à Mme de Lansac de lui faire essayer une chaise, sans succès. La Reine décida donc d'une petite sortie pour amuser les enfants, le temps étant devenu beau après une semaine maussade ponctuée de giboulées. Elle fit venir une jolie chaise de celles qui étaient en station à la Croix-du-Tiroir – ne voulant solliciter personne, ce qui piqua deux marquises et une comtesse qui possédaient des chaises et des porteurs. Elle fit ensuite atteler l'un de ses petits carrosses à deux chevaux pour suivre elle-même la promenade et profiter de la joie des princes.

Sangle au dos, bâtons à la main, les porte-chaise s'ébranlèrent pour la promenade, sortant du Louvre par la porte du corps de garde. Deux mousquetaires marchaient de part et d'autre, tandis que la Reine suivait dans son carrosse, à quelques pas. Rejoignant les quais, ils tournèrent bientôt sur le pont Neuf, où allait et venait une grande presse de gens ; hommes, femmes, filles et garçons se penchaient vers la chaise sans façon pour s'émerveiller des deux petits promeneurs. Que d'yeux, de bouches et de nez ! Tandis que le cortège royal était arrêté par un embarras devant l'entrée de la place Dauphine, un laquais de derrière le carrosse vint s'assurer que les enfants n'étaient point effrayés ou gênés d'aucune façon, puis s'en revint faire son rapport à la Reine. Petit Louis avait posé son bras d'un air protecteur autour des épaules du petit d'Anjou ; il regardait avidement les badauds qui défilaient sous leurs yeux, les chevaux qui marchaient en sens inverse et se frayaient un passage sous la pression de leurs cavaliers. Pour pénétrer sur la place Dauphine, il fallut que deux des laquais vinssent ouvrir un passage aux porteurs, poussant les corps de-ci et de-là, et criant très haut : « Gare ! Gare ! Place à la Reine ! »

Ils allèrent ainsi le long du palais, puis jusqu'au Petit Pont, sur lequel ils s'engagèrent à main droite et remontèrent lentement toute la rue Saint-Jacques. Ils longèrent la grande institution des Pères jésuites, les collèges de Marmoutier et de Clermont, franchirent la porte sur le fossé et poursuivirent le long du faubourg Saint-Jacques du Haut-Pas jusqu'au Val-de-Grâce, où ils pénétrèrent. Dans la cour du couvent, la Reine renvoya la chaise, dont les enfants étaient descendus ravis et tout agités du spectacle qu'ils avaient observé sur la route, faisant donner aux deux porteurs des pourboires dignes des princiers occupants qu'ils avaient portés jusque-là. L'équipage était attendu par les religieuses qui dirigeaient la maison en l'absence de leur Mère supérieure, laquelle était toujours dans l'exil où l'avaient conduite les événements de l'été 1637. Anne aimait à retrouver ces lieux qui lui étaient chers entre tous : ce couvent qu'elle avait naguère fondé elle-même, le jour de ses vingt ans, sur cet emplacement acheté à cet effet dans le tumulte et le tourment que lui avait causés la mort de son père. Elle s'était tournée vers Dieu, alors, avec violence et résignation, décidant de vivre comme une sainte. Ce cloître, elle en avait posé la première pierre, avec une ferveur qu'elle comparait, en ce temps-là, à celle de son grand-père inaugurant les premiers travaux de l'Escorial !

L'accueil fut immensément chaleureux et réconfortant : les nonnes, qu'elle avait fait prévenir à quelques jours de là de sa visite et qui avaient vécu depuis dans cette attente, pleuraient de joie de la revoir. Elles se précipitèrent toutes à genoux devant elle, baisant sa robe comme à une sainte véritable, joignant les mains et psalmodiant des invocations à l'adresse du Ciel, qui leur renvoyait leur patronne et bienfaitrice. Anne, tout éperdue, versait elle aussi des larmes à flots, relevait ses chères femmes, les embrassait et s'exclamait tout le temps :

— Mon Dieu, mon Dieu ! Que je suis joyeuse de vous revoir !

Au milieu de ces épanchements, les religieuses faisaient une fête extraordinaire au Dauphin, dont elles baisaient aussi la robe et la main, tout de même que celle du petit

426

d'Anjou, qui riait dans les bras de la nourrice. Petit Louis écarquillait les yeux de surprise et de contentement de voir cette scène avec toutes ces femmes qu'il ne connaissait pas et qui aimaient tant sa maman. Il n'y avait pas de mots trop beaux pour le décrire lui-même, au centre des admirations monastiques, comme s'il eût été une apparition du Ciel ; il n'était à cette heure que « Monseigneur », « Mon Prince » et même un tout petit peu le « divin enfant » !

La Reine voulut tout revoir, tout visiter, même les jardins. Au fond du monastère, elle entra avec beaucoup d'émotion dans son pavillon personnel, introduisant les enfants dans le beau péristyle du porche, orné de colonnes ioniques baguées, qui formait l'entrée d'honneur au salon du rez-de-chaussée. Elle était véritablement « chez elle » ; le personnel du couvent entretenait son salon et sa chambre avec une grande vénération. Petit Louis parcourut avec surprise une haute pièce lambrissée de bois sculpté, décorée de peintures très belles qui retraçaient la vie de Mgr saint Benoît, patron de la communauté. Ce séjour secret était donc « chez maman » ?

Les religieuses servirent une collation somptueuse, constituée de tous les gâteaux divers qu'elles avaient fait cuire depuis la veille, en forme de célébration. Les enfants burent de l'aigre de cèdre, au sucre et au citron, qui avait été délicieusement rafraîchi dans les caves. La Reine s'entretint avec les Sœurs de son projet passionnément intime, qu'elle ne pouvait mettre à exécution tant que la situation du gouvernement du royaume lui demeurerait hostile et tant que ne seraient pas effacées les séquelles des persécutions qu'elle avait subies. Ce projet était de construire une somptueuse chapelle pour le Val-de-Grâce, selon le vœu solennel qu'elle avait fait lors de sa première grossesse, afin que Dieu lui donnât un Dauphin. Dieu avait fait sa part, le Dauphin était là, plein de santé, il n'était que trop juste qu'elle le présentât à ces femmes qui avaient passé tant d'heures en prière pour sa conception ! Dieu les avait exaucées : à elle maintenant d'accomplir son vœu. Anne prit un air mystérieux pour dire que cela pourrait être plus tôt qu'on ne le pensait. C'était en effet l'un des espoirs secrets qu'elle mettait dans l'élimination de Richelieu – laquelle, maintenant, ne pouvait tarder ! Enfin, il fallut se quitter, l'après-midi touchant à sa fin. Le petit frère avait pris le sein de sa nourrice devant ces femmes émerveillées d'une telle prodigalité de Notre-Seigneur, qui a donné du lait aux mères. On remonta en carrosse après de bien tendres adieux.

En redescendant vers la rivière, Anne voulut entrer par la nouvelle porte Dauphine, que l'on venait d'achever de bâtir à la suite du prolongement de la rue qui accédait directement au pont Neuf. Elle fit passer son cocher devant le palais d'Orléans et songea, avec espoir, au retour prochain de la Reine Mère dans la demeure que la vieille femme avait si onéreusement fait construire pour ses vieux jours. Elle se dit que Marie de Médicis devait se réjouir bien fort de cette cabale là-bas, à Cologne, où l'on disait qu'elle manquait de tout – souveraine déchue souffrant de misère.

– Voici la maison de votre grand-maman, dit-elle à Petit Louis.

Mais l'enfant, rompu par tant d'émotions, s'était assoupi, bercé par le léger balancement du carrosse, la tête posée contre le flanc de sa mère. Le petit Monsieur d'Anjou dormait profondément dans le giron de sa nourrice. Anne glissa doucement ses doigts longs et souples dans les cheveux du Dauphin, l'enveloppant de son autre bras pour le retenir. Elle sourit à la nourrice, qui répondit par un haussement de sourcil joyeux, indiquant que le petit homme était bien las – partant, bien sage. En descendant le long de l'hôtel de Condé, la souveraine se demandait où Dieu lui permettrait de finir ses jours à elle. Elle fit le vœu que ce fût dans ce monastère où elle vivrait saintement les dernières années de son âge, dans la prière, le recueillement. Ce serait un bon endroit pour passer de vie à trépas, meilleur que le plus étincelant des palais, œuvres de la vanité mondaine, surtout quand elle aurait bâti sa grande basilique, qu'elle voulait magnifique. Elle désirait une grande coupole claire, comme celle de l'Escorial, qui inonderait l'autel de la pure lumière des cieux. Le Val-de-Grâce serait son Escorial à elle, reine de France. « Bientôt, songeait-elle. Je pourrai bientôt revenir prier dans mon couvent. »

Ils atteignirent ainsi le carrefour de Buci par la rue Neuve-des-Fossés. Elle se demandait où en était l'affaire, ayant su que M. de Fontrailles avait été à Madrid, où il avait fait signer le traité secret par le roi Felipe et son ministre Olivares, qu'il en était revenu – que le Roi avait pris la ville de Collioure, tout récemment, et qu'il allait mettre le siège devant Perpignan. Puis il n'y avait plus eu de nouvelles. Elle priait le Seigneur que tout allât par la douceur et surtout qu'il n'y eût pas une goutte de sang répandu.

Quinze jours plus tard, quand les nouvelles étaient arrivées, elles étaient atroces. Le Roi écrivait de Perpignan qu'il avait décidé d'enlever les deux enfants à la Reine pour les faire élever hors de sa présence ! Anne d'Autriche reçut ce nouveau pas de clerc comme un coup de massue. Le soir même, elle se coucha en proie à une violente fièvre et pleura toute la journée du lendemain.

Sous les murs de Perpignan, Louis XIII ne décolérait guère. Monsieur le Grand – pourtant en possession du traité signé par les Espagnols – irritait de nouveau Sa Majesté au lieu de la cajoler, comme il avait su le faire ces derniers temps afin de lui inspirer de plus en plus d'aigreur contre Richelieu. Le favori s'impatientait de la présence continuelle, des exigences tatillonnes de son maître, qui mettait un frein à ses courses et à ses affaires de cœur auprès des dames catalanes. Plus le monarque le désirait auprès de sa personne, plus il cherchait à s'en éloigner. Le jeune homme proférait des

sottises, face à de vieux combattants, des capitaines chevron-
nés, sous le prétexte vaniteux, à la mode des petits salons,
que « quand on a du bon sens et de la lumière, on sait les
choses sans les avoir vues » ! Le Roi était donc perpétuelle-
ment furieux, contre Cinq-Mars, contre Richelieu – qui, de
surcroît, était tombé malade. Le Cardinal était à cause de cela
demeuré à Narbonne.

Il était irrité par les Espagnols, puisqu'ils étaient ses
ennemis, et par ses nouveaux amis eux-mêmes, les Catalans,
qui l'avaient choisi pour comte. Tous gens de même farine !
Louis était agacé par ces peuples du Sud, bavards, diserts,
jacassant comme des singes dans une langue sèche et criarde.
Il les vomissait. C'était l'Éminence qui lui avait encore joué
ce tour de le faire nommer suzerain d'une peuplade de
chimpanzés. Pût-il crever, l'important personnage ! Et ce
jeune amoureux perdu de vices, si peu complaisant ! Le plus
ingrat jeune homme du monde ! Un élégant pour qui un
royaume ne suffirait pas à payer les dépenses, un muguet qui
avait à l'heure actuelle trois cents paires de bottes ! Un
insolent qui le faisait attendre des heures entières dans son
carrosse tandis qu'il crapulait ! Un cadeau de Richelieu :
toujours ! Louis crachait violemment par-dessus la tête de
son cheval, dans la poussière rocailleuse de ce pays aride où il
commençait de faire réellement trop chaud, déjà, en avril. Il
souffrait de ce printemps précoce, de ces fleurs partout, de
ces senteurs de glycines sauvages, de cette sève qui palpitait
dans les ramures enverdies, dans les corps, dans les esprits –
ce renouveau mortel avec lequel chaque année sa chair entrait
en bataille. Il avait déjà bien du mal à affronter le printemps,
toujours un peu pluvieux et gâté, de l'Ile-de-France. Ce
temps radieux, là, ce ciel serein, ces brises odorantes,
l'achevaient. Il était fatigué, lassé et brûlé en même temps par
un feu dévorant qui le rendait à chaque instant d'une humeur
exécrable.

En somme, ce siège de Perpignan lui rappelait un ancien
cauchemar : le siège de Montauban, vingt ans plus tôt, en

compagnie de De Luynes. Une campagne misérable en terrain détestable qui s'était terminée par la maladie et la mort de son ancien favori. Y avait-il une correspondance ? se demandait Louis. Un signe du Ciel ? Une malédiction de ces pays secs à l'égard des seigneurs des vastes et riches plaines du septentrion ? Le Roi soupirait après des vallées fraîches, de hautes futaies glaciales toutes tendues de fils de la Vierge dans les petits matins d'automne, quand les cors sonnaient à courre. Il voulait de tout son cœur des guérets embrumés fleurant bon la mousse, embaumant les feuilles pourries, le bois chablis, les relents de putois, la fiente de fouine. Aux Enfers ces mimosas entêtants, ces œillets capiteux qui insultaient à son âme chagrine, à sa tristesse, à son angoisse constante et exacerbée ; tout comme ces brises molles, musquées, l'offensaient.

Ce fut dans cet état d'esprit inquiet et xénophobe qu'il reçut des bruits de Paris sur le tran-tran quotidien de son Espagnole. Les officieux qui entouraient la Reine désiraient se rendre importants ; ils enflaient les menues actions innocentes pour les rendre dignes d'entrer dans leurs rapports – Mme de Lansac, purement écartée à certains moments de l'éducation des princes par l'assiduité et l'affection de leur mère, faisait grand ramage sur la mollesse en laquelle on les entretenait, l'absence totale de verges et de fouets. L'humeur du Dauphin était si gâtée qu'il ne supportait plus qu'elle le tançât ! Elle jetait grand vitupère sur les caresses royales et le maternel instinct. La grosse femme se faisait pythie, prédisait les pires issues, les destins les plus malotrus, et clamait bien haut que dans ces conditions elle dégageait sa responsabilité personnelle : si le Dauphin faisait mal, ce ne serait point de son fait à elle. Elle se défendait par avance d'accusations que nul ne songeait encore à lui faire, les inventant comme à plaisir afin de mieux vilipender les actions présentes.

Sa Majesté Louis, harassé par le pollen des fleurs, apprenait ainsi dans le Roussillon, par les ricochets de la malveillance, que son fils ne parlait plus qu'espagnol, qu'il était un petit prince étranger élevé au Louvre et que l'on pourrait tout de bon l'envoyer à Madrid, où on ne lui inculquerait pas mieux l'amour des Ibères. Le Roi apprit aussi, car il est toujours des personnes diligentes pour desservir leur prochain, que la Reine était allée au Val-de-Grâce avec ses enfants. Le sang déjà fort échauffé du roi de France ne fit qu'un tour : il décréta la cause entendue et ordonna qu'on retirât à la Reine la garde de ses enfants dans les délais les plus courts. Il les fallait placer avec leur gouvernante, leurs nourrices et tout le reste de leur domestique dans une résidence à l'écart, comme Chantilly, où ils ne vissent jamais leur mère.

A Paris, l'alarme était donc très grande ! Anne se tournait et retournait sur son lit, sans repos ni sommeil. Quand elle eut bien pleuré, le troisième jour, qui était le dernier d'avril, elle décida d'écrire à Richelieu – le seul homme jusqu'à présent (et la preuve du contraire tardait à venir) qui eût sur le Roi une influence décisive. Elle le supplia de parler à Sa Majesté afin de la faire revenir sur une décision provoquée par de mauvais avis, si cruelle qu'elle ne pourrait y survivre. « Me séparer de mes enfants dans la tendresse de leur âge, écrivit-elle, m'a fait une douleur si grande que je n'ai pas assez de force pour y résister. » Elle connaissait trop bien les façons de son époux pour penser lui écrire à lui-même, sachant que les supplications à lui adressées ne serviraient qu'à le roidir dans ses résolutions ; il serait ensuite impossible à quiconque de l'en bouger. Anne était réduite, une fois de plus, à mettre tous ses espoirs dans la bénévolence de son ennemi, le Cardinal.

Elle attendait... La réponse de Son Éminence, qui restait malade à Narbonne, tardait à venir. L'inquiétude lui donnait réellement des migraines, qu'elle tâchait de noyer dans le sommeil. Elle avait fait venir par M. de Lisieux, son aumônier, des reliques qu'elle avait fait monter en petit pendentif ; elle les avait placées au cou du Dauphin, suspendues à un petit ruban de velours bleu. C'était une protection qu'il ne devait jamais quitter, même en dormant : ces reliques sur la poitrine de Petit Louis étaient comme un bouclier contre le mauvais sort ; Anne espérait que le talisman serait suffisant pour détourner le Roi son père de ses desseins obscurs. L'enfant s'étonnait des absences répétées de sa maman, de ses isolements dans son cabinet, qu'on lui interdisait alors. Il passait de plus en plus de temps aux Tuileries avec sa gouvernante ; avec la belle saison du mois de mai, il s'ennuyait un peu tandis que la grosse femme parlait avec le mousquetaire de garde ou plus souvent avec quelque femme qui les accompagnait. Elle le tenait constamment à bout de lisières, de sorte qu'il ne pouvait s'écarter d'elle de plus de deux pas ; il était contraint d'observer en silence les fleurs naissantes et les papillons qui les butinaient ; les bourdons, noirs et velus, trempaient leur cul dans les corolles.

Le soir, cependant, Anne se montrait un peu plus active ; elle se ressaisissait, persuadée que le lendemain allait lui apporter des nouvelles : soit la perte du ministre, soit sa réponse, soit quelque éclat nouveau. Cette attente, ce silence aussi bien de la part des conjurés que de celle de la victime, n'étaient plus du tout supportables !

Elle faisait manger les enfants avec elle – Petit Louis était alors joyeux, il voulait faire le petit valet de maman, lui donner la serviette. Au début du repas, le gentilhomme servant, maître d'hôtel en quartier, devait présenter la serviette mouillée pour que Sa Majesté s'essuyât les mains afin de pouvoir prendre les viandes avec ses doigts et les porter à sa bouche. L'offre de la serviette était un geste rituel de la mise à table qui prenait la forme d'une faveur très insigne quand il était effectué par quelqu'un d'autre que l'officier de bouche ; ce service était fort recherché des courtisans. Dès lors, le Dauphin ne voulait point donner sa place pour servir de gentilhomme à maman !

Ils soupaient ensemble le plus souvent avec des œufs, quand le petit frère était couché, emporté par sa nourrice dans une chambre au-dessus du cabinet de la Reine. Anne, habituée depuis son enfance en Espagne à manger des œufs en toute circonstance, en faisait une grande consommation ; surtout au printemps, dans la profusion revenue d'œufs de cane et de poule, où elle en faisait son ordinaire du soir. On les lui servait farcis, ou bien frits, fricassés, ou encore au miroir, qui était une manière de les cuire sur le plat sans être brouillés ; elle aimait les œufs à l'oseille, ceux de cane principalement, au verjus, au lait, mais également à la coque ou mollets, rouges, filés, pochés, ainsi parfois qu'à la huguenote quand on y mettait du jus de mouton. Les maîtres queux de la cuisine bouche étaient particulièrement choisis pour leur aptitude à faire cuire les œufs et celui qui entrait en quartier au début d'avril savait cinquante sortes de les accommoder. Cependant, l'une des manières les plus simples était aussi une des plus goûtées : la Reine se faisait souvent servir des œufs durs. Les enfants, du reste, adoraient les œufs durs, même le tout petit bonhomme Philippe, qui mordait dedans de toute la force de ses petites dents neuves.

– *Un huevo ?* Veux-tu ?... *Huevecito para el niño ?*

Toutefois, à mesure que les jours passaient, la Reine se sentait de plus en plus sur le gril, impatiente qu'elle était de recevoir des nouvelles du Roussillon, ayant appris la maladie de Son Éminence, dont la santé fragile ne s'améliorait pas. Il semblait au contraire que le Cardinal souffrît davantage, selon les témoins. Le dernier jour du mois de mai, alors que rien ne transpirait des intentions réelles des conjurés, que le siège de Perpignan se poursuivait sans relâche sous les ordres du Roi, elle apprit que Richelieu avait quitté Narbonne depuis une semaine pour se rendre à Tarascon. En route, ses douleurs étaient si vives qu'il ne pouvait supporter les cahots de la voiture ; il se faisait porter en litière, à dos d'homme, par deux douzaines de valets qui se relayaient toutes les heures.

Mais il y avait infiniment plus grave : le ministre était,

semblait-il, parfaitement au courant de la vaste conspiration qui se tramait contre lui avec l'aide de l'Espagne. Il en avertissait le Roi, lui faisant savoir avec la dernière insistance qu'il y avait, comme on dit, de la merde au bâton ; le Roi demeurant incrédule, il envoyait sans cesse les secrétaires d'État Des Noyers et Chavigny à l'assaut des certitudes du monarque pour expliquer qu'on le bernait. La rumeur du complot s'enflait en même temps en Allemagne, où se trouvait la Reine Mère, et jusqu'à Bruxelles, d'où Anne en eut des échos. Elle sentit dès lors que le vieux renard était encore une fois en train de gagner : à la fin, il reprendrait le dessus en toute chose, aussi bien sur la maladie que sur ceux qui voulaient sa perte. Elle se souvint de dix années auparavant, lorsqu'ils l'avaient cru mourant à Bordeaux – les incursions vers le Sud étaient décidément néfastes à son tempérament ! Cette fois encore, il allait ressortir vainqueur et s'incruster davantage dans l'esprit du Roi : les conspirateurs paieraient les frais.

Sur ces entrefaites, le surintendant de sa maison, le comte de Brassac, vint trouver la Reine un matin vers 10 heures. Elle était encore au lit, mais les valets de chambre lui avaient apporté sa tisane à la fleur d'oranger qu'ils lui servaient pour déjeuner – Anne reçut le comte dans son petit cabinet, car il avait d'urgentes nouvelles.

– Pardonnez-moi, Votre Majesté, dit M. de Brassac en lui faisant une longue révérence quand elle entra dans la pièce, vêtue de sa robe de chambre de soie émeraude.

– Je suis contente de vous voir, monsieur de Brassac, dit la Reine en toute hâte.

Il y avait une interrogation dans sa voix, car il arborait une mine particulièrement préoccupée et ne souriait pas, contrairement à son ordinaire.

– Hélas ! Madame, je crains que vous le serez moins quand je vous aurai dit la raison qui me fait venir à si bonne heure.

Le gentilhomme disait cela tête basse, les yeux sur son

chapeau qu'il tenait d'une main tandis qu'il lissait avec un doigt la longue plume bleue qui l'ornait. Deux chambrières allaient et venaient dans un angle du cabinet, vaquant aux besognes matinales ; un valet se tenait immobile près de la porte de la garde-robe, attendant les ordres – c'était le porte-chaise qu'Anne venait de demander au moment où le surintendant s'était fait annoncer. Cette agitation créait une instabilité peu propice aux révélations, d'autant que n'importe quel quidam pouvait entrer à tout moment dans la chambre ; le surintendant leva les yeux et regarda la Reine en face, puis il fit un signe de la main indiquant qu'il préférait lui parler seul à seule.

– Laissez-nous, m'amie, dit Anne familièrement, se tournant vers celle des femmes de chambre qui était la plus proche. Dis à Lecasse qu'il ne me fasse parler personne.

Quand ils furent seuls, Anne d'Autriche s'approcha de son visiteur d'un pas impatient :

– A moi, comte, en deux mots... Ne me faites plus mourir d'impatience, car je tremble dans l'âme d'une crainte qui me fera périr !

– Je ne vous promets pas poires molles, Majesté, dit lentement le comte. Votre secrétaire Le Gras m'est venu trouver hier au soir, disant qu'il avait reçu de Sa Majesté, qui est au siège de Perpignan, une lettre lui commandant de faire connaître à Mme de Lansac qu'elle devait prendre toutes dispositions pour transporter le Dauphin et son jeune frère au château de Chantilly ; Mme de Brassac, ma femme, doit faire aménager cette résidence pour les recevoir. En dehors de votre présence, Majesté.

La Reine se tenait droite, immobile. Pas un muscle de son visage ne bougeait. Le surintendant continua d'un ton hésitant, au comble de la gêne :

– Cette commission met Le Gras dans un tel embarras qu'il ne sait à quoi se résoudre. Il a sur-le-champ fait demander une confirmation de cet ordre et m'a prié de vous en faire connaître la teneur.

– Je vous en sais gré, monsieur.

Anne était pâle. Elle fixait la fenêtre. Il y eut un silence interminable, sa lèvre tremblait. Le comte n'osait dire mot ni bouger et c'est à peine s'il pouvait respirer tant le cou raidi et fixe de la jeune mère outragée lui inspirait de chagrin à lui-même.

Soudain, elle porta ses deux poings serrés contre son visage et murmura d'une voix tremblante :

– Ah ! mon pauvre Brassac, que ferons-nous ?

Ses larmes jaillirent en même temps ; elle poussa un sanglot rauque, semblable au cri d'un animal blessé.

– Ce sont des coups de poignard ! hoqueta-t-elle. Des coups de poignard !

Le comte de Brassac, qui n'était plus tout jeune, et fort brave homme, sentit au bout d'un instant qu'il pleurait lui aussi dans son chapeau.

Anne passa toute la journée en une sorte de transe ; le lendemain, qui était la veille de la Saint-Médard, elle dépêcha un courrier, gentilhomme de sa maison, vers Richelieu, qui était sur le point d'atteindre Tarascon. Elle lui envoyait, accompagnant une supplication nouvelle d'intervenir auprès du Roi pour faire empêcher cette injustice que serait l'enlèvement de ses enfants, un exemplaire du fameux traité établi avec l'Espagne, dont elle était dépositaire. Certes, c'était trahir ses amis. C'était surtout faire feu de tout bois pour sauvegarder ce qui était devenu le sens de sa vie. Mais aussi qu'avaient attendu ces gens pour agir ? Depuis bientôt trois mois que ce traité était signé, pourquoi était-il demeuré lettre morte ? N'avait-elle pas eu à faire à de jeunes écervelés ? Ce Cinq-Mars qui faisait tant le beau-fils ! Louise-Marie de Gonzague, elle non plus, ne comprenait pas ce qui se tramait : pourquoi l'Éminence n'avait encore pas été remerciée ? Autant de questions sans réponses qui obligeaient

Anne d'Autriche à jouer son va-tout : en confiant à Richelieu la copie du traité, elle lui rendait un inestimable service. La Reine offrait ni plus ni moins à la tête gouvernante du royaume de se maintenir à la place qu'elle occupait depuis dix-huit ans, contre vents et marées. Elle remettait son vieil ennemi en selle, se faisant sa femme lige. Elle se liait les mains, mais en contrepartie elle espérait tout de sa reconnais-sance ; avec ce pacte tacite, elle s'en remettait entièrement au ministre pour qu'il lui fît conserver ses enfants.

Le messager au pied ailé – il était besoin qu'il le fût ! – rejoignit Armand, qui allait à pas de fourmi sur sa doulou-reuse litière dans la ville d'Arles, deux jours plus tard. Ce traité, la preuve irréfutable d'intelligence avec l'ennemi que le ministre désespérait d'obtenir pour sa propre défense, lui tombait du Ciel au pas d'un cheval exténué. Le document repartit dès le lendemain dans les poches du sieur de Chavigny pour être montré au Roi, afin que celui-ci fût enfin déniaisé sur le rôle que jouait son grand écuyer – avec, à ses côtés, le duc d'Orléans son frère, lequel n'était point venu participer à la campagne du Roussillon en prétextant qu'il avait la goutte et devait prendre les eaux. Le souverain pourrait juger sur pièces la félonie de quelques autres personnages : M. de Turenne, duc de Bouillon, ce jeune Auguste de Thou, trop brillant pour être honnête, ainsi naturellement que l'inévitable bossu, tordu et monstrueux Fontrailles, que Richelieu, méfiant, avait d'ailleurs fait suivre pas à pas tout au long de son voyage à Madrid, aller et retour. En même temps, Chavigny devait illuminer Louis XIII sur le rôle providentiel de son obéissante femme, la Reine, laquelle volait au secours de la Couronne et des intérêts de son Roi très glorieux. Elle agissait comme une épouse aimante doit le faire, en dénonçant la collusion des traîtres avec le gouverne-ment de l'Espagne ; cela malgré son attachement connu – trop connu – pour sa vieille patrie et pour le roi son frère. Un bel acte d'héroïsme, en somme, que Richelieu demandait à Sa Majesté de saluer au passage et de récompenser comme il convenait. Et qu'est-ce que c'était, au fait, que cette histoire de lui enlever ses enfants ? Ce n'était pas sérieux, sans doute ?... Un faux bruit ou bien une simple toquade, assurément !

Louis, à son tour, avait fini par tomber malade aux premiers jours de juin dans la chaleur croissante, décidément insupportable, du printemps catalan. Il avait dû quitter le siège de Perpignan – lequel, du reste, promettait d'être long – et en confier la continuation à l'un de ses meilleurs capitaines. Le Roi remontait donc à petites étapes vers Paris, fuyant ces terres étrangères dont il voulait être le suzerain de loin ; ces climats malsains pour sa santé fragile irritaient son tempérament de coureur de bêtes dans les halliers enrubannés de givre.

La Cour se trouvait ainsi à Narbonne, ce 12 juin à l'aube, quand Chavigny arriva sur son cheval fourbu, aux naseaux écumants, qu'il avait éperonné toute la nuit dans les plaines du Languedoc, filant sur quarante lieues aux rives d'une mer bleue qui brillait sous la lune. Le Roi, accompagné de Cinq-Mars, venait de se lever au moment où le secrétaire d'État le tira à part. Sa Majesté, d'abord incrédule et même irritée, tomba de très haut quand elle eut sous les yeux le document accablant ! Après une courte tergiversation, l'ordre fut donné, dans l'heure qui suivit, d'arrêter les coupables. Ceux-ci, à la vue de Chavigny, qui cachait mal une humeur de triomphe, avaient pris du large dès la première minute. Fontrailles s'enfuit le premier, disant à Cinq-Mars, qui hésitait, que c'était peut-être assez bon pour lui, avec sa belle prestance, que d'avoir la tête coupée, mais qu'avec sa disgrâce et son corps de supplicié, il préférait conserver la sienne sur ses méchantes épaules. Le marquis quitta promptement Narbonne sous un déguisement et ne fut pas rejoint. Monsieur le Grand fut pris dans la soirée, chez une de ses maîtresses qui l'avait caché dans un grenier à foin.

Le 21 juin, Théophraste Renaudot annonçait le complot dans sa *Gazette*. Ce même jour, Anne d'Autriche reçut du Roi une lettre aimable, en vérité affectueuse, où Louis l'appelait « sa chère femme » et dans laquelle il lui recommandait, tel un bourgeois satisfait qui se soucie de ses affaires domestiques, de prendre bien soin des enfants.

Prendre soin des enfants ! Anne manqua mourir de joie ! Elle baisota Petit Louis, mignota féfé Philippe, les appelant ses petits cœurs, ses petits menons, ses muguets jolis, ses petites oies en mue, ses petits culs de braise et cent autres petites choses qu'elle inventait en riant. Car elle riait d'aise, après toutes ces journées de tristesse où les enfants l'avaient à peine entrevue, les yeux rougis, le front las. Elle riait bellement, en cascades, en trilles ; Petit Louis, l'imitant, s'esclaffait aussi, à gorge déployée. Maman menonne et menonnette chantonna tout le jour. Elle leur parlait de leur papa, qui allait beaucoup mieux – ils n'avaient pas su qu'il fut malade, mais ils se réjouirent d'autant ! Anne fit cueillir des roses dans le jardin, devant, et en fit placer des gerbes dans tout l'appartement, qu'elle ordonna elle-même, active, accorte, rayonnante. Elle embrassa Mme de Brassac, sa dame d'honneur, quand elle parut – et la brave personne connut aussitôt que la fortune avait tourné sa roue, voyant la Reine qui faisait chère si joyeuse. Elle fit changer une des tapisseries de la grande chambre, dont les couleurs brunes lui parurent soudain peu seyantes – quoique ce fût une représentation du martyre de saint Laurent. Elle la fit remplacer par une tenture plus vive, inondée de bleu ciel, marié à l'ocre, qui peignait Lazare ressuscité. Elle donna des gratifications impromptues aux huissiers de la chambre et de l'antichambre, et une bourse pleine d'or à celui du cabinet, disant que c'était l'été et qu'ils allaient avoir besoin d'acheter des chapeaux de paille !

Anne fredonna toute la journée des airs de romance ; elle recommença plusieurs fois *Tres moricas me enamoren :*

Tres moricas, muy lozana,
De muy lindo continente
Van por agua a la fuente
De Jaen,
Axa y Fatima y Marién...

Le soir, elle dit au Dauphin, comme ils mangeaient du lièvre en sauce et que le bambin se suçait les doigts tant il trouvait ce mets succulent :

— Savez-vous bien comment on attrape les lièvres ?

Petit Louis, qui ne croyait pas que sa maman sût la manière de capturer la sauvagine, pensait à part lui que l'art de la venaison était un privilège réservé au Roi son père et à quelques-uns de ses compagnons. Il répondit ingénument :

— Nenni, ma maman. Mais il y faut des chiens courants.

— Nenni, il n'y faut que quelques fèves !

— Comment cela, s'il vous plaît ?

— Me donnerez-vous un baiser, mon fils, si je vous le dis ?

— Oui-da ! maman menonne, de grand cœur !

— Eh bien, Louis, sachez que pour attraper un lièvre on sème des fèves bien dures en certains endroits.

— Aux endroits où le lièvre passe ?

— Assurément. Et savez-vous ce que fait le lièvre quand il voit les fèves ?

— Il les veut manger !

— Oui-da, il les met dans sa bouche. Comme on a mis des fèves très dures, très dures, le lièvre veut les casser : il ferme les yeux... Fermez les yeux, Louis, comme le lièvre qui veut casser les fèves avec ses dents. Fermez bien fort !

Petit Louis ferma ses paupières en confiance, avec une grande grimace de tout son visage plissé, afin que tout fût très noir autour de lui. La Reine se leva alors de sa chaise et, se coulant près du Dauphin, lui entoura brusquement le cou de ses deux mains, en criant, tandis que l'enfant sursautait :

— Hou ! le lièvre est happé !... le lièvre est happé !...

Et de rire ! les gentilshommes servants, qui avaient reçu trois pistoles chacun avant le repas, le maître d'hôtel, qui en avait eu quatre, se tenaient les côtes, tant le manège de Sa Majesté les divertissait. On ne l'avait point vue d'une pareille humeur folâtre depuis bien longtemps. Petit Louis se trémoussait sur son siège.

— Savez-vous bien à présent comme on happe les lièvres, Monseigneur ? demanda Le Tranchant, qui était le gentilhomme chargé d'apporter les viandes.

Petit Louis, tout confus d'avoir été attrapé et joyeux d'un tel tour, dit soudain, regardant sa mère qui s'était rassise :

— Encore !...

Ce propos fit repartir toute l'assemblée de rire à grands éclats. Les huissiers se tapaient sur les cuisses, les filles d'honneur qui étaient présentes applaudirent l'à-propos du Dauphin, M. le duc de Beaufort, son cousin, qui venait d'arriver et avait entendu l'histoire en riant, fit compliment au petit prince et Mlle de Pont-Briant se plaça devant lui, les mains aux hanches comme pour faire le pot à deux anses, disant :

— Oh ça, ce me semble, Monsieur, que vous avez fait une promesse à votre maman si elle vous faisait le conte ! Ne vous en souvenez-vous donc plus ?

Petit Louis sourit, se laissa couler de sa chaise et s'approcha de sa mère, à qui il posa un baiser sur les lèvres. On applaudit de nouveau le petit prince si galant, puis un personnage s'avança, qui prit un air faussement candide pour demander :

— Votre Majesté peut-elle dire si cette façon de prendre les lièvres en les faisant croquer des fèves est aussi bonne pour happer les conins au gîte ?

L'homme adressa un gros clin d'œil à l'assemblée pour signifier qu'il y avait anguille sous roche dans sa question naïve ; la Reine pouffa, haussant la main devant sa bouche, les filles gloussèrent, les gentilshommes de la table détournèrent la tête pour rire en coin. L'évêque de Pézenas devint écarlate ; il secouait sa panse en riant aux éclats, ce qui fit s'esclaffer tous les chapelains – Petit Louis demeurait interdit, car il n'entendait finesse. Soudain, il eut une illumination d'esprit et questionna tout haut :

– Entendez-vous le conin des demoiselles que vous voulez happer ?

Chacun se tut, frappé de surprise. La Reine devint rouge en la figure jusqu'aux cheveux et demanda à son tour, mi-confuse, mi-riant :

– Qu'entendez-vous par là, Monsieur ?

– Je ne sais, maman...

– Qui donc vous a parlé de ces animaux-là ? Dites ?

– La duchesse vieille...

– Ne savez-vous point son nom ?

– Non, maman, je l'ai oublié, ne vous déplaise.

La nourrice, qui se tenait à l'écart du groupe des personnes qui parlaient à la Reine, intervint :

– Ce doit être la duchesse de Rallewaert, Majesté. J'ai ouï Mme de Lansac en parler.

– Mme de Lansac était-elle avec vous, mon ami ?

Petit Louis opina de la tête, fier d'être consulté aussi sérieusement sur ce point d'identité de la personne qui lui avait demandé de chanter au sortir du jardin.

– Il n'y a que la vieille duchesse pour entretenir le Dauphin de ces matières, lança en riant le duc de Beaufort, que chacun approuva à l'envi.

– Mais elle est sortie de Paris il y a bien un mois entier, continua la Reine, incrédule. Quand donc avez-vous ouï Mme de Lansac la nommer, m'amie ?

La nourrice assura qu'il y avait en effet plus d'un mois de cela ; un détail l'assurait :

– C'était le jour, je le crois, qu'un homme s'est noyé dans la rivière. Elle nous a dit que Mme de Rallewaert avait chanté à Monsieur le Dauphin une chanson d'homme et qu'elle avait cru de son devoir de rappeler la duchesse à plus de discrétion.

Chacun à présent regardait Petit Louis comme un prodige pour s'être souvenu tellement à point des « petits conins poilus ». On admira hautement sa mémoire, son sens de l'observation, et la Reine s'en trouvait heureuse. M. l'aumônier ordinaire, qui avait dit le bénédicité au commencement du repas de Sa Majesté, assura que le Dauphin serait un autre Cyrus, cet ancien roi de la Perse qui, tout de même que l'empereur Hadrien, ou Scipion l'Asiate, appelait par leurs noms, sans s'y méprendre, tous les soldats de son armée, qui étaient fort nombreux. L'évêque de Lisieux, qui avait la voix forte et posée malgré son grand âge, renchérit alors ; il dit combien la mémoire était une faculté principale pour un roi et tout le parti que l'on pouvait tirer de la facilité avec laquelle on peut répéter un discours que l'on vient d'entendre ou tout autre récit. Le grand aumônier de la Reine, que l'on écouta dans un grand silence, par respect pour son grand savoir et sa grande bonté, ajouta que le Dauphin, déjà béni du Ciel, le serait doublement s'il possédait cette qualité comme il venait de le montrer et qu'il serait assurément un grand prince. Il rappela que le pape Clément VI, le Limousin, avait reçu de Dieu la faculté de ne jamais rien oublier de ce qu'il avait lu ou de ce qu'il avait ouï, et que cette grande mémoire lui était venue après avoir été frappé d'un grand coup de bâton derrière la tête, du temps qu'il était frère bénédictin, en une querelle où il tâchait de porter secours à un homme que l'on allait écorcher vif.

Quand il eut fini de parler, la Reine demanda à boire. L'échanson versa trois doigts de vin dans la coupe de Sa Majesté, puis, sans lâcher la cruche de grès, il en fit couler une rasade dans la coupelle servant à l'essai. Il allait porter le breuvage à ses lèvres pour le goûter avant de présenter le verre de cristal à la souveraine, quand Petit Louis, qui jouait avec les chiens, l'arrêta du geste et du cri :

— Eh ! moi !... lança-t-il. Je suis le petit essanssonné de maman, n'est-ce pas ?

Le gentilhomme lui tendit donc la coupelle en souriant,

avec l'assentiment de sa mère ; l'enfant fit gravement l'essai du vin comme un bon petit page, tenant la petite coupe à deux mains, puis il recommença de donner des os de civet à ses chiens, les taquinant et se jouant à eux. Tantôt il leur jetait l'os libéralement en l'air pour les obliger à le happer, ce qui le faisait éclater de rire, tantôt il le leur retenait dans sa main, les contraignant à lui lécher les doigts, ce qui le chatouillait. Quand il n'y eut plus d'os, le panetier lui tendit des morcelets de pain qu'il trempait dans la sauce avant de les distribuer aux bêtes. Toutefois, le chien le plus hardi, appelé Lebeau, ayant à demi bondi sur la table pour attraper une croûte que le Dauphin avait lancée trop haut, entraîna avec ses pattes de devant la coupe de Sa Majesté ; la pauvre bête fut fouettée à coups de serviette et chassée par le maître d'hôtel, qui lui donna des coups de pied pour l'éloigner du souper.

Cet incident fit naître une conversation sur la liberté des chiens, sur leur ruse et leur audace, tandis que la Reine demandait à Petit Louis de ne plus les exciter de la sorte et de leur jeter à manger, comme elle le faisait elle-même, par-dessous la table et non point par-dessus. Le duc de Beaufort, qui attendait que la souveraine eût fini son repas pour l'entretenir en particulier dans son cabinet, raconta, pour masquer son impatience, l'histoire du chien de l'un de ses gentilshommes ; ce chien, dit-il, était accoutumé à aller tous les dimanches à Charenton, près de Paris, où il accompagnait son maître, lequel s'y rendait pour y entendre le prêche du célèbre Père François-Donatien. Or, un dimanche matin, en raison des difficultés qu'il rencontrait à cause du chien qui voulait entrer dans l'église pour l'y chercher, le gentilhomme décida d'attacher l'animal et de le laisser au logis. Cette aventure déplut très fortement à la pauvre bête, comme on peut le penser ; mais, pour un jour, elle prit patience dans la cuisine, où on l'avait laissée. Cependant, comme, le dimanche suivant, son maître l'enferma de nouveau avant de prendre la route de Charenton, le chien comprit qu'il y avait là une résolution fâcheuse qui ne lui convenait point du tout et que son maître voulait se passer très délibérément de sa compagnie. Aussi, il décida de prendre ses précautions et de ne pas se laisser attraper une troisième fois.

— Que fit-il, à votre avis ? demanda le jeune duc, voulant conquérir l'oreille de l'assemblée, qui se souciait médiocrement de cette histoire.

— Eh bien, répondit M. de Beaufort à lui-même, le chien partit de Paris dès le samedi au soir et il alla attendre son maître à Charenton ! Le gentilhomme l'y trouva à son arrivée, près de l'église, où il lui fit fête. Il apprit que le chien avait passé la nuit couché sous le porche de la chapelle !

Le duc se prit à rire très fort. On se récria que les bêtes ont, en effet, des manières presque humaines et que ce chien-là était fort habile pour un chien.

— Voilà un chien, dit très haut un personnage qui avait un air finaud, qui ne ressemble pas au chien de Jean de Nivelle, qui fuit quand on l'appelle !

Il y eut des rires et des murmures. Le bruit avait couru que le duc de Beaufort était mêlé au complot de Monsieur le Grand. On disait tout bas qu'il s'apprêtait à s'enfuir, tout au moins à mettre de la distance entre lui et les émissaires de Son Éminence, qui le voulait faire appeler comme témoin au procès de Cinq-Mars et d'Auguste de Thou ; de la même manière, on avait appris que le duc d'Orléans s'était réfugié en Auvergne, où il prenait les eaux à Bourbon.

De fait, toutes les personnes présentes, qui avaient passé la journée à discuter l'article de *la Gazette*, croyaient que le jeune duc était venu prendre congé de la Reine ; plusieurs affirmaient qu'il se rendait en Angleterre, à la cour de sa tante Henriette, la sœur du Roi.

Aussi beaucoup voulurent entendre finesse dans son histoire de chien, disant que le « gentilhomme » désignait le Roi et que le « chien » se rendant à la messe signifiait Son Éminence, qui, toujours, revenait dans les pas de son maître, quelque peine que l'on prît pour l'en écarter. Les filles de la

Reine trouvèrent cette façon de déguiser son propos par une historiette à double entente furieusement galante ; elles jugèrent que le neveu de Sa Majesté avait de l'esprit comme quatre, et du meilleur – d'autres rétorquaient en catimini que le fils de César de Vendôme était bien trop bête pour inventer de pareilles subtilités et qu'il venait de raconter avec sa fatuité coutumière une histoire stupide !

Quoi qu'il en fût, l'allusion à Jean de Nivelle parut insolante. La Reine, qui pensait toutes ces choses, retardait de son mieux le moment d'avoir une conversation privée avec le duc, dans la crainte que le secours qu'elle avait fourni au Cardinal n'eût transpiré. Si cette action était connue, elle en aurait d'amères reproches : aussi voulut-elle donner le change en racontant une histoire à son tour. Tournant comme l'on dit la truie au foin, Sa Majesté fit le conte de cet Andalou qui n'avait jamais connu le froid et qui, venant en France pour la première fois au cœur de l'hiver, traversait un village où les chiens couraient après lui. Il se baissa pour ramasser une pierre sur le chemin et la leur lancer, mais il trouva qu'il ne la pouvait arracher du sol, où elle était retenue par le gel. « La peste soit d'un pays, s'écria cet homme, où on laisse courir les chiens et où l'on attache les pierres ! »

Le lendemain, qui était l'avant-veille de la Saint-Jean, la Reine commanda que l'on préparât le charroi pour se rendre au château de Saint-Germain. L'on n'avait que trop tardé à se mettre en route pour la résidence d'été ! Mais elle n'avait pas osé bouger jusque-là dans la cruelle incertitude où les menaces du Roi l'avaient plongée – ni du reste n'avait-elle éprouvé la moindre envie, souhait ou désir pour l'agencement de sa vie courante. Cependant, le séjour au Louvre, et généralement à Paris, commençait à devenir difficilement supportable à cause des odeurs de pourriture qui circulaient partout, puanteurs de plus en plus fortes avec la chaleur qui était venue.

Au reste, comme chaque année à la Saint-Jean d'été, on devait curer les fossés du Louvre ; il fallait déloger avant que ces nauséabonds travaux n'eussent commencé, sous peine de périr étouffé. C'est dans les fossés, en effet, que chaque matin les valets chargés du ménage jetaient le contenu des chaises percées, des pots à pisser, et tout ce que recelaient les retraits et les chambres de courtoisie. Il s'y ajoutait, tout au long de l'année, les rats crevés, les charognes de diverses espèces qui venaient se noyer dans les eaux croupies et parfois, dans le fossé occidental, les restes malodorants des cuisines. Des hommes de peine, recrutés parmi les pauvres les plus valides, étaient donc requis pour curer cette gadoue une fois l'an, juste avant les chaleurs de l'été – tâche nécessaire, mais tellement pestilentielle que le palais devenait proprement inhabitable pendant deux ou trois semaines, tant les fermentations du cloaque que l'on agitait donnaient à l'air environnant une épaisseur irrespirable. Les excréments étaient chargés dans des tombereaux et emportés vers les terrains maraîchers aux abords de la ville. Une petite quantité était mise en tas dans le grand potager, outre l'aile septentrionale de la cour Carrée, pour servir de fumure aux jardiniers du palais.

Certes, ce potager était à présent presque entièrement détruit par la construction du pavillon neuf que le Roi avait fait édifier, ainsi que la demi-aile qui le prolongeait et qui venait d'être achevée vingt mois auparavant – en revanche, la partie de l'aile suivante, en retour d'équerre dans le jardin, demeurait un vaste chantier arrêté au premier étage. L'une des raisons qui avaient conduit Louis à vouloir agrandir le Louvre, au temps de sa jeunesse, était justement qu'en étendant la cour Carrée au quadruple de sa surface, le comblement de ce fossé par trop pestilentiel rendrait le palais enfin habitable en toute saison. Hélas ! l'argent manquait cruellement dans les caisses royales – à cause de cette guerre absurde et impie qui faisait aller tout l'or à l'entretien des armées. Anne soupira : la vue de ces chantiers abandonnés lui rappela avec amertume que ce ne serait pas encore ce coup-ci que l'on arrêterait la guerre d'Espagne. Le traité dérisoire avait été sacrifié.

Au matin du 23 juin, la maison de la Reine prit la route de Saint-Germain-en-Laye ; Petit Louis fut éveillé fort tôt par le va-et-vient des valets. En l'absence de son père, le Dauphin dormait dans la chambre privée du pavillon du Roi, en compagnie de la gouvernante, qui y avait aussi placé son lit ; cette chambre communiquait directement avec les appartements de la Reine. Il assistait aux préparatifs des malles, des caisses, où le personnel rangeait les tentures, les tapis que l'on emportait en même temps que les meubles, tout excité par ces gens qui jouaient gaiement à remue-ménage. Il voulut voir démonter son lit et insista pour aider à transporter les pièces de bois par le petit degré jusqu'aux chariots qui attendaient dans la cour ; il n'en démordit point qu'on ne l'eût laissé porter tout seul un fagot de chevilles.

L'enfant observa le chargement des bagages des filles d'honneur et de leurs gouvernantes, au rez-de-chaussée, ainsi que les paquetages des huissiers, des femmes de chambre, des valets – le personnel des écuries et celui des cuisines partaient d'un lieu différent. Les dernières malles portées sur le charroi étaient celles de Sa Majesté. Enfin, vers les 10 heures, les chariots s'ébranlèrent ; quelques minutes plus tard, ils furent remplacés dans la cour par le tressautement des carrosses sur les gros pavés, dans l'agitation des valets de pied et les cris des cochers intraitables dans leurs habits de velours bleu et blanc à broderies d'or. Leurs chapeaux immenses faisaient envie au petit prince. Quand la voiture tourna dans la rue d'Autriche, passé le pont, Petit Louis, qui était demeuré songeur, demanda à sa mère si, lorsqu'il serait roi, il pourrait avoir un chapeau aussi grand que celui du cocher Guillaume.

Le jour de la Saint-Jean était une fête chômée. Les

habitants de Saint-Germain-en-Laye préparèrent tôt dans le jour la collecte des fagots et des rondins dont ils auraient besoin pour bâtir le feu de la soirée, dont la Reine avait fait savoir en arrivant qu'il lui ferait plaisir de régaler le Dauphin.

Anne était enchantée de retrouver ses pénates et la claire résidence qu'elle aimait. Assurément, elle n'avait eu ni le loisir ni la volonté de donner des ordres pour la préparation de leur arrivée – ne sachant, jusqu'au dernier moment, ce que lui réservait la fortune, elle n'avait pas osé faire nettoyer les châteaux, par crainte que cette hâte ne lui portât malheur. Aussi on démonta les bagages au milieu des salles dont les plafonds étaient tendus de toiles d'araignée, les sols jonchés de détritus dégoûtants. Par malchance, un régiment de piquiers, qui s'était regroupé pour rejoindre l'armée du Roi à Fontainebleau, avait campé trois jours entiers au château Neuf dans la dernière semaine du mois de janvier. La galerie du Roi et celle de la Reine étaient encore encombrées des bottes de paille sur lesquelles les soudards avaient couché, ainsi que la grande salle d'honneur et plusieurs salles basses du rez-de-chaussée, dont le pavé, peuplé d'étrons desséchés, sentait la vieille urine. Le vent avait amassé dans des angles les morceaux de papier souillés qui avaient servi à torcher les culs des officiers – on trouva de ces « mouchoirs sans ourlets » jusque dans la chapelle du Roi ! Les dix femmes de chambre et les valets ne pouvant suffire à la tâche, il fallut faire appel aux palefreniers et aux valets d'écurie pour dégager le plus gros des ordures.

Anne voulut profiter de l'absence de la Cour pour installer le Dauphin et sa gouvernante comme au Louvre, dans l'aile du Roi ; son petit frère, le personnel à sa suite, les filles d'honneur et le reste du service de la maison logeraient au château Vieux, lequel avait moins souffert du passage des troupes, car il avait abrité seulement l'état-major des piquiers. Malgré le désagrément que lui causaient ces circonstances fâcheuses, le retardement de son installation et ces gens qui couraient en tous sens comme verriers déchargés, la Reine était demeurée d'humeur égale, comme si rien à présent n'eût su la contrarier. Elle était suivie de Petit Louis, qui arborait au-dessus de son casaquin à manches bouffantes, tailladées d'or, un chapeau gris à hautes ailes orné d'un panache safrané – il croyait qu'on allait jouer aux soldats en campagne et lui tenait la main d'un air content. Anne donnait ses instructions à Mme de Brassac et à la première femme de chambre, dans la paille qui lui montait aux mollets, en se riant d'aise, tout de même que si elle eût visité un palais tout fleuri, parfumé de rose et d'ambre musqué.

C'est qu'en arrivant à Bougival vers le chaud de midi elle avait eu une impression délicieuse en apercevant les îles au vert luxuriant dans la rivière de Seine ; l'ombre fraîche des berges odorantes et fleuries, épanouies de larges roues de grandes marguerites au cœur cuivré couchées au mitan d'herbes grasses d'un vert profond, dans la foison des centaurées mauves et des boutons d'or, lui avait donné une émotion intense. Elle avait fait arrêter les chevaux pour descendre toucher les herbes, le masque bien serré sur la peau tendre de son visage : elle s'était approchée de l'eau, qui luisait au soleil et se mouvait en nappes ondulantes avec une force tellement tranquille et terrible ! Elle avait senti en elle-même, respirant très fort les relents d'humus mouillé, la vie qui bougeait avec une force égale, accordée à cette eau coulante qui portait sans crainte des mondes irrésistibles. C'était comme une coque, une crasse qui se détachait d'un corps crotté ! Des sauterelles vert tendre, à chair de végétal, jaillissaient sous ses pas comme les puces d'une toison d'herbe, qui était la fourrure froide de notre mère la terre. Anne avait murmuré :

– Notre Père qui es aux Cieux, fais que ton règne advienne !

Elle était revenue vers Mme de Brassac, qui était sortie l'attendre, masquée elle aussi, étonnée et inquiète ; elle avait cueilli au passage une poignée de marguerites blanches. L'un des valets de pied, descendu aux ordres, attendait, ses bas blancs plantés dans la fausse oseille ; son camarade était demeuré perché sur l'arrière du carrosse, épiant de haut les abords du paysage.

Anne offrit trois fleurs de son bouquet à sa dame d'honneur, disant :

— Prenez, m'amie, je suis la reine-marguerite !

Elle éclata d'un rire dentelé. Avant de monter, elle se détourna pour tendre aussi une marguerite au cocher :

— Tenez, Guillaume : le blanc va pour l'argent et l'or pour l'or. Si j'avais des louis, je vous en donnerais.

Le gros homme, surpris, se pencha à la renverse, ôtant d'une main son chapeau, saisissant délicatement la longue tige fragile ; il faisait effort de ses gros doigts gonflés, rouges comme des boudins, et se retenait pour ne pas choir de son siège.

— Mille grâces, Madame !... bégayait-il, confus et confondu d'honneur.

A l'intérieur de la voiture, Anne demanda au Dauphin :

— Comment m'aimez-vous, Monsieur ?

— De tout mon petit cœur, maman ! répondit Petit Louis avec un enthousiasme sincère, claquant sa main bien à plat contre sa poitrine de la manière qu'on lui avait apprise.

Se coulant à bas du giron de la nourrice, il vint se blottir entre les genoux de sa mère.

— Nous allons voir, dit-elle, si vous dites vrai.

Elle lui apprit à effeuiller les marguerites : un peu, beaucoup, davantage... Ils déchiquetèrent plusieurs corolles, en trichant, jusqu'à ce que l'amour fût la plus parfaite et la plus fine.

En montant lentement la côte du Pecq vers le château, au pas des chevaux qu'il fallut laisser souffler deux fois, Anne parla des chaleurs de l'Espagne. Elle expliqua à Mme de Brassac que la vue de la rivière l'avait fait souvenir des oasis de Castille, du temps où elle était enfant. Elle parla de l'eau du Tage, en s'éventant de son grand *abanico* nacré ; elle conta à la dame d'honneur les belles arrivées à Aranjuez, la cour de son père en été. On y arrivait en carrosse sur un pont de bois qui enjambait le fleuve à l'endroit où deux de ses bras se rejoignent, enserrant une île peuplée de roseaux ; ce pont était vert et construit en forme de charpente, avec de longues poutres élégantes qui le tenaient comme suspendu dans l'air. Tout de suite c'étaient des avenues droites, régulières, à qui les grands arbres servaient de dos et de soutien – des arbres au feuillage ombreux d'un vert si pur qu'ils ressemblaient à de fines émeraudes. Il y avait des jardins étendus où la diversité des fleurs jouait sur l'œil comme un concert de couleurs, et des étangs poissonneux. Des arbres par milliers, des arbres qui donnaient des fruits exquis, dans les vergers bien tenus. Cela formait un paradis dans cette vallée où s'unissent comme des amants le *río Jarama* et le *río Tajo* dans les baisers et les étreintes.

— C'est notre grand *Miguel de Cervantes* qui a écrit cela, dit Anne.

Quand elle prononçait ces noms dans sa langue, ils roulaient au fond de sa gorge comme des murmures d'amour.

Après venait le palais, le vieux *Quarto Real* de son grand-père, au milieu des jasmins – il avait une chapelle et une tour où une horloge sonnait les heures avec des clochettes qui tintinnabulaient comme du cristal.

— Oui, c'était un paradis, répéta la Reine rêveusement.

Petit Louis écoutait ces évocations merveilleuses des maisons de maman ; il prit un air sérieux et consolant pour affirmer, en caressant la joue de sa mère :

— Quand je serai grand, je bâtirai un grand ! grand ! grand ! château pour vous, maman menonne ! Un château le plus grand du monde !

Le carrosse était arrivé en haut de la côte ; il avait rejoint le charroi dans la cour de l'esplanade, où l'on s'activait autour des malles et des ballots. Anne s'était d'abord rendue à la chapelle, négligeant le désordre affreux. Elle était entrée seule dans ce sanctuaire à l'extrême pointe de l'aile, qui surplombait les jardins en terrasses au-dessus du cours des eaux. Arrachant son masque, elle avait prié une heure entière, remerciant Dieu passionnément de lui avoir gardé ses enfants. Et d'avoir créé les rivières...

L'après-dîner, à la sortie des vêpres, les habitants de la ville de Saint-Germain avaient bâti le bûcher de la Saint-Jean sur l'espace vide entre la basse cour du château Vieux, l'église paroissiale, le jeu de paume et l'hôtel de Soubise, utilisant les monceaux de fagots, de branches mortes éparses, de cotrets et de vieilles souches qui avaient été récoltés depuis la veille ; deux hommes avaient monté la garde pour empêcher que d'aucuns mendiants et nécessiteux ne vinssent dérober ces provisions de bois cependant que l'on chantait les vêpres.

Le soir, dès la nuit tombée, la presse des badauds commença de s'assembler sur la place, dans la chaleur frémissante du jour mourant que traversaient les bouffées d'une brise assez douce qui montait le long des jardins du coteau d'auprès la rivière.

Vers 10 heures, on prévint la Reine que le feu Saint-Jean était prêt ; toute la maison se rendit donc à pied à travers l'esplanade jusqu'au portail de la grand-cour, devant lequel une petite estrade avait été dressée pour permettre à Sa Majesté de mieux voir sans être incommodée par la foule – aussi pour le plaisir du Dauphin, qu'un huissier porta sur son col afin de ménager ses petites jambes. Quant au petit duc d'Anjou, il avait été convenu qu'il suivrait le spectacle des fenêtres les plus proches du château Vieux, où il logeait en compagnie de la gouvernante.

Des cris saluèrent avec enthousiasme le Dauphin et sa mère lorsqu'ils s'installèrent sur l'estrade, dans la lueur des torches, suivis des dames de la petite Cour. Les cinq gardes durent se placer par-devant les tréteaux pour contenir les empressés et les garder de venir trop près, en croisant les hampes de leurs hallebardes ; ils repoussaient ceux et celles qui tendaient les mains vers Leurs Majestés pour toucher le bas de leur robe et baiser leur ourlet. La Reine s'assit sur une chaise droite au milieu de l'estrade, qu'un écuyer avança sous elle ; le Dauphin se tint debout à droite, appuyé contre la cuisse de sa mère. Elle était ainsi la seule personne assise, et fort dignement, laissant sa belle main reposer sur l'étoffe bleue de sa jupe, le gros rubis de son anneau jetant des feux dans le scintillement des flambeaux – son autre main tenait précieusement, dissimulée le long de sa jambe, la main de son fils dans une cachotterie complice.

– Vive la Reine ! Vive le Dauphin ! criaient les gens qui brandissaient leurs chapeaux dans leurs poings.

– Que Dieu tout-puissant protège Monseigneur ! Et Madame sa mère !...

La Reine se pencha légèrement pour souffler à l'oreille du prince :

– Saluez, Louis.

Il ôta bravement son chapeau à plumes, dans un geste large comme on lui avait appris ; il se couvrit de même, ajustant bien la coiffure sur son chef tout rond. Ces bonnes façons du petit gentilhomme furent saluées en retour par un hourra ; il fallut écarter quelques pauvresses qui s'étaient glissées sous le rempart des gardes et tendaient en suppliant leurs bras décharnés et pustuleux pour mendier un quart d'écu.

La nuit était claire, la lune s'était levée, haute dans le ciel, baignant la façade du midi et les fines ogives dentelées de la chapelle Saint-Louis. Petit Louis se retourna pour tâcher d'apercevoir son petit frère ; il le vit en effet, debout sur l'appui d'une croisée du premier étage, entre les tours d'angle derrière la chapelle – il le montra à la Reine, rayonnant sous la lune.

Le Dauphin était à la fois excité par l'aventure et intimidé par cette assistance bruyante, agitée, la plus diverse et mêlée qui fût, avec des personnes jeunes, des enfants, des vieillards,

455

des hommes en chapeaux ou bien en toques, des femmes en chaperons et des paysannes en bavolets blancs qui leur tombaient le long des joues et pendaient sur leurs nuques – il semblait que toute la population de Saint-Germain-en-Laye et des environs se fût regroupée sur cette petite place. Il régla son attitude, gravement, sur celle de sa maman, qui, vive et déliée dans son domestique, se figeait entièrement de tout le corps quand elle devait tenir une apparence publique. La Reine conservait dans ses membres, son cou, les nerfs de tout son visage, le souvenir de la cour de Madrid, dont l'étiquette grave l'avait marquée quand elle était petite fille, cette étiquette royale, la plus rigide du monde, disait-on, qui avait été daubée, puis admirée à l'extrême, et qui donnait maintenant le ton à la politesse d'apparat à toutes les cours de l'Europe, dans le rayonnement de la langue et la littérature castillanes. En la circonstance, Anne pressait de temps en temps la main du petit prince, afin de le rassurer sur sa posture soudain très distante et d'autant plus roide qu'elle était apprêtée.

Un mouvement se produisit au pied du bûcher et l'attention de la populace se porta tout entière de ce côté-là. Un mât de vingt coudées de haut, qui était le tronc d'un jeune arbre vert fraîchement coupé dans la forêt voisine, avait été fiché en terre pour servir de centre à la pyramide qui faisait pour le moins soixante pieds de tour à son fondement ; la construction terminée montait à mi-hauteur de ce fût, dressé comme la flèche d'un clocher et qui dépassait le sommet de deux bonnes toises.

Il y eut des cris et des quolibets tandis que trois jeunes gens escaladaient le bûcher en s'accrochant aux souches et aux cotrets. Quand ils furent tout en haut, assurant leur équilibre d'une main accrochée au mât, ils tirèrent à eux un gros sac attaché au bout d'une corde : le sac bougeait, la foule riait. L'un des garçons, gaillard robuste quoique de courte taille, enroula ensuite l'extrémité de la corde autour de son épaule, puis il entreprit de gravir le mât, s'aidant de ses pieds nus, de ses mollets noueux et trapus, se haussant par saccades le long de la bille de bois.

Pendant qu'il grimpait ainsi dans la lumière des torches, les rires, les bons mots, les saillies brenneuses jaillissaient des spectateurs à mode d'encouragement, jusqu'à ce qu'il eût atteint la pointe du tronc ; il s'y cala l'entrecuisse contre un nœud qui dépassait, déroula la corde, la passa dans une fourche qui avait été laissée à cet effet à la cime de l'arbre et laissa pendre le brin libre jusqu'au bûcher, où ses compagnons s'en saisirent.

– Oh !... Hisse !... cria la foule.

– Le diable attend ! ajoutèrent les compagnons.

Ils hissèrent le gros sac de toile bise, vieux et rapiécé, qui gigotait et dansait au bout de la corde comme si en vérité un cent de diables l'eût habité. Petit Louis observait de tous ses yeux cette chose merveilleuse qu'un sac agité de sursauts et de tremblements qui s'élevait dans les airs jusque dans la pénombre, tout en haut du mât où n'atteignait que la blanche lueur de la lune.

– Est-ce que ce sont les matous, maman ?

– Oui, souffla la Reine, et elle lui pressa les doigts.

L'homme redescendait déjà, laissant tout en haut le sac bringuebalant que les deux aides retenaient en position en tendant la corde. Lorsqu'il fut parvenu à une toise ou environ au-dessus du bûcher, il rencontra une saillie formée par les restes de deux rejets de branchages coupés à un demi-pied du tronc ; ces départs de branches formaient une collerette, sous laquelle il entoura le cordage suivant le mouvement que lui donnaient ses compères. Il l'assujettit solidement de sorte que le nœud ne pût glisser vers le haut, puis il trancha le restant de la corde d'un coup d'une serpette qu'il portait à sa ceinture. Le garçon sauta ensuite lestement sur le tas de fagots, qui oscilla sous sa chute, provoquant les acclamations de l'assistance. Il rejoignit enfin ses camarades au pied du bûcher.

– Ont-ils été fort méchants, les minous ? demanda Petit

Louis se tournant vers sa mère dans l'urgence de la question.
— Ils sont allés au sabbat du diable, mon fils, souffla Anne.
Cela est un fort grand péché.
— Ils sont donc sorciers, je pense.
— Cela est vrai, Louis.
Le petit prince réfléchit un instant, puis il ajouta :
— Seront-ils occis, maman ?
— Ils retourneront en Enfer.
Petit Louis regarda de nouveau en l'air, là où le sac
pendait. Il éprouva soudain la crainte de tant de démons
assemblés :
— Sont-ils bien clos à cette heure, au moins ?
— Assurément, ils ne peuvent s'échapper, soyez sans
crainte.
L'enfant sentit son courage raffermi ; après réflexion,
comme il avait contemplé au-delà du mât, dans le septentrion
du ciel, des étoiles qui semblaient rire, il demanda encore :
— Les moutons sont-ils aussi des sorciers, maman ?
— Non pas, Louis, les moutons sont des agneaux de Dieu,
agnus Dei, répondit Anne, pensant que c'était une bonne
chose à dire.
— Et les renards ?
— Je ne sais pas, cela se peut. Qui vous fait songer à ces
choses, mon ami ?
— Je ne sais pas, dit le petit prince.
La foule cependant s'écartait pour laisser pénétrer le curé
de l'église paroissiale qui venait, vêtu d'un surplis passé sur sa
soutane, précédé d'un porteur de flambeau et suivi d'un
enfant de chœur, bénir le feu de joie. Il s'arrêta au pied du
bûcher, puis, se tournant vers l'estrade où la Reine était
assise, il s'inclina profondément, posant un genou en terre un
instant. Petit Louis, au rappel de sa mère, ôta prestement son
chapeau. Le prêtre saisit alors le goupillon que lui tendait
l'enfant de chœur ; il traça dans l'air un grand signe de croix,
aspergeant devant lui les fagots, disant bien haut, lentement :

– *In nomine Patris et Filii et Spiritus Sancti.*

L'assistance ajouta en chœur, chacun se signant sur sa poitrine :

– *Amen !*

A ce moment, on alluma l'ouvrage. Des torches furent vivement fourrées sous la première roue de bûches, où l'on avait placé un lit de paille et de bourrée. La fumée monta d'abord, puis de courtes flammes se prirent à lécher les cotrets, çà et là. La fumée se fit plus dense, filant d'abord droit au-dessus de la meule de bois, puis elle se coucha sous une bouffée de brise. La foule recula, poussant des hourras ; les premiers rangs se bousculaient pour éviter la chaleur des flammes, qui commençaient à bondir dans un crépitement de branches sèches – les craquements du feu allaient grossissant dans une sorte de bruit d'averse.

Petit Louis, saisi du frémissement général, sautait de joie. Il frappa dans ses mains, se prenant à chanter, tout à trac, hors de propos :

– *Pal-mas, pal-mi-tas, Hi-gos y cas-ta-ñi-tas !*

– *Hijo mío !...* s'exclama la Reine, qui riait de son excitation.

Oubliant dans un élan de primesaut maternel sa posture régalienne d'apparat, elle se plia en avant, les mains sur ses genoux ; elle se releva, tâchant de retenir l'éclat de son rire. A voir danser le petit bonhomme, rouge de plaisir sous son chapeau, elle était si aise qu'elle le baisa.

A ce moment, on entendit les chats. Ils commencèrent une plainte, un miaulement de peur et de colère, à mesure que la fumée âcre et le fracas grandissant du bûcher ardent éveillaient leur panique. Le sac recommença à bondir au bout de la corde dans la lumière rougeoyante qui l'éclairait violemment d'en bas. Les matous, capturés depuis plusieurs jours pour le sacrifice du feu de Saint-Jean, s'étaient battus et griffés entre eux jusqu'à épuisement dans cette poche où on les avait fourrés de vive force. Ressaisis dans la peur d'une énergie féroce, ils faisaient se gonfler la toile en bosses désespérées ; les cris devenaient rauques, déchirants, à mesure que la fumée et la chaleur enveloppaient le sac. La foule riait ; toute l'assistance se régalait à voir la surprise des chats.

Bientôt les flammes montèrent d'un jet, s'élancèrent du bois sec en larges lames rousses de dix pieds de haut qui léchaient le nœud de la corde. Ce furent des cris, suivis de brusques silences ; on attendait que l'étoupe de chanvre s'enflammât à son tour, libérant le sac qui s'effondrerait au cœur du brasier. Mais, tout à coup, une pièce rapportée, dont la couture avait été défaite par une branche, céda sous les saccades des pauvres bêtes qui se débattaient à l'intérieur. La tête d'un chat parut ; c'était un chat tout noir, maigre, qui bondit vers le mât en miaulant d'épouvante. Cependant, il était empêtré dans la toile du sac, il perdit son élan, rata le tronc de l'arbre et dégringola dans les flammes. L'animal disparut en avant du brasier en poussant un cri rauque qui anima l'assistance d'un trémoussement de gaieté, puis il rejaillit en un éclair, grimpa le long du mât comme un diable en feu, tout son pelage roussi et fumant : cette apparition souleva l'hilarité complète de l'assistance, tandis que le chat, terrorisé, s'élançait dans le vide avec un cri aigu, chevrotant — il ne réussit qu'à atteindre le bord du brasier, qui engloutit son corps défait.

Toute cette action n'avait duré que quelques fractions d'une minute d'horloge : la corde à présent prenait feu, ramenant l'attente des spectateurs à une impatience fébrile. Une lumière crue blessait le regard, le rayonnement de la chaleur obligea la foule à se reculer encore, élargissant dans les protestations des uns et des autres le cercle de sol nulâme [1] autour du feu de joie. Le sac était toujours agité de convulsions, mais l'on commença à craindre que les animaux n'achevassent d'étouffer avant d'avoir fourni le spectacle réjouissant de leur dernière détresse. Par bonheur, un second

1. Le no man's land.

chat surgit de la poche ; s'agrippant des quatre pieds à cette balançoire fatale, il réussit à sauter sur le sommet du tronc et se tint là, tournant sur lui-même sans prendre le courage de s'élancer vers la terre, miaulant d'un air doux et triste. La corde, en bas, lâcha ! Le chanvre, consumé, se rompit, le sac glissa tout d'un bloc sur les souches, où il se déchira sous l'effet du choc et du feu. L'énergie du désespoir projeta en tous sens la dizaine de fauves tigrés ou bruns qui sautaient dans les hautes flammes. L'un d'eux parvint à franchir, dans un élan farouche, le cercle ardent ; il retomba à terre à quelques pieds du brasier, mais il coulait de sa propre graisse fondue et finit de se consumer sur le sol dans un dernier soubresaut. Trois chats s'accrochèrent au mât, grimpant sur le sommet, vers le chat roux qui miaulait sans voix, paralysé de terreur. Maintenant, le feu de Saint-Jean était devenu fournaise, des étincelles craquaient, des brindilles incandescentes s'élevaient à quarante coudées dans les airs ; le bûcher, tout entier embrasé, ronflait comme un ouragan. Les derniers chats disparurent aux regards, happés par les flammes.

Petit Louis avait tout vu dans une sorte de ravissement, les yeux ronds, la bouche ouverte. Voyant les derniers chats qui tremblaient sur le sommet du tronc, il dit :

— Sont-ce bien des diables, maman ?

— Ce sont des âmes damnées qui souffrent en Enfer. Mais les âmes que le diable emporte ne périssent point, elles brûlent éternellement.

— Qu'est-ce à dire : éternellement ?

— Leur tourment n'a jamais de fin et le feu qui les cuit durera jusqu'au Jugement.

— Je ne veux point aller en Enfer, maman !

Le Dauphin était inquiet ; il y avait une supplication dans sa voix.

— Aussi n'irez-vous point, Louis, si vous dites bien vos prières et n'offensez jamais Dieu.

— Assurément ?

— Il est vrai. A condition que vous soyez vigilant et que vous aimiez toujours notre sainte mère l'Église, ajouta Anne, qui lui caressait la joue pour le rassurer.

— Je ferai tout cela pour l'amour de vous, maman menonne !

Il songea un instant, le front grave, puis il ajouta triomphalement :

— Et je vous bâtirai un grand château !

— Cela est bien, Louis.

La lune battait son plein. Les étoiles avaient pâli. La foule sur la place avait commencé à se mouvoir en rond autour du brasier. Une rumeur de chant non encore assurée s'élevait pour préparer la danse.

— Rentrons à présent, dit la Reine, qui fit un signe à ses filles d'honneur.

Mme de Brassac se pencha sur le petit prince et dit :

— Monsieur, je viens de voir là-bas le petit homme qui jette le sable.

CHAPITRE VI

Quand le Roi atteignit Fontainebleau, venant de Moret, le 23 juillet, il était las, triste, chagrin et n'aspirait plus qu'à se reposer de ses peines dans le calme château de sa naissance. Il avait voyagé ces derniers jours sous un soleil brûlant qui transformait l'intérieur de son carrosse en fournaise ambulante. Les chevaux, mangés par une nuée de mouches, trottinaient avec peine sur le chemin poudreux, où leurs sabots soulevaient des monceaux de poussière blanche et fine qui flottait en permanence dans l'air aride et collait à la peau ruisselante de sueur ; il en résultait une sorte de pâte désagréable qui raidissait la moustache, les poils de la barbe, et engluait les cheveux sur les tempes. Aussi, en pénétrant dans la forêt, Louis avait senti sa poitrine se détendre ; les dernières lieues, couvertes à l'ombre des grands arbres sous lesquels l'air circulait, frais, chargé de la senteur des mousses et des écorces vives, lui avaient donné l'impression d'atteindre enfin le paradis terrestre.

Un paradis où n'entrerait plus jamais Cinq-Mars, assurément ! La trahison de son beau favori avait cruellement meurtri le monarque ; c'était le principal sujet de sa profonde tristesse. L'irritation que lui avait causé la vanité du jeune homme s'était soudain transformée en une violente colère à la découverte du complot, puis il était passé au doute, alternant avec la fureur froide et même, à certains moments, avec l'espoir hésitant qu'il s'agissait d'une erreur. Aucune confusion, hélas ! n'était possible, non plus qu'aucune excuse.

Monsieur le Grand était demeuré entre les mains du Cardinal, dans la vallée du Rhône, en compagnie de son ami Antoine de Thou, pris lui aussi la main dans le sac. Ils attendaient l'instruction de leur procès qui devait avoir lieu à Lyon. La capture du favori avait été tellement indigne d'un homme de son rang ! Couché dans le foin ! Comme un laquais ! Ah ! cela était fort méritoire du débauché qu'il était ! Louis demeurait terriblement éprouvé par cette campagne dans le Roussillon qui, outre l'inhospitalité du climat de ces terres chaudes, s'était conclue par la ruine de ses dernières illusions sur les hommes.

Cependant, une triste nouvelle était encore à venir et l'attendait au port : à peine fut-il descendu de voiture, au pied de l'escalier d'honneur du château, que son secrétaire, arrivé de la veille, lui apprit la mort de la Reine Mère survenue à Cologne au début du mois de juillet ; la vieille dame, disait-on, venait de procéder à des préparatifs minutieux pour rentrer en France, où son vieil ennemi le Cardinal aurait dû rendre l'âme sous le poignard de ses assassins. La nouvelle victoire du prélat coriace, en fauchant ses derniers espoirs, avait eu raison de sa santé vacillante et lui avait mis, en quelque funeste sorte, la mort aux dents.

Le Roi reçut cette nouvelle comme un coup d'assommoir. Il était trop tard pour penser à lui rendre justice, pour lui pardonner. Elle était morte, la page était tournée. Dans la soirée, comme il rappelait devant ses yeux les moments de la vie de sa mère, il fut pris d'un remords intense de ne l'avoir pas fait revenir à temps ; il éprouva une sorte de fatalité à être précisément dans cette demeure où elle lui avait donné le jour. Certes, la Médicis l'avait peu aimé ; assurément, il avait dû lutter pour demeurer sur ce trône où Dieu l'avait placé par sa naissance – dont elle voulait l'ôter. Mais, à présent qu'il l'avait laissée mourir en terre étrangère, dans la tristesse et la pauvreté, il était, lui, ce fils ingrat qui devenait indigne aux yeux de l'Europe. Les litanies du Père Caussin, exilé au fond de la basse Bretagne, lui revenaient cruellement à l'esprit.

Louis en conçut une mélancolie farouche et, bizarrement, cette perte d'un être qui lui échappait dans la mort accomplie s'ajoutant à celle de son mignon qui s'avançait à coup sûr vers la sienne, il se prit à ricaner. Il n'avait jamais supporté qu'on le quittât : il avait toujours insulté ceux qui s'en allaient – ceux qui mouraient. De Luynes autrefois, l'ami le plus intime sans doute, le plus fidèle qu'il eût côtoyé, l'avait abandonné en mourant pendant un siège. Le jeune Roi avait alors honni sa mémoire et s'était vengé sur sa veuve, que le moribond lui avait chèrement recommandée : Marie de Rohan, alors grosse. Il l'avait ôtée de sa vue, la bannissant avec son enfant des appartements qu'elle occupait au Louvre.

Ce prince bizarre, qui se plaisait à contrefaire, pour rire, la grimace des mourants, qui moquait les râles d'agonie, semblait souffrir à vie du tragique abandon du roi Henri son père – cette douleur ancienne avait pu imposer à son caractère cette humeur macabre.

Cette nuit-là, il dormit mal ; à peine son esprit sombrait-il dans le sommeil que des cauchemars le hantaient. Le visage de Marie de Médicis lui apparaissait en songe, tantôt las et défait, tantôt rouge de colère ; les yeux noirs de sa mère le perçaient d'un trait farouche, et ces yeux demeuraient seuls, privés de visage, tandis que le haut front de la Reine Mère se plissait, se desséchait en un instant et tombait en poussière. Au moment où, pris de terreur, il s'éveillait frissonnant, le cœur battant, la gorge sèche, les yeux demeuraient accrochés au rideau de son lit, dans l'ombre, et regardaient Louis. Aussi, le lendemain, il fut tout le jour maussade ; il reçut malgracieusement la Reine et les enfants, qui étaient arrivés de Melun, venant de Saint-Germain à sa rencontre par petites étapes.

Anne avait fait le trajet dans une litière ouverte, portée par deux mulets, en compagnie des petits princes. Ce moyen de transport silencieux les amusait mieux que le carrosse, car ils pouvaient tout du long parler avec leur mère sans crier à tue-tête pour couvrir le bruit des roues sur les cailloux, le cahotement perpétuel des moyeux, le grincement des essieux et les cliquetis variés produits par les anneaux de fer battant le bois des portières. Dans la litière, seuls le pas des bêtes et les paroles d'encouragement des muletiers troublaient la paix de la campagne traversée.

La Reine était habillée de deuil et portait un masque de velours noir sur son visage. Elle avait appris l'avant-veille, alors que l'équipage faisait route vers Fontainebleau, la mort de la Reine Mère et avait immédiatement commandé des habits de deuil pour son arrivée à Melun. Ils étaient repartis de cette ville à 4 heures, une fois passé la plus grande chaleur du jour, et avaient fait halte dans la forêt pour donner la collation aux enfants. Le buffet leur fut servi sur une grande pierre blanche comme il s'en trouve beaucoup dans cette région boisée. On les fit descendre à l'ombre des arbres, où ils voulurent s'ébattre ; Monsieur d'Anjou courait pataudement autour d'un grand chêne, tenu par ses lisières par l'un des gardes qui feignait en même temps d'être un géant à sa poursuite. Sa nourrice, qui était avec lui dans la litière de la Reine, leur avait conté la veille des fables sur le peuple des géants et des ogres qui habitent les grandes forêts. Petit Louis courait derrière eux avec un bâton qu'il tenait comme une lance, prétendant qu'il était à cheval et qu'il voulait délivrer son petit frère.

Ils arrivèrent à Fontainebleau à 6 heures et demie. Le Roi les reçut dans sa chambre ; il trouva le Dauphin grandi, depuis six mois qu'il ne l'avait vu, et Monsieur d'Anjou, qui marchait à peine à son départ pour le Roussillon, étonnamment changé. Il remercia son fils aîné de la lettre qu'il lui avait écrite avant de partir de Saint-Germain, disant qu'on la lui avait fait tenir à Montereau ; il sortit le billet de son pourpoint, où il disait l'avoir gardé depuis lors. Petit Louis avait tracé les lettres de sa petite main, tenue par celle de sa mère qui la dirigeait : « Papa, j'ai su que vous avez été malade, j'en ai été bien marri, mais j'ai tant prié Dieu et

Notre-Dame la Vierge qu'ils vous ont rendu votre santé. J'ai bien envie de vous voir, car je suis bien sage et mon frère d'Anjou aussi. Je ferai tout ce que vous me commanderez et serai toute ma vie, papa, votre très humble et très obéissant fils et petit valet. DAUPHIN. »

Cependant, le Roi était de très fâcheuse humeur. Il ne vit sa famille que quelques minutes et, après cette audience brève destinée à leur souhaiter la bienvenue, il s'en fut souper seul, sans même se soucier de la compagnie de sa femme. Cette mélancolie ne s'étant point dissipée les jours suivants, où le monarque demeura sombre et distant, Anne décida de ne point passer le reste de l'été dans ce château morose où chacun allait tristement. Elle menait les enfants aux jardins, avec la gouvernante, les femmes de leur service et des filles qui jouissaient fort bellement de leur compagnie. Les petits princes passaient beaucoup de temps au jardin des canaux, où ils observaient les truites et les carpes, à qui ils donnaient du pain bis que les demoiselles apportaient tout exprès dans de petits paniers. Ils s'amusaient à faire évoluer les canes blanches et les cygnes qui y vivaient ; les cygnes venaient parfois tout au bord, glissant leur long cou vers les visiteurs. Un jour, l'un d'eux saisit dans son bec le bas de la robe du Dauphin, qui se mit à crier de terreur, de la crainte qu'il avait d'être entraîné dans l'eau du bassin par le grand oiseau. D'autres fois, les enfants prenaient leur collation au jardin des faisans ; là se trouvait aussi une autruche, animal solennel que Petit Louis se plaisait à contrefaire dans sa démarche gravement posée. Ils y demeuraient jusqu'à ce que tombât le serein, à l'heure où les valets attachés au service de la volière venaient jeter la mangeaille aux oiseaux.

Le soir, on dansait le branle dans la chambre de la Reine, au son du luth ou des violons. Anne faisait ponctuellement dire son *Pater* au Dauphin, habillé de sa chemise pour la nuit, à genoux au pied de son lit ; le « Notre Père » était généralement suivi de la prière ordinaire : « Dieu protège le Roi, etc. » Puis elle chantait les chansons espagnoles que le petit prince aimait et sans lesquelles il disait ne pouvoir s'endormir tout à fait. Souvent aussi, Petit Louis questionnait sa mère sur le sens des prières qu'on lui faisait réciter et sur les choses de la foi que son esprit puéril ne pouvait entendre :

— Maman, qu'est-ce à dire : « que ton règne advienne » ? demanda-t-il un soir.

— C'est que le Royaume du bon Dieu s'étendra un jour sur la terre entière, Louis ; ici et partout. Il n'y aura que paix alors et félicité pour tous ceux qui auront été bons et pieux – et tous les méchants seront chassés. Nous voulons que ce moment advienne, n'est-ce pas, mon fils ?

— Quand viendra-t-il donc ?

— A la fin des temps.

— Quand cela sera-t-il ?

— Je ne sais pas, Louis, et nul ne le sait encore, sauf Dieu lui-même.

— Serai-je encore petit ?

— Oh non ! Auparavant, vous aurez été roi, Dieu veuille ! Mais vous n'aurez garde d'oublier, cependant, que vous êtes le vassal du Tout-Puissant, qui vous a donné la vie et qui vous donnera un jour votre royaume, quand Sa Majesté votre père ne sera plus.

— C'est le Père Fernández qui vous a dit cela ou M. de Lisieux ? demanda encore le petit prince.

— Tous les deux le disent, Louis, et bien d'autres gens comme eux.

— Qui le leur a dit à eux ? s'enquit l'enfant, que ces questions subtiles embarrassaient.

— Tout le monde : les prêtres qui vivaient avant nous, puis ceux qui étaient avant ceux-là, ainsi depuis Notre Seigneur Jésus-Christ, qui les a instruits le premier de la parole divine.

— Les prêtres ne peuvent-ils donc faillir, maman ?

— Non, Louis, les prêtres ne peuvent faillir pour la raison qu'ils sont prêtres et que Dieu les inspire. Il les faut donc croire toujours.

Le Dauphin méditait gravement avant de s'endormir sur l'infaillibilité des prêtres... Un autre soir, assis sur son lit, il demanda, l'air perplexe :

– Qu'est-ce à dire : « et nous pardonnez nos offenses » ?

– C'est, Monsieur, que nous offensons le bon Dieu tous les jours, répliqua Anne, qui aimait que son fils fût curieux des choses sacrées. Nous le devons donc prier qu'il nous pardonne nos offenses.

– Et « gardez-nous du Malin », maman menonne ? Qui est-il, celui-là, je vous prie ?

– C'est le mauvais ange. C'est lui qui rend les enfants opiniâtres parfois et fait que vous êtes querelleux.

– Féfé d'Anjou aussi ?

– Toutes les personnes. C'est le Malin qu'il faut fuir. Voilà pourquoi nous demandons à Dieu chaque jour de nous en garder.

Le matin, il récitait sans manquer la Salutation à la Vierge, qui, lui avait-on expliqué, avait présidé à sa naissance et l'avait grandement favorisé. La bonne dame, mère de Notre Seigneur Jésus, le protégerait pendant toute son existence, comme elle protégeait déjà notablement le Roi, lequel, en récompense, lui avait offert son royaume. L'enfant prononçait clairement, d'une jolie voix monocorde :

– *Ave Maria, gratia plena, Dominus tecum. Benedicta tu es in mulieribus. Et benedictus fructus ventris tui Jesus. Sancta Maria, mater Dei, ora pro nobis peccatoribus, nunc et in hora mortis nostrae. Amen.*

Il terminait par un signe de la croix, qu'il exécutait gravement de sa petite main potelée devant son visage et sa poitrine.

Un après-midi, en revenant de la chasse, le Roi fit venir le Dauphin au chenil pour lui faire voir la curée du cerf qu'il venait de prendre ; il s'agissait d'une curée froide, celle que l'on donne aux chiens au moment où ils rentrent au logis. La meute attendait, toutes les têtes dressées, les babines dégoulinantes d'envie, à quelque distance, tandis que les valets de la vénerie préparaient l'acharnage, qui était leur ultime récompense pour avoir tant couru et haleté sur les voies de la grande forêt. Quatre hommes avaient étendu à terre le cuir du cerf dépecé, dont la tête garnie de ses andouillers traînait sur le sol ; ils s'activaient à genoux à malaxer les entrailles de la bête. Ils avaient découpé les boyaux, taillé la panse, les poumons, le foie, les rognons, le cœur en petits morceaux sanguinolents qu'ils mélangeaient à la main sur la peau étendue ; ils pétrissaient cette chair en ajoutant force tranches de pain bis à la mie abondante et molle. Petit Louis, qui se tenait près d'eux en compagnie du Roi et du grand veneur, sentait l'odeur forte et douceâtre du sang caillé, que les chiens, rangés à vingt coudées de l'autre côté, respiraient à pleines narines frémissantes ; leurs langues pendaient et ils gémissaient doucement du désir qu'augmentait leur attente.

Quand les valets eurent fait, ils étalèrent la mangeaille très uniment sur toute la largeur du cuir bien étiré aux quatre membres, puis ils se relevèrent et tirèrent à l'écart. Dès ce moment, tout était prêt : le grand veneur fit un signe et les sonneurs embouchèrent leurs cors, lançant dans les airs l'appel éclatant de la curée. A ce signal, doublé d'une exclamation brève du maître de la meute, les chiens se précipitèrent vers le cuir, qu'ils entourèrent en un instant, happant, lapant et grognant de plaisir. Voyant la meute qui fonçait dans sa direction, le Dauphin fut tenté de fuir, mais l'huissier qui l'avait amené, et qui se tenait derrière lui, le prit au bras et calma bientôt sa frayeur. Le Roi fut mécontent de cette couardise de l'enfant ; il le tança rudement devant le monde, disant qu'il lui faudrait être plus hardi et se conduire avec davantage de retenue à l'avenir dans ces sortes d'événements.

La semaine qui précédait la fête de Notre-Dame, la Reine s'en fut demander congé au Roi pour elle et les enfants ; le congé lui ayant été accordé volontiers, elle reprit la route de

Saint-Germain. Louis avait décidé d'attendre sur place, en chassant pour fuir son ennui, les nouvelles de Richelieu. Il avait laissé le ministre, à Tarascon, si malade qu'on l'avait cru aux portes de la mort ; il attendait aussi, sans aucune illusion, les résultats du jugement de Cinq-Mars, que le Cardinal devait conduire à Lyon dans son train d'équipage.

Ce fut en effet aux premiers jours de septembre que Monsieur le Grand et son ami de Thou arrivèrent en carrosse, gardés par six cents cavaliers qui faisaient escorte jusqu'au château de Pierre-Encise, où ils furent mis environ une semaine avant leur procès. Monsieur le Grand était vêtu somptueusement d'un habit de drap de Hollande couleur de musc, tout couvert de dentelles d'or, et d'un manteau écarlate à gros boutons d'argent. Il saluait la foule immense qui était venue le voir passer, sortant à mi-corps par la portière tantôt d'un côté, tantôt de l'autre, et parlant gaiement avec ceux qu'il connaissait et qu'il appelait par leur nom. Les juges s'étant réunis le 12, il fut conduit devant eux au présidial de Lyon d'assez bon matin et condamné à avoir la tête tranchée sur un échafaud qui avait été dressé la veille, place des Terreaux. M. de Thou lui succéda au milieu de la matinée ; il fut condamné à la même peine et s'écria devant toute l'assistance :

– Allons à la mort et au Ciel ! Allons à la véritable gloire ! Qu'ai-je fait en ma vie pour Dieu qui m'ait pu obtenir la faveur qu'il me fait aujourd'hui d'aller à la mort avec ignominie, pour aller plus tôt à la véritable vie ?

Les deux hommes se retrouvèrent ensuite pour se préparer à la mort dans une chambre du palais, qu'ils ne quittèrent que dans l'après-midi de la même journée pour être conduits place des Terreaux. Ils firent des dévotions si émouvantes, accompagnées de protestations d'amitié éternelle si touchantes, que les gardes pleuraient ; de même firent les juges qui les vinrent visiter, car Monsieur le Grand devait encore être interrogé pour qu'il livrât, avec ses secrets, tous ses autres complices. Pourtant, la question ordinaire et la question extraordinaire, auxquelles il avait été condamné en sus de la mort, lui furent finalement épargnées.

Les deux jeunes gens furent menés au supplice en carrosse au milieu d'une foule extrêmement dense qui voulait apercevoir une dernière fois le beau favori du Roi. De Thou, voyant la voiture qui les attendait au pied du perron devant le palais, s'écria à l'adresse de l'assemblée :

– Messieurs, quelle espèce de bonté de conduire des criminels à la mort dans un carrosse, nous qui méritons d'être charriés dans un tombereau et traînés sur des claies ! Le fils de Dieu, qui était l'innocence même, y fut mené pour nous avec tant de honte et de scandale !

Les confesseurs, deux Pères jésuites qui les entretenaient depuis leur arrivée à Lyon, montèrent avec eux. Environ cent chevaliers du guet et trois cents cuirassiers les accompagnaient, avec les officiers de justice et le grand prévôt ; pendant leur pitoyable et dernier voyage, ils ne cessèrent de réciter des litanies, des actes de foi, de vertu et de miséricorde. Les bons Pères qui les assistaient se montrèrent ravis de la bonne grâce d'aussi parfaits chrétiens. Durant le chemin, Cinq-Mars se recommandait aussi aux prières du peuple ; il mettait sa jolie tête pour la dernière fois hors du carrosse. Cela émut si fort une troupe de demoiselles qui se pressaient pour le voir qu'elles poussèrent un grand cri ; aussitôt, le Père Malavalette, qui se tenait aux côtés de Monsieur le Grand, fondit en larmes :

– Eh quoi ! mon Père, lui dit le condamné, vous êtes donc plus sensible que moi-même à mes intérêts ? Je vous prie de ne pas nous attrister par vos larmes : nous avons besoin de votre résolution pour fortifier la nôtre.

Quant au confesseur de M. de Thou, il avait été si frappé des larmes des gardes, des juges et du peuple qu'il ne pouvait déjà proférer une seule parole, pâle et muet sous l'effet des sanglots de son cœur qu'il étouffait dans sa bouche.

M. de Cinq-Mars fut exécuté le premier ; au sortir du

carrosse, où demeurait son ami, il l'embrassa et le baisa avec effusion ; M. Auguste de Thou lui dit :

– Allez, monsieur, un moment va nous séparer maintenant, mais nous serons bientôt réunis en la présence de Dieu pour toute l'éternité.

Au moment où le jeune homme allait gravir les degrés qui menaient à l'échafaud, les soldats voulurent lui arracher son magnifique manteau d'écarlate ; Cinq-Mars fit lâcher prise aux insolents puis offrit de lui-même son manteau aux jésuites, afin qu'ils en fissent don aux pauvres. Il aida ensuite le Père Malavalette à monter en lui donnant la main. Arrivé sur la plate-forme où l'attendait le bourreau, il salua le peuple, regardant de tous côtés, le chapeau à la main, avec des sourires et une face majestueuse et charmante, tout comme s'il se fût prêté à une représentation à la Cour. Cela fait, il s'approcha du billot, qui avait été dressé de manière inaccoutumée à une hauteur de trois pieds, obligeant le supplicié à s'agenouiller sur un petit banc prévu à cet effet. Cette position était fort incommode, car on ne pouvait plier la tête qu'avec difficulté. Monsieur le Grand essaya de s'ajuster, demandant comme il fallait faire et s'il serait bien comme cela. Puis il récita d'autres prières, avant de se couper les cheveux lui-même avec les ciseaux qu'il avait retirés des mains du bourreau.

Il ne voulut point avoir les yeux bandés ; enserrant lentement le poteau de ses bras, il mourut les yeux rivés sur le crucifix que le Père lui tenait obligeamment devant sa vue. M. de Thou, qui lui succéda bientôt, monta aussi sur l'échafaud fort légèrement ; il embrassa le bourreau, le baisant et l'appelant son frère. Il se fit aider dans ses dernières dévotions par le Père Malavalette, qu'il pria de remonter sur la plate-forme – en effet, le jésuite qui devait l'assister était toujours incapable de prononcer une seule parole du choc qui ne l'avait pas quitté –, et le jeune homme mourut, lui aussi, avec une piété incroyable, dans un mouvement de foi exaltée.

Petit Louis apprenait ces nouvelles à Saint-Germain-en-Laye, où l'on murmurait tout bas contre la cruauté du Cardinal, qui avait fait périr ces deux jeunes hommes si gracieux, auxquels Sa Majesté eût probablement pardonné leur faute, qui avait été commise dans son intérêt et dans celui de la paix. Le Dauphin prenait un bain dans un grand cuveau avec Madame la Reine, qui le faisait toujours baigner et se jouer avec elle dans l'eau, lorsqu'une des filles d'honneur entra dans la chambre pour annoncer que Monsieur le Grand avait péri à Lyon :

— Qui a apporté la nouvelle ? demanda la Reine.

— C'est un gentilhomme qui arrive de Fontainebleau, Majesté, où Monsieur le Cardinal l'a mandé au Roi.

— Dieu puisse avoir pitié de leur âme ! dit Anne, qui se signa.

Petit Louis l'imita gravement, prenant de l'eau du cuveau et la portant à son front comme si ce fût eau bénite.

— C'est bien, mon fils, dit Anne, il faut avoir pitié des malheureux dont le sang demande la miséricorde divine. Sait-on si Fontrailles est toujours en fuite ? demanda-t-elle.

— Il n'a pas été dit, Madame... Cependant, le messager annonce aussi que les armées du Roi ont pris Perpignan aux troupes du roi d'Espagne.

— Ainsi, donc ! se contenta de murmurer la souveraine.

Elle demeura songeuse un moment. Les affaires de l'Espagne empiraient ; son frère devait en ressentir du dépit et témoigner un grand embarras. Mais elle ne devait point s'attrister, sous peine de médisance ; les espions qui l'entouraient ne manqueraient pas de rapporter à Son Éminence les marques d'affliction qu'elle pourrait laisser paraître. Il lui fallait au contraire prendre une mine réjouie en dépit qu'elle en eût ; il lui faudrait bientôt faire bonne contenance dans les chants de réjouissance qui allaient survenir à la suite de ce grand succès. Cinq-Mars avait en vain donné sa vie pour la paix ; Dieu n'avait pas voulu qu'il y réussît.

Elle se leva toute droite dans le bain, qui du reste commençait à froidir ; ses femmes de chambre l'entourèrent aussitôt de serviettes chaudes qu'elles avaient tenues devant la cheminée de la chambre.

– Maman, ne partez point ! s'écria le Dauphin d'un ton désolé que le jeu fût interrompu. Je veux baigner encore !

– Il nous faut pourtant aller faire porter nos compliments à votre père pour les éclatantes victoires que Dieu lui envoie.

C'était le jeune duc d'Enghien, fils de Monsieur le prince de Condé et de Charlotte de Montmorency, qui était entré dans Perpignan à la tête des troupes françaises. Il avait été acclamé par la population catalane, qui se réjouissait d'avoir vu le départ des Espagnols. Le duc d'Enghien était alors âgé seulement de vingt et un ans mais présentait déjà, avec une fougue remarquable, les qualités d'un grand capitaine. Ses vertus guerrières étaient alliées au goût des lettres et des arts qu'il cultivait très vivement en fidèle habitué du salon de la marquise de Rambouillet. Le jeune homme avait épousé l'année précédente Clémence de Brézé, la propre nièce du cardinal de Richelieu, duquel il se trouvait, à cause de cette union, fort bien traité.

Peu à peu, vers la fin de septembre, on apprit à Saint-Germain les détails de ces exécutions capitales de Lyon. On disait qu'en réalité Monsieur le Grand fut malade plusieurs jours avant son jugement, souffrant d'un dévoiement d'estomac qui l'empêcha de prendre aucune nourriture pendant plus d'une semaine. Aussi était-il très faible quand il monta sur l'échafaud ; son confesseur n'avait pu lui faire avaler des œufs et du vin, qu'il avait envoyé quérir pour lui au palais de justice pour le réconforter. On apprit aussi que le bourreau était un vieux colosse miséreux, fort malhabile : un ancien soldat qui n'avait aucune expérience de la décapitation. Ce misérable avait accepté de se charger de cette basse besogne pour quelques deniers et le prix des habits des suppliciés. Hors de toute tradition, il utilisait une espèce de gros couteau de boucher, fait à la façon des haches d'Angleterre, aux bords relevés en pointe ; s'il trancha le col de Cinq-Mars et prit sa vie d'un seul élan de son outil, il resta cependant un peu de peau et une partie du gosier qui retenaient la tête au corps. L'exécuteur changea donc de côté pour scier ces restants de chair, tandis que le sang giclait sur le billot et sur ses mains. Cependant, il s'y prit si mal que la tête, brusquement détachée, tomba sur le plancher où elle rebondit et, de là, roula à terre jusque sur les pieds des spectateurs. Ceux-ci la relancèrent sur l'estrade en insultant l'ignoble boucher.

Au récit de ces rudesses, les dames faisaient des petits cris et portaient la main devant leurs yeux tout comme si elles ne pouvaient supporter la vision que les mots faisaient naître.

— Pauvre Monsieur le Grand ! Dieu soit loué s'il est en Paradis à cette heure !... disaient certaines.

— Pauvre jeune homme ! disaient d'autres. Voyez, Monsieur le Dauphin, ce qui arrive à ceux qui aiment la débauche et que le bon Dieu punit !

Petit Louis écoutait ces récits étranges de toutes ses oreilles et d'aucuns lui conseillaient de se réjouir parce que son père en avait fini avec ces ennemis. Au château Vieux, où Cinq-Mars avait ses appartements, il n'était servante qui n'allât soupirant et le Dauphin entendit conter la fin de M. de Thou une demi-douzaine de fois tout du long par les chambrières et les valets de la maison. Le malheureux compagnon du grand écuyer avait été littéralement massacré par ce bourreau d'occasion. Ayant récité longuement le psaume *Credidi*, dont il paraphrasa chaque verset, François Auguste avait baisé le sang de Cinq-Mars demeuré sur le billot puis demandé un mouchoir, dont il s'était couvert les yeux lui-même. Comme il avait pris position sur le plot surélevé et qu'il entamait d'une voix émue le *In manus tuas*, il reçut le premier coup de couperet sur l'os de la tête, dont il fut écorché. Cette action malhabile le fit choir du côté gauche, tandis qu'il portait sa main à l'endroit où avait heurté le couteau. Le bourreau redoubla son coup sans plus de succès, sinon qu'il l'écorcha encore au-dessus de l'oreille et le renversa sur le théâtre de planches de l'échafaud. Le pauvre jeune homme se mit à lancer les pieds en l'air de douleur. Le peuple avait hué si fort, des cris sortis de milliers de poitrines ensemble, devant tant de gaucherie et si grande cruauté, que le bourreau étourdi, prenant peur, s'était précipité sur l'infortuné et lui avait tranché la gorge de deux ou trois coups répétés à même le sol. Après quoi il lui avait fallu encore deux grands coups de son hachoir pour sectionner entièrement le cou, au milieu des pierres qui s'étaient mises à pleuvoir comme grêle sur l'échafaud en signe de protestation publique.

De fil en aiguille, les conversations revenaient sur une exécution de jadis, demeurée célèbre, d'un autre conspirateur : celle de M. de Chalais, à Nantes, où un bourreau aussi maladroit avait frappé plus de vingt fois le malheureux comte. Le Dauphin rêvait à ces supplices, et ses serviteurs lui disaient :

– Un roi a beaucoup d'ennemis, Monsieur, il se doit garder d'eux et les châtier. Vous ferez de même un jour, allez !

Pendant quelques soirs, il eut peur pour s'endormir ; d'autant que Michelette lui avait fait accroire pour le railler que le bourreau de M. de Thou allait venir le prendre. Le petit prince récitait avec une ferveur inhabituelle la prière de chaque soir, qui se terminait par ces mots : « Protégez-moi de mes ennemis, visibles et invisibles. »

A Fontainebleau, Louis ricanait en évoquant le souvenir de son favori. Il s'occupait tristement à des besognes diverses pour meubler sa solitude et son désœuvrement en l'absence de confident. Un jour qu'il faisait des confitures, à l'office, il dit à son maître d'hôtel, lui montrant une casserole au fond noirci au feu de charbon :

– Monsieur le Grand avait l'âme aussi noire que ce poêlon.

Il attendait Richelieu. Celui-ci s'acheminait lentement vers Paris, à toutes petites journées, le plus possible par les rivières et les canaux, car la douceur de la marche en bateau épargnait à sa litière les cahots et les secousses des grands chemins. Le Cardinal souffrait de tout son corps perclus et couvert d'abcès, tant qu'il ne pouvait descendre de sa litière ; le soir, aux étapes, il entrait, ainsi porté, dans les maisons où il logeait. Parfois, les portes n'étant pas assez larges, il fallait démolir des fenêtres afin de livrer passage à la grosse machine où il voyageait. Il prit donc un mois entier, accompagné de toute sa cour de dignitaires et de deux compagnies de ses gardes, pour atteindre Fontainebleau, à la mi-octobre ; le Roi lui alla rendre visite à l'hôtel d'Albret, où il avait préféré loger, tant la crainte où l'avait mis le projet d'assassinat mis au jour par les aveux de Cinq-Mars était demeurée vive, et sa rancœur immense.

Les deux hommes ne s'étaient point revus depuis que ce complot était connu ; leur entrevue fut longue et pénible pour l'un et pour l'autre. Le ministre contemplait celui qui, dans sa lâcheté, avait consenti à sa perte et presque ordonné son assassinat – le Roi contemplait l'homme dont il avait souhaité qu'on le libérât, auquel il se soumettait de nouveau, en sa présence impérieuse et subjugante, par une force à laquelle il ne savait ni ne voulait résister. Cet homme, de surcroît, avait fait tuer l'homme qu'il aimait. La conversation fut lourde, hésitante, distante et fort pénible pour tous les deux. Son Éminence regagna aussitôt Paris, où l'attendaient la quiétude et la sécurité de son Palais-Cardinal ; il continua à s'entourer de mille précautions et de veiller à sa personne ; le Roi partit pour Saint-Germain, d'où il suivit assez froidement les progrès de son ministre vers la tombe. Ils passèrent la plus grande partie du mois de novembre à disputer sur l'épuration que le Cardinal réclamait dans le corps de garde du Roi ; Richelieu exigeait que celui-ci congédiât les quatre capitaines qui avaient trempé dans le complot aux côtés de Cinq-Mars et qui s'étaient portés volontaires pour son exécution. Il demandait particulièrement le renvoi du plus ardent : M. de Tréville, capitaine des mousquetaires à cheval et maréchal de camp. Devant l'entêtement du monarque, qui protégeait ses fidèles serviteurs et refusait de se séparer d'eux, Son Éminence envoya au Roi l'un de ses ambassadeurs les plus habiles : le nouveau cardinal Mazarini, qu'il avait fait entrer au Conseil et qu'il mettait au courant de toutes les affaires du royaume.

Giulio Mazarini venait tout juste d'avoir quarante ans ; c'était un Italien de Rome, plein d'esprit et de charme, dont le père était d'origine sicilienne. Sa mère appartenait à une famille de la société romaine dans la mouvance de l'illustre et puissante maison de Philippe Colonna, grand connétable du royaume de Naples. Giulio était un personnage heureux depuis sa venue au monde, le jour de saint Bonaventure, car il était né coiffé, comme l'empereur Néron, et déjà muni de deux dents de lait – il ne pouvait exister d'augure plus favorable à l'accomplissement de ses futurs desseins ! La chance, en effet, lui avait souri dès l'enfance ; précoce et étonnamment doué, il avait fait de brillantes études au collège romain des jésuites, où, âgé de seize ans seulement, il avait soutenu des thèses publiques sur la comète de 1618, avec une adresse et une éloquence dans l'argumentation qui avaient fait l'admiration d'un auditoire de princes, de cardi-naux et de lettrés. Quelque temps plus tard, il avait joué, au cours d'une représentation dramatique, le personnage de saint Ignace lui-même, lors des fêtes de canonisation du fondateur de l'ordre ; il avait été fêté et célébré comme le meilleur comédien de tous les temps...

L'émule si prometteur des bons Pères refusa cependant d'entrer dans la Compagnie de Jésus ; il préféra quitter le collège. La fortune, là encore, sourit à l'adorable jeune homme alors que celui-ci se fit joueur professionnel pour gagner sa vie ; on le vit réussir des coups si heureux qu'il amassa une grosse fortune et vécut pendant quelque temps comme un jeune prince. De fort belle tournure, de très belle mine, toujours le visage gracieux et serein, Giulio remuait les écus à la pelle et avait coutume de dire : *Il magnifico ha il Cielo per tesoriere !* (Le magnifique a le Ciel pour trésorier).

Hardi jusqu'au dernier point, le jeune aventurier se trouvait parfois ruiné. Un jour que, forcé d'engager à un juif ses beaux habits et ses riches joyaux, il ne lui demeurait qu'une paire de bas de soie, il engagea encore ce modeste viatique et se remit à jouer les menues pièces qu'il en tira ; il le fit avec tant d'adresse qu'il eut bientôt de quoi racheter toutes ses parures et ses diamants ! Toutefois, Mazarini se lassa de ces vicissitudes ; l'année suivante, à dix-sept ans, il suivit en Espagne un fils de son protecteur, Jérôme Colonna, avec qui il partagea pendant trois ans la vie brillante et joueuse de la société madrilène, l'accompagnant de même dans les études de droit canon et de droit civil à la fameuse université d'Alcala. Au contact de la prestigieuse culture espagnole, il eut ainsi le loisir de parfaire son éloquence par un usage impeccable de la langue la plus admirée de l'Europe du temps ; il s'exerça, adroitement, à polir la parole flatteuse et dorée qui fit, quelques années plus tard, sa réputation de jeune diplomate, lorsqu'il eut à s'occuper des délicates affaires de la Valteline pour le service du pape.

Ce fut à l'occasion de ces négociations délicates pour le compte du Saint-Père que Giulio Mazarini rencontra Richelieu à Lyon, en 1630 ; le Cardinal se prit d'une vive estime pour l'habile courtoisie du jeune homme et pour l'efficacité de son admirable talent. Il songea dès lors à se l'attacher. Quelques mois plus tard, à Chambéry, l'Italien avait été présenté à Louis XIII, auquel il avait beaucoup plu. Les brillantes interventions du diplomate, qui avaient fini par conduire à la paix en Italie du Nord à la fin d'octobre de la même année, établirent Mazarini dans une solide réputation de négociateur international. Récompensé par la charge de vice-légat du pape Urbain VIII, puis devenu nonce à Paris en 1634, il était entré, dès 1640, au service de Richelieu, qui l'avait fait nommer cardinal, bien qu'il ne fût point prêtre.

C'était donc un ambassadeur très extraordinaire et de haut prestige que Son Éminence envoyait à Louis pour lui persuader de renvoyer ses capitaines : une manière de faire donner son arrière-garde après l'insuccès de ses lieutenants ordinaires, Des Noyers, que le Roi avait repoussé, et Chavigny, qu'il avait insulté. Beau, ondulant, affable, raffiné, discrètement sodomite et beau joueur d'une rare distinction, Mazarini, que l'on commençait d'appeler Mazarin depuis qu'il était au Conseil, n'avait rien perdu de son pouvoir de persuasion. Sa Majesté le trouvait plein de sagesse et de raison, amusant même avec son accent terrible ! Il lui rappelait sa mère, dont la diction comique avait nourri son enfance. Heureusement, le jeune prélat n'évoquait pas trop l'image de Concini, car il était doux et instruit, contrairement au rustre arrogant qui avait présidé au commencement de son règne. Le messager du Cardinal n'eut donc point trop de mal à venir à bout de sa royale obstination. Un accord étant intervenu le 24 de novembre – le congé étant promis aux gardes indésirés –, le Cardinal, qui était assez rétabli pour sortir de nouveau, quoique médiocrement robuste, se rendit à Rueil le lendemain, qui était un mardi. Sa Majesté l'y rejoignit, venant de Saint-Germain, afin de transformer les promesses en fermes accords.

L'éminentissime cardinal duc de Richelieu regagna Paris le jeudi dans la soirée. Il y retrouva la douceur de son palais ; toutefois, le grand air de cette sortie vers les berges humides de la rivière, la froidure de la saison d'automne à Rueil en cette fin de mois de novembre, le vent coulis qui s'était glissé dans le carrosse à l'aller comme au retour, avaient saisi le convalescent et rudement transi la débilité de son tempérament. Le vendredi, il se sentit comme alourdi malgré sa maigreur ; il se coucha tôt et fut pris dans la nuit d'un violent accès de fièvre qui le faisait grelotter, tandis que se déclenchait une douleur au côté de sa poitrine. D'abord sourde et lancinante, cette douleur le tint éveillé jusqu'au matin. Bien que la fièvre se fût calmée en partie et que le mal semblât décroître, il passa toute la journée du samedi dans son lit, se sentant faible et terriblement las. Le dimanche, dernier jour du mois, le mal de côté redevint plus vif, la fièvre recommença de plus belle ; les médecins alertés semblèrent croire que Son Éminence avait alors une pleurésie et que sa vie pouvait être menacée.

Mᵐᵉ la duchesse d'Aiguillon, sa nièce, ainsi que les maréchaux de Brézé et de La Meilleraye, qui étaient sa proche famille, accoururent à ces alarmes et demeurèrent le soir au Palais-Cardinal, où ils couchèrent en grande consternation. Le malade fut saigné deux fois dans le cours de cette nuit-là et, le lundi matin, qui était le premier jour de décembre, la fièvre étant un peu tombée, le pouls paraissant moins brisé, le Cardinal avait l'apparence de se porter un peu mieux. Hélas ! sur les 3 heures de l'après-dîner, la fièvre le reprit avec davantage de violence encore ; les douleurs dans ses côtés redoublèrent, plus vives et déchirantes que jamais, accompagnées d'une grande difficulté à respirer ; un peu plus tard, Son Éminence cracha du sang dans les efforts qu'il faisait pour tousser, ce qui fit craindre le pire. Le Roi fut alerté dans la soirée de l'extrémité où se trouvait son ministre.

Pendant la nuit du lundi au mardi, le patient dut subir encore deux saignées, lesquelles firent baisser la fièvre un tantinet ; mais les médications soulagèrent peu les souffrances de sa poitrine. Bouvard, le premier médecin du Roi, que Sa Majesté avait dépêché sur les lieux comme l'un des plus savants et des meilleurs praticiens de France, veilla le malade toute la nuit ; de même firent les membres de la proche famille du Cardinal. Mᵐᵉ d'Aiguillon était dans un tel état d'affliction qu'à peine elle se pouvait tenir, versant des torrents de larmes et montrant toutes les marques d'une détresse qui faisait pitié à voir. La matinée fut plus calme ; le patient reposa quelques heures durant lesquelles il se fit une grande consultation entre les médecins. L'après-midi, sur les 2 heures, le Roi arriva de Saint-Germain.

Quand il entra dans la chambre, accompagné de quelques gentilshommes de sa garde, Monsieur le Cardinal demanda à ce qu'il s'approchât de son lit :

— Sire, voici le dernier adieu ! proféra Son Éminence d'une voix assez affaiblie, mais du ton de fermeté qu'il avait eu toute sa vie pour ses conférences.

— Dieu seul peut le sa... sa... savoir, Monseigneur, répliqua Louis sans manifester une extrême conviction, mais avec grande politesse et douceur.

— Si fait ! En prenant congé de Votre Majesté, j'ai la consolation de laisser votre royaume dans le plus haut degré de gloire et de réputation où il ait jamais été. Tous vos ennemis sont abattus et humiliés.

— Cela est vrai ! Cela est vrai ! J'en rends grâces à votre sagesse, ajouta le Roi, profitant que le Cardinal était interrompu par une grosse quinte de toux.

— La seule récompense de mes peines et de mes services que j'ose demander à Votre Majesté...

Richelieu toussa encore, mais comme son valet approchait sa main pour lui soutenir la tête, il le repoussa d'un geste :

— ... c'est que Votre Majesté continue à honorer de sa protection et de sa bienveillance mes neveux et mes parents. Je ne leur donnerai ma bénédiction qu'à la charge qu'ils ne s'écarteront jamais de l'obéissance et de la fidélité qu'ils vous doivent.

Le malade s'interrompit un moment ; il respirait avec peine et ménageait ses efforts. Il porta un mouchoir à son front pour éponger les filets de sueur que la chaleur de la fièvre y faisait sourdre, puis il articula d'une voix assez forte pour que chacun l'entendît dans la chambre :

— Je veux qu'on me laisse seul avec Sa Majesté.

Tous quittèrent alors la chambre sur un signe d'acquiescement du monarque à l'intention de ses gardes. Les deux hommes demeurèrent seuls, comme ils l'avaient été tant de fois en dix-huit années : l'un moribond, l'autre assis près de lui, les jambes croisées, devisant des choses de la terre – en intervertissant de temps en temps les rôles. Le ministre donna là à son roi ses ultimes derniers conseils. Il l'avisa en particulier de conserver à son service les excellents serviteurs si pleins de la conscience de leur tâche et de leur devoir, si imprégnés du respect de leur maître qu'étaient Chavigny et M. des Noyers. Aussi, dans l'éminent intérêt du royaume, il l'avisa de confier sa succession de Premier ministre à ce brillant Italien, ce génie de la *combinazione* et des négociations délicates : Giulio Mazarini. Il avait pris lui-même le soin d'instruire le jeune cardinal des moindres détails de toutes les affaires publiques, de tout ce qui concernait l'État et le rayonnement de la Couronne. Mazarini serait, lui assura-t-il, le plus apte à la tâche, le plus subtil, le plus politique des administrateurs. Louis promit d'avoir toujours en mémoire ces recommandations, puis, la conférence étant close, à un geste du Roi les valets furent de retour dans la chambre avec les gentilshommes.

On présenta au moribond, qui n'avait rien absorbé depuis longtemps et que ces derniers efforts avaient épuisé, deux jaunes d'œufs en une petite écuelle d'argent. Le Roi prit alors cette coupelle des mains du valet et l'offrit lui-même au patient, disant :

– Prenez, cela vous fera du bien.

Il lui tint un moment les œufs à avaler. Quand ce fut fait, Louis sortit de la chambre et se promena dans la galerie, où étaient exposés quantité de tableaux qu'il observa avec beaucoup d'attention. Devant certaines peintures, cependant, il ne put s'empêcher de rire aux éclats. Puis il gagna le Louvre, où il avait décidé de s'installer en attendant la mort du Cardinal.

Après le départ du Roi, Richelieu fit encore maintes

recommandations à son entourage ; il réconforta sa nièce dans sa douleur. Il demanda à ses serviteurs, qui pleuraient :

– M'avez-vous cru immortel ?...

Mme d'Aiguillon dut cependant être emmenée de la chambre, tant elle fondait en larmes. Son Éminence demanda ensuite à ses médecins jusqu'à quand il pourrait encore vivre, selon leur avis. Ces messieurs répondant évasivement qu'ils ne pouvaient point porter un tel jugement qui n'appartenait qu'à Dieu, il leur demanda avec beaucoup de fermeté qu'ils le lui dissent franchement, puisqu'il n'avait point de frayeur de la mort et qu'il y était résolu. Comme ils lui répondaient de nouveau avec flatterie, et non selon leur science, que Dieu, qui le voyait si nécessaire à la France, ferait un coup de sa main pour le conserver au pays, il appela un des médecins ordinaires du Roi, qui avait nom Chicot, et le conjura de lui dire en particulier, et en ami, combien de temps il lui restait à vivre.

Chicot fit d'abord quelques excuses, puis il confia :

– Monseigneur, dans vingt-quatre heures, vous serez ou mort ou guéri.

– Voilà parler comme il faut ! approuva le malade. C'est assez, et je vous entends...

Sur le soir, la fièvre redoubla ; on fut contraint de le saigner deux fois. Après quoi il commanda que l'on fît venir le saint sacrement de Saint-Eustache, qui était sa paroisse ; il ordonna à ceux qui le servaient que s'il s'endormait on le réveillât dès que minuit serait sonné afin qu'il pût ouïr la messe et communier avant que de se séparer de son âme. A 1 heure après minuit, le curé de Saint-Eustache lui apporta le saint viatique, qui fut posé sur une table préparée près du lit pour le recevoir.

– Mon maître, voilà mon juge qui me jugera bientôt, dit le Cardinal.

Il se confessa ensuite avant que de communier. Quand le curé lui rappela la parole du Christ selon laquelle il faut pardonner à ses ennemis, Armand répondit d'une voix lasse :

— Je n'ai jamais eu d'autres ennemis que ceux de l'État.

A 3 heures, il reçut l'extrême-onction des mains du prêtre. Avant que la cérémonie ne commençât, il se tourna légèrement vers lui pour lui dire :

— Mon pasteur, je vous demande, pendant ce sacrement d'extrême-onction, de me parler comme à un grand pécheur et de me traiter comme le plus chétif de votre paroisse.

Aussi ce curé lui demanda-t-il, comme au plus humble de ses ouailles, de réciter un *Pater noster*. Le cardinal de l'Église romaine, docteur en théologie, s'exécuta d'une voix qui murmurait faiblement et semblait à temps celle d'un mourant, à temps celle d'un enfant qui dit sa prière du soir :

— *Pater noster, qui es in coelis, sanctificetur nomen tuum. Adveniat regnum tuum. Fiat voluntas tua...*

Ce disant, il embrassait sans cesse un crucifix qu'il tenait entre ses bras ; il s'arrêtait pour reprendre haleine, de sorte que tous les assistants fondaient en larmes, croyant qu'à cette fois-là il allait expirer tout de bon. Mme d'Aiguillon était comme hors d'elle ; elle sanglotait si fort qu'on la reconduisit sur-le-champ à sa maison, où il fallut la saigner au pied par deux fois. Quand la cérémonie fut terminée, le Cardinal avait conservé tant de netteté en son esprit qu'il fit donner dix pistoles au bon curé de Saint-Eustache et qu'il commanda de mettre à part le mouchoir qui avait servi à essuyer les saintes huiles, afin qu'on le fît blanchir sans qu'il servît à autre chose.

Le lendemain se passa dans l'attente... Un certain médecin venu de la ville de Troyes lui administra des pilules qui parurent le soulager. Le Roi revint le voir sur les 4 heures ; il demeura une heure au Palais-Cardinal. Le jeudi, enfin, qui était le 4 décembre, après une nuit plus calme, Armand du Plessis expira vers midi, disant à sa nièce de se retirer afin de ne pas le voir mourir. Il lui dit aussi bien doucement de se souvenir qu'elle était la personne du monde qu'il avait le plus aimée. Ses mains s'agitèrent, son regard devint fixe ; on porta une bougie allumée devant sa bouche, la flamme ne vacilla pas.

Il était mort. Ses serviteurs étaient tellement étonnés qu'ils demeuraient incrédules. Ils furent un moment encore saisis par la crainte et sans oser propager la nouvelle que le Cardinal était trépassé.

CHAPITRE VII

La fin de l'automne fut occupée à célébrer de diverses façons cette disparition de haut lieu. Tout d'abord une foule de gens se rendit en masse au palais pendant quatre jours, plus par curiosité que par affection ; une certaine allégresse régnait parmi les visiteurs, dont beaucoup répétaient ce mot plaisant qui passait de bouche en bouche :

– Nous mangerons du boudin, la grosse bête est par terre.

Ici et là dans le royaume s'étaient allumés des feux de joie, à mesure que progressait la nouvelle de la mort du ministre ; le Roi, lequel héritait, par don, le palais de Son Éminence, ordonna que l'on grattât dès le lendemain l'inscription « Palais-Cardinal » qui était au fronton, pour la remplacer par « Palais-Royal ». La hâte de cette décision provoqua des protestations indignées de la duchesse d'Aiguillon et de toute la famille.

Le 13 décembre, on avait transporté la dépouille mortelle du Cardinal dans la chapelle de la Sorbonne où il avait souhaité reposer. Il était si fier d'en avoir été le recteur qu'il avait couché l'Université sur son testament, léguant à cette institution sa très riche bibliothèque, avec une somme d'argent pour continuer à l'entretenir, à l'enrichir et lui permettre de l'ouvrir à l'usage du public. Une grande presse de gens s'était trouvée sur le cortège qui se rendait du palais à la dernière demeure du défunt, et les quolibets avaient fusé tout au long du parcours :

– Haut le corps, Jacquette de gris ! disait l'un.

– C'est Jean Cul, parent de Jean Fesse, qui passe ! s'exclamait-on plus loin. Garez-vous, car il pue !

Sur le pont Neuf, le peuple était si dense et d'humeur si hostile que l'attelage fut arrêté au milieu de la chaussée et eut bien de la peine à passer outre cet embarras. Quelques pierres volèrent même vers le char funèbre d'Armand, entouré des gardes, tandis que des impertinents criaient bien haut :

– Tiens, mangeur de crucifix : voici des miches de saint Étienne.

– Au grand saloir, le saligaud [1], clamait une femme, dont le dit fut repris en chœur par plusieurs.

Les mauvais plaisants se prirent la main pour danser en ronde autour de l'attelage, et la statue du roi Henri, sur son cheval, semblait donner le ton à ces sarabandes et s'en réjouir : le roi de bronze avait la mine de rire et de bien passer le temps.

A Saint-Germain-en-Laye, on fit bientôt des gorges chaudes de la réplique de Sa Sainteté Urbain VIII, qui avait été rapportée de Rome par des voyageurs : *Se vi è un Dio, lo pagherà ! Ma veramente, se non c'è Dio, che grand'uomo !* s'était exclamé le pape en apprenant la mort du Cardinal (S'il y a un Dieu, il le paiera ! Mais vraiment, si Dieu n'existe pas, quel habile homme !). Un poète inconnu composa un rondeau qui servait d'épitaphe à la vie d'Armand du Plessis et que bien des gens apprirent par cœur pour le réciter à leurs amis, avec une grande liberté de parole :

Il est passé, il a plié bagage
Ce Cardinal, dont c'est bien grand dommage
Pour sa maison, c'est comme je l'entends.
Car pour autrui maints hommes sont contents,
En bonne foi, de n'en voir que l'image.

---

1. Le « grand saloir », c'est ainsi que le peuple désignait alors plaisamment le cimetière.

Sous sa faveur s'enrichit son lignage
Par dons, par vols, par fraude et par mariage ;
Mais aujourd'hui ce n'en est plus le temps :
Il est passé.
Or, parlerions sans crainte d'être en cage ;
Il est en plomb l'éminent personnage
Qui de nos maux a ri plus de vingt ans.
Le roi de bronze en eut le passe temps,
Quand sur le pont, à tout son attelage,
Il est passé.

Le Roi, suivant en cela sa vieille habitude d'injurier les morts, prit grand plaisir à réciter ce rondeau exécutoire qui le fit d'abord rire sans fin. Il disait vouloir connaître le fin poète qui l'avait si bien tourné et, à l'étonnement de ses proches, il le mit en musique, composant tout exprès sur sa guitare un air guilleret avec d'élégantes appoggiatures à la fin des vers qui entraînaient le chanteur dans une série de vocalises mièvres et réjouies : il a plié baga-a-a-a, a-a-a, a-a-a, a-age ; grand domma-a-a-a, a-a-a, a-a-a, a-age !

Il chantait ainsi son soulagement d'être libéré d'une tutelle aussi dure et exigeante, à laquelle il n'avait jamais eu la force de s'opposer – une suite de petites humiliations de sa propre volonté. Pendant un temps, il conçut un grand plaisir, d'autant plus vif qu'il était nouveau, à recevoir le courrier d'État lui-même et à prendre connaissance des affaires en premier... Affaires qui, d'ailleurs, paraissaient devoir être tenues par de fort bonnes mains en la personne discrète mais efficace de son nouveau ministre, Jules Mazarin, aussi cardinal... Cet homme était le charme même : il entourait le Roi de prévenances, lui donnant d'abord l'impression, par une façon habile de présenter les problèmes et de quêter son avis tout en l'infléchissant sans y paraître, que c'était Sa Majesté qui décidait de tout, gouvernait les moindres choses selon sa sagesse et son bon plaisir. C'était là une sensation nouvelle, puissamment agréable, qui mettait Louis de belle humeur. Puis, passé Noël, il se lassa de tout voir. Ces décisions à prendre au jour le jour en son Conseil devenaient un peu assommantes : le ministre lui en donna donc moins à régir et le pria de s'en remettre à lui – s'il lui plaisait. Un homme réellement adorable.

Dans la première semaine du mois de janvier, Petit Louis tomba malade. Ce ne furent d'abord que les débuts d'un rhume ordinaire, avec des éternuements répétés qui le prirent le jour des Rois ; pendant la soirée, son nez se mit à couler de la morve plus qu'à son ordinaire, il eut les yeux chassieux, la tête lourde, et on eut de la peine à l'endormir tant il était grognon et pleurnichard. Dans la nuit, il se mit à tousser, et la remueuse, qui avait fait dresser un lit dans le balustre pour veiller sur lui plus commodément, dut le recouvrir à plusieurs moments et le trouva chaud.

Au matin, l'enfant s'éveilla tard et il semblait se porter beaucoup mieux, encore que la toux persistât de manière inquiétante. Il fut tout le jour dans la chambre, où la Reine le vint voir. Courat, médecin de Sa Majesté, lui fit prendre force tisanes, trouvant que son pouls battait fort. Dans la soirée, cependant, le mal empira : le Dauphin fut pris d'une violente fièvre et il se mit à pleurer. Il se plaignait de douleurs vives dans une oreille, qui le faisaient crier d'une voix perçante. Vers minuit, les crises devinrent plus aiguës ; Petit Louis portait la main sur son oreille en criant : « J'ai mal ! J'ai mal ! » Il était rouge et tout en sueur. Il appelait souvent Madame la Reine avec tant de douleur dans ses gémissements et des pleurs de détresse si déchirants que Mme de Lansac commanda qu'on l'allât prévenir.

– Maman ! Je veux maman ! sanglotait le pauvre enfant.

Parfois, comme s'il songeait que cet appel serait mieux entendu de sa mère, il criait : *Mamá ! Mamá !* dans sa langue à elle.

Le médecin avait fait bouillir du lait, que l'on avait mis dans une vessie de porc, et le tout avait été appliqué sur le côté de la tête qui était si violemment douloureux ; cependant, vers 1 heure, on alla quérir Bouvard, qui n'était point au château. Malgré la pluie battante et glacée de cette nuit de janvier, portée par un vent violent, la Reine fit atteler son carrosse et s'en vint, toute transie de froid, sur les 2 heures après minuit, pour retrouver le petit prince, qui avait de mauvais songes, hurlant tout éveillé qu'il voyait des petits bonshommes qui allaient le prendre et le dévorer.

– *Hijo mío !* disait la Reine éplorée qui posait sa tête endolorie sur son sein. *Querido,* n'aie pas peur !

Vers le matin, le petit prince s'endormit enfin, d'un sommeil agité, troublé de spasmes. Nul dans la maison du Dauphin n'avait fermé l'œil. La Reine s'en fut, un peu avant l'aube, disant qu'on la vînt prévenir dès qu'il s'éveillerait. Bouvard arriva dans la matinée ; justement, l'oreille malade de Petit Louis avait commencé de couler. Une humeur jaunâtre venait de l'intérieur du conduit et le médecin le fit nettoyer à l'eau de rose. Il ordonna un lavement de séné, qui lui fut administré de suite par Desnoyer, le chirurgien du Roi. L'enfant refusa toute nourriture pendant la journée, mais Bouvard commanda qu'on le fît boire en abondance. Le soir, le Roi envoya prendre des nouvelles du Dauphin et, comme tout le monde avait été depuis la veille sur le pied de guerre, il envoya un de ses valets de la chambre, nommé Dubois, pour suppléer la remueuse et passer la nuit qui venait.

La seconde nuit fut moins agitée que la première ; le petit prince ne dormit guère mieux, mais ses cauchemars étaient moins violents et moins affreux, et, s'il toussait beaucoup, ses douleurs d'oreille lui revenaient moins souvent. Dubois, qui connaissait beaucoup de chansons, lui chanta presque toute la nuit, remuant son lit en mesure, afin de l'apaiser. Le Dauphin fut si charmé par la douceur et la sollicitude de ce valet de son père qu'il voulut le revoir le lendemain et l'avoir toutes les nuits auprès de son lit pour lui conter des histoires et le cajoler. Dubois avait appartenu à Madame Royale, la duchesse de Savoie, sœur du Roi ; il avait vécu longtemps à son service et parlait à Petit Louis de la cour de Savoie. Il était allé plusieurs fois à Turin, en Italie. Il décrivait à l'enfant émerveillé les hautes montagnes des Alpes, avec les neiges et les glaces qui duraient tout l'été, que l'on voyait briller de loin au soleil quand le temps était clair. Il lui décrivait les villes de Grenoble, de Chambéry et celle d'Annecy ; il lui parlait des loups, des longs hivers ensevelis sous les neiges ; il lui faisait cent contes divers et chantait aussi beaucoup de chansons de ces pays-là qu'il avait apprises le soir, à la veillée, devant des feux de bois.

Dubois conta au petit prince malade la belle histoire de la petite ville de Rumilly, si vaillante, où était un horloger fort habile qui s'appelait Palianeau, lequel fabriquait des petites montres très belles qui sonnaient trois fois chaque heure. Il lui montra une telle montre qu'il avait rapportée autrefois, d'argent ciselé ; comme l'enfant s'émerveillait, il lui promit de lui faire présent d'une petite pendule du sieur Palianeau pour ses prochaines étrennes, à condition qu'il voulût bien boire son lait de poule, qui était du lait chaud avec un jaune d'œuf, mélangé à du miel. La ville de Rumilly s'était comportée fort glorieusement, car elle avait été la dernière à résister aux armées du Roi quand Sa Majesté avait fait l'honneur de l'assiéger, naguère ; comme on criait aux habitants qu'il leur fallait ouvrir leurs portes car toutes les autres villes s'étaient rendues alentour, ils répondirent du haut des murailles : *E capoë ?*

— Qu'est-ce à dire : *E capoë ?* demanda Petit Louis après y avoir songé.

Dubois lui donna trois cuillerées de suite de son lait de poule et répondit :

— « Et après ? »

— Et après quoi ? insista le petit prince.

— Ils entendaient par là, Monsieur, que ce que les autres faisaient, ils ne s'en souciaient guère plus que d'un clou à soufflet ! Les villes voisines s'étaient-elles rendues : Ah ! vraiment !... Et après ? *E capoë ?*

— *E capoë ?...* s'écria à son tour Petit Louis, qui avait fini son bol de lait. *E capoë ?...*

Quand la fièvre fut tout à fait tombée, le valet demeura au château Vieux encore plusieurs jours à la demande de l'enfant, qui s'était attaché à lui et en avait fait la requête à Sa Majesté, tant ils étaient devenus bons amis.

Quelques jours plus tard, le cardinal Mazarin, qui arrivait de Paris, vint rendre visite au Dauphin dans sa chambre.

— Ma qué jouli garçoune !... *Bellissimo !* dit-il, flatteur, à Petit Louis, qui se portait mieux.

Il lui avait apporté en présent un petit cheval d'argent dont la tête pouvait se mouvoir autour d'une cheville et oscillait quand on le faisait trotter sur la courtepointe du lit. La Reine, qui était présente au chevet de Petit Louis, le remercia fort et raconta au ministre tous les détours de cette maladie qui l'avait pris à l'oreille. Mazarin assura qu'il avait prié pour sa guérison aussitôt qu'il avait appris qu'il était souffrant.

— *El pobrecito niño !...* disait-il, cajoleur.

Car, par une pente toute naturelle, ils s'étaient mis à parler espagnol — langue que le Cardinal possédait à fond, bien mieux que la française, qui lui posait encore beaucoup de pièges et d'embarras de prononciation. En castillan, il s'exprimait en revanche avec volubilité et recherche, tout autant qu'en une seconde langue maternelle. Anne était ravie de pouvoir parler avec lui sa langue mère. Le ministre demeura trois grands quarts d'heure dans la chambre à s'entretenir avec Sa Majesté, souriant de temps en temps au Dauphin, lui faisant mille gracieuses excuses pour accaparer à son profit la précieuse attention *de su mamá*. Avant de s'en aller, il conseilla à Anne, ayant vu lui-même le cas d'enfants devenus sourds par cette maladie d'oreille, de faire faire des essais d'ici à quelques jours, à l'aide d'un luth ou d'un violon joué fort faiblement, afin de constater si l'oreille était toujours bonne. Anne fut touchée de cet intérêt porté gentiment à son fils et infiniment charmée des bonnes manières de ce ministre d'outre-monts. En prenant congé d'elle, il lui baisa légèrement la main et elle sentit les poils fins de sa moustache lui chatouiller les doigts.

Ce cardinal nouveau avait aussi des délicatesses de roi ; il s'activa pour faire revenir dans sa charge M. de Tréville, le capitaine comploteur qui n'était plus dangereux pour personne puisque la victime prévue était déjà au tombeau. Louis fut bien satisfait de revoir à la Cour son mousquetaire fidèle, car ce geste effaçait un bien fâcheux souvenir. De sorte qu'à la fin de cette année 1642 qui avait été si troublée, si mouvementée, le monarque jouissait pour la première fois depuis fort longtemps d'une entière tranquillité d'esprit ; sa santé étant pour l'heure satisfaisante, il dormait presque entièrement toutes les nuits, ce qui n'était point dans ses habitudes. Le ministre profita de ces bonnes dispositions pour prêcher la réconciliation familiale ; il s'entremit pour faire rentrer en grâce Monsieur, frère du Roi.

Depuis la découverte du traité avec l'Espagne et la mise au jour du complot de Cinq-Mars, Gaston d'Orléans s'était éclipsé ; il s'était d'abord réfugié à Bourbon-l'Archambault, en Auvergne, pendant l'été, où il faisait semblant de s'être retiré pour soigner sa goutte en prenant les eaux. Il avait rencontré là-bas un personnage bien cocasse, ami de Mme de Hautefort : Paul Scarron. Perclus de douleurs, rongé par les rhumatismes, ce dernier faisait une cure avec une apparente gaieté qui avait séduit le prince. Gaston l'avait beaucoup plaint en le regardant boire. Cependant, le Roi avait signé tout récemment l'ordre de la déchéance de son frère dans la lignée royale – un ordre qui avait été déposé solennellement au Parlement... Mazarin avait toujours eu de bonnes relations avec le généreux Gaston – bien que celui-ci eût été l'ennemi du Cardinal son maître au point d'armer la main qui devait l'occire. Il s'employa donc de son mieux pour le faire revenir, plaidant la tendresse des liens de famille que l'on devait resserrer en toute occasion, surtout à présent que leur chère mère n'était plus. Le Roi, nouveau Salomon, se devait de pardonner à l'enfant prodigue, ne serait-ce qu'en prévision du retour de la dépouille de l'auguste dame, que l'on avait décidé d'ensevelir en grande pompe à Saint-Denis, près de son mari.

Il parla si bien que, le 13 janvier de l'année nouvelle, qui était un mardi, le duc d'Orléans parut à Saint-Germain. La cour d'honneur du château Neuf était noire de monde, tout comme la galerie et les salles du château, qui étaient emplies de seigneurs désireux de faire bon accueil au prince royal qui avait su lutter, quoique de façon sournoise, contre l'hégémonie du Cardinal – l'autre cardinal, le vrai : le mort ! Et puis, que savait-on de l'avenir ? Dès lors que le Roi le relevait de la déchéance qu'il avait prononcée contre lui – sous la contrainte, quatre jours avant la mort de Richelieu ! –, Monsieur redevenait vaillant dans la succession au trône. A tout le moins, la santé du monarque restant si capricieuse, si fragile, son frère risquait de devenir un jour régent. Le trépas d'Armand avait rendu la mort palpable ; la mort étant devenue réelle dans ce couple de grands malades, elle paraissait aussi envisageable chez le survivant. En s'en allant, l'Éminence avait entrouvert un chemin funeste, elle avait créé un précédent vers l'abîme ; à tout prendre, mieux valait se montrer bon courtisan. Les chapeaux s'envolaient donc des têtes à l'approche du duc d'Orléans, chacun voulant le voir, être reconnu de lui ; dans son obstination à lui lancer un bon mot face à face, la foule s'agglutinait au point de lui barrer le passage. Gaston eut la plus grand-peine à se frayer un chemin jusqu'au cabinet où l'attendait Sa Majesté.

En entrant, il se découvrit et salua très bas le Roi son frère, puis il mit un genou en terre devant lui :

– Je vous supplie très humblement, Sire, dit-il très haut devant tous les seigneurs présents, de me faire la grâce de pardonner à ma conduite, comme je vous promets de l'amender d'ore en avant.

– Relevez-vous, Monsieur, je vous pardonne, dit le Roi.

Il avait été convenu que le duc ne se relèverait que la

troisième fois que Sa Majesté le lui aurait commandé, mais, au lieu de cela, Louis s'en vint directement à lui et le releva sur-le-champ de sa propre main.

– Mon frère, lui dit-il, voici la sixième fois que je vous pardonne. (Le duc baissa la tête.) Aussi je vous prie de vous ressouvenir de vos promesses et de ne point retomber dans vos erreurs passées, en ne prenant plus conseil que de moi-même.

– J'en fais ici le serment à Votre Majesté... commença Gaston.

Le Roi l'interrompit d'un geste :

– Je suis résolu de ne vouloir croire que les effets (il sourit légèrement), non les paroles. Je suis disposé à vous accueillir non comme votre roi, mais comme votre père, votre frère et votre bon ami.

– Ah ! Sire ! Je fus par le passé...

– Ne parlons pas du passé, interrompit le Roi. Je ne veux point m'en souvenir à présent et vous m'obligeriez de l'oublier vous aussi, mon frère.

Sur ce, il prit le duc d'Orléans par la main et le conduisit incontinent chez la Reine, marchant tout au long de la galerie au milieu d'une haie de hauts personnages et de nobles dames qui, pour l'heure, s'écartaient sur leur passage. Les hommes se découvraient, les femmes faisaient une profonde révérence, et chacun était frappé de l'émotion de ces retrouvailles fraternelles dans la maison du Roi. On remarquait pourtant que Sa Majesté marchait de manière un peu roide et arborait une solennité grave qui marquait davantage l'observance de l'étiquette que la joie profonde et spontanée d'un homme à qui il vient de survenir un grand bonheur.

Le soir même, jugeant qu'il devait avoir un entretien plus intime avec son frère, Monsieur s'en vint trouver le Roi dans sa chambre alors que celui-ci était déjà dans son lit ; les rideaux, toutefois, n'étaient pas encore tirés ; Louis bavardait avec quelques familiers qui lui souhaitaient le bonsoir et avec son médecin ordinaire, Chicot, lequel observait régulièrement à son coucher la couleur de sa dernière pisse. Gaston mit de nouveau le genou en terre auprès du lit, disant qu'après avoir satisfait aux obligations publiques il voulait de tout son cœur demander le pardon de Sa Majesté en privé. Sa voix était émue, avec un accent de sincérité particulière qui toucha le Roi. Louis se leva, descendit de son lit et, après l'avoir relevé d'une main fraternelle, il l'embrassa avec toute l'apparence d'une grande amitié.

Le lundi suivant, toujours sur l'insistance affectueuse du doux cardinal Mazarin, le maréchal de Bassompierre reçut l'autorisation de sortir de la Bastille, où il avait passé onze années et la moitié de la douzième. Le maréchal de Vitry, qui s'y languissait depuis cinq ans, sortait aussi, ainsi que d'autres personnages notables qui y avaient été mis par feu le Cardinal. Le Roi, cependant, s'était donné pour tâche la révision complète de la liste des pensions que la Couronne servait à diverses gens. Il réduisit nettement celles qui étaient attribuées à des membres plus ou moins proches de la famille des Richelieu ; il en supprima beaucoup par mesure d'économie, en particulier les pensions que Son Éminence faisait donner à nombre d'écrivains et de poètes, disant : « Nous n'avons plus besoin de cela... » Outre ces occupations de bon ménager, il allait volontiers à Versailles, où, loin des tracas de la Cour, il goûtait le calme de sa retraite favorite ; il y chantait et y composait des psaumes sur sa guitare.

Le maréchal de Brézé avait donné à Petit Louis, pour ses étrennes du Premier de l'An, un fort joli mousquet fait tout exprès à sa taille, rangé dans un fourreau de velours vert. Le mousquet avait des charges d'or émaillé, une crosse sertie d'arabesques d'argent, et sa fourchette représentait un dauphin. Le tout était muni d'une bandoulière brodée d'or et d'argent. Petit Louis, à peine remis de sa fièvre, éprouvait une passion toute nouvelle pour cette arme ; il jouait volontiers à la guerre dans sa chambre, d'où on ne le laissait point sortir à cause de l'air trop vif de l'hiver. Il faisait planter la fourquine dans le plancher par son huissier, posait la crosse contre son flanc droit et actionnait le rouet en criant : « Pou ! Pou ! » Il faisait aussi placer sa nourrice et aucunes servantes en bataille devant lui, et ces demoiselles devaient tomber sur le sol à chacun de ses coups de feu. Comme il prenait le soin de faire le simulacre de recharger son mousquet à chaque coup, les femmes s'impatientaient et disaient :

– Monsieur le mousquetaire, aurez-vous bientôt fini ? A ce train, nous allons tailler en pièces tout votre régiment !

– Nenni ! Vous allez mourir tout à l'heure ! Sonnez la charge ! Nous allons prendre Perpignan.

L'huissier battait son petit tambour, les femmes marquaient le pas sur le plancher de la chambre avec le bruit d'un régiment de piquiers qui s'avance et Petit Louis décimait gaiement les rangs de ses ennemis.

– Pou ! Pou !

Le Dauphin était mené chaque jour voir la Reine, ou bien à la chapelle, ou encore regarder jouer à la paume, les jours de pluie. Il dessinait quelquefois chez lui des traits de crayon ou bien il coupait du papier avec ses ciseaux, que lui avait fait envoyer du Mans Mme de Hautefort – sa mère les lui avait remis en lui disant de les garder pour l'amour de cette dame qui l'aimait fort.

Depuis sa maladie, il avait souvent la compagnie d'un petit garçon de deux ans son aîné, qui était le fils de Louis de Rochechouart, marquis de Mortemart, ancien favori du Roi et premier gentilhomme de sa chambre. Ce garçon était comte de Vivonne. Il avait le visage joufflu, de grands yeux bleus rieurs. Il était fort gai, en effet, avec un esprit à la fois docile et plaisant qui l'avait fait choisir particulièrement pour être le compagnon du Dauphin et son enfant d'honneur. Sorti depuis peu de temps des mains des femmes, le petit comte avait été conduit à la Cour par le marquis à cet effet. Vivonne avait sept ans, et une petite sœur qui en avait deux ; elle était élevée dans la ville de Saintes, dont il disait que c'était une ville très pieuse et que c'était pour cela qu'elle était appelée Saintes. Petit Louis s'enquérait volontiers des nouvelles de la fillette, car cet aimable compagnon, sûr de lui, la lui avait promise en mariage :

– Ainsi nous serons, vous et moi, beaux-frères, avait-il expliqué. Nous irons à la guerre ensemble.

– Je le veux bien ! avait répondu le Dauphin, ravi [1].

M. de Vivonne contait de plaisantes histoires. Il y avait eu, disait-il, près de Parthenay en Poitou, un bohème qui vola un mouton dans un pré, le mit dans un sac et voulut le vendre à un boucher de la ville. Il en demanda cinq livres, mais le boucher n'en voulut donner que quatre. Comme il ne voulait pas céder, le bohème s'en alla, puis tira le mouton du sac, y fit entrer un de ses petits garçons, referma le sac et s'encourut après le boucher, lui disant : « Donnez-en cinq livres et vous aurez le sac par-dessus. » Le boucher en tomba d'accord, paya et s'en vint chez lui. Il fut bien étonné quand il ouvrit le sac et qu'au lieu d'un mouton il en vit sortir un petit garçon. Sans perdre de temps ni lui laisser le loisir de reprendre ses esprits, le petit fripon saisit le sac et s'enfuit à toutes jambes. Jamais homme n'avait été autant raillé que ce boucher de Parthenay ! Petit Louis était à la fois amusé par la farce et saisi d'admiration pour la science de son compagnon.

Depuis la mort du Cardinal, il recevait quantité de présents et se trouvait visité par maintes personnes qu'il n'avait jamais vues auparavant. Il devait chaque fois donner sa main à baiser. Sans qu'il eût lui-même remarqué aucune relation de cause à effet, Mam' Anzac, sa gouvernante, était devenue tout miel depuis avant Noël ; elle courait au-devant des désirs de l'enfant avec une sollicitude entièrement nouvelle. Quand la grosse femme le conduisait chez la Reine

---

1. Il est curieux de remarquer que cette enfant était Françoise Athénaïs de Rochechouart, qui épousa le marquis de Montespan et devint plus tard la maîtresse de Louis XIV.

– ce qu'elle tenait à faire elle-même à présent –, elle s'appliquait à conserver un large sourire sur son visage tout le temps qu'elle demeurait au château Neuf. Cette manie ne laissait pas de lui donner au bout d'une heure ou deux un air un peu irréel, car, passé ce temps, on ne savait, tant la torsion de sa bouche était contrainte, lequel de pleurer ou de rire elle avait la mine.

– Je gage que M. d'Uzès n'est pas si savant que vous ! dit-elle après-dîner, comme elle menait le Dauphin dans le cabinet de la Reine. Il ne sait pas les proverbes de Salomon. N'est-il pas vrai, monsieur le duc ?

– J'en conviens, dit le vieux duc d'Uzès (c'était le chevalier d'honneur de la Reine). J'ai toujours été fort ignorant des proverbes, car, dans mon pays, l'on n'en apprend point.

– Eh bien, Monseigneur le Dauphin peut vous en remontrer sur ce point, dit la gouvernante.

– Lesquels savez-vous ? demanda Anne. Dites à votre maman.

– « L'enfant sage réjouit le père », annonça Petit Louis fièrement.

– Cela est vrai, mon fils ! Cela est vrai !

Elle le baisa en guise de compliment.

– Et qu'a dit encore Salomon ? questionna Mme de Lansac, d'un ton suave.

– « L'aumône conserve de la mort. »

– Excusez-moi : « préserve de la mort », rectifia-t-elle (c'était le dernier qu'il venait d'apprendre le matin). Cela signifie que l'on ne meurt pas si l'on fait l'aumône aux pauvres, car les pauvres sont les amis de Dieu.

Petit Louis songea un moment, puis il demanda à sa mère :

– Cela est-il ainsi, maman ?

– Salomon le dit, mon enfant. Dieu récompense les généreux.

– Monsieur le Cardinal était-il donc bien avare quand Dieu le fit mourir ? demanda le Dauphin, imperturbable.

Cette question innocente causa un grand éclat de rire de la part des dames et des seigneurs présents. A quelque temps de là, le Dauphin vit dans la chapelle du château une femme qui priait Dieu car son mari avait été conduit en prison et elle n'avait rien pour vivre. Il demanda aussitôt à sa remueuse, qui l'accompagnait, de donner de sa part une aumône à cette pauvresse. Comme elle n'avait rien, il s'inquiéta et dit à la femme qu'elle revînt le lendemain car il demanderait de l'argent à sa mère, ce qu'il ne manqua pas de faire le jour même :

— Maman, donnez-moi, s'il vous plaît, quelque chose pour une pauvre femme qui est en prison à cette heure, car je ne veux pas mourir.

— Ciel ! *Hijo mío !* Je le veux bien !

N'ayant point d'argent sur elle, elle demanda à Mme de La Flotte de lui en donner. La vieille dame ayant présenté un sol, l'enfant refusa ; elle lui montra alors un écu, il le prit, puis d'autres dames, charmées de son bon vouloir, lui en donnèrent plusieurs autres, avec des quarts d'écu. Il porta le tout très gaiement à sa remueuse, en disant :

— Voici une belle aumône que nous ferons demain, à Dieu plaise.

Un soir de la fin du mois de janvier où le Dauphin soupait dans sa chambre en compagnie du petit comte de Vivonne et de Monsieur d'Anjou, son petit frère, il ouït que l'on parlait des affaires d'Angleterre. Le roi Charles Ier était en guerre contre son Parlement, lequel, ayant levé des armées fort nombreuses, l'empêchait d'entrer dans Londres, où était son palais. Depuis la bataille d'Edgehill, dans l'automne, le roi Charles avait dû s'enfermer dans la ville d'Oxford pour se protéger. Un gentilhomme de Beauvais ayant dit que pendant ces troubles le prince de Galles, qui n'avait que douze ans, s'était comporté avec beaucoup de courage, le Dauphin demanda à Mme de Lansac :

— Est-il seigneur, le prince de Galles ?

— Oui, monsieur, c'est le dauphin d'Angleterre et votre

cousin, car il est fils du roi Charles votre oncle et de Mme Henriette votre tante.

– Mais il est prince de Galles, il est donc galeux ?

On se récria à ce mot innocent et les dames rirent tant que Petit Louis devint rouge jusqu'aux oreilles. Il se montra tout honteux à cause de Vivonne, qui se gaussa de lui.

– Non point, je pense ! expliqua Mam' Anzac. C'est le nom de sa qualité. Galles, c'est un pays.

Le mot fut répété chez la Reine, qui s'en divertit fort et qui voulut, le lendemain, lui reparler de son cousin d'Angleterre.

– Maman, je ne veux point qu'on rie, affirma le petit bonhomme.

Puis il se tut et refusa d'entendre parler plus avant de ce prince pour lequel il avait été la risée de la compagnie et n'avait pas fait bonne figure devant son enfant d'honneur. Une autre fois, comme il mangeait tous les soirs quelques cuillerées de confiture de rose, dont il raffolait, Mme de Folaine, la gouvernante de Monsieur d'Anjou, lui dit :

– Monsieur, vous êtes gourmand, il pleuvra pour vos noces !

– Oh ! oh ! répondit le Dauphin aussitôt, je serai à couvert !

Cependant, le duc d'Orléans, qui l'était venu voir à son coucher, le trouvant fort embelli, lui fit accroire que les apothicaires de Provins, où l'on cultive les roses, se plaignaient amèrement de ce que les gendarmes du Dauphin, dont la compagnie prenait ses quartiers dans cette ville, aimaient trop ladite conserve. Il lui assura qu'ils en mangeaient tant qu'il n'en resterait bientôt plus du tout.

Au matin, quand Petit Louis s'éveilla, il était soucieux.

– Est-il vrai, demanda-t-il à la nourrice qui lui lavait les pieds avec une serviette mouillée, que mes gendarmes mangeront toute la conserve ?

– Ce doit l'être, puisque votre oncle vous l'a dit.

– Alors je vais écrire à papa pour lui demander de renvoyer mes gendarmes.

– Pourquoi ne l'allez-vous point trouver ce tantôt pour lui présenter votre requête ?

– Non, je veux écrire, ainsi il pourra montrer ma lettre à Monsieur le Cardinal, qui y mettra bon ordre.

– Monsieur le Cardinal est mort, dit la nourrice étourdiment.

– Le Cardinal l'Autre ! s'écria l'enfant avec impatience.

Il écrivit donc, dans la matinée, avec l'aide de sa gouvernante, qui conduisait sa main :

« Papa, tous les apothicaires de Provins sont venus à moi pour me prier de vous supplier très humblement, comme je fais, de donner à ma compagnie une autre garnison, car mes gendarmes aiment bien la conserve de roses, et j'ai peur qu'ils la mangent toute, et je n'en aurai plus. J'en mange tous les soirs quand je me couche et je prie Dieu pour vous qu'il vous accorde la santé à la jambe. Je suis, papa, votre très humble et très obéissant fils et serviteur. DAUPHIN. »

Louis reçut cette lettre par l'huissier de sa chambre, qui la lui remit juste avant son départ pour Versailles ; il en fut amusé, faisant répondre sur-le-champ qu'il veillerait personnellement à ce que toutes les précautions fussent prises pour la conservation des conserves. Il eut tout à coup souvenance qu'on lui avait fait accroire les mêmes choses et craindre le même péril, jadis, quand il était petit enfant, et qu'il en avait aussi reporté au feu roi son père... Cette pensée l'attrista, car elle le faisait songer à la Reine Mère, qui peut-être s'en fût souvenu. Il ne pourrait plus à présent lui faire aucune question sur sa vie : le passé était mort pour elle. Il avait demandé au nouveau cardinal de faire hâter le rapatriement des restes, qu'il voulait ensevelir au plus tôt à Saint-Denis, avec toute la pompe que réclamait ce retour d'exil posthume et inoffensif.

Ces jours derniers, début du mois de février, le Roi avait souffert d'une indisposition à un pied, dans lequel s'étaient logées des douleurs que ses médecins attribuèrent à un léger accès de goutte. Ces douleurs étant passées, il s'en fut dans son château à Versailles, auquel il pria à souper, le mardi 10 au soir, le cardinal Mazarin, ce qui était une faveur insigne et une marque d'estime inédite. Mazarin fut charmant, selon son ordinaire, avec tant de tact et d'habitude des cours les plus raffinées que Sa Majesté fut enchantée d'avoir avec lui cette privauté. Que de différence, se disait le Roi, avec l'austérité querelleuse de l'acariâtre Éminence, qu'il avait dû souffrir un si grand nombre d'années ! Louis fut si aise d'avoir eu du monde à souper que le dimanche suivant il convia son frère, Monsieur le duc, à Versailles, avec sept ou huit autres personnes pour l'accompagner. La conversation roula sur les souverains beaux-frères de Sa Majesté : on venait d'apprendre d'Espagne que le vieux duc Olivares avait été congédié par Philippe IV, lequel avait décidé de prendre lui-même en main la haute direction de l'organisation militaire et des affaires de son pays. On parla des troubles de l'Angleterre qui étaient en train de dégénérer en guerre civile, tandis que le roi Charles Ier ne parvenait toujours pas à réduire la rébellion de son Parlement.

— Je donnerais ma tête à couper que le roi d'Angleterre se trouvera fort mal de cette guerre, dit le maréchal de Schomberg, qui jouait au hoc.

Le Roi parla de la répartition de ses armées pour la campagne prochaine, qui allait bientôt commencer. Il montra de l'engouement et de l'entrain pour ces choses qu'il abordait en son nom propre ; il disait avec assurance : « J'ai décidé, je ferai », etc., sans mention de l'avis de ses ministres en la matière, et il ne prononça qu'une ou deux fois, en passant, le nom du nouveau Cardinal. Cependant, étant revenu à Saint-Germain dans la semaine, il demeura couché tout le samedi qui s'ensuivit, puis fut alité le reste du temps à cause d'une fièvre violente qui le saisit.

Le mois de mars arriva et le Roi, qui s'était un peu remis, se sentait encore extrêmement affaibli ; il gardait assez souvent la chambre, car il craignait le froid et l'humide de cette fin de l'hiver où les journées allongent dans la grisaille et les bourrasques de pluie glacée. Des travaux de réfection étant devenus indispensables dans son pavillon du château Neuf, où l'affaissement d'un mur avait ouvert des crevasses et lézardé les plafonds, il s'était installé, au retour de Versailles, dans son appartement du château Vieux, au premier étage de l'aile septentrionale. Sa chambre, située à l'angle de la façade, avait à la fois des ouvertures sur la forêt, à la tramontane, et des fenêtres au levant, qui dominaient l'esplanade entre les châteaux, avec, au-delà, la vallée de la rivière de Seine.

Les jours de beau temps où le ciel était doux et l'air tiédi par les rayons d'un soleil d'or dont la force augmentait chaque semaine, Louis se promenait quelques heures dans la cour ou le long du fossé du midi, bien abrité des brises traîtresses. Il poussait souvent jusqu'au jeu de paume, non pour jouer lui-même, car il se sentait bien trop faible pour courir après la balle, mais pour regarder une partie ou deux, auxquelles il prenait plaisir, dans la tiédeur douillette de la galerie. Bouvard lui faisait prendre régulièrement les eaux de Forges, qu'il faisait venir par barriques entières de la bourgade du pays de Bray. Le médecin avait fait aménager trois petites sources, dont deux étaient dédiées au couple royal et la troisième au feu Cardinal.

Le Roi attendait que ses forces fussent complètement revenues pour partir avec l'armée en Picardie, où le maréchal de La Meilleraye commanderait sous lui. Le fils de Condé, le jeune prince Henri, duc d'Enghien, dont la conduite, la bravoure, l'esprit de décision dans la bataille et l'autorité dans le commandement avaient frappé tous les généraux dans la prise de Perpignan, l'été dernier, serait chargé de l'armée de Flandre ; il aurait le maréchal de L'Hospital pour le soutenir de son expérience, auquel se

506

joindrait le terrible Gascon, fer de lance de toute armée en campagne : le général Gassion et ses chevau-légers. Certes, ce petit d'Enghien avec son grand nez crochu – qui lui était venu, disaient d'aucuns, par la raison que sa mère l'avait fait en prison ! –, ce petit duc tenait sa fougue de la branche des Montmorency ; il montrait toutes les qualités précoces que le Ciel avait refusées à son incapable de père. Ah ! il faudrait bientôt compter avec ce fils de Condé : le rusé galant était sans nul doute un de ces enfants de la messe de minuit qui cherchent Dieu à tâtons !

Sa Majesté en était à ces plaisantes pensées lorsque, au milieu du mois de mars, la maladie le terrassa de nouveau. Le feu interne qui le brûlait reparut de plus belle, avec des accès de fièvre ; les remèdes que Bouvard l'obligeait à prendre pour enrayer le mal lui provoquaient de fréquents vomissements et le faisaient rejeter certains jours toute nourriture. Il dut se tenir la plupart du temps au lit, et c'est sur cet état de santé abattu et languide que s'ouvrit le printemps. L'avantage d'être alité au château Vieux était, d'une certaine façon, que le Roi se mit à voir ses enfants tous les jours, ce qu'il n'avait pas accoutumé de faire. Les petits princes habitaient à deux pas de sa chambre, dans l'aile du midi, seuls quelques corridors d'un appartement vide les séparaient de lui. L'après-dîner, quand il avait fait un somme, il aimait à les faire venir et à les regarder jouer dans sa chambre.

Louis n'avait point jusqu'ici prêté une grande attention au Dauphin ni à Monsieur d'Anjou, lequel allait sur ses trois ans, trottinait partout inlassablement et pépiait tout le jour jusqu'à saouler Mme de Folaine, sa gouvernante. Petit Louis, plus grave, plus silencieux, observait son petit frère du haut de ses quatre ans et demi et du sérieux de son aînesse. Le Roi demanda à Saint-Simon, son écuyer, de faire venir des présents, qu'il voulait offrir de sa main aux petits princes. Il donna à Philippe des chiens en verre et d'autres petits animaux qui étaient fabriqués à Nevers, et au Dauphin un cabinet d'Allemagne muni d'un cadenas à lettres pour le fermer. Louis tint à lui faire choisir lui-même le mot de quatre lettres, aisé à retenir, dont il pourrait user pour l'ouvrir ; il le lui régla de sa main experte aux agencements mécaniques sur le mot « Sire », que l'enfant choisit spontanément, ce qui fit grand plaisir à Sa Majesté. Petit Louis était bien aise de retrouver Dubois, qui servait le Roi dans sa chambre. « Voici mon bon compagnon », avait-il dit en se précipitant dans les jambes du valet savoyard.

En vérité, le Dauphin faisait ainsi connaissance avec son père ; cet homme en chemise, toujours étendu sur une chaise longue en forme de canapé, à l'aide de laquelle il se délassait de son lit, ne lui procurait plus les frayeurs et les craintes qu'il soulait avoir à sa vue. Le Roi lui parlait d'une voix douce et éteinte, le Dauphin regardait sa barbe hirsute et mal tenue qui bougeait en même temps que son menton ; quantité de poils blancs s'y mêlaient aux bruns, de part et d'autre de la bouche pâle et fiévreuse. L'enfant savait répondre des câlineries qui excitaient la tendresse de son père alangui :

— Mon fils, voulez-vous aller à Rome ? demanda le monarque un jour qu'il lui contait les voyages qu'il avait faits.

— Non, papa.

— Où voulez-vous aller ?

— Je veux demeurer auprès de vous, papa. Je veux demeurer autant que vous ne serez point guéri.

Ce trait de gentillesse émut tant le Roi qu'il se mit à verser des larmes ; tous ceux qui furent dans la chambre étaient touchés à leur tour et, quand ils furent retournés à ses appartements, la gouvernante loua fort le petit prince devant tout le monde de ce qu'il avait dit. Un autre jour, son père lui ayant demandé s'il savait bien ses prières et s'en étant enquis auprès de Mme de Lansac, Petit Louis s'offrit à les réciter devant lui.

— Je le veux bien, dit le Roi. Et à qui les dédierez-vous, mon fils ?

– Je les dédierai à votre guérison prochaine, répliqua l'enfant.

Il s'agenouilla sur le plancher de la chambre et, joignant ses petites mains sous son menton comme on lui avait appris, il récita tout du long un *Pater noster* :

– *Pater noster, qui es in coelis, sanctificetur nomen tuum. Adveniat regnum tuum. Fiat voluntas tua sicut in coelis et in terra. Panem nostrum quotidianum da nobis hodie. Et dimitte nobis debita nostra sicut et nos dimittimus debitoribus nostris et ne nos inducas in tentationem, sed libera nos a malo. Amen.*

Le Roi était si aise d'ouïr cela – il avait suivi la prière mot à mot en bougeant silencieusement les lèvres – qu'il embrassa son fils et le baisa au front avec transport. M. de Vivonne venait lui aussi très souvent avec le Dauphin ; le Roi se montrait fort satisfait des deux garçonnets, prenant du plaisir à écouter le petit compagnon de son fils faire réflexion sur tout ce qu'on lui disait. Un après-dîner, à la fin du mois de mars, où il se sentait mieux – il sentait même les forces lui revenir un peu –, Louis fit transporter sa chaise dans la grande salle de bal, qui se trouvait dans l'aile du ponant ; la pièce était inondée d'un soleil frais et printanier qui baignait ses larges baies. Le Roi était alors si gai qu'il conta des histoires, chose qu'il faisait pour la première fois de sa vie devant des enfants. Vivonne étant du Poitou, il conta qu'autrefois, du temps qu'il faisait la guerre aux huguenots, les gens de Saint-Maixent, dans cette province, mirent un jour une chemise blanche à un pendu qui se balançait à leur potence, dans les faubourgs de la ville. Ces gens avaient mis leur pendu tout brave parce qu'il se trouvait sur le passage de son carrosse et qu'ils voulaient montrer que même les morts de la ville de Saint-Maixent se mettaient sur leur trente et un pour recevoir le Roi. Il leur conta aussi qu'un Saintongeais à qui l'on demandait : « Est-ce toi ou ton frère qui est mort ? » avait répondu : « Ce n'est pas moi, mais j'ai été bien plus malade que lui... » Cette repartie fit rire les enfants aux éclats. Le petit comte se tapait violemment sur les cuisses comme il le voyait faire aux grandes personnes de la Cour, puis se tenait les côtes en riant très haut. Petit Louis, l'ayant observé, voulut gesticuler tout pareillement ; il refaisait après lui les mêmes gestes, ce qui était si cocasse que la compagnie présente se mit à rire aux larmes à la suite des deux enfants. Le Roi lui-même rit si fort qu'il se déclencha une quinte de toux assez violente, ce qui le mit grandement hors d'haleine ; il fut un demi-quart d'heure avant de pouvoir reparler. Il leur conta ensuite cette histoire traditionnelle que Petit Louis avait déjà entendue mais qu'il lui plaisait de réentendre : c'était un soldat espagnol qui, lorsque le bateau sur lequel il naviguait fut près de faire naufrage, se mit à manger un morceau de pain, disant à ses compagnons : *Menester comer un poquito, para beber tanto* (Pour boire autant, il me faut manger un petit morceau).

La Reine venait elle aussi presque chaque jour pour rendre visite au Roi son époux ; elle arrivait toujours de son pavillon en carrosse – les jours de pluie à cause de la pluie, les jours de soleil pour rester à l'ombre. Ils parlèrent au début de choses indifférentes, surtout de la maladie, avec une certaine distance et beaucoup de méfiance réciproque. Puis ils se prirent à parler des enfants. Louis fit remarquer combien le Dauphin était plein de retenue et de raison pour son âge, et comme le petit d'Anjou était enjoué ! Le bambin faisait toute la journée comme une pie. Anne approuvait ; elle était ravie. C'était la première fois qu'elle voyait leur père s'intéresser à eux. Elle prenait chaque remarque élogieuse pour un compliment personnel, elle rougissait, se rengorgeait, se mettait à parler elle-même avec une volubilité passionnée, disant mille choses de l'un, de l'autre, des détails qu'il ne connaissait pas. Louis, de son côté, était surpris de la voir ainsi, parlant d'abondance, chaleureuse, habitué qu'il était à la raideur cérémonieuse, voire hostile, qu'elle prenait toujours pour s'adresser à lui. Cet air vif le faisait ressouvenir de leur jeunesse – le temps qu'ils avaient été épris l'un de l'autre. Anne était vive et gaie, autrefois. A force de parler du Dauphin, son héritier, son successeur, le Roi en vint à parler de sa propre mort. Anne se récria qu'il n'y fallait point songer ; puis il insista, car, dans l'état où il se sentait – bien que de jour en jour il allât un peu mieux en cette fin de mois de mars –, il ne pouvait manquer de songer, très chrétiennement, à la fin de ses jours.

Pour la dernière semaine du mois, le Roi changea de confesseur. C'était une idée du secrétaire d'État Des Noyers : le petit bonhomme lui avait présenté un jésuite plein d'entrain, bien causant, pieux et entreprenant, bien différent du Père Sirmond, qui était un brave et honnête homme, certes, mais totalement dépourvu d'allant et d'intérêt pour les choses du monde. Aussi le Père avait-il été mis à cette place par feu le Cardinal, qui lui avait fait promettre de ne jamais s'occuper de quoi que ce fût d'autre que d'absoudre spirituellement les péchés que le Roi pouvait avoir commis ; il s'était constamment tenu à ces limites étroites de sa tâche, au point qu'il en devenait fade et lassant. Des Noyers suggéra à Sa Majesté de recourir aux services d'un homme plus chaleureux et d'une compagnie agréable.

Le secrétaire, suivant en cela les enseignements de son maître Richelieu, songeait que le Roi s'ennuyait de n'avoir plus de confident et que l'intimité de son confesseur pourrait lui procurer du contentement. Il lui fit voir le Père Étienne Dinet, aussi de la Compagnie de Jésus, qui se trouvait être un de ses proches amis. Homme particulièrement courtois et bien-disant, ce Père fit sur le Roi une impression très agréable. Des Noyers songeait que la familiarité de ce nouveau confesseur lui permettrait d'agir utilement sur l'esprit du Roi dans la rivalité qui commençait à l'opposer à son ancien compagnon Chavigny ainsi qu'à l'insidieux Mazarini dans la lutte pour le pouvoir au sommet de la hiérarchie. La fin du Carême, avec la préparation des fêtes de Pâques toutes proches, constituait un moment bien choisi pour le changement dans la continuité chrétienne.

A cette occasion des fêtes pascales, le Roi, qui allait de jour en jour un peu mieux, décida de mêler pour la première fois le Dauphin aux obligations du trône pendant les cérémonies de la semaine sainte. Il était de tradition en effet que le monarque, en sa qualité de lieutenant de Dieu sur la terre, lavât lui-même les pieds des pauvres, le Jeudi saint, en mémoire de sa glorification de la Cène. Douze pauvres étaient donc choisis parmi d'authentiques gueux, qui figuraient les douze apôtres ; le Roi, à genoux devant eux, leur lavait humblement les pieds, les essuyait, les baisait, puis les conviait à un repas au cours duquel il les servait à table de sa propre main. Bien que le Dauphin fût encore trop jeune pour exécuter lui-même la cérémonie du lavement des pieds, Louis décida qu'il y assisterait cette année-là afin de s'y préparer, en compagnie des aumôniers et des officiers du royaume qui l'aidaient ordinairement.

Louis, en attendant, se lassait de son séjour au château Vieux ; avec les premiers beaux jours, l'eau du fossé, comme au Louvre, devenait puante des ordures et des excréments qui y avaient été déversés, au point que certains jours il fallait tenir les fenêtres fermées pour ne pas suffoquer. Le Roi trouvait que cet air nauséabond – assurément chargé de miasmes ! – n'était pas favorable à sa guérison ; aussi voulait-il se faire conduire à Versailles, où l'air, en pleine forêt, était infiniment meilleur. Il s'en plaignait tous les jours à Bouvard, qui, d'accord avec ses confrères, s'obstinait à ne point vouloir le laisser partir, arguant que le voyage, même accompli précautionneusement dans une litière, risquait d'être fatal. Bien que Sa Majesté n'eût plus de fièvre ni de vomissements depuis plus d'une semaine, elle restait néanmoins si faible et si flasque qu'elle ne pouvait demeurer sur pied très longtemps. Par conséquent, tout en déclarant que le Roi était maintenant hors de péril, ses médecins s'opposaient formellement à son départ.

– Vous êtes un ignorant, Bouvard, cria un jour le Roi à son premier médecin. Vous m'avez donné tant de potions et tant gavé de vilains électuaires que mon estomac en est tout retourné !

– Sire...

– Point de cela ! Vous êtes un homme à rompre votre lance sur le cul d'une vache, je vous dis : un ignorant. Ce sont vos remèdes qui m'ont rendu si faible que je ne puis plus me soutenir à cette heure. Et aujourd'hui vous voulez m'empêcher d'aller prendre un air meilleur, alors que j'étouffe, que je ne puis plus respirer.

Bouvard se tenait au chevet du lit, dont les rideaux étaient ouverts ; il baissait la tête, tandis que le Roi, hors de lui, gesticulait et criait de tout son souffle. Dubois et Delaplanche, ses valets, qui s'apprêtaient à lui faire sa toilette des mains et du visage, n'osaient approcher, par crainte de verser les bassins d'eau chaude sur le lit.

– Je supplie Votre Majesté de croire... articula le médecin.

– Je ne crois rien, Bouvard, que les Évangiles ! hurla Louis, qui se prit à tousser. Oh ! vous serez cause de ma mort !

Dans l'après-midi, la Reine ayant eu les échos de cette algarade, arriva plus tôt que de coutume pour dire que, s'il plaisait à Sa Majesté, elle lui céderait volontiers sa place au château Neuf. L'air, éloigné des fossés, continuellement brassé par les brises qui couraient le long de la rivière, y était bien meilleur. Elle se logerait, quant à elle, dans son appartement du château Vieux, contigu à celui du Roi, qu'elle n'occupait point d'ordinaire. Anne ajouta qu'ainsi elle serait pour quelque temps plus près des enfants et que cela compensait à ses yeux le désagrément qu'elle pourrait avoir de ce changement. Assurément, ce n'était pas Versailles, mais cet arrangement pouvait convenir, de manière provisoire, en attendant que les médecins autorisassent Sa Majesté à voyager tout à son aise.

Ainsi fut fait. Le Roi fut transporté le dernier jour de mars dans le pavillon du château Neuf, où la chambre fut aménagée pour lui, avec son lit, ses coffres, sa chaise à la romaine, ses guitares et les autres parties de sa garde-robe. Ce fut dans ce nouveau logis que les domestiques de sa maison qui sortaient de quartier au premier jour d'avril vinrent prendre congé de lui et que ceux qui entraient en quartier vinrent le saluer avant de prendre leur service. Il accueillit de belle humeur son premier valet de chambre, Bontemps, qui servait à la place de Béringhen, disgracié ; il plaisanta avec ses gentilshommes servants sur son manque d'appétit, disant que Bouvard les déchargeait de presque tout leur travail avec le peu de nourriture qu'il l'autorisait à manger, disant à son échanson qu'il lui ferait tâter plus de tisanes que de vin ! Il régla aussi, à la demande de Bailleul, un différend survenu dans le personnel de la cuisine bouche, entre le maître queux et le pâtissier ; il donna son avis sur la montée en grade de deux galopins qui devaient devenir enfants de cuisine, puis parla assez longuement avec le trésorier de l'épargne et le maître de la chambre aux deniers. A tous il fit bonne chère et eut un mot plaisant pour souhaiter la bienvenue à chacun ; il passa le reste du jour dans sa chambre, où il se divertit à dessiner et à peindre des figures grotesques selon qu'il aimait – toutes choses qu'il continua de faire dans la journée du jeudi.

Le vendredi après dîner, le Roi fit une promenade dans la galerie du château ; M. de Souvré, le frère de la gouvernante du Dauphin et premier gentilhomme de la chambre, le soutenait d'un côté, et le capitaine des gardes, Charost, le soutenait de l'autre. Malgré cela, il avait grand mal à faire vingt pas tout d'un rang sans se sentir épuisé. Dubois suivait dans la chaise et le faisait asseoir pour le délasser. Soit que ces efforts l'eussent exténué, soit que le feu de son mal se fût ravivé, il passa mal la nuit suivante et ne se leva de la journée, non plus que celles qui suivirent. Il continua de s'affaiblir encore pendant la semaine d'après, qui était celle de Pâques, et aussi la suivante, pendant laquelle il se fit lever plusieurs fois de son lit mais ne s'habilla point. Il passait de longues heures sur sa chaise à la romaine ; il dormait ou bien écoutait la lecture de la vie des saints que lui faisait Chicot, son médecin en quartier, et plus ordinairement Lucas, son secrétaire du cabinet. La Reine venait le voir chaque jour, ôtant à l'entrée de la chambre le masque de velours qui protégeait son visage des chauds rayons du renouveau de la saison printanière ; parfois elle menait aussi les enfants, mais Louis se sentait trop faible à présent pour jouer avec eux, parfois même pour tolérer leur présence, particulièrement celle du comte d'Anjou, dont le babil incessant l'incommodait.

Au reste, le Roi manifestait souvent de l'impatience de son état, avec une inquiétude grandissante quant à l'issue de cette maladie ; il supportait de plus en plus difficilement un trop grand nombre de personnes dans la chambre, où le manque d'air semblait le faire tousser, d'une toux sèche, incessante par moments, dont il se plaignait et qui le fatiguait beaucoup. Les médecins avaient trouvé bon, pour lui calmer ces quintes, de lui faire boire du petit-lait, dont on gardait au cellier une ample provision à cet usage, renouvelée chaque jour. Ce petit-lait, que le Roi buvait parfois avec peine, la tête relevée sur ses oreillers par l'un des valets de la chambre, Dubois ou Delaplanche, paraissait l'apaiser sensiblement. Les ragots et les conversations sans fin des seigneurs désœuvrés qui lui rendaient journellement visite l'indisposaient aussi certains jours, dans l'agacement où il se trouvait et particulièrement si ces parleries n'étaient point rigoureusement pieuses, comme il arrivait parfois. Louis ne supportait plus que l'on pût railler, même de loin, ce qui se rapportait aux choses sacrées. Un jour, on lui parlait d'un ermite, fort béat personnage, qui avait reçu de Dieu le don tout particulier de découvrir les corps saints. Cet ermite, qui marchait nonchalamment, en silence, récitant mentalement ses prières, disait tout à coup, montrant une place dans la terre : « Fouillez là, il y a un corps saint. » Et cela se trouvait en effet, disait-on, sans y manquer une seule fois.

Le Roi écoutait et méditait cet exemple de rare accord d'une créature avec le Créateur, quand un petit gentilhomme bourguignon, que ce récit amusait, voulut faire un trait d'esprit :

— Si je tenais le bonhomme, dit-il, je le mènerais avec moi en Bourgogne, il me trouverait bien des truffes !

Le visage du Roi s'empourpra de colère ; les mains tremblantes, comme prises de convulsions, il cria :

— Maraud, sortez d'ici !

La nuit du samedi 18 avril au dimanche 19, qui était le premier dimanche après Pâques, le monarque fut vivement agité ; il ne put trouver le sommeil, sinon par bribes, et, dans les courts instants où il s'assoupissait à force de fatigue, il faisait d'affreux cauchemars. Dubois, qui le veillait, lui apporta plusieurs fois à boire de cette eau de Forges qu'il n'avait pas cessé de prendre, mais qui ne semblait point éteindre le feu intérieur qui le consumait. Au matin, sur les 8 heures, il demanda à voir M. de Meaux, son premier aumônier, et, quand celui-ci arriva dans la chambre avec le Père Dinet, son confesseur, il leur demanda en grâce de lui faire préparer au plus tôt les derniers sacrements. Comme l'aumônier se récriait, disant qu'il n'était point temps encore, Dieu merci ! d'en venir à ces mesures extrêmes, qu'il ne fallait point juger sur les apparences et que Sa Majesté, du reste, n'avait point mauvaise figure, en dépit de la mauvaise nuit qu'elle venait de passer, Louis protesta d'un ton plus las et plus déterminé que jamais :

— Je me sens bien ! dit-il. Je vois bien mes forces... Elles commencent à diminuer de manière fatale. Ne protestez pas, je vous en prie...

Sa voix était à la fois si lasse et si déterminée que les gentilshommes présents observèrent un profond silence.

— Mon Père, poursuivit le Roi après avoir repris son souffle un instant, j'ai demandé à Dieu cette nuit que, si c'était Sa Volonté de disposer de moi, je suppliais Sa Divine Majesté d'abréger la longueur de ma maladie.

L'évêque joignit les mains :
— Que Sa Volonté soit faite ! dit-il tout haut. Il en sera fait, Sire, selon votre plaisir.

Là-dessus, Bouvard, qui venait comme chaque matin ausculter le patient, pénétra dans la chambre, suivi de Chicot. Les deux hommes étaient surpris par le silence et la gravité inaccoutumée qui régnait dans la pièce ; le Roi lui dit en le voyant :

— Vous savez qu'il y a longtemps que j'ai mauvaise opinion de cette maladie-ci ; je vous ai prié et même pressé de me dire votre sentiment.

— Il est vrai, Sire, avoua Bouvard, qui tenait son chapeau à la main.

— Eh bien, continua le monarque, je vois bien qu'il faut mourir ; je m'en suis aperçu dès ce matin. Aussi j'ai demandé à M. de Meaux et à mon confesseur les sacrements qu'ils m'ont différés jusqu'à présent. Non : ne protestez point ! Je suis disposé à suivre la volonté divine.

Il fit une pause pour respirer profondément, puis harangua les gentilshommes sur le thème de la résignation qu'un chrétien doit avoir face à la mort, qu'il faut aimer et ne point craindre ; son discours fut si beau que tous ceux qui étaient pour lors dans la chambre versèrent d'abondantes larmes. Sur les 2 heures, l'après-dîner, il se fit installer sur sa chaise, moitié assis, moitié couché, la tête et les épaules soutenues par des coussins de plume, et se fit placer ainsi face à la fenêtre :

— Qu'on m'ouvre ces fenêtres à présent, dit-il, je veux voir ma dernière demeure.

Devant lui, au loin, dans le ciel resplendissant de cette belle journée d'avril, se dressait le clocher de l'abbaye de Saint-Denis.

Le dimanche soir, il demanda à Lucas de prendre le Nouveau Testament et de lui lire au chapitre 17 de saint Jean : *Pater meus, glorifica me*, qui sont les méditations de Jésus-Christ sur la mort, et la prière très belle qu'il adressa à son père avant de passer le torrent de Cédron. Après cette lecture, Sa Majesté dormit une grande heure sur sa chaise. A son réveil, le souverain demanda à entendre l'*Introduction à la vie dévote* du bienheureux François de Sales ; il l'écouta dans son lit, jusqu'à mi-nuit.

Le lendemain, 20 avril, Louis convoqua les princes et les grands pour leur faire entendre la déclaration qu'il avait fait préparer depuis plusieurs jours, par laquelle il nommait la Reine régente après sa mort. L'après-midi, le duc d'Orléans, le prince de Condé, la Reine, le cardinal Mazarin, les officiers de la Couronne, Mme la princesse Charlotte de Condé, la comtesse de Soissons, de nombreux autres seigneurs, ainsi que les membres du Parlement, entrèrent dans la chambre, où des sièges avaient été préparés. Le Roi fit ouvrir les rideaux de son lit ; il salua l'assemblée d'une voix assez forte et commanda à M. de La Vrillière, secrétaire d'État, de lire tout au long la déclaration de régence. Ce gentilhomme se tint debout au pied du lit de Sa Majesté, la Reine étant assise à côté de lui ; il commença d'une voix haute mais fort troublée le récit qui contenait les dernières volontés du monarque.

« Louis, par la grâce de Dieu, roi de France et de Navarre, à tous présents et à venir, salut.

« Depuis notre avènement à la Couronne, Dieu nous a départi si visiblement sa protection que nous ne pouvons sans admiration considérer toutes les actions passées dans le cours de notre règne qui sont autant d'effets merveilleux de sa bonté. Dès son entrée, la faiblesse de notre âge donna sujet à quelques mauvais esprits d'en troubler le repos et la tranquillité ; mais cette main divine soutint avec tant de force notre innocence et la justice de notre cause que l'on vit en même temps la naissance et la fin de ces pernicieux desseins, avec tant d'avantage pour nous qu'ils ne servirent qu'à affermir notre puissance. Depuis, la faction de l'hérésie s'élevant pour former un parti dans l'État qui semblait partager notre autorité, il s'est servi de nous pour en abattre la puissance ; et nous rendant l'instrument de sa gloire, il a permis que nous ayons remis l'exercice de la religion et relevé ses autels en tous les lieux où la violence de l'hérésie en avait effacé les marques.

« Lorsque nous avons entrepris la protection de nos alliés, il a donné des jours si heureux à nos armes qu'à la vue de toute l'Europe, contre l'espérance de tout le monde, nous les avons rétablis en possession de leurs États. Si les plus grandes forces des ennemis communs de cette Couronne se sont ralliées contre nous, il a confondu leurs ambitieux desseins. Enfin, pour faire paraître davantage sa bonté envers nous, il a donné bénédiction à notre mariage par la naissance de deux enfants lorsque nous l'espérions le moins.

« Mais si d'un côté Dieu nous a rendu le plus grand et le plus glorieux prince de l'Europe, il nous a fait aussi connaître que les plus grands rois ne sont pas exempts de la condition commune des autres hommes : il a permis, au milieu de toutes ces prospérités, que nous ayons ressenti les effets de la faiblesse de la nature ; et, bien que les infirmités que nous avons eues et qui nous continuent encore, ne nous donnent pas sujet de croire que le mal soit sans remède, et qu'au contraire nous ayons par toutes les apparences l'assurance de recouvrer une personne entière, néanmoins comme les événements des maladies sont incertains, et que souvent les jugements de ceux qui ont le plus d'expérience sont peu assurés, nous avons estimé être obligé de penser à tout ce qui serait nécessaire pour conserver le repos et la tranquillité de notre État, en cas que nous vinssions à lui manquer.

« Nous croyons que comme Dieu s'est servi de nous pour faire tant de grâces à cette monarchie qu'il désire encore cette dernière action de prudence qui donnera la perfection à toutes les autres, si nous apportons un si bon ordre pour le gouvernement et administration de notre Couronne que Dieu nous appelant à lui rien n'en puisse affaiblir la grandeur, et que dans le bas âge de notre successeur le gouvernement soit soutenu avec la force et la vigueur si nécessaires pour maintenir l'autorité royale ; nous croyons que c'est le seul moyen de faire perdre à nos ennemis toutes les espérances de prendre avantage de notre perte : et nous ne pouvons leur opposer une plus grande force pour les obliger à un traité de paix que de faire un si bon établissement dès notre vivant qu'il rallie et réunisse toute la maison royale pour conspirer avec un même esprit à maintenir l'état présent de notre Couronne. La France a bien fait voir qu'étant unie elle est invincible, et que de son union dépend sa grandeur, comme sa ruine de sa division. Aussi les mauvais Français seront retenus de former aucune entreprise jugeant bien qu'elles ne réussiront qu'à leur confusion, lorsqu'ils verront l'autorité royale appuyée sur de si fermes fondements qu'elle ne pourra être ébranlée. Enfin, nous affermirons l'union avec nos alliés qui est une des principales forces de la France, quand ils sauront qu'elle sera conduite par les mêmes maximes qui en ont jusqu'ici si heureusement et si glorieusement maintenu la grandeur.

« Nos actions passées font assez juger de l'amour que nous avons eu pour la conservation de nos peuples et de leur acquérir par nos travaux une félicité accomplie. Mais la résolution que nous prenons de porter nos pensées à l'avenir, avec l'image de notre fin et de notre perte, est bien une marque plus assurée de notre tendre affection envers eux, puisque l'exécution de nos dernières volontés produira ses effets en un temps où nous ne serons plus, et que nous n'aurons autre part en la félicité du règne qui viendra que la satisfaction et le contentement que nous recevrons par avance de penser au bonheur de notre État. Or, pour exécuter notre dessein, nous avons pensé que nous ne pouvions prendre une voie plus assurée que celle qu'ont tenue en pareilles occasions les rois nos prédécesseurs. Ces sages princes ont jugé avec grand raison que la régence du royaume, l'instruction et éducation des rois mineurs, ne pouvait être déposée plus avantageusement qu'en la personne des mères de rois, qui sont sans doute plus intéressées à la conservation de leurs personnes et de leurs Couronnes qu'aucun autre qui y pourrait être appelé.

« A ces causes, de notre certaine science, pleine puissance et autorité royale, nous avons ordonné et ordonnons, voulons et nous plaît qu'advenant notre décès avant que notre fils aîné le Dauphin soit entré en la quatorzième année de son âge, ou en cas que notre dit fils le Dauphin décédât avant la majorité de notre second fils le duc d'Anjou, notre très chère et très aimée épouse et compagne, la Reine Mère de nos dits enfants, soit régente en France, qu'elle ait l'éducation et l'instruction de nos dits enfants, avec l'administration et gouvernement du royaume, tant et si longuement que durera la minorité de celui qui sera roi, avec l'avis du Conseil et en la forme que nous ordonnerons ci-après ; et en cas que ladite dame régente se trouvant après notre décès et pendant sa régence en telle indisposition qu'elle eût sujet d'appréhender de finir ses jours avant la majorité de nos enfants, nous voulons et ordonnons ci-après, à la régence, gouvernement et administration de nos enfants et du royaume, déclarant dès à présent que nous confirmons la disposition qui en sera ainsi par elle faite, comme si elle avait été ordonnée par nous.

« Et pour témoigner à notre très cher frère le duc d'Orléans que rien n'a été capable de diminuer l'affection que nous avons toujours eue pour lui, nous voulons et ordonnons qu'après notre décès il soit lieutenant général du Roi mineur en toutes les provinces du royaume, pour exercer pendant la minorité ladite charge sous l'autorité de ladite dame Reine régente et du Conseil que nous ordonnerons ci-après, et ce nonobstant la déclaration enregistrée en notre cour de Parlement qui le prive de toute administration de notre État, à laquelle nous avons dérogé et dérogeons par ces présentes pour ce regard. Nous nous promettons de son bon naturel qu'il honorera nos volontés par une obéissance entière, et qu'il servira l'État et nos enfants avec la fidélité et l'affection à laquelle sa naissance et les grâces qu'il a reçues de nous l'obligent, déclarant qu'en cas qu'il vînt à contrevenir en quelque façon que ce soit à l'établissement que nous faisons par la présente déclaration, nous voulons qu'il demeure privé de la charge de lieutenant général, défendant très expressément en ce cas à tous nos sujets de la reconnaître et de lui obéir en cette qualité.

« Nous avons tout sujet d'espérer de la vertu, de la piété et de la sage conduite de notre très chère et bien-aimée épouse et compagne la Reine, mère de nos enfants, que son administration sera heureuse et avantageuse à l'État. Mais comme la charge de régente est de si grand poids, sur laquelle repose le salut et la conservation entière du royaume, et qu'il est impossible qu'elle puisse avoir la connaissance parfaite et si nécessaire pour la résolution de si grandes et si difficiles affaires, qui ne s'acquiert que par une longue expérience, nous avons jugé à propos d'établir un Conseil près d'elle pour la régence, par les avis duquel et sous son autorité les grandes et importantes affaires de l'État soient résolues suivant la pluralité des voix. Et pour dignement composer le corps de ce Conseil, nous avons estimé que nous ne pouvions faire un meilleur choix pour être ministre de l'État que de nos très chers et très aimés cousins le prince de Condé et le cardinal de Mazarin, et de notre très cher féal le sieur Séguier, chancelier de France, garde des Sceaux et commandeur de nos ordres, et de nos très chers et bien-aimés Bouthillier, surintendant de nos finances, et Chavigny, secrétaire d'État et de nos commandements ; voulons et ordonnons que notre très cher frère le duc d'Orléans, et en son absence nos très chers et aimés cousins le prince de Condé et le cardinal de Mazarin, soient chefs dudit Conseil, selon l'ordre qu'ils sont ici nommés, sous l'autorité de ladite dame Reine régente. Et comme nous croyons ne pouvoir faire un meilleur choix, nous défendons très expressément d'apporter aucun changement audit Conseil en l'augmentant ou diminuant, pour quelque cause ou occasion que ce soit, entendant néanmoins que vacation advenant d'une des places dudit Conseil par mort ou forfaiture, il y soit pourvu de telles personnes que ladite dame Régente jugera dignes, par l'avis dudit Conseil et à la pluralité des voix, de remplir cette place, déclarant que notre volonté est que toutes les affaires de la paix et de la guerre et autres importantes à l'État, même celles qui regarderont la disposition de nos deniers, soient délibérées audit Conseil par la pluralité des voix ; comme aussi qu'il soit pourvu cas échéant aux charges de la Couronne, surintendant des Finances, premier président et procureur général en notre cour du Parlement de Paris, charges de secrétaire d'État, charges de la guerre, gouvernements des places frontières, par ladite dame Régente avec l'avis dudit Conseil sans lequel elle ne pourra disposer d'aucune desdites charges ; et quant aux autres charges, elle en disposera avec la participation dudit Conseil. Et pour les archevêchés, évêchés et abbayes étant en notre nomination, comme nous avons eu jusqu'à présent un soin particulier qu'ils soient conférés à des personnes de mérite et de piété singulière et qui ayant été pendant trois ans en l'ordre de prêtrise, nous croyons, après avoir reçu tant de grâces de la bonté divine, être obligé de faire en sorte que le même ordre soit observé pour cet effet ; nous désirons que ladite dame Régente, mère de nos enfants, suive aux choix qu'elle fera pour remplir les dignités ecclésiastiques l'exemple que nous lui en avons donné, et qu'elle les confère avec l'avis de notre cousin le cardinal de Mazarin auquel nous avons fait connaître l'affection que nous avons que Dieu soit honoré en ces choix ; et comme il est obligé, par la grande dignité qu'il a dans l'Église, d'en procurer l'honneur, qui ne saurait être plus élevé qu'en y mettant des personnes de piété exemplaire, nous nous assurons qu'il donnera de très fidèles conseils conformes à nos intentions. Il nous a rendu tant de preuves de sa fidélité et de son intelligence au maniement de nos plus grandes et plus importantes affaires, tant dedans que dehors notre royaume, que nous avons cru ne pouvoir confier après nous l'exécution de cet ordre à personne qui s'en acquittât plus dignement que lui.

« Et d'autant que pour des grandes raisons, importantes au bien de notre service, nous avons été obligé de priver le sieur de Châteauneuf de la charge de garde des Sceaux de France, et de le faire conduire au château d'Angoulême où il a demeuré jusqu'à présent par nos ordres, nous voulons et entendons que ledit sieur de Châteauneuf demeure au même état qu'il est de présent audit château d'Angoulême jusqu'après la paix conclue et exécutée, à la charge néanmoins qu'il ne pourra lors être mis en liberté que par l'ordre de ladite dame Régente, avec l'avis dudit Conseil qui ordonnera d'un lieu pour sa retraite dans le royaume ou hors du royaume ainsi qu'il sera jugé pour le mieux. Et comme notre dessein est de prévoir tous les sujets qui pourraient en quelque sorte troubler le bon établissement que nous faisons pour conserver le repos et la tranquillité de notre État, la connaissance que nous avons de la mauvaise conduite de la dame duchesse de Chevreuse, et des artifices dont elle s'est servie jusqu'ici pour mettre la division dans notre royaume, les factions et les intelligences qu'elle entretient au-dehors avec nos ennemis nous font juger à propos de lui défendre, comme nous lui défendons, l'entrée de notre royaume pendant la guerre ; voulons même qu'après la paix conclue et exécutée, elle ne puisse retourner dans notre royaume que par les ordres de ladite dame Reine régente, avec l'avis dudit Conseil, à la charge néanmoins qu'elle ne pourra faire sa demeure ni être en aucun lieu proche de la Cour et de ladite dame Reine. Et quant aux autres de nos sujets de quelque qualité et conditions qu'ils soient que nous avons obligés de sortir du royaume par condamnation ou autrement, nous voulons que ladite dame Reine régente ne prenne aucune résolution pour leur retour que par l'avis dudit Conseil.

« Voulons et ordonnons que notre très chère et très aimée épouse et compagne la Reine, mère de nos enfants, et notre cher et aimé frère le duc d'Orléans fassent le serment en notre présence et des princes de notre sang, et aux princes, ducs, pairs, maréchaux de France et officiers de notre Couronne, de garder et observer le contenu en notre présente déclaration sans y contrevenir en quelque façon et manière que ce soit.

« Si donnons mandement à nos amis et féaux les gens tenant notre cour de Parlement de Paris, que ces présentes ils aient à faire lire, publier et registrer pour être inviolablement gardées et observées sans qu'il y puisse être contrevenu en quelque sorte et manière que ce soit ; car tel est notre plaisir. Et afin que ce soit chose ferme et stable à toujours, nous avons signé ces présentes de notre propre main et fait ensuite signer par notre chère et très aimée épouse et compagne, et par notre très cher et aimé frère le duc d'Orléans, et des trois secrétaires d'État et de nos commandements étant de présent près de nous, et fait mettre notre sceau.

« Donné à Saint-Germain-en-Laye, au mois d'avril l'an de grâce mille six cent quarante-trois, et de notre règne le trente-troisième.

« Ce que dessus est ma très expresse et dernière volonté que je veux être exécutée. Signé : LOUIS, ANNE, GASTON. »

Lecture faite, la Reine prêta serment, ainsi que les princes. Le visage du Roi était vermeil et serein comme celui d'un homme nullement effrayé par la mort, prêt à quitter son sceptre et sa couronne avec aussi peu de regrets que s'il eût laissé une botte de foin pourri ; il s'entretint aimablement avec son frère, avec sa femme, Monsieur le Prince et aussi les membres du Parlement présents. Il leur dit tant de choses touchantes que tout le monde se retira en pleurs.

Le mardi du 21 avril, le beau temps de ces dernières semaines avait fait place à une grisaille triste et froide. Le vent s'était levé et poussait des averses d'une pluie glaciale. Le printemps semblait s'être changé en automne, et Pâques en Toussaint.

L'après-midi, Monseigneur le Dauphin fut baptisé en la chapelle du château Vieux.

Afin de mieux asseoir l'intérêt que pouvaient porter au Dauphin les deux principaux chefs du Conseil de régence, le prince de Condé et le cardinal Mazarin, le Roi avait décidé de les attacher par des liens personnels au petit prince. Il faisait le prélat italien son parrain, en tant que représentant du pape, et la princesse Charlotte, épouse de Condé, sa marraine.

A partir de 4 heures, la petite chapelle s'était remplie de seigneurs de la Cour et de tout le personnel, qui avait accouru assister à la cérémonie du baptême ; la presse emplissait entièrement la nef, le chœur, le jubé et les tribunes, où les assistants s'entassaient pêle-mêle. Un peu avant 5 heures, la petite procession entra dans l'église par la porte qui donnait directement sur l'escalier intérieur ; à cause de la pluie battante qui n'avait pas cessé depuis le matin et qui n'aurait pas manqué de gâter les vêtements, la Reine avait emprunté le passage intérieur, traversant la salle de bal du premier étage.

Le Dauphin entra le premier, vêtu d'une longue robe blanche de taffetas d'argent par-dessus son habit ordinaire. Mme de Lansac venait derrière lui, suivie de la princesse de Condé, la comtesse de Soissons, la duchesse de Longueville et des dames et demoiselles d'honneur. Dès l'entrée du petit prince, la musique de la chapelle, qui se tenait à son ordinaire dans le jubé, entama un motet fort harmonieux, pendant lequel la Reine s'approcha de son prie-Dieu drapé de vert et garni de carreaux de velours rouge cramoisi, à franges d'or, sur lequel elle s'agenouilla. Le Dauphin s'agenouilla à sa droite et la princesse de Condé à sa gauche. Petit Louis, qui avait marché gravement, les lèvres pincées, croisa ses bras sur sa poitrine et baissa la tête vers le sol dans une stricte observation du maintien digne et sage qu'on lui avait enseigné – c'est à peine s'il avait jeté un regard pour tâcher d'apercevoir M. de Vivonne, placé avec les pages, plus avant dans le chœur. Le maître-autel, sur lequel était exposé le saint sacrement, était paré tout de blanc avec des dentelles et un drap de velours ras, bordé de fils d'or et d'argent, illuminé de douze gros cierges de cire blanche qui jetaient un éclat merveilleux dans la petite église, que le mauvais temps du dehors avait assombrie.

Quand tous furent installés sur le prie-Dieu, le clergé sortit à son tour de la sacristie, tandis que les chanteurs de la chapelle du Roi développaient avec une ferveur attendrissante la puissante harmonie de leur chant. L'évêque de Meaux, grand aumônier, marchait en tête, vêtu des habits et ornements pontificaux, accompagné de quatre aumôniers du Roi pour le servir ; ils étaient accompagnés de l'évêque de Beauvais, des évêques de Viviers, de Riez, de Saint-Pol, de Coutances et du Puy, tous en rochet et camail, de plusieurs abbés à leur suite, ainsi que tous les chapelains ordinaires du Roi, de son confesseur et des aumôniers sans gages. Après avoir adoré le saint sacrement, M. de Meaux s'approcha du prie-Dieu et la Reine lui présenta Monseigneur le Dauphin ; Mme de Lansac le souleva sans effort pour l'asseoir sur l'accoudoir du prie-Dieu, où la Reine le tint par-derrière, les mains sur ses hanches de crainte qu'un mouvement ne le fît tomber. A ce moment, le cardinal Mazarin, qui était entré après les dames, vint se placer à main droite du Dauphin ; la princesse de Condé se plaça à gauche, selon l'ordre habituel observé pour les parrains et marraines.

M. de Meaux, la mitre en tête, demanda alors à l'enfant :

– Monsieur, que demandez-vous ?

– Je demande les cérémonies sacramentelles du baptême, répondit le petit prince après un temps d'hésitation pendant lequel sa mère lui souffla à l'oreille.

L'évêque demanda alors aux parrain et marraine quel nom on voulait imposer au Dauphin : la princesse Charlotte, faisant d'abord un grand compliment au parrain le Cardinal, puis une révérence à la Reine, le nomma Louis, selon l'intention de Sa Majesté. Le prêtre le nomma donc à son tour en latin *Ludovice,* puis il se mit en devoir de continuer l'office selon le rituel de l'Église : il exorcisa d'abord le sel, le bénit et en mit une petite portion dans la bouche de l'enfant royal, qui ferma les yeux pour le recevoir. Petit Louis sortit sa langue de très bonne grâce, joignant les mains sous son menton fort pieusement, ce qui ravissait toute l'assistance en admiration. La Reine lui défit ensuite sa robe de taffetas, dégrafa avec grande douceur le collet de dentelle, lui découvrant les épaules et la poitrine afin que l'évêque pût lui appliquer les saintes huiles.

A chacune des trois onctions, le prêtre demanda :

— *Ludovice, abrenuntias satanae, et pompis et omnibus operibus ejus* ?

Le Dauphin répondit chaque fois, d'une voix forte et distincte que tous les assistants pouvaient entendre :

— *Abrenuntio.*

Il répondit du même ton assuré *Credo* aux trois interrogations qui lui furent faites sur sa foi et sa créance. L'évêque lui déclara alors qu'il était introduit désormais dans l'Église romaine ; les parrain et marraine, les évêques et tous les assistants récitèrent ensemble avec Petit Louis l'oraison dominicale. Quand ce fut fait, négligeant l'aspersion de l'eau qui avait été faite lors de l'ondoiement à la naissance du Dauphin, l'évêque lui oignit le sommet du crâne avec le saint chrême. Il lui recouvrit ensuite la tête avec le chrémeau, fait à la façon d'un petit bonnet de dentelle destiné à protéger l'onction des souillures, qu'il lui noua sous le menton au moyen d'un cordonnet de soie.

Avant de monter à l'autel pour continuer l'office divin, M. de Meaux tendit un cierge allumé, que l'enfant prit lui-même à deux mains et qu'il tint seul de la sorte pendant tout le reste de la cérémonie. L'office se termina par une bénédiction générale, que l'assistance reçut pieusement à genoux, pendant que la musique royale entonnait un glorieux chant de clôture.

CHAPITRE VIII

Le samedi 25 avril à la brune, peu après le coucher du soleil, un petit carrosse sans armes, tiré par deux chevaux d'assez belle taille, s'avançait lentement, portières baissées, le long de la rue du Chassemidi dans le faubourg Saint-Germain. La voiture était vétuste avec des parements délabrés ; ses roues hahoteuses aux moyeux mal graissés glissaient tour après tour ; le cocher, un homme d'âge mûr un peu voûté sous une chape élimée, ne portait aucune livrée ni signe de reconnaissance.

Parvenu à un carrefour, au lieu dit la Croix-Rouge, l'attelage s'arrêta un instant. Le conducteur se pencha vers l'intérieur du carrosse, d'où il parut recevoir des ordres ; aussi, au lieu de poursuivre son chemin tout droit vers la rue du Four, il fit obliquer ses chevaux légèrement à main droite et s'engagea à petits pas dans la rue du Vieux-Colombier ; le carrosse dépassa la rue Cassette, la rue du Pot-de-Fer, longea le grand séminaire, à droite dans la rue des Prêtres ; il dut s'arrêter de nouveau pour laisser se dissiper un embarras qui bloquait la voie au carrefour de la rue Féron, devant l'église Saint-Sulpice, où des charrettes chargées de fourrage s'étaient emmêlées.

Une hostellerie était à l'angle des deux rues, face à l'église ; pendant cet arrêt inopiné, un garçon qui pouvait avoir une douzaine d'ans descendit prestement de la voiture et se dirigea hâtivement vers l'auberge, dont il poussa la porte ; il en ressortit presque aussitôt... A son allure vive et dégagée, ce jeune homme avait toute la mine d'être un page attaché à quelque grande maison, mais il portait des habits simples, sans aucune marque distinctive d'aucun seigneur, sinon que ses vêtements un peu trop amples paraissaient être d'une vieille mode, avec le haut-de-chausses troussé comme en portaient encore en certains lieux les habitants des provinces. Avant de remonter dans le carrosse, le garçon racla longuement ses chaussures au marche-pied pour en faire tomber la boue jaunâtre qui s'y était collée – car la pluie incessante du début de la semaine avait détrempé les routes si entièrement qu'elles n'avaient pas eu le temps de sécher, malgré le beau soleil de cette journée d'avril. Par la porte ouverte, on apercevait dans le fond du carrosse, aux dernières lueurs du jour finissant, deux femmes assez jeunes d'aspect, dont l'une, vêtue de sombre, avait la tête enserrée par un voile qui dissimulait entièrement son visage. Elle était assise à côté d'un homme mince, de taille moyenne, qui était habillé en bourgeois et coiffé d'un large chapeau aux ailes tombantes.

– Point de logement ! annonça le jeune homme, dont la voix gracieuse, claire et précise, trahissait qu'il était de bon lieu, en dépit de ses habits communs.

La voie, cependant, était redevenue libre ; le cocher toucha ses chevaux et la voiture poursuivit son chemin dans le grincement régulier de ses moyeux sans huile. Il longea l'église, puis la rue du Petit-Bourbon et celle du Petit-Lyon, qui la prolongeait ; il tourna ensuite à main gauche dans la rue Neuve-des-Fossés et descendit jusqu'au carrefour, où il prit à droite pour pénétrer dans Paris par la porte Saint-Germain. A ce moment, l'obscurité était complètement venue ; la marche du carrosse était néanmoins retardée par le nombre incroyable de véhicules de toute nature qui circulaient à cette heure tardive, comme si la ville était animée par une fièvre inaccoutumée. Ici et là, le garçon descendait, entrait dans une auberge, puis revenait prendre sa place dans le carrosse avec les mêmes mots : « Point de logement. »

Le mystérieux équipage sillonna ainsi vainement les rues

531

de la capitale pendant plus de trois heures d'horloge ; toutes les hostelleries auxquelles ces gens frappaient refusaient du monde depuis plusieurs jours, tant Paris était envahi d'une presse énorme qui y était attirée par le changement de règne que l'on disait imminent. La mort du Roi était attendue de jour en jour, d'heure en heure. Depuis le mercredi, où son décès avait été annoncé par erreur, la ville avait été saisie d'un bourdonnement de ruche affairée. Le 22, en effet, dans la journée froide et pluvieuse où un vent glacé soufflait en tempête, le Roi s'était senti si mal que tout le monde à Saint-Germain avait cru sa dernière heure venue.

La Cour avait été saisie d'une agitation incomparable. Au prince son cousin qui lui annonçait l'instant prochain de sa mort, le monarque avait répondu, disait-on, en latin : « Je me réjouis des paroles qui me sont dites », puis il avait fait venir ses enfants et leur avait donné sa bénédiction, en même temps qu'à leur mère. Le lendemain, la nouvelle était parvenue que Sa Majesté était toujours en vie, mais que, son existence ne tenant qu'à un fil, elle avait reçu l'extrême-onction des mains de l'évêque de Meaux ; Louis XIII avait répondu lui-même avec une grande constance et fermeté à tous les psaumes et litanies. Depuis lors, une foule de gens accourait de tous les points du royaume.

De guerre lasse, le carrosse inconnu qui venait de province était retourné sur ses pas. Montant la rue de la Harpe jusqu'au rempart, il ressortit de Paris par la porte Saint-Michel ; il tourna ensuite à droite pour redescendre, le long de l'enceinte, la rue qui bordait de l'autre côté l'hôtel de Condé. Une taverne d'allure peu engageante faisait l'angle des maisons bâties à cet endroit sur le fossé, jouxtant le jeu de longue paume qui s'étendait derrière les bâtiments de Monsieur le Prince. Le cocher fit halte, descendit de son siège en même temps que l'homme au grand chapeau sortait de la voiture. Après quelques mots échangés dans l'ombre, les deux hommes se dirigèrent ensemble vers un rai de lumière qui filtrait dans la nuit obscure au travers des contrevents mal joints ; ils poussèrent la porte du bouge. 11 heures sonnèrent à ce moment à la chapelle des cordeliers, de l'autre côté des remparts.

– C'est l'heure de la dernière chance, grommela le cocher. Mes chevaux n'en peuvent plus, Monsieur.

– Voyons toujours, dit l'autre en entrant dans la pièce d'un pas nerveux.

Il ôta son chapeau ; la lumière d'une torche fumeuse accrochée au mur éclaira de biais son visage : c'était Pierre de La Porte, dont les traits légèrement épaissis étaient tirés par la fatigue d'un long voyage. Le gentilhomme de la Reine, qui se dissimulait sous un habit de drap uni à la mode des marchands, s'avança au fond de la salle basse, sombre, où brûlait une grosse chandelle de suif. Un groupe d'hommes jouaient aux cartes sur la droite, à la lueur d'une chandelle, devant la cheminée d'où venait un rougeoiement vacillant et incertain. Effondré sur une table, un gros homme velu ronflait devant une pinte vide.

– Holà ! L'hôtesse !... cria le faux marchand, d'une voix haute et ferme.

Les joueurs se retournèrent un moment vers lui, puis vers le cocher, lequel était demeuré près de la porte entrebâillée.

– Eh, la mère ! cria l'un d'eux. Vous avez de la pratique.

Le silence revint ; l'endroit sentait le suif et le chou suri. Devant l'insuccès du premier appel, l'un des hommes attablés lança à la cantonade d'une étonnante voix de taureau qui beugle :

– La mère Chocaillon !... Qui chie dans son cotillon !

Cette fois, des protestations indistinctes s'élevèrent dans une pièce voisine ; une femme en cheveux, au buste ample, au visage rubicond et qui n'avait point d'âge, parut dans l'embrasure d'une porte d'angle :

– Monsieur le marchand grossier qui vend la merde à la hottée ! commença-t-elle sur un ton rogue.

Puis, apercevant le gentilhomme, elle s'approcha de lui, disant d'un ton qu'elle voulait tout à coup doucereux :

— Faites excuses, mon bourgeois ! C'est-y donc de la pratique ?

— Avez-vous de quoi loger, l'hôtesse ? Nous avons battu le pavé de Paris toute la soirée, nous sommes morts de fatigue et de faim, expliqua Pierre.

La bonne femme hésita un instant, toisant les visiteurs, tâchant de déceler à leur vêture si elle pourrait faire monter ses prix.

— Une botte de foin et une place au sec pour mes chevaux suffira pour moi, la mère, articula le cocher.

— J'avons une chambre à deux pas d'ici, pas très grande, ma foi, finit par répondre l'aubergiste. Mais j'faisons crédit depuis la main jusqu'à la bourse, mon bon monsieur.

La Porte sortit aussitôt une bourse qu'il tenait prête :

— Voici la bourse qui attend la main ! dit-il avec un sourire soulagé.

— Vous êtes un bon chaland, mon bourgeois, dit la femme.

Le marché ainsi conclu, sans cérémonies, l'hôtesse voulut conduire elle-même les voyageurs à la chambre ; elle se fit accompagner d'un garçon muni d'une lanterne · qu'elle extirpa de la voix aux profondeurs de l'auberge. Il fallait ressortir ; le logement tant attendu était situé deux portes plus loin, au second étage d'une maison construite à la façon ancienne, avec le pignon sur la rue. Dehors, Pierre aida les voyageuses à descendre du carrosse, dans la lueur de la torche que tenait le petit garçon de l'auberge. Malgré les déguisements de ses habits modestes, Marie de Hautefort, qui avait ôté son voile, parut dans toute la splendeur de son blond visage.

Pendant que le cocher Naillart – car c'était lui – dételait les chevaux fourbus pour les conduire à l'écurie de l'auberge, la petite troupe se dirigea vers le garni, prenant bien garde de ne pas trébucher dans la boue épaisse. Pierre donnait le bras à

Marie, la dame de compagnie venait derrière avec le page. L'aubergiste, saisie par la beauté de la dame et pressentant quelque mystère chez ces gens qui avaient toute l'apparence de grands seigneurs déguisés en bourgeois de province, fit les honneurs de son garni avec des exagérations d'amabilité. Ses manières contrastaient quelque peu avec la vétusté et le piètre confort des lieux. En effet, ils montèrent un escalier étroit et grinçant, plus proche d'une échelle de meunier que d'un degré véritable, pour aboutir à une chambre étroite, toute en longueur, munie d'une petite fenêtre à chaque bout, dans laquelle se trouvaient deux grands lits aux rideaux de grosse bure.

— *Me gustó comer un poquito*, dit Marie de Hautefort, qui préféra épaissir le mystère de sa présence en parlant espagnol au gentilhomme plutôt que risquer de trahir son identité.

Elle avait faim. Pierre expliqua à l'hôtesse qu'ils n'avaient point mangé depuis le matin. La grosse femme leur fit apporter bientôt du pâté en terrine, un chapon rôti froid, du pain et du vin ; ils dévorèrent leur souper de grand appétit avant de se mettre au lit, La Porte avec le page, Marie avec sa suivante, tous recrus de fatigue.

Depuis le mois de décembre, où ils avaient appris la mort du Cardinal, la petite bande des exilés du Mans et de Saumur était demeurée sur le gril. Marie de Hautefort recevait régulièrement des nouvelles de la Cour par sa grand-mère et les échos de la ville par de longues épîtres cocasses que lui écrivait Scarron, lequel était venu soigner ses rhumatismes à Paris. La Reine de temps en temps l'informait elle-même du train des choses ; elle lui avait fait parvenir au mois de janvier un paquet de lettres que l'on avait trouvées dans une cassette à la succession de Richelieu. Le nouveau et fort galant ministre Mazarin les lui avait remises très aimablement. Ces lettres étaient celles que Mlle de Chémérault faisait tenir de

Poitiers à Son Éminence pour l'informer secrètement de tout ce qui venait à sa connaissance concernant ses amis ; cette découverte confirmait de façon si cruellement éclatante les soupçons que La Porte avait conçus à l'égard de la fille d'honneur que ç'avait été une rude épreuve pour Marie. La généreuse dame fut plusieurs jours malade de découvrir tant de félonie en une personne en qui elle avait placé toute sa confiance.

La libération du maréchal de Bassompierre et le retour de plusieurs autres exilés, à la fin de janvier, leur laissaient espérer une prochaine amélioration de leur sort – encore que ces gens eussent été emprisonnés pour avoir appartenu à la Reine Mère, dont la mort effaçait toutes les turpitudes. Ils étaient eux-mêmes liés à la Reine régnante, laquelle n'était point englobée, pour l'instant, dans la même vague de mansuétude. En mars, ils avaient appris la maladie du Roi et ses langueurs qui l'avaient repris comme chaque année ou presque à l'approche du printemps. Le rapprochement qui s'était produit entre le monarque et sa famille leur avait été signalé avec une note d'espoir pour leur prochaine rentrée en grâce. Puis, soudain, tout au début du mois d'avril, Mme de La Flotte avait dépêché un messager pour dire que la maladie du Roi s'était aggravée de façon si violente que l'on croyait qu'il n'en échapperait point. Elle mandait que la dame d'atour se tînt prête pour un retour prompt et sans doute précipité, car il était nécessaire qu'elle se trouvât auprès de la Reine aussitôt que le Roi serait mort.

Marie avait fait prévenir le porte-manteau, lui demandant de venir la rejoindre au Mans, où ils attendraient ensemble, avec les nouvelles, le signal du retour. L'état de santé du Roi ne faisait que s'aggraver ; sachant le prince en train de s'affaiblir et de se rapprocher insensiblement de la tombe, les deux amis décidèrent de ne point attendre la nouvelle de la mort officielle pour se mettre en route. Ayant appris le vendredi matin que Sa Majesté était à sa dernière extrémité depuis le mercredi où on l'avait donné pour mort à Paris, ils se mirent en chemin dès le jour même avant midi, dans des vêtements d'emprunt et avec l'équipage le plus léger, afin de fatiguer le moins possible leurs chevaux. Ayant su que le Roi n'était pas mort en arrivant à Chartres, mais qu'il avait reçu l'extrême-onction, ils avaient décidé d'arriver à Paris à la brune pour y attendre incognito le moment de voler à Saint-Germain.

Le dimanche matin, Pierre s'éveilla de bonne heure pour aller entendre la première messe à Saint-Sulpice, dans le faubourg, où il avait peu de chances d'être connu et où il ouïrait des nouvelles de la Cour et du souverain. A son grand étonnement, il apprit que le Roi non seulement n'était pas mort, mais qu'il se portait mieux ! Ce n'était que louanges sur le rétablissement miraculeux qui s'était opéré dans la santé du monarque depuis l'avant-veille au soir, que d'aucuns attribuaient hardiment au retour en force de la lune, qui était entrée dans son premier quartier. Le prédicateur, après avoir annoncé que la journée du samedi avait été très bonne pour Sa Majesté, invita les fidèles à redoubler leurs prières afin de hâter la convalescence du prince, fils aîné de l'Église. Sa Majesté avait même déclaré, à ce qu'on lui disait le vendredi soir qu'elle était guérie, que, « si c'était la volonté de Dieu qu'elle revînt au monde, il lui plût lui faire la grâce de donner la paix à toute l'Europe ».

Pierre ne savait pas, tant il était surpris, s'il devait se réjouir avec tout le monde ou s'attrister de cette déconvenue. En remontant vers l'hostellerie, il passa exprès le long de l'hôtel de Condé, à l'endroit où étaient les écuries ; la curiosité l'emportait chez lui sur la crainte, peu réelle en cette heure matinale, d'être reconnu. Il s'aboucha avec un des palefreniers et, accentuant la manière de parler large et ouverte des gens de Saumur, il bavarda toute une demi-journée avec l'homme, qui parut fort exactement renseigné : l'importance accrue du rôle que devait acquérir leur maître dans le royaume en devenant co-chef du Conseil de régence faisait que toute la maison de Monsieur le Prince recevait quasiment de deux heures en deux heures les nouvelles détaillées de ce qui se passait à Saint-Germain. La Porte apprit ainsi que, le vendredi dans l'après-dîner, le Roi s'était senti si gaillard qu'il avait commandé à de Nyert, le premier valet de la garde-robe, d'aller prendre son luth ; il s'était mis à chanter, à la surprise générale, *Lauda anima mea Dominum*. Mis en goût par ces harmonies, il s'était fait apporter ensuite la musique du recueil qu'il composait depuis quelques années sur les paroles du *Livre de David* et les avait fait interpréter par un quartête de ses musiciens. Après quoi le Roi s'était remis à chanter lui-même avec M. le maréchal de Schomberg, à la très grande joie de ceux qui étaient dans la chambre. La Reine, survenant à ce moment pour sa visite quotidienne, s'était fort émerveillée de ce changement aussi subit qu'agréable.

La veille encore, continuait le palefrenier de Monsieur le Prince, l'amendement de la maladie avait continué ; ils avaient su très tard dans la soirée, par un valet qui était venu chercher du linge pour Monsieur de Condé, que Sa Majesté s'était fait faire le poil dans la matinée, ce qui ne lui était pas arrivé depuis plusieurs semaines. Après vêpres, le malade avait donné la collation à Mme la princesse Charlotte, à la Reine, aux duchesses de Lorraine, de Vendôme et à d'autres dames. Il leur avait présenté les confitures qu'il avait faites lui-même l'été précédent à Versailles, dont il était très fier ; puis il les avait régalées d'un morceau de guitare qui les avait enchantées.

Pierre donna un quart d'écu au palefrenier, feignant de se réjouir hautement de tant de bonne fortune, et regagna le garni, où il fit le récit détaillé de tout ce qu'il avait ouï dire. Marie, qui depuis son réveil se sentait assez mal à l'aise dans cette chambre dont l'aspect à la fois bizarre et délabré s'était révélé avec le jour, décida que, s'il en était ainsi, ils repartiraient aussitôt vers là d'où ils venaient, plutôt que de risquer d'être découverts avec toutes les conséquences fâcheuses que cela entraînerait pour eux dans ces circonstances. Elle montra à Pierre une inscription qu'elle avait découverte, brodée sous le ciel du lit, qui disait :

Femme couchée et bois debout,
On n'en voit jamais le bout.

Il y avait gros à parier que cet endroit, situé tout à côté du jeu de paume, servait à d'autres usages que le logement des honnêtes voyageurs de passage. L'hôtesse avait la mine d'être davantage mère maquerelle qu'aubergiste ! Les deux amis en étaient là de ces suppositions – ayant envoyé le jeune page prévenir Naillart qu'il fallait atteler – quand des éclats de voix leur parvinrent de l'étage situé au-dessous du leur et qui ne firent que les assurer dans leur croyance. Prêtant l'oreille, il leur sembla reconnaître la voix de la maîtresse de maison, ainsi que celle d'une personne qui pouvait être une fille d'âge assez tendre, au milieu desquelles on distinguait les protestations d'un homme qui grommelait.

– Voyez le grand casseur de raquette ! clamait l'hôtesse. Attendez, beau museau, vous allez vous faire bourrer le pourpoint si j'appelons !

– Oh ! Oh ! Que de bruit, péronnelle ! Elle se carre comme un pou sur un tignon, voyez !

– Soufflez, ménestriers, l'épousée passe ! ricana la fille d'une voix grêle.

– Allez, allez... Ouste ! Allez voir là-dedans si j'y suis ! tonna de concert la logeuse.

Il y eut des bruits de pas et de dégringolade dans l'escalier, suivis par des jurons très grossiers. Après quoi, la jeune fille lança très haut, d'un ton narquois :

– Eh ! Baisez mon cul, la bouche est malade !

A ces mots, qui retentirent dans la chambre haute, Marie rougit fortement et se signa :

– Vous avez raison, madame, murmura La Porte, c'est ici une maison où l'on met le diable en Enfer [1].

---

1. C'est-à-dire où l'on fait l'acte vénérien ; autrement dit, un bordel.

– Si j'y retourne, qu'on me fouette ! répliqua la jeune femme.

Dès que le silence fut revenu, ils descendirent sans attendre, le plus lestement qu'ils purent, et délogèrent sans trompette pour retourner au Mans.

Le vendredi, premier jour du mois de mai, était la pleine lune. Le Roi, qui jusque-là avait si bien passé ses journées qu'on le croyait tiré d'affaire, se trouva mal pour n'avoir pas bien passé la nuit. Le samedi, il ne se trouva pas mieux ; le dimanche, il se trouva mal.

Louis comprit que, cette fois, il allait mourir avec la lune déclinante ; il dit, comme Job sur son fumier, « mon âme est dégoûtée de la vie » : *Taedet animam meam vitae meae*. Il songea qu'on l'avait souvent comparé au soleil, dans les panégyriques, mais que la lune en son croissant était un meilleur symbole de sa maigreur et de la déchéance de son corps squelettique. Il songea à ce conte que lui faisait sa gouvernante autrefois : la lune ayant demandé à sa mère de lui faire tailler une robe, sa mère lui avait répondu qu'elle ne saurait trouver ses mesures, tant elle allait croissant et décroissant. Il se demanda s'il avait jamais trouvé ses mesures, lui, dans cette vie terrestre... Il songea à sa mère, ensevelie maintenant dans l'abbaye, en face, dont la tour et le toit gris se dressaient distinctement sur la plaine de Saint-Denis toute fleurie, tout ornée, comme une épousée, de cerisiers en fleur.

Le jeudi 7 mai, le mal empira ; il avait une toux sèche et constante, et sa faiblesse était si grande qu'il sentit sa fin prochaine ; alors que Chicot était près du lit, le monarque lui demanda, comme à un homme d'expérience qui avait vu la fin du Cardinal et l'avait prévenu de sa mort :

– Quand me donnera-t-on les bonnes nouvelles qu'il faut partir pour aller à Dieu ?

540

– Ce n'est point encore, Sire, à mon escient, répondit le médecin.

Cependant, tous les espoirs étaient désormais vains ; la Reine commanda dans l'après-dîner qu'on installât sa chambre au château Neuf, non loin de celle du Roi, de sorte à pouvoir être présente auprès du moribond à toute heure du jour et de la nuit. Les aller et retour constants entre les deux châteaux la fatiguaient et elle tenait à assister aux dernières heures de cet homme qui avait été si étrange dans sa vie qu'il paraissait à présent infiniment ordinaire et égal dans l'atrocité de sa mort. On dressa donc son lit et celui de Fillandre dans la pièce située de l'autre côté de l'antichambre, de sorte qu'il n'y avait que celle-ci à traverser pour se trouver au chevet du malade, auprès duquel plusieurs gentilshommes passaient la nuit en compagnie des valets Dubois et Delaplanche.

Le samedi, les vers montèrent du corps du Roi pourrissant. Le matin de ce jour, il rejeta un gros ver vivant par la bouche, qui était remonté de ses entrailles, et c'était une chose très horrible, un exemple affligeant de la misère humaine, que de voir ce puissant roi transformé en cadavre avant sa mort. Sa respiration n'était que spasmes d'agonie, infiniment répétés ; il dormait les yeux révulsés et la bouche ouverte, maigre et livide sur son lit, auquel on avait fait un trou sous lui pour loger un bassin dans le matelas percé par les soins des valets. Il déversait là tout le jour, dans une odeur violente, avec les selles, le pus blanchâtre et les vers qui grouillaient dans ses boyaux. La Reine, cependant, ne quittait guère son chevet – il lui revenait en mémoire les récits de son père sur la lente agonie de son père à lui, Philippe II, le roi le plus puissant de la Chrétienté, quarante et cinq années ci-devant. Ce grand-père glorieux qu'elle n'avait point connu, mort trois ans avant sa naissance, mais dont lui parlait sa nourrice. Son trépas légendaire avait continué de hanter longtemps l'Escorial.

Anne rêvait, entre deux prières. Sa pensée s'éloignait, aux râles du moribond, vers le rectangle gris du monastère perché, couleur des pentes pelées, caillouteuses, des monts de la *sierra de Guadarrama*. Avec son dôme clair, aperçu de loin, au ton de la pierre grattée de frais. L'espoir du vieux roi paralytique, porté en chaise à bras d'hommes pendant sept jours de Madrid à San Lorenzo, vers ce monument gigantesque empli de moines en prière, de prêtres officiants : *el Escorial !* Ce devait être son degré vers le Ciel, son Achéron terrestre : un sas vers l'éternité catholique. Le fils de Charles Quint avait fait bâtir son logement privé tout contre la chapelle du monastère et sa chambre juste à la droite du chœur – son lit, ainsi, se trouvait placé à quelques pas du maître-autel, dont il n'était séparé que par une simple porte de bois. Cette porte une fois ouverte, le vieux maître de la puissante Espagne et de l'empire des Indes nouvelles pouvait assister à la messe simplement en écartant les rideaux de son lit. Ce lit étroit, sur lequel il était demeuré en agonie pendant six mois – une durée d'attente insupportable pour son fils et successeur, obligé de tenir son rang dans cette lente descente au tombeau ; ce lit de peine où le vieillard avait souffert son martyre comme San Lorenzo lui-même sur son gril ; ce lit où il avait commencé de pourrir avant de rendre l'âme, où il disait à son fils, en lui montrant ses plaies purulentes :

– Ainsi finissent tous les royaumes de la terre... *Así se acaban todos los reinos del mundo !*

Anne revoyait la chapelle monumentale dans laquelle elle avait embelli sa foi après sa maladie mortelle au cours de laquelle Dieu l'avait épargnée pour qu'elle devînt reine de France. Les piliers gigantesques, cannelés à plat, supportaient un dôme à lanterne qui laissait descendre dans le saint lieu une lumière vive qui évoquait l'apothéose des anges ; le chœur surélevé de douze marches de marbre rouge veiné présentait l'autel en majesté, adossé à son retable immense, à étages dorés, formés de colonnades marbrées. Elle avait tant rêvé à la passion de ce Christ en croix, tout au sommet, quand elle était petite infante avec les saints portant une petite roue d'or sur leur tête : saint Jean, tout en haut, qui montrait de sa main tendue une énorme tête de mort au pied de la croix ! *Así se acaban todos los reinos de la Tierra !* avait dit son grand-père. Elle observait avec fascination les trois portes basses, encadrées de montants et de linteaux de jaspe vert sombre, à la droite de l'autel ; celle du milieu donnait sur la chambre mortuaire. L'âme du vieux roi qui avait bâti un château pour mourir s'était échappée à coup sûr par cette porte étroite ; son esprit était monté aux Cieux par le dôme de l'église, assurément.

La Reine, ces jours-là, regardait son époux gisant, hoquetant ses soupirs extrêmes, toussant, souffrant, malodorant, et songeait que la vie est comme un château en Espagne. « Bâtir des châteaux en Espagne », disaient les Français ; et Anne pensait : *Vanitas vanitatum, omnia vanitas.*

Le samedi soir, sur les 9 heures, il prit au Roi un grand assoupissement ; Bouvard, Chicot et quelques autres qui entrèrent dans la chambre n'en furent pas bien satisfaits, car ce somme royal pouvait être le dernier. Ils firent tout le bruit qu'ils purent autour du lit pour tâcher d'éveiller Sa Majesté, mais en vain. Alors ils lui tâtèrent le pouls à plusieurs, sans ménagement, lui secouant le bras et l'épaule, ce faisant sans parvenir davantage à lui faire reprendre ses sens. Ils donnèrent alors commission au Père Dinet de lui crier en l'oreille. Le confesseur d'abord récusa cette action délicate qui risquait de déplaire au Roi si, en effet, il parvenait de la sorte à l'éveiller.

– Que ne lui criez-vous vous-mêmes, messieurs ? protestait-il.

– Nous craignons que Sa Majesté ne nous querelle, car elle ne peut entendre le bien-fondé de notre vouloir, expliqua Bouvard.

– Préférez-vous que je sois querellé à votre place ?

– Le Roi assurément ne voudra point se mettre en colère contre son confesseur, mon Père, insista Chicot. Il nous faut à présent lui faire prendre quelque nourriture, sans cela il est en danger de tant s'affaiblir en dormant qu'il n'aura plus seulement la force de s'éveiller.

A ce débat, M. de Souvré et quelques autres gentilshommes qui se trouvaient dans la chambre avaient fait silence et tous s'étaient approchés du lit. Le Père Dinet, pour ne point refuser un geste qui pouvait être bénéfique au malade – refus dont on lui eût fait porter les torts en cas d'issue fatale –, se résolut à faire ce qui lui était commandé. Il s'approcha du Roi et dit d'abord assez haut au-dessus de lui :

– Sire, Votre Majesté m'entend-elle bien ?

Le Roi n'eut pas même un frisson de la paupière mais continua à sommeiller avec un léger râle.

– Parlez plus haut, mon Père ! insista Bouvard.

Le confesseur cria alors près du visage royal :

– Que Votre Majesté se réveille, s'il lui plaît ! Il y a si longtemps qu'elle n'a pas pris d'aliments que l'on a peur que ce grand sommeil ne l'affaiblisse trop !

Comme le monarque ne bougeait pas plus qu'une souche, le jésuite se pencha tout à fait vers l'oreille du malade et se prit à hurler :

– Votre Majesté m'entend-elle bien ?

– Eh quoi ! Que de bruit est-ce là, mon Père ? Je vous entends fort bien ! dit Louis en ouvrant tout grands les yeux.

Le Roi paraissant tout à fait mécontent d'avoir été de la sorte arraché au sommeil, le Père Dinet se prosterna devant sa couche :

– Que Votre Majesté ne se mette point en colère, commença-t-il, mais bien plutôt qu'elle considère...

– Je ne trouve point mauvais ce que vous faites, interrompit le Roi, mais je trouve mauvais ceux qui vous le font faire !

Il toussa fort et reprit en ménageant son souffle, mais sur le ton du plus grand courroux :

– Ils savent que je ne repose point les nuits et, à présent que j'ai un peu de repos, ils me réveillent ! Ah ! Bouvard !

Maître sot ! Médecin d'eau douce ! Fieffé ignorant ! Vous serez heureux que je meure, car autrement je vous mènerais comme il faut, méchant que vous êtes !

Le Roi avala par trois fois sa salive devant les assistants étonnés, puis il reprit, avec une animation qui portait du rose à ses pommettes livides :

– Est-ce que vous voulez voir si j'appréhende la mort ? Ne le croyez pas. S'il faut partir à cette heure, je suis prêt.

Il chercha du regard le confesseur qui s'était craintivement écarté du lit :

– Venez, mon Père. Dites-moi : est-ce qu'il faut aller ? Allons, confessez-moi et recommandez mon âme si les choses pressent.

– Non, Sire, on n'en est point là. Seule la grande débilité de votre personne est cause que nous vous avons éveillé pour prendre quelque nourriture.

La nuit fut très mauvaise, et le dimanche, 10 de mai, le Roi dit encore, alors qu'on lui soulevait la tête contre son gré pour le faire boire :

– Eh ! Obligez-moi de me laisser mourir en patience !

L'après-dîner, sur les 4 heures, Petit Louis fut introduit dans la chambre en compagnie de sa gouvernante et de son jeune favori, le comte de Vivonne. Son père dormait, la bouche ouverte, les yeux tournés vers l'intérieur de la tête, avec un ronflement lent, régulier, accompagné de sifflements de la poitrine et d'un léger gazouillis macabre au fond de la gorge. Tout était silencieux, hors le Roi assoupi et les oiseaux du jardin qui pépiaient et gazouillaient étourdiment en faisant leurs nids. Quelques mouches bourdonnaient sur le lit dont les rideaux étaient ouverts, attirées par l'odeur pestilentielle qui s'élevait du malade par bouffées âcres ; les valets de la chambre, Dubois et Delaplanche, se relayaient derrière le chevet du lit qui avait été décollé de la muraille ; ils agitaient un linge au-dessus du corps pour chasser les grosses mouches qui se posaient sur le nez ou sur les lèvres du Roi ou venaient boire au bord de ses paupières qui demeuraient entrouvertes.

Le prince de Condé entra dans la chambre et s'approcha du lit, marchant bellement sur la pointe des pieds pour ne point faire de bruit, puis, voyant que Sa Majesté reposait en paix, il repartit de même, posant au passage sa longue main sur la tête du Dauphin par manière de caresse.

Dubois, qui avait gardé beaucoup de familiarité avec Petit Louis depuis sa maladie, s'approcha de lui et mit un genou au sol pour lui parler près de son visage. Il dit à voix basse aux deux enfants :

– Considérez, je vous prie, le Roi qui dort. Voyez bien comme il est et de quelle façon, afin qu'il vous en souvienne lorsque vous serez grands.

Les deux enfants hochèrent la tête ensemble, sans dire un mot, et regardèrent de tous leurs yeux vers le lit comme il leur était commandé de faire. Mme de Lansac, qui soufflait fort selon son ordinaire, se mouchait avec mille précautions pour ne point faire trop de bruit, émettant un petit son aigu, intermittent, semblable à celui d'une flûte un peu grasse. Elle approuva d'une voix en pleurs :

– Dubois a raison, Monsieur, regardez bien votre pauvre papa, que vous vous souveniez de lui plus tard.

Petit Louis acquiesça une fois de plus et ouvrit les yeux encore plus grands, avec toute sa volonté. M. de Vivonne, très exact lui aussi, confirma avec beaucoup de sérieux, disant à la gouvernante, à mi-voix :

– Il le considère fort bien, madame.

Un hanneton entra à ce moment par la fenêtre ouverte et se mit à bourdonner d'un ton qui parut un moment être à l'unisson du ronflement du Roi. D'Archambault, premier valet de chambre, vint voir si Sa Majesté dormait toujours ; il dit quelques mots à voix basse à M. de Vivonne de la part de son père, le marquis de Mortemart, qui venait d'arriver :

– Mon maître, je vous prie de me donner permission d'aller voir monsieur mon père qui me mande, dit le petit comte, inclinant sa tête dans un salut, la main sur sa poitrine.

– Oui, allez, dit Petit Louis, je le veux bien. Mais revenez bientôt, s'il vous plaît, car nous devons jouer.

Puis, les bras croisés devant lui, le Dauphin se remit à fixer le gisant grabataire, comme on le lui avait conseillé. La gouvernante parlait avec le valet, elle ne se mouchait plus mais épongeait sa figure ruisselante de sueur dans la tiédeur oppressante de la chambre. En vérité, la grosse femme avait versé un parfum discret dans son mouchoir de cou, qu'elle agitait devant sa figure pour combattre l'odeur nauséabonde qui régnait dans la chambre. Au bout d'un demi-quart d'heure, elle se retira, conduisant le Dauphin par la main pour traverser l'antichambre, où de nombreux groupes de seigneurs parlaient entre eux.

Petit Louis reçut sa collation qui l'attendait dans la chambre de la Reine, qui consistait en une grosse tartine de pain blanc couverte d'une couche de beurre frais de Picardie, sur laquelle le maître d'hôtel avait étendu des confitures de groseilles. Quand il eut fini cette tartine, qu'il avala goulûment, M. de Vivonne s'en vint le chercher pour jouer à l'attaque d'un fort qu'ils voulaient faire dans la galerie ; il sortit en sa compagnie, suivi de Mme de Lansac et de Dupont, l'huissier de la chambre, qui était en service auprès de lui et portait son petit mousquet avec la fourquine.

Les deux enfants avaient fait bâtir un fort à l'extrémité de la galerie la plus éloignée du pavillon habité, de sorte que le bruit de leurs jeux ne pût troubler le repos de Sa Majesté ; quelques pierres du chantier, disposées en demi-cercle par un maçon, figuraient l'enceinte à franchir, une planche servait de pont-levis, et d'autres grosses pierres, sur lesquelles on pouvait se jucher, étaient autant de tours de guet. Le Dauphin s'installa pour la défense du fort, que Vivonne était chargé d'attaquer ; chacun d'eux commandait à des troupes nombreuses et vaillantes, qui manœuvraient au moindre de leurs désirs. Le petit comte organisait des assauts terribles, encourageant ses soldats de la voix et du geste à escalader le rempart, mais Petit Louis ripostait par une canonnade meurtrière dont il faisait la plus grosse part à l'aide de son mousquet : « Poum ! Poum ! » Vivonne était bravement tué à chaque montée sur la brèche ; il recevait le coup en pleine poitrine, y portait sa main, criant :

— A moi ! A moi, je meurs !

Ces mots comblaient d'aise la garnison, qui trépignait de joie sur les tours, tandis que le garçonnet tombait d'abord sur les genoux, puis se couchait sur le flanc avec bonne grâce et s'allongeait enfin, bras et jambes écartées brusquement dans un spasme mortel fort commun sur les champs de bataille. Petit Louis battait des mains ! Cela ne signifiait pas qu'il ne mourût point lui-même lorsque l'assaut reprenait sous le commandement impérieux de Vivonne ressuscité ; il recevait à son tour une violente arquebusade dans le ventre et il tombait assis sur ses fesses, se relevait, tombait encore, et ainsi de suite jusqu'à ce qu'il s'écroulât tout à fait dans le chemin de ronde.

Mme de Lansac, qui confiait à Dupont la joie qu'auraient certaines personnes à la Cour de la mort du Roi et qui faisaient aujourd'hui bien du bruit et bien des protestations d'attachement à son agonisante personne, suivait d'un œil vigilant ces jeux de massacre, poussant de profonds soupirs qui agitaient soudain sa colossale poitrine d'un frémissement inquiet. Dans une de ses chutes, M. de Vivonne, qui gisait sur le carreau de la galerie parmi les fatras du chantier, était demeuré la bouche ouverte, les yeux révulsés, et il émettait, à l'imitation du Roi, une sorte de ronflement qui tenait du râle. Le Dauphin, extasié, était rouge de plaisir.

— Ah ! monsieur le comte, cessez cela, je vous prie ! s'écria la gouvernante, scandalisée. Ne dirait-on point qu'il singe le sommeil de Sa Majesté ? Levez-vous, à Dieu ne plaise ! N'avez-vous point de honte ? Et vous allez gâter votre beau pourpoint du dimanche !

A un autre moment, elle crut bon d'intervenir auprès de Petit Louis, qui tombait fort rudement sur ses fesses et se traînait de la sorte à petits bonds en heurtant son derrière sur le sol au risque de s'écorcher et de déchirer sa robe.

– Je vous prie de ne pas aller ainsi sur le cul, Monseigneur ! Ne croirait-on pas un nourrisson à la mamelle ? Fi donc, Monsieur, ce n'est plus de votre âge !

– Il va gâter son beau trou du cul du dimanche ! intervint Vivonne, qui riait.

Petit Louis goûta fort la remarque de son garçon d'honneur et, au grand dam de la gouvernante, il se prit à répéter, se tapant les fesses par terre à l'envi :

– Mon trou du cul ! Mon trou du cul !

Il continua avec frénésie à chantonner ces mots, jusqu'à ce que Mme de Lansac, qui ne pouvait en chevir, le menaçât d'être fouetté des verges. Après cela, les enfants grimpèrent tour à tour sur le dos de Dupont l'huissier. Ils avisèrent ensuite le lieutenant des gardes, La Brétesche, qui passait dans la cour avec le sergent Clerfayt ; tous deux étaient de quelque familiarité avec le Dauphin, pour lequel ils faisaient volontiers sonner les trompettes. Les enfants voulurent aussi se mettre à cheval sur leur cou et courir ainsi le long de la galerie, se riant de plaisir ; les deux soldats feignaient de leur faire courir la bague, sautant et ruant comme de vrais coursiers de bataille.

Sur les 10 heures du soir, le Roi, qui sommeillait, fit un ronflement très lourd, jeta un faible cri et s'éveilla en sursaut. Le prince de Condé, étant alors dans la ruelle du lit, lui demanda comment il se sentait.

– J'ai vu ton fils, répondit le Roi tout à trac.

– Mon fils ?... s'enquit doucement Monsieur le Prince.

– Oui, mon cousin.

Condé sourit... Le duc d'Enghien était pour lors en Flandre, où il venait de prendre le commandement général de l'armée ; profitant de la commodité des fourrages qu'avait apportée le renouveau des prairies, il avait donné rendez-vous le 9 mai, c'est-à-dire la veille, à sa cavalerie sur la rivière d'Oise et à son infanterie sur la rivière de Somme.

– Ton fils était venu aux mains avec les ennemis, poursuivit le Roi, qui avait les yeux grands ouverts et fixait le plafond de la chambre avec une profonde intensité.

– Est-il vrai, Sire ? répliqua machinalement Condé.

Le Roi s'anima :

– Ah ! que de bravoure !... Le combat était fort rude et fort opiniâtre. La victoire a longtemps balancé, mais après un rude combat elle est demeurée aux mains des nôtres. Le duc d'Enghien est resté maître du champ de bataille.

Louis continuait à fixer un point immobile dans le ciel de son baldaquin ; Monsieur le Prince regarda Dubois, le valet, qui se tenait en garde de l'autre côté du lit et qui entendait aussi cet étrange délire. Puis il fit signe au Père Dinet, qui était assis à l'écart, d'approcher ; il lui dit à voix basse :

– Prenez garde à Sa Majesté, mon Père, car il baisse fort et, si je ne me trompe, son cerveau se trouble.

Le Roi s'était de nouveau assoupi, non sans quelques gémissements et une quinte de toux ; Dubois sortit de la chambre, où son compagnon prit le relais derrière la tête du lit. Le valet fit quelques pas dans la galerie, où il aperçut Monsieur le Dauphin, tout rouge et en sueur, qui s'était assis sur une paillasse rangée contre le mur pour se reposer de ses jeux. M. de Vivonne, tout échauffé lui aussi, était assis à côté de lui, ainsi que Mme de Lansac, lourdement adossée au mur, qui s'éventait avec son grand mouchoir dans la lourdeur de cette soirée de printemps, haletante et moite.

Dubois s'approcha des enfants et, avec la permission du petit prince qu'il avait en tendre amitié, il lui épongea la nuque et le cou avec un mouchoir bien sec qu'il avait dans la manche de son pourpoint.

– Avez-vous donc bien remarqué de quelle sorte le Roi dort ? demanda-t-il aux deux jeunes seigneurs.

– Oh oui, certes ! répondit bien vite M. de Vivonne.

– Vous aussi, Monseigneur ?

550

- Oui, dit Petit Louis.
- Et de quelle sorte dort-il, ne vous déplaise ?
- Il a la bouche ouverte.
- Mais encore, je vous prie ?
- Les yeux, ajouta Vivonne. Il a les yeux tournés. Surtout l'œil gauche, comme ceci, en arrière !
- Oui, oui, cela est vrai, il m'en souvient bien, ajouta le Dauphin.
- Vous en souviendra-t-il toujours, quand vous serez grands ?
- Oui, Dubois, toujours, dirent les enfants en chœur.

L'huissier, qui était demeuré debout à côté de la paillasse, prit alors la parole et dit au Dauphin :
- Monsieur, voudriez-vous bien être roi ?

Petit Louis secoua la tête d'un air songeur et repartit :
- Non. C'est mon papa.
- Et si votre papa mourait ? insista Dupont. Votre papa est aujourd'hui fort malade, Monsieur. Que feriez-vous s'il mourait ?

Le petit prince fit une moue, sembla vouloir pleurer, se frotta vigoureusement les yeux et dit avec force :
- Si mon papa mourait, je me jetterais dans le fossé !

Comme il se prenait à larmoyer, Mme de Lansac intervint et dit :
- Nenni, Monsieur, Dupont ne sait pas ce qu'il dit. Ne lui parlons plus, car il a déjà dit cela deux fois. Si ce malheur nous arrivait, il y faudrait prendre garde bien exactement – quoiqu'il ne sorte jamais sans qu'on le tienne par les cordons, mais nul ne sait ce qui pourrait advenir. Taisons cela, je vous prie.

Louis mourut le 14, qui était un jeudi. Tard dans la nuit du dimanche au lundi, il avait été pris d'une douleur violente au côté gauche, sur laquelle ses valets avaient mis du lait chaud dans une vessie de porc pour le soulager. Puis il vomit. Le plus désespéré de tous les hommes, que ni l'orge mondé ni le petit-lait ne parvenaient plus à calmer, toussa, geignit et se plaignit le reste du jour. Il trouva cependant assez de ressources pour dicter ses dernières volontés à Chavigny, qui écrivit longuement sous lui, ordonnant la simplicité de son dernier voyage à l'abbaye de Saint-Denis. Il regretta que les chemins qui conduisaient fussent difficiles et songeait que son corps serait bien cahoté. Il nomma, comme dernière mesure, son ancien favori, Saint-Simon, grand écuyer – charge qui n'avait point été pourvue depuis la mort de Cinq-Mars en septembre et qui était cependant nécessaire aux pompes funèbres, Monsieur le Grand devant jeter l'épée royale dans le tombeau.

Le mardi fut très mauvais ; le patient refusa même de prendre un bouillon, tant il souffrait affreusement du ventre.

– Mes amis, c'en est fait, dit-il à ses gens qui le suppliaient de boire, il faut mourir.

Bontemps, son premier valet de chambre, s'étant mis à genoux, lui demandait en grâce, en pleurant, de se restaurer ; Louis tourna la tête et la vue de l'autre côté. La Reine passa la plus grande part de cette nuit-là à son chevet. L'évêque de Meaux, celui de Lisieux, ainsi que le Père Vincent de Paul, pour qui il avait tant d'affection, ne le quittaient guère. En plus des harangues de son confesseur en titre, ils lui faisaient des discours du mépris du monde, alternés avec des discours des merveilles de Dieu. Le Père Dinet lui dit, au sujet des souffrances qu'apportent les longues maladies, que Dieu nous les envoie pour nous éviter les peines du Purgatoire.

– Votre Majesté peut espérer la même grâce.

– Je n'ai pas une semblable pensée, mon Père. Au contraire, si Dieu ne me laissait que quatre cents ans dans le Purgatoire, je croirais qu'il me ferait une grande grâce, répondit le Roi avec humilité.

La Reine ne s'écartait de son lit que lorsqu'il fallait changer le bassin qu'il avait sous lui et qui exhalait une odeur tellement insoutenable, quand on le découvrait, que les valets devaient serrer les dents et les poings pour ne pas tomber en défaillance. Comme Anne revenait s'asseoir tout contre le lit, priant et songeant, il lui disait avec bonté :

– Madame, n'approchez pas si près de moi, il sent trop mauvais dans mon lit.

La dernière nuit fut éprouvante aussi bien pour le moribond que pour ceux qui veillaient sur lui ; il tombait de ses oreillers et devait être remis en place ; sans cesse il demandait à ceux qui étaient présents l'heure qu'il était et s'il ferait bientôt jour. Quand l'aube parut, qui était celle du jeudi de l'Ascension, l'on ouvrit ses rideaux et ses fenêtres ; on vit alors que sa vue paraissait égarée. On pressa la messe, à laquelle il se trouva peu de monde, tant ceux qui avaient veillé étaient exténués.

Après la messe, Louis dit à son confesseur, qui lui lisait la passion de Jésus-Christ :

– Mon Père, quittez cette lecture-là. Donnez-la à un autre et allez manger pendant que vous avez le temps, vous aurez assez d'autres affaires.

Les médecins lui ayant fait savoir, après l'avoir considéré et touché, qu'ils n'étaient pas certains qu'il pût aller jusqu'au lendemain, Louis comprit qu'il était temps de faire ses adieux. Il commença par la Reine, qu'il embrassa tendrement et à qui il dit beaucoup de choses en particulier ; il continua par Monsieur le Dauphin. Petit Louis, soutenu à hauteur du lit par la gouvernante, regardait pour la dernière fois cette figure maigre, cette bouche livide, d'où sortaient des odeurs fétides, qui le baisa en pleurant :

– Adieu, mon fils. Vous allez être roi, aimez Dieu, la paix et vos peuples.

Petit Louis se trouvait interdit par cette solennité et ne savait ce qu'il fallait répondre en ces circonstances qu'on avait omis de lui décrire. Comme l'enfant ne disait rien, Louis insista faiblement :

– Ne me dites-vous pas adieu, mon fils ?

– Oui, dit le petit prince.

Mme de Lansac, qui pleurait le long de son nez et ne pouvait se moucher pour avoir les deux mains prises, marmonna à son oreille :

– Dites : « Adieu, papa », Monsieur.

– Adieu, papa, répéta Petit Louis d'un ton neutre.

Monsieur d'Anjou, qui suivait dans les bras de Mme de Folaine, avait pleuré quelques instants auparavant ; instruit assez tôt par sa gouvernante, il n'attendit pas que le Roi lui fît un compliment :

– Adieu, papa ! lança-t-il tout d'abord, avant que le Roi n'eût le temps d'ouvrir la bouche.

Le ton enjoué sur lequel ces paroles furent dites ne laissa pas de produire un mouvement de surprise et une faible lueur dans les yeux éteints du monarque, trop las pour s'émouvoir de cet enfantillage que la gouvernante voulait faire corriger.

– Laissez, madame, dit Louis. Adieu...

Le suivant fut Monsieur, le duc d'Orléans, qui pleurait. Après vint Monsieur le Prince, puis plusieurs autres seigneurs. Vinrent ensuite les valets de chambre, à qui il serra faiblement la main dans la sienne. Bientôt, il ne put plus se servir de ses mains et demanda à ce qu'on le fît pisser une dernière fois dans cette bouteille plate, au col gros et recourbé, qu'il avait imaginée pour sa commodité de grabataire, dessinée lui-même et fait réaliser pendant sa maladie. Les deux évêques, le Père Vincent, le Père de Ventadour et le Père Dinet entrèrent alors dans la ruelle pour n'en plus sortir et se mirent à genoux, en prière. La Reine était à genoux de l'autre côté, égrenant son chapelet.

Après avoir parlé encore quelque temps avec son confesseur, lequel l'exhortait et le confortait, Louis fit un geste et appela Bouvard :

– Touchez-moi et me dites votre sentiment, murmura-t-il.

Bouvard, les yeux aveuglés de larmes, lui tâta longuement le bras et lui dit ces paroles :

– Sire, je crois que ce sera bientôt que Dieu délivrera Votre Majesté. Je ne trouve plus de pouls.

– Mon Dieu, recevez-moi à miséricorde, dit le Roi tout haut.

Regardant alors M. de Meaux, son aumônier, il lui dit, indiquant le grand livre dans lequel l'évêque lisait les prières :

– Vous verrez bien lorsqu'il faudra lire les prières de l'agonie. Je les ai toutes marquées.

Un demi-quart d'heure plus tard, sentant sa vie sombrer dans le froid éternel et vaciller les restes de clarté qui le rattachaient encore à cette cérémonie mortuaire, Louis eut la vision terrible du vide dans lequel il plongeait, avec la sensation absurde qu'il entrait dans le néant. Il eut à plusieurs reprises l'idée atroce que Dieu n'existait peut-être pas, qu'il était le jouet d'une farce, dont les murmures des dévotions litaniques qui lui parvenaient de plus en plus faiblement étaient l'écho risible. Il se rassura en songeant que c'était là un tour ultime que lui jouait le Malin. Qu'il était l'objet de la tentation de Satan. Au moment où les prières de l'agonie étaient commencées, il réunit tout ce qui lui restait de force et bougea ses lèvres débiles pour faire entendre à son confesseur qu'il voulait parler.

Le Père Dinet approcha son oreille et Louis chuchota faiblement :

– Il me vient des pensées qui me tourmentent.

– Il faut résister, Sire ! répliqua le Père avec toute l'ardeur qu'il pouvait mettre dans sa voix. Vous êtes au fort du combat. Il faut combattre généreusement afin de remporter la victoire. Méprisez vos ennemis, ils ne pourront vous faire du mal ! Vous voyez, Majesté, que tout le monde vous aide par des prières.

Tout le monde, en effet, était à genoux. La chambre était si remplie à présent de princes, de princesses, de chevaliers de l'ordre de Saint-Louis, de grands seigneurs et autres personnes de qualité venues voir mourir leur prince, que l'on étouffait. Après cela, le Roi perdit tout à fait la parole et n'entendit plus. La Reine, oppressée, outrée de douleur, commença à donner tous les signes de la pâmoison prochaine. Si bien que le duc d'Orléans et le prince de Condé, comme étant ses parents les plus proches et ceux du mourant, la supplièrent de sortir prendre l'air et la conduisirent dans sa chambre. Le Roi était devenu immobile ; il jetait des hoquets de loin en loin – chaque fois, la Cour suspendait ses prières et son souffle, le croyant passé.

Il jeta le dernier hoquet, après lequel rien ne vint, à 2 heures trois quarts de l'après-midi, ce 14 mai. Il avait tenu vaillamment jusque-là : c'était la date même et l'heure exacte à peu de minutes près où son père était mort sous le couteau de Ravaillac, à trente-trois années de là. L'heure où, dauphin en promenade à la Croix-du-Tiroir, il avait commencé son règne.

Au même instant, à Saint-Germain, mourait le dauphin de France. Cet être miraculeux, attendu tant d'années, qui avait été demandé à Dieu, suzerain suprême du royaume, avec tant d'insistance, n'avait duré que quatre ans, huit mois et neuf jours. A l'instant du dernier hoquet de son père, Petit Louis devenait le Roi. On l'appela Louis, dit XIV.

En vérité, il était le dernier de sa sorte : car plus jamais un dauphin de France ne serait appelé à régner.

CHAPITRE IX

La Reine en pleurs se précipita aux pieds de son enfant. Elle se mit à genoux devant lui et dit, baisant ses mains qu'elle avait prises dans les siennes :

– Mon fils, vous êtes le Roi !

Petit Louis reçut cette importante nouvelle au château Vieux avec toute la gravité que la circonstance lui semblait exiger. Sa maman paraissait être dans une agitation extrême ; des gens venaient, parlaient fort et vite ; certains repartaient en courant. Beaucoup de grands seigneurs qu'il connaissait à peine se mettaient brusquement à genoux devant lui et lui baisaient le bas de sa robe. Tous se découvraient en sa présence. Il était roi et la cour du château était noire de monde ; Mme de Lansac s'agitait et soufflait plus qu'elle n'avait jamais fait ! Un grand branlebas secouait les appartements : les valets couraient en tous sens, les servantes gourmandaient les petits commis, les petits commis donnaient des coups de pied aux petits chiens et recevaient des mornifles en passant.

Le Dauphin avait vaguement conscience... Non, pas le Dauphin : le *Roi* avait vaguement conscience que quelque chose autour de sa personne était cause que l'on jouait si fort à remue-ménage. Il en éprouvait de la satisfaction. Son parrain, le Cardinal, vint tout en rouge s'incliner devant lui dans le balustre. Il lui baisa délicatement le bout des doigts, qu'il effleura de sa moustache chatouilleuse. Vivonne, à qui la gouvernante avait dit de bien prendre garde au Dauph... à

Sa Majesté !... Vivonne observait tous ces va-et-vient avec la mine hautaine d'un habitué des changements de règne. Il dit posément à Louis, quand le cardinal Mazarin eut tourné les talons :

— C'est votre ministre.

— Non, c'est celui de papa.

— Je vous demande pardon, insista Vivonne d'un ton fort docte (car il allait sur ses huit ans et se plaisait à informer avec exactitude), c'est le vôtre. Astheure que votre papa est mort, tout ce qui était à lui devient à vous.

— Il n'est pas mort, vous avez menti, dit Louis.

— Excusez-moi, il est si mort que vous n'en tireriez pas un pet.

Une grande quantité de gens passait dans la chambre ; Mme de Lansac revint d'un air affairé avec un homme tout en courbettes qui se mit en devoir de prendre les mesures du petit prince. Le bonhomme promenait sa grosse tête chauve autour de Louis, disant d'une voix fluette, entrecoupée de petits rires :

— Tournez-vous, Majesté. Plairait-il à Votre Majesté de tenir le bras bien haut ?

— Que vous disais-je ? commentait Vivonne avec un air d'évidence sur son visage poupin. Ne vous appelle-t-on point « Majesté », Monsieur ? C'est le signe que vous êtes le Roi astheure. Ne vous l'avais-je point dit ?

Louis se récria :

— C'est maman qui l'a dit !

— C'est aussi la raison qu'on vous taille un habit, assurément.

— Sera-ce une robe ou un pourpoint ? demanda Louis avec une lueur d'envie dans le regard pour le beau pourpoint de son enfant d'honneur.

Il n'avait pas été jusqu'ici en âge de quitter les robes, peut-être ces solennités nouvelles le grandissaient-elles jusqu'à l'habit de gentilhomme ? Mme de Lansac, en haut, avait la tête si étourdie par cent commandements à faire à la fois à toutes les chambrières, les écuyers et jusqu'aux chapelains qu'elle ne pouvait ouïr la question du petit prince. Ce fut le tailleur qui, pendant qu'il s'assurait des dimensions de l'entrecuisse royal, fournit les explications réclamées :

– Votre Majesté aura un beau pourpoint avec un haut-de-chausses, dit l'homme, qui ajouta un rire encourageant.

– Y aura-t-il des crevés aux manches, comme le mien ? s'enquit Vivonne.

– Certes, et des plus beaux encore : j'aurai l'honneur d'y mettre bien des taillades à doublure de soie et les coutures seront brodées de fils d'or.

– Vous aurez un habit de roi ! s'extasia le petit comte.

Louis se prit à rire et à trépigner de joie. Dans son emportement, il fit une gambade qui gêna le tailleur, lequel fut obligé de dire :

– Que Votre Majesté veuille me faire la grâce de demeurer immobile un instant, s'il vous plaît. J'aurai bientôt terminé, demeurez en patience, Sire.

Le « Sire » parut aux enfants une excitante nouveauté ; ils se prirent ensemble à pouffer de rire et Louis, dans son contentement, donna une petite tape du plat de sa main sur le crâne chauve, luisant, du maître tailleur, qu'il avait juste devant sa poitrine. La peau était chaude et lisse, il s'attarda dessus, puis se joua avec tous ses doigts sur ce petit tambour de silence. Vivonne, à son côté, s'amusait fort à le regarder faire et, à son tour, porta la main sur le crâne, pour voir.

Le tailleur, qui mesurait le tour de genou du Roi nouvellement advenu, continuait de sourire. Il murmura :

– Il plaît à Votre Majesté d'être badine. Dieu soit loué !

Le lendemain, 15 mai, toute la Cour prit le chemin de Paris en compagnie de Leurs Majestés nouvelles.

Sur les 11 heures du matin, Sa Majesté la Reine – à présent Reine Mère ! – monta avec Sa Majesté Louis, Roi d'à présent, quatorzième du nom, dans un grand carrosse orné de dorures, tiré par six forts chevaux, dont deux en flèche. Avec eux montèrent aussi le duc d'Anjou et sa gouvernante Folaine, Mme de Lansac, qui tenait l'enfant Roi, ainsi que Monsieur le duc d'Orléans et Monsieur le prince de Condé, qui les accompagnaient. Les deux régiments des gardes françaises et suisses, avec leurs officiers, avaient reçu l'ordre de se mettre sur la route avec les compagnies d'ordonnance, celles des gendarmes et des mousquetaires à cheval, de sorte que la voiture de Leurs Majestés s'ébranla au milieu de deux régiments, l'un qui les précédait, l'autre qui leur faisait escorte.

Au moment où les équipages sortaient de la cour du château pour s'engager dans la côte du Pecq, le feu Roi gisait sur une table, ouvert depuis le col jusqu'au bas-ventre, dans la galerie du château Neuf. Sur un billard tout proche étaient posés des bassins qui contenaient l'un ses boyaux, dont certains étaient pourris et pleins de vers, l'autre le foie, la rate et le cœur – ce dernier devait être porté à Paris, à la cathédrale Notre-Dame. Ses poumons avaient un abcès du côté gauche. Des mouches bleues attirées par centaines tournoyaient au-dessus des bassins et sur le corps du feu monarque, chassées par des garçons qui agitaient des serviettes sanglantes.

Dans la côte du Pecq, les oiseaux chantaient ; des nuées de papillons voletaient sur les fleurs sauvages dont les bords du chemin étaient inondés et d'où montaient de délicieux mélanges de senteurs suaves. Les carrosses qui portaient les princesses et les hauts seigneurs de la Cour suivaient, fort nombreux, celui de Leurs Majestés en une longue procession qui serpenta bientôt dans le val, le long de la rivière de Seine. Depuis le matin, le peuple des villages, sachant que le Roi d'à présent se rendait à Paris, dans sa bonne ville, s'était acheminé pour le voir passer le long des routes. Les bonnes gens s'étaient rendus de deux ou trois lieues à la ronde, de Rueil et de Montesson, de Louveciennes, de Rocquencourt, de Marnes, de Feuillaume, de Garches, au midi, et au septentrion de tous les hameaux de Presles, de Colombes, de Bezons, de Houilles, et même d'Argenteuil et de Cormeilles-en-Parisis. Les talus des chemins étaient peuplés de ces gens qui faisaient une seule haie de chaque côté du carrosse et criaient à plein gosier :

– Vive le Roi ! Vive la Reine ! Vive Leurs Majestés !

Et leurs voix dans les prairies résonnaient si brusques et si rauques qu'elles effrayaient au loin les petits oiseaux.

L'enfant Roi, dans son carrosse, ouvrit d'abord de grands yeux étonnés. Il se méprit tout d'abord sur le sens de ces ovations et s'ennuyait que, dans cette foule, nul ne le saluât comme à l'accoutumée par le cri favori de « Vive le Dauphin ! ». Sa mère étant très occupée à parler avec Messeigneurs les Princes dans le fond du carrosse, il confia sa remarque à Mme de Lansac, qui avait dû lui rappeler la dignité de son nouvel état qui effaçait l'autre.

– C'est à cause qu'on ne vous aime plus ! avait lancé le petit d'Anjou, qui était vif et espiègle, bien qu'il n'eût pas tout à fait trois ans.

– Non, avait dit Louis, c'est que je suis le Roi d'à présent.

– Moi aussi ! s'exclama son frère.

– Non, pas vous.

– Si !

Les deux enfants s'étant opiniâtrés, leurs gouvernantes avaient dû les calmer. Mme de Folaine avait morigéné le bonhomme, qui s'était fâché à cause que Sa Jeune Majesté en colère lui avait dit qu'il n'était rien « que de la crotte ». La jeune femme expliqua au petit enfant qu'il devait entière obéissance et respect à son frère, qui était son aîné, son maître et maintenant son Roi... Mme de Lansac parlait peu ; elle était sombre et pensive, car elle voyait bien que la Reine, qui ne l'avait jamais aimée, lui faisait fort vilaine chère et ne lui adressait point la parole. La grosse femme (dont on disait qu'il fallait un cheval de plus quand elle était dans ce carrosse) songeait avec quelque raison qu'elle risquait fort de perdre sa charge auprès du jeune Roi dans les remaniements qui bruissaient, et ces pensées lui donnaient la mine rechignée.

Cependant, le carrosse avançait lentement à cause des personnes qui avaient mis leurs beaux habits et s'agglutinaient de plus en plus nombreuses à mesure que l'on marchait. Arrivé au bac de Neuilly, ce fut une ovation extraordinaire qui accueillit l'équipage sur la rive opposée. Toute la population de Paris était sortie des murs et venue sur la route de Saint-Germain pour attendre le Roi. La marche du carrosse en fut encore ralentie, car ces gens jetaient des fleurs qu'ils avaient cueillies et voulaient sans cesse s'approcher des portières pour voir Leurs Majestés. Ainsi il était 5 heures de l'après-midi quand le cortège royal atteignit la porte Saint-Honoré sous les vivats renouvelés de la foule. Là, tous les gardes, tambour battant, puis chaque compagnie avec son capitaine et son lieutenant à sa tête, commencèrent à passer en ordre dans la rue Neuve-Saint-Honoré, moitié devant le carrosse de Leurs Majestés, moitié le suivant. Depuis ladite rue Neuve jusqu'à la porte du Louvre, les compagnies des gardes françaises et suisses se placèrent en haie des deux côtés, faisant les honneurs de la ville au nouveau roi Louis.

Le dimanche suivant, 17 mai 1643, Louis XIV inaugura la première action de son règne, qui devait être long ; il prit possession de son lit de justice en la cour du Parlement de Paris. En sa première séance, il déclara la Reine, sa mère, régente du royaume, suivant la volonté du feu Roi son père. Sa Jeune Majesté portait à cette occasion très solennelle un bel habit de velours violet – qui était la couleur du deuil pour les princes – avec un pourpoint à crevés, brodé d'or. Ces mesures officielles étant accomplies, Leurs Majestés se retirèrent au Louvre, d'où elles ne sortirent, ayant pris le deuil, que quarante jours plus tard.

Le mardi 19, la dépouille du feu Roi fut transportée de Saint-Germain-en-Laye à Saint-Denis, sans aucune cérémonie ni pompe, comme il en avait exprimé le désir. Tous les prédicateurs du royaume firent cependant, ce jour-là et les jours qui suivirent, des homélies à la gloire du monarque défunt ; ils chantèrent dans les églises ses vertus, dans un style douloureusement incomparable et par des discours où il était mis au rang du soleil. Abra de Raconis, pour sa part prédicateur de la Reine, composa l'oraison suivante qui était comme le modèle de toutes les autres dans l'emphase et l'imprécation funèbre.

« Ô larmes, où êtes-vous ? Où êtes-vous retirées, ô fontaines de larmes ? Que ne coulez-vous sur ma face pour arroser la tombe de ce grand Roi, que la cruelle mort ennemie de notre repos nous a enlevé au milieu de sa course.

« Qui donnera de l'eau à ma tête, et à mes yeux des fontaines de larmes pour pleurer nuit et jour le funeste trépas de celui qui faisait tout notre bonheur et notre joie ?

« Le Roi est mort et nous ne mourons pas de deuil et de douleur ? Le Soleil de la France est éclipsé, et nous n'appréhendons point et n'apercevons point nos ténèbres ? Ô insensibilité ! Ô aveuglement déplorable ! Notre malheur est extrême et notre deuil ne paraît pas !

« Ô Mai ! te compterons-nous dorénavant entre les mois de l'année, puisque tu nous as fait perdre notre Mars ?

« Est-ce donc là ce beau Printemps, qui avait de coutumes d'émailler la terre de tant de riches et agréables fleurs si sereines ? Ô inconstance déplorable ! Cruel Mai, non plus mois de Printemps, mais d'un Hiver très rigoureux, tu as gelé cette année notre beau Lys, desséché tout l'ornement de notre France, le plus délicieux parterre de l'Univers, et nous as tous enveloppés en une profonde nuit de mortelles angoisses, faisant éclipser notre Soleil. »

Rocroi : le songe de Louis

Pendant que le feu Roi mourait, le général en chef de ses armées en Flandre, le jeune duc d'Enghien, se rendait en Thiérache, où il avait appris que l'Espagnol était.

Le monarque, à ses derniers jours, avait vu le jeune homme en songe qui venait aux mains avec les ennemis et remportait sur eux une grande victoire. De fait, le duc ayant su, par le retour des émissaires qu'il avait envoyés prendre langue avec l'adversaire, que les troupes du général dom Francisco de Melo s'avançaient à grandes journées du côté de Valenciennes, il avait donné rendez-vous à Ancre, pour le dimanche 9 mai, au maréchal de Guesvre, dont le corps d'armée remontait de Reims, ainsi qu'au maréchal d'Espénan, qui se trouvait le plus près des soudards de Melo. Il avait ordonné à d'Espénan de jeter quelques forces dans Guise, en passant, et dans La Capelle, villes qui semblaient menacées par la marche des Espagnols.

Cependant, comme le jeune général en chef – le fils de Condé n'avait pas atteint ses vingt-deux ans – quittait Ancre, le 14 mai, en compagnie du vieux maréchal de L'Hospital, ils eurent avis que le comte d'Isembourg avait mis le siège devant Rocroi, plus à l'est, avec un corps d'armée séparé. Le reste des forces espagnoles s'avançait le long de la frontière de France pour le rejoindre, semant de grands désordres sur son passage. D'Enghien dépêcha aussitôt son maréchal de camp, le général Gassion, toujours hardi et d'une habileté légendaire, lequel s'avança avec quinze cents chevaux de la cavalerie légère pour suivre leur piste, épier leur contenance et prendre toutes les occasions qui lui seraient fournies pour secourir la place.

Le samedi 16, Gassion, ayant défait sans peine les petits corps avancés, donnait déjà dans le front des avant-gardes espagnoles ; si bien que, par une manœuvre audacieusement étudiée, il attira à lui toutes les forces du camp qui avaient investi Rocroi. Par ce moyen de haute ruse, le Gascon fit entrer dans la place assiégée un secours de cent fuzeliers qui étaient commandés par son lieutenant, Cimetière... Ces renforts arrivaient à point pour soutenir Joffre, le gouverneur de la place, dont la garnison n'était que de quatre cents hommes. Aussitôt dans la forteresse, Cimetière organisa une sortie mortelle durant laquelle il reprit une demi-lune et tous les abords immédiats de Rocroi.

Ces diversions permettaient au duc d'Enghien de s'avancer ; ce même samedi, il fit sa jonction avec le corps de Guesvre, qui était arrivé sur la Brune, au village de Brunehamel, et il rejoignit d'Espénan à Origny-en-Thiérache, sur les bords du Thon. Dans ces petites vallées, l'herbe était grasse, verte et haute dans la douceur du temps qu'il faisait ; d'étape en étape, les chevaux pouvaient repaître par milliers dans les belles prairies des paysans et boire à satiété l'eau claire de ces ruisseaux murmurant dans les ramures et les fleurs printanières. Cette eau à volonté permettait aux hommes de troupe de se désaltérer, eux aussi, de cuire leurs aliments et de se délasser de leurs marches forcées en se baignant les pieds dans l'onde ; pour toutes ces raisons, le cours des rivières abondantes était le séjour favori des armées en campagne.

Le dimanche 17 mai, le fils de Condé remonta le Thon avec ses troupes, jusqu'à un petit village nommé Bossus, à quatre lieues et demie de Rocroi. Gassion s'y rendit aussi avec ses quinze cents chevau-légers pour faire un rapport complet de la contenance des ennemis et de la situation de leur camp, établi aux abords de la place forte. Sur ce rapport, le général, aidé par les conseils du maréchal de L'Hospital, qui l'épaulait de sa longue expérience, et des maréchaux de camp, résolut de se faire jour à vive force pour secourir la place dès le lendemain 18 mai. Pour cet effet, un détachement de cinquante Croates fut envoyé en reconnaissance, dès le lundi matin à l'aube, le long d'une petite vallée qui montait vers le plateau de Rocroi. Ce défilé, situé dans le bois de Fors, appelé depuis bois de Potée, où coule un ruisseau qui descend vers la Sormonne, avait été jugé le plus commode à l'avancement de notre armée. L'officier croate ayant rapporté au duc d'Enghien que les ennemis se trouvaient sur les terrains situés au-delà de cette vallée, celui-ci envoya Gassion avec la compagnie de ses gardes, tous les Croates, le régiment des fuzeliers et celui de la cavalerie du Roi, avec mission à ces troupes d'élite de nettoyer toute la plaine qui s'étendait jusqu'au camp des Espagnols. Le Gascon reconnaîtrait ainsi si leur armée était retranchée ou si elle marchait pour nous combattre.

Gassion parvint sur le plateau vers 1 heure de l'après-midi, ayant passé par Girondelle, traversé la Sormonne au village d'Étalle et remonté le défilé en suivant le ruisseau. Il poussa d'abord, chemin faisant, jusque dans leur camp tout ce qu'il trouva d'ennemis épars en postes et sentinelles ; puis, s'étant rendu maître d'une hauteur fort proche située à main gauche en vue de Rocroi, il découvrit que les Espagnols étaient en train de reformer leurs avant-gardes pour se mettre en bataille. Il en fit aussitôt prévenir le duc, lequel se mit en marche sur-le-champ dans le défilé avec le régiment de cavalerie, laissant au maréchal de L'Hospital, avec d'Espénan et Séneterre, le soin de faire passer diligemment le reste de l'armée derrière lui.

Le duc se trouva ainsi en bataille avec la cavalerie et les premières troupes de Gassion sur les 2 heures de l'après-midi ; il fit incontinent commencer l'escarmouche, qui dura deux heures, le temps que le reste de notre armée puisse arriver à pied d'œuvre sur le bord du plateau, se mettant en ordre de bataille à mesure qu'elle sortait du défilé. Le terrain, légèrement en pente, n'était toutefois pas assez large pour contenir toute notre armée, dont l'aile gauche se trouvait pressée contre des marais ; ne pouvant s'étendre de ce côté-là, le duc fit chasser l'ennemi d'une petite hauteur qu'il occupait à droite par un détachement de Croates, soutenu par deux petits corps de cuirassiers du régiment de Gassion, afin de faire place et décaler nos forces vers la droite. Aussitôt que cette nouvelle disposition fut prise, sur les 4 à 5 heures du soir, le canon espagnol se mit à tonner et à tirer sur nos lignes, blessant grand nombre d'hommes ; le nôtre riposta un quart d'heure plus tard, faisant aussi des ravages dans les rangs ennemis.

Cependant, la chaleur du jour avait commencé à décroître ; dans le serein venu, les chevaux en sueur tâchaient de paître ici et là une bouchée d'herbe tendre, quand, au jour déclinant, cessèrent les canonnades. La nuit prévint qu'on en vînt aux mains...

Il fut alors mis en délibération parmi les généraux si l'on donnerait bataille sans attendre ou bien si, à la faveur de la nuit, on essaierait de faire entrer quelques renforts supplémentaires dans la place forte. Autour d'un grand feu de bivouac allumé par les ordonnances, tous les officiers généraux donnèrent leur sentiment et les raisons de leur préférence. Le jeune duc, dans son impatience, était partisan d'une bataille immédiate qui prendrait l'ennemi par surprise : l'épouvante les saisirait, disait-il, et ils s'estimeraient perdus avant que de combattre !... Son impatience fut tempérée par le maréchal de L'Hospital et par les autres généraux avec lui, lesquels s'accordèrent tous à dire que la lune, disparue quelques jours plus tôt, n'en était qu'aux éphémères lueurs de son premier quartier et que la nuit serait noire comme le cul d'un four. La bataille à l'aveugle serait par trop risquée ; les nôtres, ne sachant à qui ils avaient à faire, couraient grand risque de s'entre-déchirer. Le jeune homme se rangea sagement à cet avis, malgré le souvenir de don Rodrigue, auquel il se flattait de ressembler et dont le combat glorieux s'était déroulé tout entier au milieu des ténèbres.

Le duc se rangea aussi au sentiment de Gassion, qui n'était point en faveur d'un renforcement de la place ; l'intrépide guerrier expliqua avec tout le poids de sa longue expérience qu'une action nocturne sur la ville devait être considérable ou ne pas être entreprise. Il jugeait que ce serait s'affaiblir, en désorganisant par trop les troupes, que de la tenter. Les autres généraux étant de cet avis, il fut résolu de différer la bataille jusqu'au point du jour, le mardi matin... Le duc donna des ordres en conséquence pour l'établissement des postes de garde à la tête de son armée ; puis il s'installa lui-même auprès du feu des officiers du régiment de Picardie, où, brûlant d'impatience, il s'assit contre terre, et, sans faire aucun bruit, il passa une bonne part d'une si belle nuit.

Car la nuit était belle, le ciel magnifiquement étoilé ; l'empourprement qui avait envahi l'horizon au moment du crépuscule laissait présager un lendemain ensoleillé. Au feu de camp, les flammes faisaient danser les ombres des officiers qui jouaient aux dés pendant la veillée d'armes. Le duc était à la fois joyeux et songeur. Le grand nez qui ornait son visage creusait des ombres fugaces sur ses traits, sa figure s'animait aux lueurs rougeoyantes du brasier, tout cela donnait à sa physionomie, avec l'ardeur que dans les yeux il portait, cet air farouche qui l'eût fait redouter du plus brave. Se mesurer à l'armée espagnole, qui, depuis presque un siècle, faisait régner sa loi aussi bien sur l'Europe que dans les nouvelles terres d'Amérique, était, certes, bien téméraire – mais aussi tellement excitant ! En nombre inférieur, il devrait compter sur la fougue, l'impétuosité et la mobilité de ses troupes qu'il lui faudrait exhorter avant d'entamer le combat ; sans doute devrait-il compter aussi sur le découragement des combattants ennemis, dont on lui avait fait connaître qu'ils étaient mal payés, mal nourris, tant la grandeur et la puissance du roi d'Espagne s'étaient étiolées au cours des années passées... Néanmoins, quelle audace à lui qui n'avait encore jamais livré une grande bataille ! Il en frissonnait d'aise, de crainte, d'espérance... Mais quelle gloire s'il l'emportait ! Ah ! il ferait pâlir les lauriers d'Alexandre !... Et puis n'était-ce pas la première bataille du nouveau règne ? Il savait depuis dimanche, où les courriers avaient atteint le front, que le vieux Roi n'était plus... La puissance de Monsieur le Prince son père s'en trouvait accrue désormais, comme chef du Conseil de régence. Mais aussi Dieu ne pouvait abandonner le sort du petit Roi : ce serait demain le premier engagement de ses armes... Songeant à cela et que les augures lui paraissaient favorables, les yeux du duc d'Enghien luisaient de plaisir ! Ah ! que la nuit était longue !... Bien qu'en cette saison opportune le char de Phébus laissât peu de temps la terre dans l'ombre, il lui tardait que le jour vînt...

Tout à coup une sentinelle amena au duc un homme qui venait du camp des ennemis et avait été fait prisonnier. C'était un cavalier français qui servait depuis longtemps chez les Espagnols et avait décidé de quitter leur parti pour se jeter dans celui du nouveau roi de France, dont on venait d'apprendre l'avènement. Il faisait ce choix d'autant plus volontiers, expliqua-t-il, qu'il n'avait point touché sa solde depuis une année entière et priait le général de le prendre à son service. Le duc d'Enghien lui ayant donné son pardon, sous le bon plaisir du Roi, le cavalier, qui répondait au nom curieux de Personne – il avait même fait une facétie de cela, disant au capitaine des gardes à qui il s'était rendu qu'il n'était point un soldat comme « tout le monde » –, avertit les officiers présents que les Espagnols attendaient des renforts sur le matin. Le général Becq, assura-t-il, devait joindre leur armée sur les 7 heures, avec mille chevaux et trois mille hommes d'infanterie.

Cette révélation venait fort à propos, avec la crainte du nouveau dommage dont nous menaçait le canon des ennemis, pointé si près de nos rangs ; elle ne fit qu'affermir la résolution prise la veille au soir, suivant laquelle l'armée lancerait sa première charge dès le point du jour. Ainsi était campée devant nous cette formidable armée espagnole, partout redoutée, dont l'infanterie colossale, réputée invincible et qui n'avait pas été vaincue sur un champ de bataille depuis la nuit des temps, cette armée était là devant nous, tapie dans l'ombre, sous l'obscure clarté qui tombait des étoiles ! Dix-sept mille hommes de pied, répartis en vingt-deux régiments sous le commandement du comte d'Isembourg, neuf mille troupes de cavalerie, divisées en cent cinquante cornettes, commandés par le duc d'Albuquerque ; le maréchal de camp général était le comte de Fontaines et le général en chef pour le roi d'Espagne dom Francisco de Melo.

Le duc d'Enghien disposait d'environ vingt mille hommes, à savoir quatorze mille hommes de pied et six mille chevaux seulement... Notre infanterie, tout entière aux ordres du maréchal d'Espénan, était composée des régiments de Picardie, Piémont, Marine, Rambure, Persan, Harcourt, Guische, Aubeterre, La Prée, de huit compagnies royales, de Biscarros, Guesvre, Langeron, du Vidame, de Vervins, du régiment des gardes écossaises et de trois régiments de Suisses : Molandin, de Vateville et de Roole. Notre cavalerie comprenait les gendarmes de la Reine, les Écossais, une brigade de la compagnie du prince de Condé, une autre du duc de Longueville, celles d'Angoulême, de Guische et de Vaubecourt ; notre cavalerie légère consistait au régiment royal, en ceux de Gassion, de Guische, d'Harcourt, de Séneterre, de Lenoncourt, du baron Syrot de La Clavière, de Sully, de Roquelaure, de Heneville, de Heudicourt et de Marolles. Ces forces étaient grossies des fuzeliers du Roi, faisant la compagnie des gardes du duc d'Enghien, de la cavalerie étrangère de Syllar, de celle du régiment d'Eschelle, de Beauveau, de Vamberg, de Chac et de Raab qui étaient les Croates.

La disposition du champ de bataille était telle que notre

aile droite, dont Gassion continuerait de prendre soin, était bornée par un bois, sur la hauteur, et notre aile gauche, aux ordres de Séneterre et distante d'environ une demi-lieue, se trouvait pressée par un marécage ; d'Espénan était chargé de l'infanterie, au centre. Le duc d'Enghien voulait, pour sa part, s'appliquer particulièrement à l'aile droite avec Gassion, laissant le soin de la gauche au maréchal de L'Hospital avec Séneterre.

Un peu avant le point du jour, un frisson parcourut le plateau où tant d'hommes étendus attendaient en ronflant le moment du combat ; les oiseaux des terres et des bois se mirent à pépier frénétiquement tous ensemble. Les merles, les geais, les pies, les mésanges, les bouvreuils de toute la Thiérache semblaient, à l'instar des braves, s'être donné rendez-vous devant Rocroi en ce matin du 19 mai 1643, à l'aube... Le duc d'Enghien, comme s'il eût pris son émulation des oiseaux, s'envola vers tous ses bataillons et ses escadrons, courant sur le front des troupes pour animer ses soldats et ses officiers au combat. Il allait de l'un à l'autre, léger, rapide, sur son cheval, haranguant les troupiers et leur remontrant la justice de la cause qu'ils allaient défendre...

— Il y va, messieurs, du service de notre Roi et de la dignité de sa jeune couronne !... Dieu protège notre petit roi de France ! Vive le Roi !...

Il leur mettait devant les yeux l'honneur qu'ils allaient immanquablement acquérir devant l'humanité en s'opposant à un si puissant ennemi, à une armée fameuse entre toutes celles de l'Europe, qu'ils allaient vaincre et surpasser. Oh ! que leurs noms glorieux demeureraient à jamais auréolés quand leurs fronts seraient ceints des lauriers de Mars ! Mais la victoire était, ce matin, nécessaire : que l'on songeât que la victoire des ennemis laisserait à la merci de leurs bandes farouches tant de peuples qui s'attendaient à être défendus... Il clamait d'un ton vibrant, montrant le poing vers les lignes ennemies, faisant allusion aux désordres qu'ils avaient commis tous ces temps derniers sur la frontière :

571

– Voyez, disait-il, ces féroces troupiers : ils viennent jusques à nos pieds égorger vos fils et vos femmes !... Aux armes, ce matin ! Formez vos bataillons ! Et nous ferons courir des ruisseaux de leur sang !

Sa grâce animait merveilleusement son discours : il s'était laissé armer par tout le corps de sa cotte et de sa ventrière, mais il n'avait point voulu de salade ; il refusa tout autre habillement de tête que son chapeau ordinaire, garni de grandes plumes blanches, qui devait être le signe de ralliement dans le chaud de la mêlée : le mot était « d'Enghien ».

– Nous attaquons en téméraires un bras toujours vainqueur, clamait-il encore, mais nous aurons trop de force, ayant assez de cœur !

Il allait, il venait et criait au plus haut, si fort que sa voix couvrait presque celles des oiseaux dans les primes pâleurs de l'aube nouvelle qui montait à droite sur la forêt d'Ardenne.

– Melo est invaincu, mais non pas invincible ! lança-t-il aux officiers de cavalerie de l'aile droite aux ordres de Gassion.

Cependant, la clarté du jour montait si vite que l'on distinguait à présent le contour des bois. Le jeune duc mit pied à terre et, avisant son confesseur qui attendait son bon vouloir, il dit :

– Allons, mon Père, donnez-nous l'absolution de nos fautes.

Il se mit à genoux devant lui et, avec beaucoup de ferveur, il récita tout haut l'acte de foi :

– *Credo in unum Deum, Patrem omnipotentem, factorem coeli et terrae, visibilium omnium et invisibilium...*

Quand il eut terminé sa prière, que les officiers, aussi à genoux, psalmodiaient avec lui, le prêtre fit le signe de la croix, puis, d'un geste large sur toute l'armée, il dit à pleine voix :

– *Absolvo te... Absolvo te...*

Le duc d'Enghien remonta à cheval. Les officiers l'imitèrent sur toute l'aile droite. Il était 3 heures du matin au soleil, une lumière pâle baignait la hauteur inondée des clartés du levant. Les oiseaux s'étaient tus... Le duc, son chapeau à la main, regarda un instant vers les lignes espagnoles, qui s'apprêtaient à recevoir le choc de sa cavalerie ; il murmura entre ses dents : « Mes pareils à deux fois ne se font point connaître, et pour leurs coups d'essai veulent des coups de maître. » Puis, coiffant d'un geste large son grand chapeau orné de plumes blanches, il cria – et sa voix déchira le silence habité du matin :

– En... avant !...

Les trompettes, à ce cri, éclatèrent en sonnerie martiale, les tambours battirent, les chevaux hennirent et, derrière ce diable frénétique au plumet de neige, l'armée chargea dans les fleurs épanouies.

La bataille dura jusqu'à midi. L'aile droite, dans son premier élan, avait buté sur un petit rideau d'arbres et de genêts fleuris au fond d'une petite pente, dont l'or terni dans la rosée cachait mille mousquetaires ennemis qui furent taillés en pièces aussitôt par les grands sabres des cavaliers, lesquels passèrent aussi toute la cavalerie ennemie qui lui était opposée de ce côté-là. La cavalerie légère de Gassion fit merveille à son ordinaire, entraînant dans sa détermination les fuzeliers du Roi et les Croates, qui firent grand massacre d'Espagnols. A l'aile gauche, Séneterre, avait chargé la droite de l'ennemi avec toute la conduite et détermination imaginables, soutenu par le pilonnage du canon, qui faisait de beaux ravages dans les rangs adverses. Cependant, le combat s'y trouva tellement opiniâtre que le maréchal y fut blessé de deux coups de pistolet et de trois coups d'épée, et son cheval tué sous lui, ce qui occasionna qu'il fut emmené prisonnier. Ses hommes ayant tenté l'impossible pour le secourir et le ramener dans nos lignes, et y ayant réussi, toute notre aile gauche se trouva rapidement dans le plus grand désordre, de quoi la cavalerie ennemie profita pour contre-attaquer. Ils se rendirent maîtres de notre canon, mais le maréchal de L'Hospital parvint à rallier les troupes désorganisées de son aile et recommença la charge avec tant de vigueur qu'il regagna le canon que nous avions perdu. Comme il avait fait lui-même des mieux dans cette action, il fut blessé d'un coup de mousquet dans le bras, ce qui fit de nouveau tourner la fortune en faveur des Espagnols, lesquels non seulement reprirent le canon mais s'en servirent contre nous, ébranlant durement toute notre aile.

Voyant le maréchal à son tour hors de combat, après Séneterre, le baron de Syrot, qui commandait le corps de réserve de la cavalerie, fit de son mieux pour rallier de nouveau les troupes et arrêta de grand cœur l'effort des ennemis en attendant que d'Enghien, qui avait vu l'aile gauche enfoncée, s'en vînt avec ses fuzeliers ranimer l'ardeur des troupes. Le duc se battit comme un lion, regroupant les bataillons désarçonnés autour de son panache blanc qui se mouvait bien haut dans la mêlée, si bien qu'à le voir marcher avec un tel visage les plus épouvantés reprenaient du courage. Pendant qu'il bataillait ainsi à gauche, Gassion avait chassé avec son aile droite toute la cavalerie qui lui était opposée, gagnant ainsi, par un mouvement tournant dont le fougueux combattant avait le secret, le derrière de l'armée adverse. Il attaqua avec une vigueur renouvelée l'infanterie wallonne, allemande et italienne qui s'y trouvait, et la tailla en pièces.

Pendant ce temps, l'infanterie d'Espénan avait déjà donné son avant-garde, composée des trois régiments suisses, lesquels avaient été durement décimés par les mousquetades adverses. Le gros de l'infanterie attaquait à présent de face l'énorme centre espagnol que son vieux général en chef, dom Francisco de Melo, avait fait former en carré pour se protéger sur l'arrière des terribles chevau-légers de Gassion.

Ce carré paraissait dès lors inexpugnable et il opposa en effet une si rude résistance aux efforts de notre cavalerie que celle-ci chargea en vain cinq ou six fois, perdant beaucoup d'hommes à chaque tentative sans parvenir à le rompre. Le duc d'Enghien s'avisa alors de faire attaquer cette infanterie espagnole aussi par son flanc droit, qui n'était plus protégé, et par la queue en même temps qu'elle soutenait le feu en tête. Ce fut le moyen d'en venir à bout, car elle fut rompue entièrement par notre cavalerie de l'aile droite hardiment conduite par Gassion, qui enfonça sa défense et l'obligea à se débander.

Ce ne fut plus dès lors que tuerie. Les Suisses, entre autres, ne s'épargnaient pas, à cause de la colère où ils étaient de la mort de leurs compagnons qu'ils voulaient venger. Les sabres de la cavalerie faisaient voler les têtes des fantassins espagnols, tandis que les épées, les piques, les hallebardes, les égorgeaient, les ouvraient de haut en bas, leur taillaient les membres, les hachaient menu dans un bain de sang épouvantable qui abreuvait la terre à la vue de Rocroi. La garnison de Cimetière, sortie dans la débandade, prenait les fuyards à revers et transformait la plaine en un champ de carnage où triomphait la mort... Les fantassins mourants, les chevaux éventrés, poussaient jusques aux Cieux des cris épouvantables ; les plus lestes fuyaient sur les ailes de l'épouvante, abandonnant canons, armes et tous leurs bagages. La redoutable armée du roi d'Espagne se trouva bien vite anéantie avec ses chefs : Melo aussi bien que Fontaines, le général de soixante-quinze ans que l'on portait en chaise car il était impotent, furent massacrés par nos troupes.

Le soleil maintenant était haut dans le ciel ; le vallon était tiède, le plateau caressé par une brise douce. L'odeur douceâtre du sang versé à flots, les monceaux de ventrailles d'hommes et de chevaux, les chairs ouvertes, attiraient des nuages de mouches, dont il était merveille qu'il en vînt tant. Quand le combat cessa, faute de combattants, les vautours alertés par le carnage tournoyaient déjà dans le ciel pur où flottaient seulement des bribes laineuses de nuées blanches... Alors le duc d'Enghien descendit de cheval. Il posa un genou en terre, il ôta son chapeau et, face au champ couvert de morts, il rendit grâces au Créateur.

L'armée, à cet exemple pieux, lassée de tuer, se mit à genoux dans l'herbe foulée et remercia Dieu de cette éclatante victoire. Un à un, les Français s'abaissaient jusqu'à terre ; quelques-uns posaient leurs membres brisés de fatigue dans les bouquets de marguerites et les boutons d'or que les sabots de la cavalerie avaient épargnés ; d'autres, trop harassés ou trop exsangues pour prier plus loin, s'agenouillaient dans la mollesse des viandes mortes étalées sous leurs pas vainqueurs. Et tous, du doigt, du moignon, de la main qui leur restait valide, traçaient sur leur poitrine endolorie le signe sacré de la croix.

Ainsi, par l'éclatant succès de ses armes, la prophétie du Roi mourant était accomplie. Tout à coup, sur ce plateau où le silence était retombé, troublé seulement par le bourdonnement des mouches, dans ces bosquets verdoyants où les merles, timidement, se remettaient à siffler parmi les rouges-gorges qui reprenaient leurs trilles, un murmure s'éleva... Ce fut d'abord une rumeur languissante qui grossissait de proche en proche et qui devint un chant. Ce chant, entonné à pleine voix par le duc lui-même soutenu par son confesseur, repris par les officiers et les plus vieux capitaines, s'enflait par bribes lasses, puis pathétiques, au gré de quinze ou seize mille poitrines où des cœurs alourdis battaient encore :

— *Te Deum laudamus, Te Dominum confitemur...*

Le cri des vautours se mêlait dans les airs aux volutes des voix, semblant leur faire écho.

— *Te aeternum Patrem, omnis terra veneratur...*

Un chien aboya dans la plaine. Un autre hurla. Les oiseaux

de proie rapprochaient leurs cercles planants... A l'orée du bois qui cernait le champ de bataille, des paysans, tapis dans l'ombre et la tiédeur de l'heure printanière, attendaient patiemment le départ des vainqueurs pour détrousser les morts.

ÉPILOGUE

L'éternel retour...

Plus tard...

Trente ans plus tard, Molière vient de mourir à Paris.

Dans un petit village de la Brie, c'est l'automne. Pierre de La Porte se chauffe dans sa maison, devant un grand feu, enveloppé d'une houppelande. Son fils, qui va bientôt avoir trente ans, est conseiller au Parlement de Paris ; il vient de l'avertir de la naissance d'une petite fille, le premier enfant de son ménage.

Pierre est un vieil homme blanchi de soixante-dix ans passés, aux rides creusées, profondes ; il parle peu. Il est songeur. Il écrit. Depuis quelque temps, il note dans des carnets, à l'intention de ses descendants, l'histoire de sa vie... L'histoire de celui qui fut longtemps le porte-manteau de feu la vieille Reine – et qui faillit mourir pour elle. Celui qui fut premier valet de chambre du roi Louis, quatorzième du nom, du temps qu'il était un jeune enfant.

Le gentilhomme crache au feu ; il étend ses jambes engourdies vers les flammes. Dans un coin de l'âtre, un petit pot de grès repose sur les cendres chaudes ; il contient une livre de bonnes noix de galle qui ont trempé dans du vin blanc. Il a ajouté six onces de gommes d'Arabie, cassées et réduites en poudre, une demi-livre de couperose de Hongrie et une once de vitriol romain, laissant fondre doucement le tout dans cette infusion. Il remue souvent avec un bâton et porte devant ses yeux la préparation qui sera bientôt achevée. C'est de la bonne encre.

Que s'est-il passé ? Que sont devenus tous ces gens ? Combien sont morts ?... Anne, la Reine, a quitté ce monde il y a sept ans déjà – en janvier 1666 – d'un cancer au sein. Elle a rendu le dernier soupir, sans bruit, dans son appartement du rez-de-chaussée, au Louvre, celui qui est réservé aux reines mères dont les fils régnants sont mariés.

Cette année-là, Londres a brûlé...

Mais avant ?...

En ce printemps 1643, Pierre et Marie de Hautefort arrivèrent à la Cour, accueillis à bras ouverts et à chaudes larmes. Ils entrèrent au Louvre drapés de la gloire des héros bannis. Mme de Lansac fut remerciée dans la même semaine et Mme de Sénécey rappelée de Milly pour devenir la nouvelle gouvernante – la gouvernante de l'enfant Roi.

Toute joyeuse, la Reine donna de l'argent à Pierre de La Porte pour qu'il puisse acheter la charge de premier valet de chambre du Roi à Beringhen, disgracié. Dans l'enthousiasme des premiers temps du retour, Pierre fut en mesure de tenir ses promesses, toutes ses promesses à ses amis ; il fit revenir La Berchère de son exil à Saumur. Puis, étant de nouveau en charge, il épousa l'année suivante Mlle de Cotignon.

Mais il y avait Mazarin. Le nouveau Cardinal, éliminant avec beaucoup de maîtrise tous les princes ses rivaux dans la course au pouvoir, s'empara peu à peu de l'esprit et du cœur de la Reine régente. Il régna bientôt sur elle aussi sûrement que la précédente Éminence avait dominé entièrement la volonté du feu Roi. Tout de suite, Hautefort et La Porte, inséparablement unis dans la défense de la veuve et de l'orphelin, se placèrent dans le parti hostile à Mazarin. Ils jugeaient, et bien d'autres personnes avec eux, que le Cardinal compromettait la Reine et qu'il faisait même pis... Ils lui faisaient de strictes remontrances morales sur la manière dont elle perdait l'honneur, en compagnie trop assidue du galant homme. Mazarin, cependant, de très loin le plus habile, balaya toutes les cabales qui se formaient contre lui – dont certaines avaient pris la résolution d'attenter à sa vie. Déjouant les pièges et manœuvrant à la tête de l'État, il détacha insensiblement, mais irrémédiablement, la Reine de tous ses anciens amis. Un an plus tard, la belle Marie, à force de pieuses remontrances, fut de nouveau disgraciée, cette fois-ci par Anne elle-même, qui lui signifia son congé. Elle fut alors épousée en secondes noces par le maréchal de Schomberg. Mme de Chevreuse, revenant de Bruxelles, toute remuante et emplie d'expectation, se vit refuser, par ordre de la souveraine, l'accès de la Cour...

Anne d'Autriche, en prenant le pouvoir, changea radicalement ses habitudes et son comportement ; elle prit d'emblée son rôle de Régente très au sérieux. Ce fut Mazarin, son véritable éducateur, complice et sans doute amant, qui dirigea les affaires, plus complètement encore que Richelieu ne l'avait fait avant lui. Les affaires de l'État et les siennes propres : l'astucieux Italien se construisit une fortune considérable en peu de temps et fit venir de Rome une partie de sa parenté afin d'en jouir en famille.

En avril 1645, le Roi avait sept ans et demi ; le temps était venu pour lui de sortir de chez les femmes pour être placé entre les mains des hommes qui allaient être chargés de son éducation. Au premier de ce mois, date de l'entrée en quartier de ces nouveaux serviteurs, il eut un gouverneur, un précepteur et des valets de chambre. Pierre, l'homme de confiance, fut le premier à prendre sa charge auprès de lui. Il trouva Sa Petite Majesté fort encline aux enfantillages :

« L'an 1645, après que le Roi fut tiré des mains des femmes, que le gouverneur, le sous-gouverneur, les premiers valets de chambre entrèrent dans les fonctions de leurs charges, je fus le premier qui couchais dans la chambre de Sa Majesté, ce qui l'étonna d'abord, ne voyant plus de femmes auprès de lui ; mais ce qui lui fit le plus de peine était que je ne pouvais lui fournir le conte de Peau d'Ane, avec lequel les femmes avaient coutume de l'endormir.

« Je le dis un jour à la Reine, et que si Sa Majesté l'avait agréable, je lui lirais quelques bons livres ; que s'il s'endormait, à la bonne heure ; mais que s'il ne s'endormait pas, il pouvait retenir quelque chose de la lecture. Elle me demanda quels livres : je lui dis que je croyais qu'on ne pouvait en lire un meilleur que l'*Histoire de France* ; que je lui ferais remarquer les rois vicieux pour lui donner de l'aversion du vice, et les vertueux pour lui donner de l'émulation et l'envie de les imiter. La Reine le trouva fort bon et je dois ce témoignage à la vérité, que d'elle-même elle s'est toujours portée au bien quand son esprit n'a point été prévenu. M. de Baumont me donna l'*Histoire* faite par Mézeray, que je lisais tous les soirs d'un ton de conte, en sorte que le Roi y prenait plaisir et promettait bien de ressembler aux plus généreux de ces ancêtres, se mettant fort en colère lorsqu'on lui disait qu'il serait un second Louis le Fainéant ; car bien souvent je lui faisais la guerre sur ses défauts, ainsi que la Reine me l'avait commandé. »

Dans cette entreprise d'éducation d'un Roi, La Porte a cependant bien des déceptions. Il trouve que l'enfant, à qui on passe tout, est terriblement gâté. Il se rend compte avec désolation que tout le monde, hors sa mère, se désintéresse de l'éducation princière du roi Louis :

« Un jour, à Rueil, ayant remarqué qu'en tous ses jeux il faisait le personnage de valet, je me mis dans son fauteuil et me couvris ; ce qu'il trouva si mauvais, qu'il alla s'en plaindre à la Reine, ce que je souhaitais. Aussitôt elle me fit appeler, et me demanda en souriant pourquoi je m'asseyais dans la chambre du Roi et me couvrais en sa présence. Je lui dis que, puisque le Roi faisait mon métier, il était raisonnable que je fisse le sien, et que je ne perdais rien au change ; qu'il faisait toujours le valet dans ses divertissements, et que c'était un mauvais préjugé. La Reine, qu'on n'avait pas encore prévenue là-dessus, lui en fit une rude réprimande. »

Mais ces lectures, ces sermons, ces redressements de torts ne sont pas vus d'un bon œil par tout le monde. Mazarin, qui veille à ce que le garçon, dont il est le parrain et l'éducateur en chef, ne subisse pas d'influences qui seraient néfastes à sa propre réputation, isole le Roi et le tient assez généralement dans l'ignorance. Le petit Louis, au numéro XIV, est délaissé et vit tristement comme un pauvre.

Pierre, une fois de plus, prend le parti de l'enfant, comme il a pris autrefois le parti de sa mère, tout à fait à ses risques et périls.

« Comme le Roi croissait, le soin qu'on prenait de son éducation croissait aussi, et l'on mettait des espions auprès de sa personne, non pas à la vérité de crainte qu'on ne l'entretînt de mauvaises choses, mais bien de peur qu'on ne lui inspirât de bons sentiments ; car en ce temps-là le plus grand crime dont on pût se rendre coupable, était de faire entendre au Roi qu'il n'était justement le maître qu'autant qu'il s'en rendrait digne. Les bons livres étaient aussi suspects dans son cabinet que les gens de bien ; et ce beau *Catéchisme royal* de M. Gobeau n'y fut pas plus tôt, qu'il disparut sans qu'on pût savoir ce qu'il était devenu.

« On ne donna point d'enfants d'honneur au Roi, comme les autres rois en avaient toujours eu dans leur enfance : la raison apparente était que les enfants ne disent que des bagatelles, et que des gens en âge de discrétion le rendraient raisonnable dès son bas âge, ce qui fut approuvé de tout le monde ; mais ceux qui voyaient un peu plus clair que le commun, entendirent bien le secret de l'affaire. Des enfants sans discrétion, et desquels on n'eût pu se plaindre, eussent pu dire au Roi qu'il était le maître, et qu'il fallait qu'il le fût ; outre cela, ils n'auraient pas rendu compte de tout ce qui se serait passé entre le Roi et eux, comme faisaient ces gens sages et discrets dont le but était de faire les affaires sans se soucier que la France eût un grand roi, pourvu que leur fortune ne fût point petite. Nonobstant tous les soins de ces surveillants, je ne laissais pas de frapper de petits coups si à propos, dans les heures où je n'étais observé de personne, que le Roi avait conçu la plus forte aversion contre le Cardinal, et qu'il ne le pouvait souffrir, ni lui, ni les siens.

« Un jour à Compiègne, le Roi voyant passer Son Éminence avec beaucoup de suite sur la terrasse du château, il ne put s'empêcher de dire assez haut pour que Le Plessis, gentilhomme de la Manche, l'entendît : " Voilà le Grand Turc qui passe. " Le Plessis le dit à Son Éminence, et Son Éminence à la Reine, qui le pressa autant qu'elle put de lui dire qui lui avait dit cela ; mais il ne le voulut jamais nommer, car tantôt il disait que c'était un rousseau, tantôt un homme blond. Enfin la Reine se fâcha tout à fait, mais il tint ferme jusqu'à la fin, et ne nomma jamais celui qui avait donné le nom de Grand Turc au Cardinal ; aussi crois-je qu'il avait cette pensée de lui-même.

« Il est vrai qu'il était fort secret, et je puis dire y avoir contribué ; car je lui ai dit plusieurs fois, pour l'y préparer, qu'il fallait qu'il fût secret, et que si jamais il venait à dire ce qu'on lui aurait dit, il pouvait s'assurer qu'il ne saurait jamais rien que les nouvelles de la gazette. »

Le garçonnet, c'est le moins que l'on puisse dire, ne nageait pas dans une opulence royale sous la gouverne de son parrain Mazarin.

« La coutume est que l'on donne au Roi tous les ans douze paires de draps et deux robes de chambre, une d'été et l'autre d'hiver : néanmoins, je lui ai vu servir six paires de draps trois ans entiers, et une robe de chambre de velours vert doublée de petit-gris, servir hiver et été pendant le même temps, en sorte que la dernière année elle ne lui venait qu'à la moitié des jambes ; et pour les draps, ils étaient si usés que je l'ai trouvé plusieurs fois les jambes passées au travers, à cru sur le matelas ; et toutes les autres choses allaient de la même sorte, pendant que les partisans étaient dans la plus grande opulence et dans une abondance étonnante.

« Un jour, le Roi voulant s'aller baigner à Conflans, je donnai les ordres accoutumés pour cela. On fit venir un carrosse pour nous conduire avec les hardes de la chambre et de la garde-robe ; et comme j'y voulus monter, je m'aperçus que tout le cuir des portières qui couvraient les jambes était emporté, et tout le reste du carrosse tellement usé qu'il eut bien de la peine à faire ce voyage. Je montai chez le Roi, qui étudiait dans son cabinet ; je lui dis l'état de ses carrosses, et que l'on se moquerait de nous si on nous y voyait aller : il le voulut voir et en rougit de colère. Le soir, il s'en plaignit à la Reine, à Son Éminence et à M. de Maisons, alors surintendant des Finances ; en sorte qu'il eut cinq carrosses neufs.

« Je ne finirais point si je voulais rapporter toutes les mesquineries qui se pratiquaient dans les choses qui regardaient son service ; car les esprits de ceux qui devaient avoir soin de Sa Majesté, étaient si occupés à leurs plaisirs ou à leurs affaires, qu'ils se trouvaient importunés lorsqu'on les avertissait de leur devoir. »

Dans l'indifférence générale, Pierre grondait, moralisait, expliquait à l'enfant des codes de l'honneur chevaleresque. Il faisait de son mieux, dans le relâchement coupable et scandaleusement flatteur de ceux qui avaient la charge officielle de l'éduquer. Peut-être à cause de cela, l'enfant l'aimait bien :

« Le soir je pris sujet là-dessus pour lui faire un chapitre sur la complaisance que l'on a pour les grands ; je l'avais déjà grondé pour quelque chose qu'il avait fait, ce qui l'engagea à me demander si je grondais mes enfants comme je le grondais. Je lui répondis que si j'avais des enfants qui fissent les choses qu'il faisait, non seulement je les gronderais, mais que je les châtierais sévèrement ; et qu'il n'était pas permis à des gens de notre condition d'être des sots, si nous ne voulions mourir de faim ; mais que les rois, quelque sots qu'ils fussent, étaient assurés de ne manquer de rien.

« Quelque chose que je lui aie dite, il n'en a jamais témoigné d'aversion pour moi : bien loin de là, lorsqu'il voulait dormir, il voulait que je misse la tête sur son chevet auprès de la sienne, et s'il s'éveillait la nuit, il se levait et venait se coucher avec moi ; en sorte que plusieurs fois je l'ai reporté tout endormi dans son lit : il était fort docile et se rendait toujours à la raison. »

Et puis ce furent les troubles...
Vers la fin de la décennie 1640, les façons dictatoriales de gouverner qui menaient la monarchie à sa perte faisaient naître partout la rogne et la grogne. En Angleterre, le Parlement résistait victorieusement depuis plusieurs années à la volonté absolutiste de son roi, qu'il finit par déposséder et exécuter à la hache. Pris de courage et d'émulation, le Parlement de Paris voulut à son tour mettre un frein au pouvoir arbitraire. Mazarin s'était rendu tellement « impopulaire » que le Parlement se révolta en compagnie des grands seigneurs du royaume, qui montèrent le peuple de Paris contre ce cardinal, que l'on disait bien pire que le cardinal d'antan. Celui-ci était en plus coquin et jouisseur. Il gouvernait le pays, disait-on, avec ses parties génitales ! « Qui croirait cette vérité, que mon maître messire Jules ait acquis son autorité par l'effet de ses testicules ? »
Ce fut la guerre civile, la Fronde contre ce Jules qui devint plus détesté et haï que ne l'avait jamais été Armand, son maître. Ah ! depuis qu'on avertissait la Reine de ce qui allait arriver ! Tout ça était bien sa faute, à elle qui n'avait rien

voulu entendre. Même à présent, elle était tellement entichée de son Italien qu'elle était devenue incorrigible. Bien loin dans le passé se trouvait Anne la Reine aimée et opprimée. On écrivait maintenant des choses fort inconvenantes sur ce couple qui régentait la France.

Peuple, n'en doutez plus, il est vrai qu'il la fout,
Et que c'est par ce trou que Jules nous canarde ;
Les grands et les petits en vont à la moutarde :
Respect bas, il est temps qu'on le sache partout.

Son crime est bien plus noir que l'on ne pense pas ;
Elle consent, l'infâme, au vice d'Italie,
Et croirait sa débauche être moins accomplie,
Si son cul n'avait part à ses sales ébats.

Il fallut fuir... Paris était devenu dangereux. Il fallut prendre la route. La Cour nomade et mendiante parcourait les chemins de France avec le petit Roi, son jeune frère, leur maman éplorée qui fuyaient l'armée des princes révoltés : le duc d'Enghien en tête, à qui son père, en mourant, avait laissé le titre de prince de Condé. Le vainqueur de Rocroi avait le commandement en chef des troupes rebelles. C'était la bohème... Ça donnait de petites scènes de famille...

« De Montereau nous vînmes à Corbeil, où le Roi voulut que Monsieur couchât dans sa chambre, qui était si petite qu'il n'y avait que le passage d'une personne. Le matin, lorsqu'ils furent éveillés, le Roi sans y penser cracha sur le lit de Monsieur, qui cracha aussitôt tout exprès sur le lit du Roi, qui un peu en colère lui cracha au nez : Monsieur sauta sur le lit du Roi et pissa dessus ; le Roi en fit autant sur le lit de Monsieur : comme ils n'avaient plus de quoi cracher ni pisser, ils se mirent à tirer les draps l'un de l'autre dans la place ; et peu après ils se prirent pour se battre. Pendant ce démêlé je faisais ce que je pouvais pour arrêter le Roi ; mais n'en pouvant venir à bout, je fis avertir M. de Villeroy, qui vint mettre le holà. Monsieur s'était plus tôt fâché que le Roi, mais le Roi fut bien plus difficile à apaiser que Monsieur. »

Dans le dénuement momentané, le Cardinal vole même l'argent de poche que le petit Roi touche pour rembourser ses serviteurs, lesquels sont obligés de payer pour lui.

« Le Roi soupa et fut chez Son Éminence jusqu'à ce qu'il voulût se coucher ; quand il fut couché, et que tout le monde se fut rentré, je lui dis ce que Moreau m'avait chargé de lui dire : à quoi il répondit tristement qu'il n'avait plus d'argent. Je lui demandais s'il avait joué chez Monsieur le Cardinal, il me répondit que non ; et plus je le pressais pour savoir ce qu'il en avait fait, et moins il avait envie de me le dire. Enfin, je devinai et lui dis : " N'est-ce point Monsieur le Cardinal qui vous a pris votre argent ? " Il me dit oui, mais avec un chagrin si grand, qu'il était aisé de voir qu'il ne lui avait pas fait plaisir de lui prendre son argent, ni moi de lui demander ce qu'il en avait fait. »

Mais la guerre civile avait plongé le pays dans une misère noire. Surtout l'Ile-de-France, où la Reine et le petit Roi assistaient à des scènes atroces...

« Le Roi voyait quantité de soldats malades et estropiés qui couraient après lui, demandant de quoi soulager leur misère, sans qu'il eût un seul douzain à leur donner ; de quoi tout le monde s'étonnait fort.
« Outre la misère des soldats, celle du peuple était épouvantable ; et dans tous les lieux où la Cour passait, les pauvres paysans s'y jetaient, pensant y être en sûreté, parce que l'armée désolait la campagne. Ils y amenaient leurs bestiaux, qui mouraient de faim aussitôt, n'osant sortir pour les mener paître. Quand leurs bestiaux étaient morts, ils

mouraient eux-mêmes incontinent après ; car ils n'avaient plus rien que les charités de la Cour, qui étaient fort médiocres, chacun se considérant le premier ; ils n'avaient de couvert, contre les grandes chaleurs du jour et les fraîcheurs de la nuit, que le dessous des auvents, des charrettes et des chariots qui étaient dans les rues ; quand les mères étaient mortes, les enfants mouraient bientôt après ; et j'ai vu sur le pont de Melun, où nous vînmes quelque temps après, trois enfants sur leur mère morte, l'un desquels la tétait encore. Toutes ces misères touchaient fort la Reine ; et même comme on s'en entretenait à Saint-Germain, elle en soupirait, et disait que ceux qui en étaient cause auraient un grand compte à rendre à Dieu, sans songer qu'elle-même en était la principale cause. »

La guerre durait... Les princes étaient les maîtres de Paris. On arrivait en 1652 – le roi Louis avait grandi ; il allait sur ses quatorze ans, moins quelques mois. C'était un garçon de belle mine, bien proportionné, musclé, un beau petit éphèbe pubère. Et Mazarin, qui avait été lui-même éphèbe autrefois, lorgnait l'adolescent avec quelque regain d'appétit. Il avait cinquante ans, un bel âge, il était de plus en plus ému par son jeune homme de Roi...

Mazarin se disait aussi, en Éminence avisée, que ce petit Roi allait bientôt se réveiller dans la peau d'un petit lion. Lorsque son père avait fait la même chose, au début du siècle, ça s'était terminé par l'assassinat pur et simple de son prédécesseur et compatriote : Concini ! Le même instrument qui lui avait permis de gouverner jusqu'ici – malgré les présents aléas – en se faisant aimer de la Reine Mère pouvait aussi lui servir à se faire accepter de ce beau jeune homme. Il continuerait de la sorte à conserver le pouvoir, source d'honneur et de revenus.

Or, à force de se pourlécher les babines, un beau jour de fête, en été, l'occasion avait fait l'herbe tendre...

« Vers la fin de juin, le Roi fit quelque séjour à Melun, où pour se divertir il fit faire un petit fort au bord de l'eau ; et tous les jours, il y allait faire collation.

« Le jour de la Saint-Jean de la même année 1652, le Roi ayant dîné chez Son Éminence, et étant demeuré avec lui jusques vers les 7 heures du soir, il m'envoya dire qu'il se voulait baigner : son bain étant prêt, il arriva tout triste, et j'en connus le sujet sans qu'il fût nécessaire qu'il me le dît. La chose était si terrible, qu'elle me mit dans la plus grande peine où j'aie jamais été, et je demeurai cinq jours à balancer si je la dirais à la Reine. Mais considérant qu'il y allait de mon honneur et de ma conscience de ne pas prévenir par un avertissement de semblables accidents, je la lui dis enfin, dont elle fut d'abord satisfaite et me dit que je ne lui avais jamais rendu un si grand service : mais comme je ne lui nommai pas l'auteur de la chose, n'en ayant pas de certitude, cela fut cause de ma perte, comme je le dirai en son lieu. »

Sur ces entrefaites, et pour ainsi dire, ce baiser d'adieu, Mazarin dut déguerpir quelque temps pour calmer l'atmosphère ; il s'exila volontairement et se réfugia à Sedan, ville qui appartenait à Turenne, qui commandait le parti du Roi. Mazarin revint en force à la fin de l'automne ; il reprit le pouvoir tout à fait raffermi.

« Il revint ; les Parisiens le reçurent avec joie après la bataille, et tous les princes étant sortis de Paris, le Roi y demeura le maître. Monsieur le Cardinal fut raffermi dans son autorité, dont une grande marque fut la prison du cardinal de Retz, que je vis arrêter ; et là-dessus, j'admirai l'inconstance des Français à l'égard du cardinal Mazarin, sur qui, après avoir bien crié *tollé !* ils se tuaient à son retour pour aller au devant de lui ; et ceux mêmes qui avaient été ses plus grands ennemis furent les plus empressés à se produire et à lui faire la révérence. Je vis une multitude de gens de qualité faire des bassesses si honteuses en cette rencontre, que je n'aurais pas voulu être ce qu'ils étaient à condition d'en faire autant : tout le monde disait tout haut au Roi et à la Reine que toute la France était mazarine, et qu'il n'y avait personne qui ne tînt à grande gloire de l'être. J'étais dans le cabinet de la Reine lorsque Son Éminence y entra ; j'y vis, parmi tant de gens qui s'étouffaient à qui se jetterait à ses pieds le premier ; j'y vis, dis-je, un religieux qui se prosterna devant lui avec tant d'humilité, que je crus qu'il ne s'en relèverait point. »

Pierre, au moment de ce retour, n'était pas en service ; il devait entrer en quartier le 1er avril 1653. La veille de ce jour, il reçut l'ordre de ne point se présenter, consommant ainsi, pour avoir eu la langue trop longue, sa dernière disgrâce de la cour de France ! C'était la troisième fois qu'il était bouté dehors en un peu plus de trente années de loyaux services !

« Le 30 mars au matin, comme je me levais, je vis entrer Gaboury dans ma chambre. Après les civilités ordinaires, il me dit de faire retirer mes gens, parce qu'il avait quelque chose à me dire ; et après quelques excuses de ce qu'il n'avait pu s'empêcher de m'apporter une nouvelle qui me toucherait, il m'annonça que la Reine lui avait commandé de me venir dire de ne point servir mon quartier, et que je priasse un de mes compagnons de servir pour moi. Je lui demandai si c'était pour toujours et si c'était une véritable disgrâce. Il me répondit qu'oui, et que la Reine lui avait commandé de me dire que je ne la visse point, ni le Roi, ni Son Éminence ; que je fisse le malade et me misse au lit, et que je ne parlasse à personne ; ce qui me sembla bien extraordinaire, car les rois n'ont pas accoutumé de tenir secrets les châtiments qu'ils font à ceux qui les ont mérités. »

A l'automne de cette même année, Pierre de La Porte dut

se démettre de sa charge, qui lui fut rachetée. Dix ans plus tard, le cardinal Mazarin étant mort depuis deux ans, le Roi régnait pour son propre compte. Pierre apprit par des amis que la vieille Reine, qui voulait se justifier d'avoir sacrifié cet incorruptible serviteur, avait laissé entendre qu'il avait eu lui-même, Pierre de La Porte, le chevalier servant, le héros de la Bastille (ancienne manière), des mœurs si peu recommandables qu'il avait fallu mettre le petit Roi à l'abri !... Ô calomnie suprême ! Pierre, bouillant d'indignation, refit de l'encre et reprit la plume.

Il avait alors soixante ans ; il demanda respectueusement, mais fermement, à son ancienne et bien-aimée maîtresse – bien vieillissante et déjà très cancéreuse – de remettre la pendule à jour :

« Madame,

« Que Votre Majesté me permette s'il lui plaît de lui dire avec le respect que je lui dois, que sans y penser elle m'ôte l'honneur et la réputation, en disant à tous ceux qui lui parlent de moi, que je suis plus coupable qu'ils ne le pensent. Votre Majesté peut-elle dire cela en conscience ? Non, Madame, elle ne le peut car voici le sujet de ma disgrâce. Je donnai avis à Votre Majesté à Melun, en 1652, que le jour de la Saint-Jean le Roi, dînant chez Monsieur le Cardinal, me commanda de lui faire apprêter son bain sur les 6 heures dans la rivière, ce que je fis ; et le Roi en y arrivant me parut plus triste et plus chagrin qu'à son ordinaire ; et comme nous le déshabillions, l'attentat manuel qu'on venait de commettre sur sa personne parut si visiblement, que Bontemps, le père, et Moreau le virent comme moi. Mais ils furent meilleurs courtisans que moi : mon zèle et ma fidélité me firent passer par dessus toutes les considérations qui me devaient faire taire, et je crus être obligé en conscience d'en avertir Votre Majesté. Je le fis, et elle me témoigna être satisfaite de mon procédé, en me disant que tous les services que je lui avais rendus n'étaient rien en comparaison de celui-là. Votre Majesté se souviendra, s'il lui plaît, que je lui ai dit que le Roi parut fort triste et fort chagrin ; ce qui était une marque assurée qu'il n'avait pas consenti à ce qui s'était passé et qu'il n'en aimait pas l'auteur. Je ne voudrais pas, Madame, en accuser qui que ce soit, parce que je craindrais de me tromper ; mais ce qui est certain, c'est que si je n'eusse point donné cet avis à Votre Majesté, je serais encore auprès du Roi, mais j'aurais manqué à la fidélité que je lui devais.

« Je n'ai plus qu'une seule chose à dire à Votre Majesté, c'est que le Roi sait la vérité ; si elle a pour agréable de lui en parler lorsqu'il fera ses dévotions, je ne crois pas qu'une si belle âme aille contre la vérité en une chose où il y va de sa conscience. Il ne s'agit point de savoir qui est le coupable, mais seulement si je le suis ou non. La chose demeurera éternellement secrète, et moi toute ma vie, de Votre Majesté, le très-humble », etc.

La requête n'ayant eu aucune suite, ce fut un vieil homme de soixante et trois ans, fier et obstiné, qui retrouva à Fontainebleau, un jour de juillet 1666, le « fils de son silence »...

Petit Louis, dit XIV, était devenu grand, sinon par la taille, au moins par le retentissement qu'il avait plaisir à donner à sa situation sociale. Il avait pour Reine, à présent, l'autre quarteronne : sa parallèle et double cousine, l'enfant du frère de sa mère et de la sœur de son père, *María Teresa*, née deux jours après lui, qui était par le sang comme sa demi-sœur espagnole. Cette petite Reine maigrichonne était pieuse, triste, seule et elle parlait la langue de maman Anne. Elle avait, comme sa tante et belle-mère, de beaux châteaux dans la tête...

Ainsi Pierre jouait-il fièrement son éternel retour ; il rentrait en grâce pour la dernière fois à l'endroit même où il avait été chassé de cette Cour, lors de sa première disgrâce, quarante et deux années plus tôt. La raison en était alors qu'il avait trop bien servi sa dame, fort courtisée par Boukingame, le bel Anglais.

« Enfin, après la mort de cette princesse, qui arriva en 1666, vers la fin de janvier, quoique je n'eusse aucune espérance de rentrer dans ma charge, ni de me faire payer de plusieurs années de mes appointements qui m'étaient dues, néanmoins je considérai le tort que cette disgrâce faisait à ma famille, et que le Roi sachant mon innocence, qu'il n'avait laissé opprimer qu'à cause de son bas âge, il était trop juste pour ne la vouloir pas faire connaître, et me rendre au moins ma réputation si je lui en faisais parler [des amis étaient intervenus pour lui, on lui fit dire qu'il pouvait revoir le Roi].

« Aussitôt que Mme la comtesse de Montignac m'eut appris cette nouvelle par une lettre de M. son mari, je m'en allai à Fontainebleau où était alors la Cour ; et y étant arrivé, M. le comte de Montignac me présenta à M. Le Tellier, qui me reçut fort agréablement. Et après que je l'eus remercié, il me dit que je pouvais me présenter au Roi et que les chemins étaient aplanis ; mais que je me gardasse bien d'entrer dans aucun éclaircissement avec Sa Majesté.

« Le lendemain, 20 juillet, comme le Roi sortait du Conseil, M. le comte de Montignac me présenta à Sa Majesté ; et après l'avoir remercié des grâces qu'il me faisait, et qu'il m'eut témoigné avoir pour agréable que j'eusse l'honneur de le voir, j'allai à sa messe et à son dîner, et huit jours durant je fus à son lever, où Sa Majesté m'accorda les mêmes entrées que lorsque j'étais en possession de ma charge.

« Mme de Montausier me présenta à la Reine, qui me reçut fort bien, et s'informa fort à cette dame et à Mme la nourrice de toutes mes aventures : sur quoi elles ne purent pas la satisfaire pleinement, car personne n'a su, hors les intéressés, la véritable cause de ma disgrâce. »

Dans la petite maison de Brie, c'est à présent l'automne. Un vent aigre souffle sur la Marne toute proche, où des bateliers crient. Pierre, devant sa cheminée, songe que ces berges sont moins hospitalières que les bords du Loir ; il vit, entre ses parents et la dévotion aux affaires divines, paisiblement, le reste de son âge.

Une servante lente et lourde vient poser un poêlon dans un coin de l'âtre ; elle demande avec douceur :

– Monsieur veut-i que j'li fassions un bouillon astheure ?

Le vieil homme crache au feu ; il secoue la tête.

– Un bouillon, dites-vous ?... Non. Je n'en veux point. Pas maintenant.

Il repose le court bâton de buis qui lui sert à remuer son encre neuve et place délicatement sous le pot de grès quelques cendres chaudes et deux ou trois charbons ardents.

Paris, 86, rue Quincampoix,
le 1ᵉʳ décembre 1984 à midi.

EXPRESSIONS ANCIENNES

La plupart des termes employés dans ce livre se trouvent dans un dictionnaire général de langue, quelques-uns seulement sont dans le sens et l'usage que leur donne le *Dictionnaire universel* de Furetière de 1690. En ce qui concerne les locutions ou expressions populaires, leur signification exacte est donnée par le dictionnaire des *Curiositez françoises* d'Antoine Oudin de 1640.

EXEMPLES

Bander sa caisse, s'en aller. Cela est tiré des tambours qui bandent leur caisse en partant d'un lieu.

Baisez-moi au cul, la bouche est malade, c'est une réponse à un importun qui demande un baiser, etc.

ANCIENNES MESURES

La ligne = 2,25 millimètres.
Le pouce = 12 lignes = 2,70 centimètres.
La palme = 3 pouces = 8,12 centimètres.
Le pied = 12 pouces = 32,48 centimètres.
La coudée = 1,5 pied = 48,72 centimètres.
L'aune = 1,1885 mètre.
La toise = 6 pieds = 4 coudées = 1,949 mètre.
La lieue = 4,444 kilomètres (9 lieues = 40 kilomètres).
La livre = 0,489 kilogramme.
Le quarteron = 1/4 de livre = 0,1246 kilogramme.

TABLE

1. Le fils de mon silence

2. Des châteaux en Espagne

Épilogue